DANKA

Krew na sutannie

BRAUN

Mojemu bratankowi Kamilowi Kluczewskiemu.
Kamilu, taki wnuk jak Ty to marzenie wszystkich babć i dziadków.

Ściągawka dla czytelników

Mark Biegler – dziennikarz wiedeński o polskich korzeniach
Marta Kruczkowska-Biegler – żona Marka
Ryszard Bieda – komisarz policji

Beata Makowska-Tomczyk – pracownik Fundacji „Nasze Dzieci"
Artur – dawny chłopak Beaty
Aldona Makowska – siostra Beaty
Darek Makowski – brat Beaty
Zofia – babcia Artura
Halina – matka Artura
Paweł Tomczyk – mąż Beaty
Zbigniew Tomczyk – szwagier Beaty
Michał Tomczyk – syn Beaty
Karolina Tomczyk – córka Beaty
Teresa Tomczyk – teściowa Beaty

Bolesław Ślęzak – były dyrektor (prezes) Fundacji „Nasze Dzieci" w Osieku
Marian Bielecki – dyrektor Fundacji „Nasze Dzieci"
Ksiądz Piotr – dyrektor szkoły w Osieku
Ingrid Schulz – milionerka, sponsor Fundacji „Nasze Dzieci"

Edward Nasiadka – prowincjał Zgromadzenia Księży Katechetów
Zygmunt Pałasz – ekonom Zgromadzenia
Tadeusz Gil – superior Zgromadzenia
Janina Kajda – główna księgowa Zgromadzenia
Arleta Kumięga – księgowa
Wojciech Zakała – furtian
Zofia Trzaska – sprzątaczka
Agata Kutaj – kucharka

Kazimierz Wesołowski – biskup, znajomy prowincjała
Igła – ministrant
Biały – ministrant
Wiatr – ministrant

Prolog

Listopad 1986

Wiatr wszedł do kościoła. Przywitał go chłód wymieszany z charakterystycznym zapachem świec i kadzidła. Było jeszcze pół godziny do mszy, ale jak zawsze wolał przyjść wcześniej. Nigdy nie spóźniał się ani na lekcje, ani na msze. Dziwne, ale polubił posługę ministranta. Mama na początku była temu trochę przeciwna, widząc jednak, że dodatkowe zajęcia nie przeszkadzają synowi w nauce, bez szemrania pozwalała mu chodzić do kościoła.

Matka Wiatra nigdy nie była zbyt religijna, to ojciec musiał wyciągać ją w niedzielę na poranną mszę. Z zawodu chemik, zrobiła habilitację na Politechnice Krakowskiej i jako członek PZPR niezbyt poważnie traktowała aspekty wiary. Nie chciała jednak kłócić się z mężem, który przynależność do społeczności chrześcijańskiej traktował jako wyraz buntu przeciw ideologii komunistycznych władz. W latach osiemdziesiątych prawie cała polska opozycja skupiała się wokół Kościoła. Ksiądz Popiełuszko stał się symbolem, narodowym bohaterem.

Ojciec Wiatra już dawno rzucił legitymacją partyjną, ale jako znany kardiolog mógł sobie na to pozwolić. Nie musiał robić kariery w państwowym szpitalu, pieniądze zarabiał, prowadząc prywatną praktykę. Natomiast kariera zawodowa jego żony nie mogłaby się rozwijać, gdyby młoda naukowiec wypisała się z partii. Dlatego musiała nadal być członkiem PZPR, żeby zrealizować swoje naukowe ambicje i marzenia. Nie chciała poprzestać na habilitacji, pragnęła sięgnąć wyżej, po profesurę.

Piotrek, zwany przez wszystkich w szkole Wiatrem, został ministrantem, ponieważ namówili go dwaj najbliżsi koledzy: Igła i Biały. W trójkę służyli do mszy w pobliskim kościele. Na początku traktowali to jako formę zabawy, coś nowego i ciekawszego niż podchody czy wygłupy na trzepaku, później jednak asystowanie księżom stało się dla nich pewnym wyróżnieniem. Chłopaki z klasy zazdrościli im, a dorośli okazywali szacunek i sympatię. Dla Wiatra, wpatrzonego w ojca, jego służba przed ołtarzem stała się symbolem walki z reżimem komunistycznym, a ksiądz Popiełuszko – bohaterem narodowym, kimś na wzór Kościuszki czy Piłsudskiego. Chociaż Wiatr miał dopiero jedenaście lat, był na wskroś przesiąknięty patriotycznymi ideałami, które wpajali mu ojciec i dziadkowie. Rodzina Piotrka, po mieczu, od pokoleń należała do intelektualnej śmietanki Krakowa. Sami prawnicy, lekarze i naukowcy. Mimo historycznych zawirowań nadal dzierżyli mocno w dłoni pałeczkę przedstawicieli starej dobrej krakowskiej inteligencji, by przekazać ją dalej młodemu pokoleniu. Komunistyczne władze państwowe chciały zrobić z Krakowa miasto robotnicze, budując Nową Hutę, niestety poniosły sromotną klęskę. Kraków pozostał miastem wichrzycieli i niepokornych buntowników.

Biały był potomkiem tych, którzy przyjechali budować Nową Hutę. Hutę wybudowano, niestety ojciec Białego nie zdążył się tym długo nacieszyć, bo zginął przy remoncie pieca martenowskiego, zostawiając żonę i pięcioro dzieci. Biały był z nich najmłodszy. Mimo usilnych starań matki i dziadków wychowanie piątki dzieci było nie lada wyzwaniem. Kobiecie z dużym trudem udawało się wiązać koniec z końcem, ale dzięki pomocy Kościoła i księży głód nigdy nie zajrzał do ich niewielkiego mieszkanka. Biały został ministrantem, bo nakazała mu to mama, chcąc w ten sposób wyrazić wdzięczność za otrzymane prezenty z zagranicznych darów, które po stanie wojennym przybywały do ich kościoła z całego świata. No i obecność Białego przy ołtarzu miała niejako przypominać, żeby proboszcz pamiętał o ich rodzinie i nadal ich obdarowywał.

Całkiem innymi motywami kierował się Igła, gdy zostawał ministrantem. Jego babcia, która go wychowywała, kiedy matka pojechała za granicę, była bardzo religijna – dlatego zaszczepiła tę wiarę również chłopcu. To przede wszystkim Igła przekonał Wiatra, żeby ten został ministrantem.

Dziś dyżur przy liturgii przypadał Wiatrowi i Białemu.

Biały na pewno się spóźni – pomyślał Wiatr, zdejmując z głowy czapkę. Piotrek był do tego przyzwyczajony, dlatego nie burzył się zbytnio, że i tym razem zastąpi kolegę w obowiązkach.

Kościół był jeszcze nieoświetlony, ale w zakrystii świeciło się światło. Dziś mszę mieli odprawić proboszcz i nowy wikary, który uczył religii. Chociaż po zajęciach w szkole uczniowie musieli przejść kawałek drogi do sali katechetycznej znajdującej się w domu parafialnym, klasa zawsze stawiała się tam cała, bez wyjątku. Nie było ani jednego ucznia, którego rodzina nie posyłałaby na katechezę – przychodziły nawet dzieci partyjniaków.

Wiatr zapukał w drzwi. Nie słysząc odpowiedzi, wszedł dalej. Na krześle siedział proboszcz. Jeszcze nie był ubrany w szaty liturgiczne, tylko w sutannę, w której chodził na co dzień. Przed nim klęczał wikary. W pierwszej chwili Wiatr pomyślał, że młody ksiądz się modli, ale zauważył dziwny wyraz twarzy proboszcza i podkasaną sutannę. To powstrzymało go przed wypowiedzeniem słów powitania: „Niech będzie pochwalony Jezus Chrystus". Dopiero po jakimś czasie dotarło do niego, co się tam dzieje. Chłopak poczerwieniał ze zmieszania i niedowierzenia. W tym momencie spojrzenia proboszcza i chłopca skrzyżowały się. Wiatr odwrócił się gwałtownie i wybiegł z zakrystii.

– Zatrzymaj się, chłopcze! – Usłyszał za plecami ostry głos proboszcza. – Leć za nim! Złap go! On nie może stąd wyjść!

Wiatr biegł. Uciekał przed tym, co zobaczył. Nagle jego nogi wpadły w próżnię. Poczuł przeszywający ból, a chwilę później pochłonęła go czarna czeluść nieświadomości.

Rozdział 1

Trzydzieści lat później

Mark i Robert biegli obok siebie, głośno oddychając. Zrobili dziś pięć kilometrów, ale do domu mieli już niedaleko. Prawie codziennie po kolacji urządzali sobie wieczorny jogging. Czasami towarzyszyła im Marta, żona Marka Bieglera, lub Krzysiek. Ani Renata, żona Roberta Orłowskiego, ani jego piętnastoletnia córka nigdy z nimi nie biegały. Tym razem biegli we dwójkę, ponieważ Marta piekła sernik na szkolną dyskotekę. Od kilkunastu miesięcy pracowała jako nauczycielka biologii w liceum, co sprawiało jej dużą satysfakcję i radość. Krzysiek, syn Orłowskich, wraz z rodziną wyjechał na wczasy do Hiszpanii.

– Muszę trochę odpocząć – wysapał Robert, zwalniając. – Chciałbym zobaczyć ciebie, mądralo, jak będziesz biegał za dwadzieścia lat, w moim wieku.

– Dzięki, Robert, że propozycja odpoczynku wyszła z twojej strony. Ja też się zmęczyłem, ale muszę trzymać fason przed tobą. Jak sam zauważyłeś, jestem dwadzieścia lat młodszy, a to zobowiązuje. Wstyd, żeby pokonywał mnie staruszek w twoim wieku – uśmiechnął się, pochylając, by zawiązać sznurowadło w adidasach.

– Cholera, co za czasy, za grosz szacunku dla starszych. Nie kpij sobie, smarkaczu, z siwych skroni. – Orłowski oparł się o drzewo. – Dość tego dobrego, resztę drogi do domu zrobię krokiem marszowym. Nie chcę dostać zawału.

Chwilę odpoczęli i wkroczyli chodem Korzeniowskiego w tunel leśnych drzew.

Dojście do rezydencji Orłowskich zajęło im niecały kwadrans. Oprócz domu Roberta i jego rodziny na posesji stały dom Krzyśka i domek matki, Barbary Orłowskiej-Johannson, oraz olbrzymi garaż, nad którym wybudowano dla Marty i Marka Bieglerów piękny apartament. Marta była nieślubną córką Roberta i chociaż dopiero od kilku lat wiedzieli o sobie, więź, która między nimi się wytworzyła, była tak samo silna, jakby znali się od narodzin Marty.

– Zobacz, ktoś do nas przyjechał – zauważył Mark.

– Nie wiem, czyj to samochód – stwierdził zdziwiony Robert. – Nikt z moich znajomych nie jeździ takim gruchotem.

Rzeczywiście stary opel astra był w dość opłakanym stanie.

Weszli do środka. Nie zdążyli ściągnąć butów, by przebrać się w domowe kamasze, gdy usłyszeli głos Renaty:

– Chodźcie tu. Czekamy na was. Mamy gości.

– Wcześniej powinniśmy wziąć prysznic – powiedział Robert, wchodząc do pokoju. Widząc dwie kobiety siedzące w fotelach, dodał z uśmiechem: – Zwłaszcza gdy gośćmi są piękne kobiety.

– Nie bajeruj, stary donżuanie – powiedziała Renata. – Piękne kobiety przyszły nie do ciebie, tylko do Marka.

– Dzięki tobie, Beato, mnie też dostał się komplemencik – odparła jedna z kobiet.

– Cześć, Iwonko – powiedział Robert, całując dłoń koleżanki żony i zarazem swojej pracownicy.

– I jeszcze dostałam bonus od szefa w postaci pocałunku w rękę – stwierdziła z uśmiechem Iwona, która zazwyczaj była onieśmielona w towarzystwie męża swojej przyjaciółki.

– Iwona, pierwszy raz widzę cię taką rozmowną – zauważyła Renata. – Zawsze przy moim mężu drżysz ze strachu jak osika.

– To dzięki drinkowi, który mi zaserwowałaś – mruknęła trochę zażenowana kobieta.

– Panowie, poznajcie panią Beatę, koleżankę i sąsiadkę Iwony.

Koleżanka Iwony miała około czterdziestu lat, chociaż wyglądała na młodszą dzięki drobnej budowie ciała i niewysokiemu wzrostowi. Miała regularne rysy twarzy, kasztanowe włosy obcięte na Kleopatrę i piękne niebieskie oczy w oprawie gęstych i długich jak u lalki rzęs. Właśnie te oczy były w niej najbardziej fascynujące. Kiedy spojrzała, patrzącym na nią mężczyznom puls gwałtownie przyspieszał. Kobietom nic się nie działo... nie licząc zazdrości zalewającej duszę.

Chociaż nie była typem seksbomby z blond włosami, nogami do nieba i biustem wypływającym z dekoltu, emanowała wyjątkowym seksapilem, czego nie omieszkali zauważyć Robert i Mark.

– Beata Tomczyk – przedstawiła się kobieta, witając się z nimi.

– Pani Beata jest moją krajanką, pochodzi z Żurady. Znałam jej mamę. Niestety niezbyt dobrze, bo była ode mnie parę lat starsza. – Renata zwróciła się do Marka. – Pani Beata ma prośbę do ciebie, Mark. Potrzebuje twojej pomocy.

– Mojej pomocy? – zdziwił się Mark. – Nie za bardzo rozumiem, w czym mógłbym pani pomóc.

– Iwona mi mówiła, że pan rozwiązał kilka zagadek kryminalnych. To znaczy znalazł mordercę... Potrzebujemy kogoś takiego – powiedziała z wahaniem Beata.

Mark się zaśmiał.

– To jakaś pomyłka. Ja nie jestem detektywem.

– Wiem. Mimo to słyszałam, że jest pan lepszy w tych sprawach od policji. Kilkakrotnie odnalazł pan zabójcę.

– Tylko trzy razy miałem styczność z takimi przypadkami. I wcale nie jestem lepszy od policji. Po prostu miałem szczęście.

– Mark, nie bądź taki skromny – wtrąciła Renata. – Gdyby nie ty, Anka by już nie żyła. Martę też uratowałeś z rąk porywacza.

– Gwoli ścisłości, nie ja uratowałem Martę, tylko wiedeńska policja. Więcej, uratowali nie tylko ją, lecz także mnie.

– Przestań, Mark! Jesteś prawie tak dobry w te klocki jak Herkules Poirot i Sherlock Holmes – zaprzeczyła gwałtownie Renata. – Wysłuchaj, co pani Beata ma do powiedzenia.

– Hm, no to proszę mówić – powiedział z wahaniem Biegler. – Ale proszę pamiętać, że od tego jest policja.

– Policja działa bardzo opieszale. Nie za bardzo wierzę w ich skuteczność. Boję się, że mój znajomy ksiądz przyzna się do zbrodni, jeśli prawdziwy zabójca nie zostanie złapany.

Mark zmarszczył brwi z niedowierzaniem.

– Nie rozumiem.

– Zaraz wszystko wyjaśnię. Zamordowano księdza prowincjała Zgromadzenia Księży Katechetów, Edwarda Nasiadkę. Fundacja, w której pracuję, należy do tego Zgromadzenia. Księża bardzo nie lubią rozgłosu, a jeszcze bardziej nie lubią, gdy ktoś za bardzo im się przygląda. W obawie, że media nagłośnią sprawę, każą mojemu znajomemu księdzu przyznać się do winy, żeby ukręcić sprawie łeb. A on jest gotów to zrobić...

– Cóż za nonsensy pani wygaduje – prychnął Mark. – Kto przy zdrowych zmysłach przyznałby się do morderstwa?!

– Pan ich nie zna. Posłuszeństwo wobec przełożonych jest dla nich bezwarunkowym nakazem. Przez wiele lat przechodzą pranie mózgu, nie potrafią sprzeciwić się zwierzchnikom. Mój znajomy ksiądz dla dobra sprawy gotów jest nadstawić drugi policzek. Proszę nie patrzeć tak na mnie, wcale nie przesadzam. Jest głównym podejrzanym, bo był ostatnią osobą, która widziała ofiarę.

– No to może jest winny – zauważył Mark.

– Ależ skąd! – oburzyła się Beata. – Nie spotkałam drugiego tak porządnego księdza jak on! To święty człowiek. Zaraz opowiem dokładniej. – Odsapnęła chwilkę. – Pracuję w Fundacji „Nasze Dzieci" w miejscowości Osiek, trzydzieści kilometrów od Krakowa. Fundację piętnaście lat temu założyło Zgromadzenie Księży Katechetów. Prezesem Fundacji przez wiele lat był ksiądz Bolesław Ślęzak. To on zdobył fundusze na wybudowanie obiektu szkolnego w Osieku. Jest tam liceum ogólnokształcące, internat i kościół. Wybudował też basen i siłownię, żeby zarobić na utrzymanie tego ośrodka. Oprócz tego Fundacja prowadzi również inną działalność gospodarczą. Mamy wytwórnię biopaliw, restauracje i kilka moteli. Ksiądz prezes kupił również wytwórnię makaronu pod Miechowem. I niestety był to jego największy błąd, bo zakład zaczął przynosić straty. To spowodowało, że odsunięto księdza prezesa od zarządzania Fundacją. Władza zwierzchnia, jak już wspomniałam, to Zgromadzenie Księży Katechetów. Ich siedziba mieści się w Krakowie przy ulicy Kalwaryjskiej. Ksiądz prezes pojechał tam, by spotkać się z księdzem prowincjałem Edwardem Nasiadką, głównym zwierzchnikiem Prowincji Polskiej, bo szefem szefów jest generał w Rzymie. Ksiądz Ślęzak był ostatnim człowiekiem, który widział prowincjała żywego, z tego powodu może mieć mnóstwo nieprzyjemności. Boję się, że jego zwierzchnicy wymogą na nim, żeby wziął winę na siebie. Już i tak jest zaszczuty. On może tego nie wytrzymać psychicznie...

– Nikt nie informował o tym morderstwie, ani w telewizji, ani w internecie.

– Księża nie chcą rozgłosu, a znają kogo trzeba. Wystarczył odpowiedni telefon z góry i policji zamknięto usta. Ale chyba nie na długo, bo poczta pantoflowa zaczyna działać.

– Jak zamordowano tego księdza?

– Pobito go, a później uduszono kablem od komputera. Ktoś zarzucił mu ten kabel, stojąc z tyłu.

– Hm, garota – mruknął Mark. – W ten sposób mafia często dokonuje egzekucji. Morderca musiał być silny.

– Niekoniecznie. Podobno ksiądz był nieźle wstawiony. Wypił dwie butelki wina, była też niedopita butelka wódki.

– Skąd pani to wie? Też dzięki poczcie pantoflowej? Policja chyba tego nie rozgłaszała?

– Ksiądz mi to powiedział. A jemu ksiądz ekonom, który pierwszy odkrył morderstwo.

– Hm, morderstwo księdza? To rzadki przypadek – zastanawiał się na głos Mark. – Tylko nie wiem, w jaki sposób miałbym prowadzić to śledztwo. Powiedziała pani, że księża nie są skorzy do odkrywania swych tajemnic przed światem. Wyrzucą mnie, gdy do nich przyjdę.

– Właśnie nie! Chcą ubiec policję, znaleźć sprawcę wcześniej.

– To dlaczego nie pójdą do jakiejś agencji detektywistycznej?

– Bo nie chcą oficjalnie prowadzić śledztwa za plecami policji. Pan robiłby to incognito. To ja opowiedziałam księdzu Bolesławowi o panu, a on przekonał innych.

– A powiedziała pani, że jestem dziennikarzem?

– Przecież pan nie pisze dla polskich gazet. – Na krótką chwilkę zamilkła. – Słyszałam o pana książkach. Miałby pan temat na następną.

Mark lekko się uśmiechnął.

– Wątpliwe, czy księża by byli zachwyceni, gdybym napisał o nich książkę.

– Nie ma pańskich książek u nas w Polsce. Wydano je w Austrii.

– Mają je przetłumaczyć na język polski.

– Ale księża nie muszą o tym wiedzieć.

Mark znowu się uśmiechnął.

– Mamy zaczynać współpracę od okłamywania się nawzajem?

Kobieta wzruszyła ramionami. W pokoju zrobiło się cicho.

Mark, siedząc w fotelu, przyglądał się żonie krzątającej się w kuchni. Mieszkanie nad garażami wybudowane przez Roberta dla nieślubnej córki i jej męża było sporych rozmiarów, miało ponad sto metrów kwadratowych. Składało się z otwartej strefy dziennej z salonem, wyodrębnioną częścią kuchenną i jadalnianą oraz ze strefy kameralnej zaopatrzonej w eleganckie drzwi broniące wejścia do sypialni i gabinetu. Całość urządzona była z elegancją i smakiem. Mimo nowoczesnego stylu było tu bardzo przytulnie. Ciepłe, pastelowe kolory ścian i mebli, gdzieniegdzie zaznaczone ostrzejszym kolorystycznie akcentem, stwarzały swojskie, bezpretensjonalne i wesołe wnętrze. Zrezygnowano z firanek, ale zastosowano zasłony, które dekoracyjnie upięte zdobiły olbrzymie okna niczym ramy obrazów. Marta lubiła, gdy w wystroju mieszkalnym używano wielu tkanin, widać to było po kolorowych poduchach porozrzucanych na kanapie i fotelach.

– *Mein Schatz*, czy mogłabyś podać mi szklankę wody? – zapytał.

Marta przyniosła szklankę z pływającym plasterkiem cytryny i postawiła na niskim stoliku okolicznościowym. Żona Bieglera była piękną dziewczyną – wysoką brunetką o rasowej twarzy i zgrabnej sprężystej sylwetce osoby lubiącej sport. Dziś miała na sobie wygodne czarne legginsy i czerwono-czarną obcisłą tunikę podkreślającą cienką talię i powabny biuścik. Kiedy nachyliła się nad stolikiem, jej piersi wysunęły się kusząco z głębokiego dekoltu, tworząc zmysłową dolinę między dwoma pagórkami. Mark chwycił żonę za rękę i pociągnął na swoje kolana.

– No, nareszcie zwabiłem cię do siebie.

– Ty leniwcu pospolity! Jak śmiesz odrywać mnie od obowiązków? Powinieneś sam pofatygować się do mnie – powiedziała, uśmiechając się zalotnie.

– *Mein Schatz*, nie powinnaś tak się ubierać, gdy w pobliżu jest facet – zamruczał w jej gęste długie włosy.

– Nie facet, tylko mąż.

– Chyba powinienem się obrazić – wyszeptał tonem wcale nieobrażonym, wkładając rękę w jej dekolt.

W tym momencie głośno zabrzęczał dzwonek u drzwi.

– Ki czort? – wysapał Mark z niezadowoleniem, podnosząc się z fotela.

Tym czortem okazała się Iza, piętnastoletnia córka Orłowskich.

– Nie powinnaś już spać? – zapytał, wzdychając. – Jest już po dwudziestej drugiej.

– Mark, ratuj! Zapomniałam o tej cholernej matmie. Nie wiem, jak rozwiązać zadania. Nie chcę prosić taty, bo by się zdenerwował, że poszłam do koleżanki, nie odrabiając wcześniej lekcji, a mama z matmy umie tylko dodawać i mnożyć do stu – oznajmiła, mijając go w drzwiach i bez pardonu wchodząc do mieszkania.

– Tak to jest mieszkać tuż obok rodzinki – mruknął.

– Nie narzekaj, niewdzięczniku, tylko zrób te zadania, bo już późno.

– Nie wiem, czego bardziej nie lubię u ciebie: bezczelności czy tupetu – westchnął. – Pokaż ten zeszyt, zaraz ci wytłumaczę, jak trzeba to zrobić.

– Mark, kochany, mnie to nie interesuje. Interesuje mnie wynik. Błagam, zrób to sam, ja i tak nie zrozumiem tego cholerstwa. – Spojrzała prosząco przez swoje ogromne okulary.

Iza powoli zaczynała stawać się kobietą. Bardzo ładną kobietą. Odnosiło się jednak wrażenie, że specjalnie maskuje swoje wdzięki, ponieważ ubierała się w dżinsy i obszerne bluzy, włosy ściśle wiązała w gruby kucyk tuż nad karkiem i zawsze nosiła okulary, coraz bardziej dziwaczne. Miała ich całą kolekcję, ale żadne z nich nie były twarzowe.

– Boże, co ty masz dziś na nosie – burknął Mark. – Wyglądasz jak mysz w babcinych binoklach. Brzydko ci w nich.

– I właśnie o to chodzi. Obiecałam tatce, że uchowam cnotę aż do matury. A ja lubię dotrzymywać obietnic. Gdyby mnie zaatakowało stado przystojniaków, mogłabym któremuś ulec.

Mark rozwiązywał zadania, tłumacząc, co z czego się bierze. Iza potakiwała, ale i tak wiedział, że nic do niej nie dociera.

– Zmykaj, mała. Nie wiem, jak zdasz maturę – burknął, wręczając jej zeszyt.

– Dzięki ci, dobry człowieku. Pamiętaj o mnie, gdy się rozwiedziesz z Martą. Przypominam, że jestem pierwsza w kolejce – powiedziała, całując go w policzek.

– Wynocha, mały potworze. Chcę iść do łóżka, bo jutro rano wstaję – powiedziała wesoło Marta. – Mark nie jest głupi, w życiu by nie popełnił takiego mezaliansu, zadając się z kimś, kto nie wie, ile jest dwa razy dwa.

– Ale zostałby w rodzinie – odparła Iza, również całując Martę w policzek.

Kiedy tylko drzwi zamknęły się za Izą, Mark wziął żonę na ręce i zaniósł do sypialni. Rzucił ją na łóżko, a sam poszedł do łazienki, by odkręcić kurki z wodą. Woda wlewała się do wanny, a Mark rozbierał Martę z jej fatałaszków. Miłosne igraszki kontynuowali w wannie, a zakończyli na małżeńskim łożu. Było niesamowicie. Jak zawsze. Co jak co, ale życie seksualne Bieglerowie mieli wyjątkowo udane. Nie zawsze tak było, bo oni również przeszli swego czasu małżeński kryzys, ale ostatnio wszystko między nimi układało się idealnie. Wszystko oprócz jednego: nadal nie mieli dziecka...

Ich ciała, wciąż drżące po miłosnym seansie, powoli dochodziły do siebie.

– Mark, czuję, że to się dzisiaj stanie – szepnęła cicho. – Było tak cudownie, że zaowocuje to dzidziusiem. Zobaczysz.

Mark nic nie odpowiedział.

Rozdział 2

Samochód Marka zatrzymał się przed eleganckim i solidnym ogrodzeniem. Kierowca wyszedł z auta i nacisnął dzwonek domofonu.

– Ja do księdza Ślęzaka. Nazywam się Mark Biegler.

Brama się rozwarła. Mark wjechał dalej. Z zainteresowaniem rozglądał się wokół. Nie tak wyobrażał sobie kompleks szkolny prowadzony przez księży. Otoczenie przypominało małe śliczne miasteczko. Alejki wyłożone rudoczerwoną kostką prowadziły do okazałego budynku szkoły i kilkunastu jednopiętrowych uroczych domków, przykrytych ceramiczną dachówką, również rudoczerwoną. Elewacje w piaskowym kolorze i brązowe okna harmonizowały kolorystycznie ze zgrabnymi mansardowymi dachami i barwą bruku. Zadbana roślinność i szereg drewnianych ławeczek zachęcały gościnnie do spoczynku i podziwiania. Po prawej stronie drogi wjazdowej stał niewielki ceglasty kościółek ze smukłą dzwonnicą i portykiem zdobionym marmurem. Całość współgrała architektonicznie ze sobą. Tutaj naprawdę chciało się przebywać.

Mark zaparkował. Zamknął samochód i trochę zdezorientowany zaczął rozglądać się za budynkiem administracyjnym. Zauważył przechodzącego obok przystojnego wysokiego mężczyznę około czterdziestki. Nigdy by się nie domyślił, że to ksiądz, ale zdradziła go biała koloratka. Z modnie obciętymi włosami, pachnący dobrą wodą toaletową nie przypominał w niczym osoby duchownej, której wizerunek Mark miał zakodowany w wyobraźni.

– Przepraszam, gdzie znajduje się gabinet księdza Ślęzaka? Jestem z nim umówiony.

– Ksiądz Ślęzak odprawia teraz mszę w kościele. Za kilkanaście minut będzie wolny – odparł mężczyzna w koloratce, uśmiechając się sympatycznie do Marka. – Pan z Austrii? Od pani Schulz?

- Nie - odparł zdziwiony Mark.

- No to przepraszam, zasugerowałem się austriacką rejestracją pańskiego samochodu. Proszę poczekać na ławeczce lub wejść do kościoła. Może znajdzie się wolne miejsce. Dziś msza szkolna, dlatego kościół pęka w szwach - znowu się uśmiechnął. - Do widzenia.

Mark wszedł do kościółka po schodach wyłożonych granitem. Rzeczywiście budynek był pełny po brzegi. Wszędzie młode twarze. Część młodzieży siedziała grzecznie, wpatrując się w ołtarz, a część, przeważnie chłopcy, kręciła się niespokojnie, szepcząc coś między sobą.

Przerzucił wzrok z bożych owieczek na mury owczarni. Nigdy bym nie przypuszczał, że tak może wyglądać polski wiejski kościół - pomyślał, rozglądając się wokół. Wnętrze było wykończone z ogromnym pietyzmem. Piękne kolorowe witraże w oknach rzucały wesołe refleksy, zabarwiając ściany na niebiesko. Niebiesko jak w niebie. Jeszcze piękniej prezentował się ołtarz. Wzrok patrzących przykuwały postaci Matki Boskiej i dzieciątka dumnie stojących na tle ciemnobłękitnej ściany ozdobionej gwiazdami.

Sielsko i anielsko - przemknęło Markowi przez myśl.

Przyjrzał się uważnie księdzu siedzącemu przy ołtarzu. Był to mężczyzna około siedemdziesiątki, o siwej czuprynie i miłej twarzy. Tusza, tak często spotykana u przedstawicieli polskiego kleru, nadawała temu człowiekowi wyraz dobrotliwej poczciwości. Cała jego postać była jakby otoczona pozytywną aurą.

Po kilku minutach Mark z pewnym zniecierpliwieniem spojrzał na zegarek. Zawsze nudził się na mszy. Z przekonania był agnostykiem. Nie zdeklarowanym ateistą, ale na pewno nie zagorzałym chrześcijaninem. Chociaż poddał się w przeszłości wszystkim katolickim obrządkom, takim jak komunia i bierzmowanie, i wziął z Martą ślub kościelny, w duszy nie wierzył, że ma to dla Boga jakieś znaczenie... jeśli On rzeczywiście istnieje. Czasami chodził z Martą na mszę, przeważnie w święta, ale robił to tylko ze względu na żonę.

Na szczęście msza się skończyła. Zostało to radośnie odnotowane również przez młodzież, bo uczniowie zaczęli wylewać się hałaśliwą falą przez wrota świątyni.

Mark nie wyszedł ze wszystkimi, dalej siedział na ławce.

Po kilku minutach w drzwiach zakrystii pojawił się ksiądz, ubrany już po cywilnemu, jedynie z koloratką na szyi.

– Pan Biegler? Przepraszam, ale umawiając się z panem, zapomniałem, że to mój dyżur w odprawianiu mszy. – Wyciągnął rękę na powitanie.

– Nie szkodzi. Załapałem się na końcówkę mszy. – Mark się uśmiechnął. Zaraz się poprawił: – To znaczy, byłem na końcówce mszy...

Ksiądz machnął ręką.

– Chodźmy, pokażę panu obiekt.

Mark grzecznie podążył za księdzem, bez sprzeciwu wysłuchując opowieści na temat powstawania kompleksu. Oglądał budynki internatu i szkoły od zewnątrz, a kryty basen i siłownię od środka.

– To moje dziecko – powiedział ksiądz. – Zawsze marzyłem, żeby zbudować właśnie taki ośrodek. Udało mi się przede wszystkim dzięki pańskiej rodaczce, pani Ingrid Schulz. To ona była głównym fundatorem naszego przedsięwzięcia, Fundacji „Nasze Dzieci".

– Ingrid Schulz? Ta od hoteli? – zapytał zdziwiony Mark. – Znam ją. Miałem przyjemność kilka razy z nią rozmawiać. Była dobrą znajomą mojej macochy.

– Już nie ma sieci hoteli, sprzedano je – zauważył zaskoczony i trochę skonfundowany ksiądz.

– Wiem. Była dla nas największą konkurencją. Mój ojciec również był hotelarzem, a później macocha.

– Myślałem, że jest pan dziennikarzem?

– Nadal nim jestem, ale odziedziczyłem w spadku po mojej macosze Gretchen Biegler udziały w sieci hoteli Helga.

– Zatrzymałem się kiedyś w alpejskim pensjonacie Helga. Czy to ta sama sieć?

– Tak. Mój pradziadek nazwał tak ten pensjonat na cześć mojej babci, mamy ojca. Później ojciec nazwał również tak samo inne hotele.

Doszli do gabinetu Ślęzaka. Po drodze minęli dwóch księży. Jednym z nich był nieznajomy z parkingu. Towarzyszył mu ksiądz w podobnym wieku, również wysoki i przystojny. Jednak jego oczy nie patrzyły tak przyjaźnie jak tamtego, Mark miał wrażenie, że jego spojrzenie było wręcz wrogie. Ksiądz z parkingu lekko uśmiechnął się do Marka.

– Widzę, że znalazł pan księdza prezesa?

– Znalazłem. – Mark również odpowiedział uśmiechem.

Drugi ksiądz się nie odezwał, przeszedł bez słowa.

Mark usiadł na kanapie, a Ślęzak w fotelu.

– Może napije się pan czegoś? Mam tu wodę mineralną, pepsi, sprite'a. Alkoholu nie będę proponował, bo przyjechał pan samochodem. Albo może kawę lub herbatę? Każę kucharce zrobić.

– Nie ma takiej potrzeby. Poproszę mineralną. Kim są księża, którzy nas minęli?

– Ksiądz Piotr, nowy dyrektor szkoły, i mój następca ksiądz Marian.

– Ten milczący?

– Tak – odparł krótko Ślęzak. – Beata mówiła mi o panu. Podobno dobry z pana detektyw. Trzy razy znalazł pan mordercę, wyprzedzając policję.

– Nazywanie mnie detektywem to mocna przesada. Miałem szczęście. I nie jest prawdą tak do końca, że to ja ich znalazłem.

– Słyszałem, że współpracował pan z Interpolem. To jak to: nie detektyw?! – zaprotestował ksiądz z uśmiechem. – Słyszałem również, że nie oddał pan Interpolowi narkotyków, ponieważ zagrażało to bezpieczeństwu niektórych osób.

Mark zmarszczył brwi. Cholera! Musi opieprzyć Renatę za długi język, bo to chyba ona wygadała się swojej koleżance, później koleżanka koleżance, a koleżanka koleżanki księdzu.

– Właśnie dlatego chcemy zwrócić się do pana o pomoc. Takiego człowieka potrzebujemy. Kogoś, kto umie podjąć mądrą decyzję i nie boi się późniejszych konsekwencji. Czy słyszał pan anegdotkę o Immanuelu Kancie? Był on piewcą prawdy. Tylko prawdy. Według niego nigdy nie wolno kłamać. Podobno zadano mu pytanie, co by zrobił w takiej sytuacji: do gospody, w której wielki filozof spożywa posiłek, wpada człowiek uciekający przed złoczyńcami. Właściciel karczmy ukrywa go w skrzyni. Za nim przybiegają jego prześladowcy i pytają, czy widziano tu uciekiniera. Kant podobno odparł, że nawet wtedy by nie skłamał, tylko powiedziałby prawdę, bo prawda jest najważniejsza. Że liczy się tylko prawda. A jak pan uważa? Co pan by zrobił?

– To oczywiste, ja bym skłamał. A ksiądz?

– Ja też bym skłamał.

Na moment zrobiło się w pokoju cicho.

– Zależy nam, żeby wykryto sprawcę. Nie tylko mnie, lecz także wszystkim konfratrom. Nikt z nas tego nie zrobił. Nie wiemy, jak to się stało. Chcielibyśmy jak najszybciej znaleźć mordercę i oddać go policji. Chyba nie muszę mówić, że zależy nam na dyskrecji. Nie chcemy być pożywką dla dziennikarzy, którzy tylko czekają na taką okazję.

Mark się zaśmiał.

– Przecież ja jestem dziennikarzem! Nie przeszkadza to księdzu?

– Nie pisze pan do polskich gazet, tylko do wiedeńskich. Wydaje mi się, że jest pan dżentelmenem. I uczciwym człowiekiem. Mam nadzieję, że bez naszej zgody niczego by pan nie opublikował.

– Hm, widzę, że ksiądz jest naiwny jak dziecko. Dla dobrego tematu rasowy dziennikarz gotów jest sprzedać własną duszę. – Mark się uśmiechnął.

– Nie sądzę, żeby pan się do nich zaliczał. Oni to robią dla pieniędzy i sławy, ja wiem, że pieniędzy panu nie brakuje, a sławę zdobywa pan już jako pisarz.

– Ksiądz chyba nie wie, o czym są moje książki. Właśnie o morderstwach, które wykryłem. – Mark znowu się uśmiechnął. Po chwili dodał: – Ale to są powieści, gdzie prawda luźno się ma do zaistniałych faktów. W każdym razie tak myślą czytelnicy. – Na chwilę zamilkł. – Ksiądz ma rację: lubię dotrzymywać danego słowa.

– To teraz porozmawiajmy o zapłacie.

– Powiedzmy, że zrobię to charytatywnie. A ksiądz mi pozwoli wykorzystać temat do napisania książki, jeśli nie naruszy ona waszych interesów. Oczywiście wcześniej dam ją księdzu do przeczytania. Zgoda?

Po chwili namysłu Ślęzak kiwnął potwierdzająco głową.

– Chciałbym dowiedzieć się czegoś więcej o zamordowanym. W jakich okolicznościach go znaleziono, czy miał wrogów...

– Księdza prowincjała znaleziono rano, po godzinie siódmej, kiedy ksiądz Pałasz, ekonom Zgromadzenia, przyszedł go budzić, by odprawił mszę. Ale policja stwierdziła, że zabito go późnym wieczorem. Ja byłem ostatnią osobą, która widziała go żywego. Wyszedłem od niego o godzinie wpół do dziewiątej wieczorem.

– Skąd wiadomo, że to ksiądz był ostatnią osobą, która go odwiedziła?

– Tak powiedział furtian, to znaczy portier.

– O której ksiądz przyszedł do prowincjała?

– Po dwudziestej.

– Coś krótka była ta wizyta?

– Tak. Było już późno jak dla mnie, bo wstaję o piątej rano, dlatego załatwiłem to, co miałem do załatwienia, i wyszedłem.
– A co ksiądz miał do załatwienia?
– To osobista sprawa i nie ma nic wspólnego z jego śmiercią.
– Wszystkie sprawy osobiste czy służbowe mogą mieć związek z jego śmiercią – zauważył Mark, obserwując Ślęzaka.
– Gwarantuję panu, że moja wizyta na pewno nie przyczyniła się do śmierci księdza prowincjała. A najlepiej będzie, jak pan pojedzie na miejsce, do siedziby Zgromadzenia, i tam porozmawia z portierem i konfratrami. Już ich uprzedziłem o pana przyjeździe – powiedział ksiądz, wstając z fotela, dając tym do zrozumienia, że spotkanie dobiegło końca.

Wychodząc z budynku, Mark doszedł do jednego wniosku: znalezienie mordercy będzie twardym orzechem do zgryzienia. Najwidoczniej księża nie lubią mówić dużo o sobie.

Pół godziny później Mark stał przed bramą siedziby Zgromadzenia. Samochód zostawił przy sąsiedniej ulicy. Nacisnął domofon. Kiedy się przedstawił, wpuszczono go na posesję. Do głównego budynku pamiętającego czasy Matejki prowadził szeroki chodnik wyłożony rudobrązową kostką, który przebiegał przez świeżo przycięty trawnik. Zielony kobierzec trawy zdobiła niska roślinność krzewów ozdobnych. Teren otaczający budynek był bardzo zadbany, ogrodnik musiał się tu nieźle napracować.

Drzwi wejściowe, tak jak i bramę, trzeba było również sforsować domofonem lub wystukać kod. W środku przywitała Marka dostojna atmosfera sakralnej budowli. Chociaż budynek pełnił rolę administracyjną i częściowo mieszkalną, Biegler czuł się tu jak w kościele. Spowodowane to było dziewiętnastowieczną architekturą. Wrażenie dostojeństwa potęgował hol ze strzelistymi oknami ozdobionymi kolorowymi witrażami, wysokie sufity wyłożone kasetonami i ściany obwieszone starymi obrazami w bogato złoconych oprawach. Wszystkie były o tematyce religijnej. Naprzeciw wejścia, za mahoniową katedrą siedział portier. Był to mężczyzna po pięćdziesiątce, niewysoki, żylasty, z szarą twarzą pooraną zmarszczkami. Miał wygląd typowego miłośnika mocnych, a jednocześnie tanich trunków.
– Czym mogę służyć?
– Jestem umówiony z księdzem Pałaszem.
– Ksiądz ekonom musiał wyjechać, będzie dopiero wieczorem.

– Wyjechał? Hm, podobno ksiądz Ślęzak do niego dzwonił i uprzedził go o mojej wizycie.

– Nie wiem, nic mi nie mówił.

– Czy jest ktoś, z kim mógłbym porozmawiać o śmierci księdza Nasiadki?

– Może ksiądz superior?

Chwycił za słuchawkę. Chwilę później zjawił się mężczyzna dobrze po sześćdziesiątce, o czerwonej nalanej twarzy i znacznej nadwadze. Na głowie miał pustawo, żeby nie powiedzieć łyso.

– Pan od Ślęzaka? Proszę pozwolić ze mną.

Zaprowadził go do niewielkiego ciemnego pokoju.

– Ale dziś gorąco – zauważył. – Albo tylko mnie. Znowu podskoczyło mi ciśnienie. Od śmierci księdza prowincjała bardzo źle się czuję. To nie na moje nerwy – wysapał, wycierając czoło chusteczką higieniczną.

– Rzeczywiście taka śmierć może wstrząsnąć człowiekiem – przyznał mu rację Mark. – Ksiądz Ślęzak mnie poprosił, żebym spróbował wyjaśnić sprawę zabójstwa. Powiedział, że mogę liczyć na współpracę ze strony księży, ponieważ wszystkim zależy na znalezieniu sprawcy.

– Oczywiście, że nam zależy, żeby znaleziono tego zwyrodnialca, oczyszczając nas z podejrzeń. Przecież nikt z konfratrów tego nie zrobił!

– Czy mógłbym porozmawiać z pracownikami i z księżmi?

– Proszę bardzo. Powiem im, że jest pan dziennikarzem z Austrii i chce napisać o nas artykuł. Lepiej nie opowiadać, że pan jest detektywem. – Zrobił minę, jakby sobie coś przypomniał: – Aha, pan chyba nie wie, że wtedy, gdy zamordowano księdza prowincjała, wszyscy księża i klerycy byli w kościele. Ja odprawiałem mszę.

– Kiedy doszło do morderstwa?

– Policja mówi, że między dwudziestą a dwudziestą drugą, kiedy trwała msza.

– Każda msza trwa tak długo?

– Msza zaczęła się o dwudziestej, a potem były rekolekcje dla kleryków.

– Czy wszyscy księża byli na mszy? Księdza prowincjała przecież nie było.

– Źle się czuł, no i spodziewał się wizyty księdza Ślęzaka. Oprócz nich wszyscy byli – powiedział trochę niepewnie. Przełknął dwa razy ślinę, aż kliknęła proteza.

On coś ukrywa – pomyślał Mark.

– Czy prowincjał spotkał się jeszcze z kimś tego wieczora?

– Nie wiem dokładnie. Proszę się zapytać furtiana.

– Czy można zobaczyć miejsce zbrodni, czy pokój ciągle jest zaplombowany?

– Ściągnęli już plombę, ale nie mam kluczy do mieszkania księdza prowincjała.

– Kto ma klucze?

– Nie wiem, chyba ksiądz ekonom, on teraz go zastępuje.

– Ile osób tu mieszka?

– Dziesięciu księży i czterdziestu kleryków.

– A ilu pracowników świeckich?

– Kilkunastu. Kucharka, sprzątaczka, dwie księgowe, czterech furtianów, ogrodnik. Oraz dwie kucharki i sprzątaczki dla kleryków.

– To wystarczy do utrzymania tak dużego obiektu?

– Klerycy wykonują sami dużo czynności porządkowych.

– Czy ktoś z pracowników świeckich był wtedy w budynku?

– Nie wiem, proszę zapytać o to furtiana, pana Zakałę. On wie najlepiej. Akurat miał wtedy dyżur.

– Czy mógłbym się rozejrzeć, zobaczyć pomieszczenia?

– Chce pan odwiedzić wszystkie pokoje księży?

– Nie, chciałbym mieć tylko ogólne pojęcie.

– Oczywiście.

– Jeszcze jedno pytanie: czy ksiądz prowincjał miał jakichś wrogów?

– Ależ skąd! – zaprzeczył gwałtownie. – Był to wspaniały człowiek. Wszyscy go szanowali.

– Jednak ktoś go zabił.

Superior nic nie odpowiedział, tylko głośno westchnął, wciągając do płuc chyba kubik powietrza.

Mark opuścił pokój i udał się na portiernię. Furtian, lub jak kto woli portier, Wojciech Zakała oprowadził go po budynku, objaśniając, jaką funkcję pełni dane pomieszczenie. Naprzeciwko portierni był pokój socjalny z szatnią, małym stolikiem i telewizorem.

– Tu pracownicy jedzą drugie śniadanie – poinformował portier. – A tu jest toaleta. Jedna dla księży, druga dla nas.

Obok znajdowały się zapełnione regałami pokoje przeznaczone dla księgowości i kadr oraz kancelaria, gdzie przyjmowano interesantów. Za nią był obszerny pokój pełniący funkcję świetlicy, z ogromną plazmą na ścianie i kompletem wypoczynkowym z dwiema skórzanymi kanapami i fotelami. Między nimi stał duży szklany stolik na kawę. Pokój był elegancko i wygodnie umeblowany.

Następnym pomieszczeniem był refektarz – albo inaczej jadalnia, z dużym dębowym stołem na kilkanaście osób – z którego wchodziło się również do kuchni.

– Za kuchnią jest gabinet księdza prowincjała, a dalej jego mieszkanie – powiedział furtian, wskazując na solidne drzwi na półpiętrze. – Na piętrze są mieszkania księży, a w drugim skrzydle pomieszczenia przeznaczone dla kleryków, ich sypialnie, pokoje do nauki, kuchnia i stołówka.

– Widzę, że nie ma już pracowników?

– Księgowe wyszły dziś wcześniej. Zostały tylko kucharka i sprzątaczka.

– Gdzie prowadzi ten pasaż? – zapytał Mark, wskazując na zadaszone przejście.

– Do kościoła. Księża muszą mieć bezpośrednie wygodne połączenie ze świątynią, bo spędzają tam dużo czasu.

– Więc każdy, kto znajduje się w kościele, może przejść do tego budynku?

– Teoretycznie tak, ale musiałby przejść przez zakrystię, a dla człowieka świeckiego to wręcz niemożliwe. Drzwi są zawsze zamknięte, obcy nie mają tam wstępu.

– Czy gdy zamordowano prowincjała, była msza? Czy można podczas mszy przemknąć się do zakrystii?

– Raczej nie, bo to niedaleko od ołtarza. Oprócz tego tamta msza była zamknięta, tylko dla księży i kleryków. Nikt oprócz nich nie mógł wejść.

– To znaczy, że wtedy byli tylko księża tutaj mieszkający?

– Nie, byli też księża katecheci mieszkający w innych domach Zgromadzenia. Ale wszyscy byli ubrani w sutanny, dlatego żaden świecki człowiek nie mógł się prześlizgnąć. Zresztą nikt nie mógł wejść do mieszkania księdza prowincjała, nie przechodząc obok portierni.

– Kto jeszcze był wtedy u prowincjała? Tylko ksiądz Ślęzak?

– Nie. Wcześniej był jeszcze ksiądz Bielecki, dyrektor Fundacji, ale wyszedł pół godziny przed przyjściem księdza Ślęzaka. – Portier dodał szybko: – I prowincjał wtedy jeszcze żył, bo widziałem go, gdy wchodził do kuchni.

– To jakim cudem morderca wszedł do jego mieszkania?

– Nie wiem – portier wzruszył ramionami.

Mark obserwował twarz mężczyzny. Było coś niespokojnego w jego oczach. Chyba coś ukrywał.

– Jakim człowiekiem był ksiądz prowincjał? Jako szef, jako ksiądz?

– Jak każdy szef. Wymagający, skrupulatny. Ale gdy się zarządza ludźmi, trzeba takim być. Nie znałem go dobrze. W sumie oprócz standardowych „dzień dobry" i „do widzenia" raczej z nim nie rozmawiałem.

– Dlaczego standardowych?

– Bo księża witają się słowami „Szczęść Boże" albo „Niech będzie pochwalony Jezus Chrystus".

– Nigdy nie zagadał do pana?

– Raczej nie. Mieliśmy tylko relacje służbowe. Wydawał polecenie, a ja je wykonywałem.

– Od dawna pan tu pracuje?

– Od czasu, gdy przeszedłem na rentę. Już wkrótce minie piętnaście lat. Pamiętam jeszcze, gdy prowincjałem był ksiądz Ślęzak. To on go zaprotegował. Zaproponował księżom jego kandydaturę.

– Zaproponował kandydaturę?

– Tak. W Zgromadzeniu księża wybierają swojego zwierzchnika w głosowaniu bezpośrednim, ale po skończeniu kadencji ustępujący ksiądz zgłasza swojego kandydata. I przeważnie to on zostaje jego następcą.

– Ile trwa kadencja?

– Siedem lat. Ksiądz prowincjał ciągnął już drugą kadencję. Tylko dwie kadencje można być prowincjałem.

– Pan widział księdza Ślęzaka wychodzącego od prowincjała? Jak się zachowywał Ślęzak, czy coś powiedział do pana?

– Czy ja wiem… zachowywał się normalnie. Nic nie mówił. Chyba mu się spieszyło, bo zawsze coś zagadał, a wtedy nic. – Zawahał się.

– Jak ksiądz wyglądał? Czy był podenerwowany? Czymś wzburzony? – zapytał, widząc rozbiegane oczy portiera. – Proszę powiedzieć, to ważne. Był podenerwowany?

– Chyba nie... Może trochę.

A więc był bardzo podenerwowany – Mark skomentował w myślach słowa portiera. Postanowił na razie dać mu spokój, ale poprosił mężczyznę, żeby przedstawił go kucharce i wyjaśnił powód jego wizyty.

Razem udali się do kuchni. Zastali tam kobietę około sześćdziesiątki, słusznej budowy ciała i o wyjątkowo brzydkiej twarzy. Agata Kutaj, bo tak się przedstawiła Markowi, była osobą towarzyską, o wesołym usposobieniu. Kiedy się uśmiechnęła, twarz jej zrobiła się wręcz ładna.

– Może napije się pan kawy albo herbaty? – zaproponowała. – Proszę się nie krygować, mam swoje, wcale nie gorsze od księżowskich. – Widać księża nie lubili, gdy ktoś spoza ich grona korzystał z ich dóbr doczesnych.

– Z przyjemnością napiję się kawy.

– Może przejdziemy do pokoju socjalnego? Tam będzie się nam lepiej rozmawiało.

Mark, trzymając w dłoni filiżankę kawy rozpuszczalnej, udał się posłusznie za kucharką do drugiego pomieszczenia.

– Proszę skosztować mojego placka, upiekłam go wczoraj, bo miałam urodziny. – Znowu podkreśliła, że to jej ciasto, a nie księżowskie.

Mark ugryzł kawałek sernika, był przepyszny.

– Musi być pani bardzo dobrą kucharką, wnioskując po pani wypieku.

– Pewnie, że muszę! Inaczej by mnie nie trzymali. Księża lubią sobie dobrze pojeść. Zresztą nie ma im czego żałować, przecież mają tak mało przyjemności w życiu – mruknęła. Mark nie wiedział, jak ma to rozumieć, czy to był sarkazm, czy rzeczywiście tak uważała.

– Czy była pani wtedy w pracy, kiedy doszło do morderstwa?

– Nie. Zaraz po kolacji poszłam do domu.

– O jakiej porze księża jedzą posiłki?

– Śniadanie o siódmej, obiad o wpół do pierwszej, a kolację o osiemnastej.

– Coś wcześnie – zauważył. – Mam na myśli śniadanie i obiad. Kolacje w naszym domu też jemy o osiemnastej.

– Wcześnie jedzą, bo wcześnie wstają, przeważnie już po piątej są na nogach. Dlatego muszę tu być o szóstej.

– Wtedy na kolacji też byli wszyscy obecni?

– Śniadania i kolacje nie zawsze jedzą razem, jeśli im na to nie pozwalają obowiązki. Czasami życzą sobie śniadania już o wpół do siódmej. Na stole w refektarzu jest wszystko przygotowane i sobie biorą. Na obiad starają się przychodzić wszyscy, żeby nie jeść odgrzewanego. Tamtego dnia akurat wszyscy byli obecni na kolacji.

– Jak się zachowywał ksiądz prowincjał? Zauważyła pani coś nietypowego?

– Nie. Był taki sam jak zwykle.

– To znaczy jaki?

– Poważny, małomówny. Jak zwykle zmówili modlitwę, a później przy jedzeniu wymieniali uwagi na temat potraw i wieczornej mszy. Zazwyczaj tak się zachowywali, gdy był prowincjał. Podczas jego nieobecności było inaczej. Żartowali, nawet opowiadali dowcipy. Ale przy księdzu prowincjale nikt nie odważył się na coś takiego. Nie wypadało.

– To znaczy, że był surowym przełożonym?

– Powiedziałabym raczej, że wymagającym.

– A według pani jaki był prowincjał jako szef i człowiek?

– Panie Marku, ja jestem tu tylko kucharką. Nie znałam go jako człowieka. Nie rozmawialiśmy o niczym więcej, jak tylko o jedzeniu i pogodzie. Był poważny i konkretny, nie lubił głupiego gadania.

– Z kim się przyjaźnił?

– Chyba z nikim. Był mało przystępny, miałam wrażenie, że specjalnie chce zachować pewien dystans w stosunku do reszty księży.

– Nie wierzę, żeby nie miał żadnych przyjaciół ani kolegów.

– Do żadnego z księży nie zwracał się per „ty", jedynie z księdzem ekonomem był chyba po imieniu, ale tylko wtedy, gdy nikt nie słyszał. Wszyscy księża czuli do niego respekt, a klerycy strach.

– Słyszałem, że tuż przed śmiercią wypił dużo alkoholu. Czy wcześniej też mu się to zdarzało?

– O niczym takim nie wiem – odparła, uciekając oczami w bok. – Ja jestem tu tylko kucharką.

Mark westchnął, chyba niczego więcej się od niej nie dowie.

W tym momencie drzwi się otworzyły i stanęła w nich kobieta w podobnym wieku co kucharka. Wysoka, postawna, o mocnej budowie ciała, ale nie gruba. Na ubranie miała zarzucony granatowy fartuch roboczy uszyty z dederonu. Siwe włosy schowane były pod kolorową chustką. Wyglądem przypominała sprzątaczki żywcem wzięte z czasów PRL-u, takie jak z filmów Barei. Na szczupłej twarzy widać było resztki urody, w młodości musiała być niebrzydką kobietą.

- O, przepraszam, chciałam posprzontać - powiedziała, zaciągając gwarą.

- My już skończyliśmy. Chciałbym teraz z panią porozmawiać na temat śmierci księdza prowincjała.

- Aha, to pan jest tym dziennikorzem, co chce pisać artykuł do gazety austriackiej? Cosik ksiondz superior mi mówił.

- To ja już mogę iść? - zapytała kucharka. - Chcę zdążyć z kolacją.

- Dziękuję za rozmowę i pyszne ciasto. - Mark uśmiechnął się na pożegnanie.

Kucharka wstała i wyszła z pokoju. Sprzątaczka nadal stała, przestępując niespokojnie z nogi na nogę.

- Proszę usiąść.

- Ale jo o niczym nie wiem, jo tu tylko sprzontom - wzbraniała się kobieta, siadając na krześle.

- Mieszkanie księdza prowincjała też pani sprzątała?

- Tyż.

- Kiedy ostatnio?

- Wtedy, kiedy go zabili.

- Kiedy pani sprzątała? Rano, po południu, wieczorem?

- Przed szóstom wieczorem. Jo sprzontom u ksienży co drugi dzień. Ksiondz popendzoł mnie, bo chcioł iść na kolacje. Nie zdążyłam wszystkiego posprzontać.

- Kiedy pani sprząta, to księża są obecni w mieszkaniu? - Zdziwił się trochę Mark.

- U innych księży sprzontom, gdy ich ni ma, ale ksiondz prowincjał woloł, żebym sprzontoła przy nim.

- Ile zajmowało to pani czasu?

- A z godzine. Roz w miesiącu myłam okna, to wtedy byłam dłuży. Czasami prasowałam mu tyż koszule i sutanny w jego mieszkaniu, ale przeważnie dawoł mi je i prasowałam w pralni.

- Pani jest z Krakowa?

- Nie, mieszkom tu dopiero od roku.

Zademonstrowała piękny uśmiech, błyskając ślicznymi ząbkami sztucznej szczęki. Hm, bo to chyba niemożliwe, żeby zaniedbana kobieta miała tak zadbane zęby - pomyślał Mark.

– Sprzedałam dom pod Nowym Targiem i kupiłam se garsoniere. Teroz mom bliży siostry, no i nie musze polić w piecu. Bo jo już sama na tym świecie – westchnęła.

– Czy wie pani, komu mogło zależeć na śmierci prowincjała? Spotkała się pani z jakimiś groźbami pod jego adresem?

– A kto by chcioł zabijać ksiendza?! Jo myśle, że to jacyś muzułmanie. Ręka szatana, bo żadyn bogobojny człowiek nie podniósby ręki na sługę Boga, tylko jakiś ancychryst.

W tym momencie zadzwoniła komórka Marka. Spojrzał na wyświetlacz: Marta.

– Mark, już jestem pod gabinetem doktora Wojtysia. Kiedy przyjdziesz?

Cholera, zapomniał o wizycie u ginekologa.

Marta bardzo pragnęła dziecka. Po śmierci ich synka nie marzyła o niczym innym, jak tylko o tym, żeby znowu zajść w ciążę. Dlatego Mark skończył rozmawiać ze sprzątaczką i szybko wsiadł w swoją audicę.

O godzinie osiemnastej cała rodzina Orłowskich spotkała się jak zwykle przy stole w jadalni, oddzielonej od kuchni jedynie niską ścianką. Przedtem ulubionym miejscem do spożywania posiłków był stół kuchenny, ale odkąd rodzina się rozrosła, przeniesiono się do jadalni. Wspólne spożywanie kolacji należało już do rodzinnej tradycji. Był to pomysł Roberta, który uważał, że nic tak nie integruje rodziny jak wspólna konsumpcja darów bożych. Dlatego kultywowano ten kulinarny zwyczaj już od szesnastu lat. Czasami przy stole bywało bardzo tłoczno, ale dziś byli obecni tylko Robert, jego żona Renata, córka Iza oraz Marta z Markiem. Krzysiek z żoną i synkiem polecieli na spóźnione wakacje do Hiszpanii, a matka Roberta, Barbara Orłowska-Johannson, i jej mąż przebywali w Szwecji u pasierba.

– Co powiedział ginekolog? – zapytał Robert.

– Doktor Wojtyś nie widzi większych przeszkód, by Marta w przyszłości urodziła dziecko, ale na razie radzi jeszcze się z tym wstrzymać.

– Marto, nie bądź taka markotna, uśmiechnij się, nie jesteś właścicielką wszystkich problemów na świecie. Nie umartwiaj się. Głowa do góry – powiedział Robert. – Rozmawiałem kiedyś z Andrzejem Wojtysiem o tobie, on nie widzi medycznych przeszkód, żebyś mogła zajść w ciążę. Jesteś młoda, masz dużo czasu na rodzenie dzieci.

– Nie powiedziałabym tego – mruknęła.

– Jeśli ty nie jesteś młoda, to co ja i Renata mamy powiedzieć? Albo moja mama i Jon? – Zaraz jednak zmienił temat rozmowy. – A co słychać u księżulków?

– Nie rozmawiałem z wszystkimi, z którymi bym chciał, a ci, z którymi gadałem, nabrali wody w usta.

– To normalne, nie chcą, żebyś poznał ich sekrety, a na pewno jest ich sporo – mruknął Robert pod nosem.

– To dlaczego zawracają mi głowę? – Mark wzruszył ramionami.

– Nie wiem. Chyba chcą, żeby wilk był syty i owca cała. Będziesz dalej bawił się w detektywa czy odpuścisz?

– Hm, sam jeszcze nie wiem. Zadecyduję, kiedy porozmawiam z wszystkimi.

Nazajutrz Mark znowu pojechał do siedziby Zgromadzenia Księży Katechetów. Tym razem zastał księdza ekonoma. Portier zaprowadził Marka do pokoju, który był kiedyś gabinetem prowincjała, a teraz urzędował w nim jego zastępca.

Zygmunt Pałasz prawdopodobnie skończył pięćdziesiąt lat już jakiś czas temu. Był niewysokiego wzrostu, miał tylko trochę więcej niż metr siedemdziesiąt. Nie wyróżniał się niczym szczególnym. Miał bardzo wysokie czoło, kończące się tuż nad karkiem, i wydatny brzuszek, napierający niebezpiecznie na guziki koszuli. Typowy ksiądz proboszcz. Biała koloratka przydawała mu dostojeństwa, ale również uwierała w szyję, bo co chwilę poprawiał ją nerwowym ruchem.

– Nie wiem, w czym miałbym panu pomóc. Prawdę mówiąc, byłem przeciwnikiem tego całego śledztwa. Od tego jest policja. Zgodziłem się, bo inni nalegali – zakomunikował na samym początku.

– Jeśli księża sobie tego nie życzą, to się wycofuję.

– Proszę się nie obrażać. Urwaliby mi głowę, gdybym pana spłoszył. Słucham, czego chciałby się pan ode mnie dowiedzieć?

– Czy to ksiądz pierwszy odkrył, że prowincjał nie żyje?

– Tak. Nie było go na śniadaniu, a wkrótce miał odprawiać mszę. Nie odbierał też telefonu, dlatego do niego poszedłem.

– Czy drzwi były otwarte?

– Nie, ale mam klucze. Ksiądz prowincjał miał mocny sen, dlatego prosił mnie, żebym go budził, by nie zaspał na mszę.

– Często się to zdarzało?

– Nie, czasami.

– Słyszałem, że się przyjaźniliście. Czy miał jakichś wrogów?
– Ależ skąd! Był bardzo oddany Zgromadzeniu. Był gorliwym głosicielem Ewangelii i wspaniałym człowiekiem.
– Ale jednak ktoś go zabił.
– Nie wiem, kto to był, ale na pewno nikt z nas. Dlatego zależy nam na złapaniu tego zwyrodnialca. Nie chcemy, żeby cień padł na nasze Zgromadzenie. Na szczęście media milczą, ale dostaję gęsiej skórki, co się stanie, gdy się o tym dowiedzą. Obiecał pan Ślęzakowi dyskrecję. Mam nadzieję, że można panu zaufać. Ale mimo wszystko chciałbym, żeby pan to podpisał – powiedział, wręczając Markowi kartkę papieru.

Biegler uważnie przeczytał dokument zobowiązujący go do zachowania tajemnicy i zakazu publikowania informacji bez autoryzacji Zygmunta Pałasza. Spojrzał na ekonoma, lekko się uśmiechnął i podpisał.

– Czego sobie pan życzy ode mnie? – zapytał ekonom.
– Chciałbym zobaczyć mieszkanie księdza prowincjała.

Ekonom przez moment jakby się zawahał, ale zaraz podniósł się z krzesła. Zaprowadził Marka pod drzwi na półpiętrze. Z kieszeni wyjął klucze.

– Ja mam w swoim mieszkaniu zamek kodowany, ale ksiądz prowincjał wolał klasyczny – powiedział, wpuszczając Bieglera do środka.

Oczom Marka ukazało się eleganckie duże wnętrze pełniące funkcję pokoju dziennego. Zaraz przy wejściu stał wieszak na ubrania odgrodzony płytkami luksferów, dalej była mała wnęka kuchenna z lodówką i zlewem. Na resztę pomieszczenia składał się salon z kominkiem, umeblowany kompletem wypoczynkowym z kremowej skóry i szklanym stołem oraz tapicerowanymi krzesłami. Jedna ze ścian wyłożona była prostokątnymi kamiennymi płytkami i podświetlona reflektorkami, które zapalały się automatycznie wraz z centralnym oświetleniem. Całość tworzyła nowoczesne i gustowne wnętrze. Widać było profesjonalizm w jego urządzaniu, czego Mark nie omieszkał zauważyć. Dekorator wnętrz wykonał kawał dobrej roboty.

– Gdzie znaleziono ciało prowincjała?
– W drugim pomieszczeniu, w gabinecie – powiedział Pałasz, prowadząc Marka do drugiego pokoju. – Tutaj, przy biurku. Na twarzy miał ślady pobicia, koloratka i koszula były poplamione krwią. A szyję miał ściśniętą kablem od komputera.

Biurko stało przy ścianie, tyłem do drzwi.

– Morderca zaszedł go z tyłu – powiedział Mark raczej do siebie, niż do księdza. – Widzę, że nie ma komputera? Wzięła go policja?

– Tak. Komórkę też.

– Słyszałem, że prowincjał był pod wpływem alkoholu, gdy to się stało. Podobno wypił dwie butelki wina i wódkę.

– Któż naopowiadał panu takich bzdur?! – Ekonom trochę się zmieszał. – Ślęzak to panu powiedział? To nieprawda.

Mark nie kontynuował tematu. Oderwał oczy od ekonoma i omiótł wzrokiem pokój. Nie było tu nic szczególnego. Fotel ze stojącą lampą i małym stolikiem, ogromny regał na książki. Grzbiety książek informowały, że gospodarz lubił różnorodną tematykę. Oprócz pozycji religijnych Mark zauważył dzieła wybitnych klasyków, książki historyczne, ale również powieści lżejszego gatunku, a nawet kryminały. Na sąsiedniej ścianie wisiały zdjęcia w ozdobnych ramkach, tworząc ciekawą kompozycję.

– Ksiądz prowincjał to chyba ten? – Mark wskazał mężczyznę występującego na każdym zdjęciu.

– Tak.

Mark przyjrzał się podobiznom prowincjała. Mężczyzna miał przyjemną powierzchowność, ale nie był zbyt wysoki, niższy nawet od ekonoma, który na jednym zdjęciu stał obok niego. Mimo to Nasiadka był od Pałasza dużo przystojniejszy. Szczupły, z gęstymi włosami, modnie przyciętymi, sprawiał wrażenie człowieka władczego i pewnego siebie. Na zdjęciach nie było żadnej kobiety, sami księża. Na dwóch fotografiach prowincjał stał obok postawnego mężczyzny około siedemdziesiątki, ubranego w szaty biskupie.

– Kim jest ten biskup?

– To świętej pamięci jego eminencja ksiądz biskup Kazimierz Wesołowski.

– Umarł chyba niedawno, wnioskując z daty?

– W marcu tego roku.

– Na co umarł?

– Zginął w wypadku samochodowym.

– Aha. – Mark oderwał oczy od zdjęć. – To wszystkie pomieszczenia?

– Jest jeszcze łazienka i sypialnia.

Sypialnia była również elegancko i gustownie urządzona, a łazienka przepiękna, taka, o której marzy każda kobieta. Całą jedną ścianę sąsiadującą z gabinetem i sypialnią zajmowała szafa garderobiana z żaluzjowymi drzwiami. Wszędzie było sterylnie czysto. No tak, przecież mają sprzątaczkę na etacie. Nie widać było żadnych śladów zostawionych przez policję, nawet po argentoracie, proszku stosowanym przy pobieraniu śladów daktyloskopijnych, chociaż z reguły trudno go usunąć. To znaczy łatwo dla wtajemniczonych, ale rzadko kto wie, że najlepsza jest do tego zwykła woda z mydłem.

Wrócili do głównego pomieszczenia. Biegler podszedł do ściany z oknami do podłogi. Do mieszkania przylegał duży taras, częściowo zadaszony, umeblowany meblami ogrodowymi z ratanu. Otworzył drzwi. Zauważył schodki prowadzące do okazałego ogrodu urządzonego na wzór francuski. Cała roślinność była przycięta jak od linijki. Różnorodne krzewy i drzewka uformowano z wielkim pietyzmem w kule, stożki i inne figury geometryczne. Ogrodnik musiał nieźle się tu napracować.

– Piękny ogród – pochwalił, chociaż osobiście wolał ogrody w stylu angielskim.

– To tylko fragmencik. Stąd nie widać całości, ale za skrzydłem budynku dopiero jest przepiękny widok. Mamy najpiękniejszy ogród w całym Krakowie – odparł Pałasz.

Mark na chwilkę usiadł na drewnianej ławeczce, by przyjrzeć się otoczeniu. Ten segment ogrodu był osłonięty ścianą tui, przez co stworzono kameralny kącik, niewidoczny dla niepożądanych oczu. Niedaleko, na wprost niego, stała drewniana altanka przytulona do muru ogrodzenia. Była prawie niewidoczna, ponieważ szczelnie okrywał ją zielony bluszcz.

Ta część budynku parafialnego była odizolowana od reszty zabudowań, dlatego dla innych mieszkańców nie był widoczny ani ogrodowy kącik, ani taras. Również strefę ogrodową oddzielono tujami od reszty terenu. Jednak po dokładnych oględzinach Mark stwierdził, że można było przecisnąć się przez ścianę drzewek na pozostały teren.

Wzrok Bieglera zatrzymał się na drewnianej budowli.

– Co jest w tej altance?

– Prowincjał trzymał tam swoje meble ogrodowe.

Mark wstał, ale obiecał sobie, że kiedyś poświęci więcej uwagi temu miejscu.

– Czy drzwi na taras były otwarte, gdy ksiądz wszedł rano do mieszkania prowincjała?

Pałasz się zawahał.
- Były zamknięte - odparł.
- Dziwne. Sprawdzałem w internecie, jaka wtedy była pogoda. Prawie trzydzieści stopni w dzień. Prowincjał jeszcze nie poszedł spać, tylko siedział przy biurku. Każdy w taką pogodę otwiera drzwi, tym bardziej że widzę tu lampę odstraszającą komary.
- Może miał zamiar już iść spać i dlatego zamknął drzwi.
- Może - potwierdził trochę sceptycznie Mark. - Chciałbym jeszcze kiedyś tu przyjść. Ale teraz pragnąłbym porozmawiać z księgowymi, bo jeszcze tego nie zrobiłem.
- Proszę bardzo. Zaprowadzę pana do nich. Na razie jest tylko pani Janina Kajda, ponieważ pani Arleta Kumięga wyszła na chwilę, ale wkrótce powinna wrócić.
Mark i ekonom opuścili mieszkanie prowincjała i skierowali się do pomieszczeń przeznaczonych na księgowość.
W pokoju zastawionym regałami pełnymi segregatorów stały dwa obszerne biurka. Za jednym z nich siedziała kobieta w wieku około sześćdziesiątki, z mocno szpakowatymi włosami obciętymi na półmęsko, szczupła, wręcz chuda, z ascetyczną twarzą osoby bardzo powściągliwej i skrupulatnej. Zero makijażu, ani grama biżuterii. Na ubranie składały się szare spodnie i biała koszulowa bluzka, mimo upału szczelnie zapięta pod brodą.
Księża otaczają się samymi brzydkimi i starymi kobietami - pomyślał Mark - żeby czasami nie kusiły biednych nieboraków.
Ekonom przedstawił kobiecie Marka i się wycofał, zostawiając ich samych.
- Nie wiem, w czym mogłabym pomóc. Chociaż pracuję tu od pięciu lat, nie znałam księdza prowincjała. Nikt go nie znał. Rozmawialiśmy tylko o sprawach służbowych.
- Czy Zgromadzenie miało jakieś kłopoty finansowe?
- Nie, sytuacja majątkowa jest bardzo dobra. I zawsze była. Prowadzimy działalność gospodarczą, żeby pomóc dzieciom z ubogich rodzin. Organizujemy dla nich świetlice i kluby, gdzie przychodzą po lekcjach, żeby spędzić miło i twórczo wolny czas. Odrabiają lekcje, rozwijają swoje zainteresowania. Zapewniamy im wakacje, różnego typu wycieczki. Żywią się u nas. Niektóre dzieci wspomagamy finansowo. Prowadzimy również na terenie kraju kilka szkół średnich wraz z internatem, takich jak w Osieku.

Księgowa się rozgadała. Wychwalała Zgromadzenie i księży pod niebiosa, a przede wszystkim księdza prowincjała.

– Był bardzo oddany Zgromadzeniu i funkcji, której się podjęło. Zdobywał fundusze na utrzymanie istniejących placówek i powstawanie nowych. Często występował przed kamerami. Dostał nawet nagrodę od prezydenta. Naprawdę nie wiem, kto mógłby go zabić.

– Czy ksiądz miał problem alkoholowy?

– Ależ skąd! Nigdy nie widziałam go na rauszu.

– Czy przyjaźnił się z kimś? Albo czy zauważyła pani u kogoś wrogie nastawienie do niego?

– Mówiłam już, że nie znałam życia prywatnego prowincjała. Nie miał żadnych wrogów, o których bym wiedziała. Był wymagającym przełożonym, ludzie trochę się go bali, ale to przecież normalne.

– Czy ostatnio zachowywał się inaczej niż przedtem?

– Nic takiego nie zauważyłam.

Mark westchnął w duchu. Od niej również niczego się nie dowie. Zrezygnowany miał już wyjść, gdy do pokoju weszła kobieta. Druga księgowa. Na jej widok Mark prawie otworzył usta ze zdziwienia. Była nie tylko młoda, lecz także bardzo ładna! Miała około trzydziestu lat, długie blond włosy i regularne rysy twarzy. Ubrana w obcisłe białe dżinsy i niebieską dopasowaną bluzkę wyglądała bardzo atrakcyjnie. O niebo lepiej niż pozostałe kobiety pracujące w Zgromadzeniu! Biedni księża, biedni klerycy. Mając tak ładną kobietę na widoku, chyba trudno im było nie grzeszyć myślami – Mark uśmiechnął się w duchu.

Okazało się, że Janina Kajda jest domyślna, bo wyszła z pokoju pod pretekstem zdobycia podpisu ekonoma.

Mark i Arleta Kumięga zostali sami. Zachowanie kobiety zdradzało pewne skrępowanie i niepokój. Powiesiła torebkę na oparciu krzesła i nerwowo poprawiała bluzkę.

– Od kiedy pani tu pracuje?

– Od ponad dwóch lat.

– Czy mogłaby pani powiedzieć coś o księdzu prowincjale? Jaki był, czy miał jakichś wrogów lub przyjaciół?

– Znałam go tylko jako swojego szefa. Nic nie wiem ani o jego przyjaciołach, ani wrogach – odparła, patrząc Markowi prosto w oczy.

Na wszystkie pytania Marka odpowiadała podobnie jak reszta pracowników Zgromadzenia. Gdy Biegler patrzył na nią, nurtowało go zasadnicze pytanie: dlaczego ją tutaj zatrudniono? Nie powstrzymał się i zapytał o to kobietę.

– Jak pani znalazła tę pracę? W pośrednictwie? Z ogłoszenia?

– Znajomy mnie polecił. Akurat zwolnił się etat, bo moja poprzedniczka przeszła do Osieka, do Fundacji.

– Kto to taki? Mogę prosić o nazwisko?

– Beata Tomczyk.

Mark zdziwił się, nie wiedział, że Tomczyk tu pracowała. Może ona powie mu coś więcej na temat zmarłego księdza.

Wyszedł z budynku. Już miał wsiąść do auta, ale postanowił coś sprawdzić. Obszedł dom parafialny dookoła, podziwiając w duchu ogród. Rzeczywiście było tu prześlicznie. Nadchodząca jesień jeszcze nie zdążyła przebarwić liści na żółto i czerwono, dzięki pięknej pogodzie nadal panowało tu lato. Wrzesień był wyjątkowo ciepły i oszczędził tutejszą roślinność.

Mark najwięcej uwagi poświęcił fragmentowi ogrodu sąsiadującemu z tarasem prowincjała, ale nie zauważył nic szczególnego. Zastanawiał się, czy są tu umieszczone kamery, bo żadnej nie dostrzegł. Widział je przy wejściu do budynku i wokół kościoła, jednak tutaj ich nie było.

Później obejrzał dokładnie ogrodzenie, poszukując jakiejś furtki, przez którą można by było dostać się od zewnątrz na teren posesji. Ale nic takiego nie zauważył.

Wyszedł na ulicę przez bramę główną, pozostawiając samochód na parkingu. Kilkanaście metrów dalej było wejście do kościoła. Pokonał kilka stopni i znalazł się w kruchcie. Wszedł w głąb świątyni. Panował tu półmrok, światło ledwo sączyło się przez kolorowe witraże w oknach. Kościół wybudowany był również w stylu neoklasycznym, tak jak budynek administracyjny, obie budowle musiały powstać w tym samym czasie.

Kilka starszych kobiet siedziało na drewnianych ławkach i modliło się. Albo czekało na mszę.

Z boku ołtarza zauważył sylwetkę ekonoma. Mark podszedł do niego.

– Pan jeszcze jest tutaj? – zdziwił się ksiądz.

– Tak, chcę się tu trochę rozejrzeć. To jest wejście do zakrystii? – Wskazał drzwi za rusztowaniem osłoniętym zielonkawą folią.

– Tak. Remontujemy kościół.

Mark pomyślał, że podczas mszy można było przemknąć się niezauważonym do zakrystii. Pełny widok na drzwi miał jedynie ktoś przebywający przy ołtarzu. Na przykład ksiądz koncelebrujący liturgię. Mszę odprawiał wtedy superior.

– Czy mogę wejść do zakrystii? – zapytał.

– Proszę bardzo.

Mark rozejrzał się po dość dużym pomieszczeniu. To tutaj księża przebierają się w szaty liturgiczne – pomyślał.

– A to jest wejście do pasażu prowadzącego do domu parafialnego?

– Tak.

– Czy mogę przejść się pasażem?

Mark wszedł do zadaszonego przejścia. Było ono również ogrzewane, bo zauważył kaloryfery. Po pokonaniu około dwudziestu metrów zobaczył drzwi prowadzące do holu i na podwórze, skąd widać było ogród.

Mark się zamyślił. Portier niekoniecznie musiał widzieć każdego gościa księdza prowincjała. Wystarczyło dostać się do zakrystii, a później przejść niezauważonym przez hol lub ogród, pokonując ścianę tui, i wejść na taras.

Biegler w zamyśleniu włączył stacyjkę swojego samochodu i wyjechał na ulicę. Przejechał kilkanaście metrów i nagle się zatrzymał. Musi sprawdzić, jak wygląda ogrodzenie na zewnątrz posesji.

Cudem udało mu się zaparkować. Idąc wzdłuż wysokiego, ponaddwumetrowego białego muru, dokładnie przyglądał się ogrodzeniu. Na końcu wąskiej żwirowej uliczki ujrzał niewielką drewnianą szopę przylegającą do muru. Nie dało się wejść do środka, bo była zamknięta na zamek. Po chwili zadumy wrócił ponownie do budynku Zgromadzenia.

– Widzę, że nie może się pan z nami rozstać – stwierdził portier, odbierając domofon.

– Muszę coś sprawdzić – odpowiedział mu Biegler.

Wszedł na tyły budynku i ruszył do altanki stojącej niedaleko tarasu prowincjała. Jego domysły były słuszne: altanka stała na wprost drewnianej szopy.

Rozdział 3

Mark i Marta siedzieli przytuleni na kanapie, oglądając film. Był to amerykański kryminał, ale niezbyt ciekawy. Co chwila ziewali z nudów.

– Chyba nie ma sensu, żebyśmy dalej się męczyli. Przełącz na coś innego – powiedziała Marta.

– Mam pomysł, przenieśmy się do sypialni – zamruczał zmysłowo Mark, głaszcząc żonę po odkrytym ramieniu.

– Nie za wcześnie, dopiero dziewiąta?

W tym momencie usłyszeli dzwonek u drzwi.

– O Boże, znowu ta smarkata – westchnął, podnosząc się z niechęcią z kanapy. – Jak ona zda maturę z matematyki, jeśli nie potrafi samodzielnie rozwiązać najprostszego zadania?

Nie była to jednak Iza, tylko jej ojciec. I komisarz Bieda.

– Mam nadzieję, że wam nie przeszkodziliśmy – zaczął Robert. – Mark, znasz komisarza Biedę? Chciałby z tobą porozmawiać.

Mężczyźni wymienili uścisk dłoni. Ryszard Bieda był przyjacielem komisarza Pięty. Matka Pięty była pacjentką Orłowskiego, od kilku lat regularnie odwiedzającą klinikę – wraz z synem jako kierowcą – by kontrolować tętniaka powstałego w jej głowie. Pewnego dnia Pięta przyprowadził ze sobą kolegę, właśnie Ryszarda Biedę, który okazał się bardzo pomocny, gdy klinika Orłowskiego wpadła w kłopoty związane z zakupem przez nieodpowiedzialnego dyrektora ekonomicznego nieprzetestowanych leków. Dzięki Biedzie Orłowski wykaraskał się z biedy, czego nigdy nie zapomniał komisarzowi.

Mark poznał komisarza parę lat temu, przy sprawie Anki Sosnowskiej. Na życzenie Marka wszystkie zasługi za rozwiązanie zagadki morderstwa przypisano wtedy Biedzie i jego zespołowi, ponieważ Biegler wolał pozostać w cieniu.

– Marto, Renata potrzebuje cię na chwilkę – oznajmił dyplomatycznie Robert, by mężczyźni mogli porozmawiać na osobności.

Kiedy Marta i Orłowski wyszli z mieszkania, Mark spojrzał wyczekująco na policjanta.

– Słucham, panie Ryszardzie. Cóż pana do mnie sprowadza?

– Dobrze pan wie, po co tu przyszedłem.

– Doprawdy nie wiem. – Mark uśmiechnął się rozbrajająco.

– No dobrze. Doszły mnie słuchy, że ponownie bawi się pan w detektywa. Znowu odbiera nam pan pracę. – Bieda zrewanżował się uśmiechem.

– Nie wiem, o czym pan mówi, komisarzu.

– Panie Marku, proszę się nie obawiać, nie pogrożę panu paluszkiem. Wprost przeciwnie. Wszystkim nam zależy na wykryciu mordercy. Rozumiem księży, że chcą to szybko załatwić, póki media nie dobrały im się do tyłka. Policja również chce się wykazać, przecież bierzemy za to pieniądze. Wiem, że ma pan wyjątkową intuicję i umiejętność dedukcji, dlatego przyszedłem, by zaproponować współpracę. Hm, księża nie są skorzy, by zwierzać się policji ze swoich problemów, widzę, że wolą załatwić to po cichu, rękami cywila. Niech im będzie. Najważniejsze, żeby znaleziono sprawcę. – Na moment zamilkł. – Czego się pan dowiedział?

Mark roześmiał się z tego trochę obcesowego pytania.

– Komisarzu, niestety księża przede mną również nie chcą się rozgadywać. Nie wiem, czy się nie wycofam.

– To dlaczego zwrócili się do pana, jeśli nie chcą mówić?

– Prawdę mówiąc, sam nie wiem, dlaczego to zrobili.

– Ale zgadza się pan na naszą współpracę?

– Hm, nakazano mi dyskrecję.

– Przed policją? Rozumiem, że przed mediami. Telewizja i internet mogą zniszczyć człowieka. Potrafią tam tak manipulować słowami i faktami, że człowiek nie wie, kiedy sam sobie ukręca powróz na szyję. Wiem coś o tym. A kler to bardzo wdzięczny temat. – Spojrzał bystro na Bieglera. – Co pan wyniuchał? Obiecuję, że ja również będę pana informował o tym, jak posuwa się śledztwo. No, słucham?

– To może pan pierwszy mi powie, czego się dowiedzieliście? Na pewno są już wyniki sekcji?

Bieda przyglądał się Markowi w milczeniu. Westchnął.

– Dobrze, powiem panu, co wiemy. Wydaje się nam, że prowincjał nie był takim świętym, za jakiego uchodził. Jak to mówią niektórzy: nie wszystko złoto, co się świeci i nie każdy chłop z widłami to Posejdon… Albo raczej: nie każdy chłop w sutannie to święty. Nasiadka musiał mieć wrogów, jeśli go zabito – mruknął. – Zamordowano go przez uduszenie. Prawdopodobnie kablem od komputera, bo miał go na szyi. Wcześniej go trochę pobito. Nie za mocno. Jedno uderzenie w nos. Stąd ta krew. Nie mamy jeszcze wszystkich wyników z laboratorium. Ostatnią osobą, która widziała ofiarę, był Bolesław Ślęzak. Portier zeznał, że nikt po nim nie był w mieszkaniu Nasiadki.

– Proszę powiedzieć mi coś, czego nie wiem. Na przykład czy prowincjał był pijany?

– Tak.

– Czy to wykazała sekcja, czy wnioskuje pan po tych butelkach znalezionych przy ofierze?

– Jakich butelkach? Nie było tam żadnych butelek, jedynie w kieliszku trochę wina. Dziwne, bo w mieszkaniu było wyjątkowo czysto, jakby ktoś chwilę wcześniej dokładnie wszystko posprzątał.

– W mieszkaniu była sprzątaczka.

– Nie to mam na myśli. Sekcja wykazała, że prowincjał był bardzo pijany, a nie znaleźliśmy żadnej pustej butelki. W barku stało kilka, ale wszystkie jeszcze zamknięte.

– Nie znaleziono żadnych śladów obecności innych ludzi? Był przecież u niego Ślęzak, a przed nim inny ksiądz?

– Właśnie. Ale i Ślęzak, i ten drugi z Fundacji, Marian Bielecki, zeznali, że ich niczym nie poczęstował. Nie było również żadnych niedopałków, chociaż w powietrzu czuć było palony tytoń.

– Czy drzwi na taras były zamknięte?

– Tak. Nie było tam żadnych odcisków, nawet na klamce. Jedynie na drzwiach do garderoby znaleźliśmy trochę śladów.

– Dziwne. To jak zamknięto drzwi tarasowe?

– Właśnie – mruknął policjant. – A czego pan się dowiedział?

– Niczego konkretnego. Tylko tego, że ksiądz był wymagającym, zamkniętym w sobie człowiekiem, niemającym przyjaciół ani wrogów... ani poczucia humoru. Surowym, ale sprawiedliwym. Oczywiście nigdy nie widziano go pijanego.

– Hm, to wie pan tyle co my.

– Zastanawia mnie sposób, w jaki go zamordowano. Najpierw go uderzono, a później uduszono. Z tego, co pan mówi, wynika, że nie pobito go zbyt mocno... Garota. Przypomina mi to egzekucję. Łatwiej byłoby go na przykład otruć albo upozorować samobójstwo. A tu jakby specjalnie chciano pokazać, że to wykonanie wyroku...

– Rzeczywiście, może powinniśmy iść tym tropem. Naprawdę nic więcej pan nie wie?

Mark przez moment się zastanawiał, czy nie wspomnieć o altance, ale na razie się z tym wstrzymał. Nie wiadomo, do czego to doprowadzi, a przecież przyrzekł księżom dyskrecję.

Pół godziny później komisarz wyszedł, obiecując poinformować Bieglera o wynikach badań, gdy dostarczą mu je z laboratorium.

– Panie Marku, jednak radzę nie afiszować się swoją dodatkową profesją. Żeby bawić się w inwigilację innych ludzi, trzeba mieć licencję detektywa. Swoją drogą mógłby pan ją zrobić bez trudu. Teraz jest dużo łatwiej niż przedtem, gdy zdawało się egzamin w Warszawie. Gowin swą ustawą deregulacyjną ułatwił życie również prywatnym detektywom. Wystarczy jedynie zapłacić za kurs organizowany przez krakowską policję i go zaliczyć, a ma się licencję w kieszeni – powiedział na odchodnym. – Inna sprawa, że Gowin, likwidując licencję w wielu branżach zawodowych, wyprodukował całą armię partaczy. Ale z pana byłby bardzo dobry detektyw. Pomijając pańską intuicję, był pan przecież przeszkolony przez Interpol.

– Może pomyślę o tym – uśmiechnął się Mark. – Zawsze to dobrze mieć papierek na dodatkowy fach w ręku.

Mark zatrzymał się przed blokiem, w którym mieszkała Beata Tomczyk. Zadzwonił do niej z samego rana z prośbą o spotkanie. Kobieta nie była dziś w pracy, ponieważ zachorowała jej pięcioletnia córeczka. Tomczyk nie miała jej z kim zostawić, dlatego zaproponowała Markowi spotkanie w swoim mieszkaniu.

Jej blok znajdował się na osiedlu Na Kozłówce, zwanym przez krakusów Kozłówkiem, a przez tych bardziej złośliwych – Capówkiem. Rzeczywiście, idiotyczna nazwa – pomyślał Biegler, naciskając guzik domofonu.

Wpuszczono go. Mieszkanie znajdowało się na drugim piętrze. Kiedy Mark stanął przed drzwiami Beaty, właśnie wychodził przez nie chłopak w wieku maturalnym. Był wysoki, niewiele niższy od Marka, mierzącego 190 centymetrów. Miał ciemne włosy, ujmującą twarz i intensywnie niebieskie oczy – takie same jak Beata Tomczyk. Przystojny chłopak – pomyślał Biegler.

Kobieta wpuściła go do mieszkania.

– To pani syn?

– Tak.

– Nie wygląda pani na jego matkę. Raczej na siostrę.

Rzeczywiście Beata Tomczyk nie wyglądała na matkę tak dorosłego syna. Niewysoka, drobnej budowy ciała i o włosach spiętych w kitkę sprawiała wrażenie młodej dziewczyny. Ubrana była w granatowe legginsy i męską koszulę w granatowo-czerwoną kratę. Nie miała makijażu. Chociaż nie była typem seksbomby, musiała podobać się wielu mężczyznom. Markowi w każdym razie bardzo się podobała, chociaż była od niego o kilka lat starsza.

– Przepraszam za mój wygląd, ale właśnie skończyłam myć okna i nie zdążyłam się przebrać.

Z jednego z pokojów wyszła śliczna mała dziewczynka ubrana w piżamkę z wizerunkiem pluszowego misia. Miała włosy dużo ciemniejsze niż matka i brat oraz wielkie brązowe oczy.

– Karola, nie wolno wychodzić ci z łóżka. Jesteś chora – powiedziała matka.

– Ale mi się nudzi! Kim jest ten pan?

– To mój znajomy – odparła Tomczyk. – Panie Marku, proszę poznać moją niegrzeczną córeczkę.

Mark podał rękę małej i uśmiechnął się do niej.

– Nie wierzę, żebyś była niegrzeczna – powiedział. – Takie ładne dziewczynki nie mogą być niegrzeczne.

– Mogą – odparła zdecydowanie. – Kiedy są chore, muszą być niegrzeczne, bo źle się czują.

Gdy patrzył na małą, serce ścisnęło mu się z żalu. Zawsze w towarzystwie małych dzieci ogarniał go smutek. Tak bardzo pragnął mieć dziecko...

– Chcesz zobaczyć mój język? Jest biały, a gardło czerwone. – Zademonstrowała swą jamę ustną. – Czy mi coś przyniosłeś? Jakiś prezent lub coś dobrego do jedzenia? Czekoladkę lub cukierki?

Mark trochę się zmieszał.

– Niestety, jakoś nie pomyślałem.

– Karolina, nie wolno upominać się o prezenty, ile razy mam ci to mówić? Przepraszam pana za córkę.

– To ja popełniłem *faux pas*, nie ona. – Nachylił się nad dziewczynką. – Obiecuję, że gdy przyjdę następnym razem, to przyniosę ci ekstraprezent.

– Jaki?

– Nie powiem, zrobię ci niespodziankę.

– To zobacz, jakie mam zabawki, bo nie chcę dostawać takich samych.

Wzięła go za rękę i poprowadziła do pokoju.

– Karolinko, pan przyszedł do mnie, nie do ciebie – zastrzegła matka, głośno wzdychając. – Zostaw pana w spokoju.

– Ależ ja bardzo chcę zobaczyć zabawki Karoliny! – Mark puścił oko do Beaty i poszedł grzecznie za dziewczynką.

Pokój cały tonął w zabawkach. Wszędzie były lalki, pluszaki, wózki dla lalek i inne dziecięce akcesoria. Kolorem dominującym był róż. Różowa tapeta, różowy dywanik na podłodze i różowa narzuta na łóżko, jedynie meble były białe, zarówno szafa, komoda, jak i małe biurko. Białe były również żaluzje i zasłonki, ładnie upięte po bokach okna. Z jednej ze ścian spoglądała disnejowska Królewna Śnieżka, bardzo umiejętnie przez kogoś odtworzona.

Po kilkunastu minutach pobytu u dziewczynki Beacie udało się wyciągnąć Marka ze szponów córki, przekupując ją bajką w telewizji. Zaprowadziła go do pokoju pełniącego jednocześnie funkcję saloniku, kuchni i sypialni.

– Chciałam, żeby dzieci miały swoje pokoje, dlatego zrobiłam z kuchni pokój dla Karoliny. Zabudowę kuchenną przeniosłam do dużego pokoju.

Duży pokój nie liczył nawet dwudziestu metrów. Biegler rozglądał się po wnętrzu z zainteresowaniem. Było tu ładnie i przytulnie. Widać było, że gospodarzom się nie przelewa, bo większość mebli została przerobiona i odremontowana, ale efekt był zaskakująco dobry. Wnętrze ujmowało oryginalnością i fantazją.

– Bardzo tu ładnie. Nigdy nie przypuszczałem, że można zrobić samemu takie fajne meble. Hm, stolik z maszyny do szycia. Ta komoda też jest fantastyczna.

– Została przerobiona ze starego kredensu wyrzuconego przez sąsiadkę. To zasługa syna. Ma zdolności plastyczne. Prawie wszystko zrobiliśmy we dwójkę. On był pomysłodawcą, a ja jedynie jego asystentką – powiedziała, stawiając na niskim stoliku filiżanki z kawą. – To ciasto też on upiekł.

– Ma pani wyjątkowego syna.

– Wiem – uśmiechnęła się. – Przejdźmy do sedna: o czym chciał pan ze mną porozmawiać?

– Dlaczego nie powiedziała mi pani, że pracowała w siedzibie Zgromadzenia przy ulicy Kalwaryjskiej? Byłem pewien, że od początku miejscem pani pracy jest Fundacja w Osieku.

Beata wzruszyła ramionami.

– Nie pytał mnie pan o to. Zresztą, kiedy miałam panu o tym powiedzieć, przecież spotkaliśmy się tylko raz.

– Wszyscy nabrali wody w usta. Prawdziwa zmowa milczenia. Może od pani dowiem się wreszcie czegoś konkretnego o zamordowanym? Inni mówią ogólnikami. Wymagający, surowy, ale uczciwy i sprawiedliwy. Nie miał żadnych wrogów, nie miał też przyjaciół.

– Czemu się pan dziwi? Pracownikom zależy na pracy, a księża nie lubią zwierzać się obcym ze swoich problemów. Trzeba ich zrozumieć, mam na myśli księży. Wyrzekli się świata, opuścili swoich bliskich i utworzyli nową rodzinę. Czy rozpowiadałby pan wszystkim naokoło, o co się kłócicie z żoną? Czy wywlekałby pan wasze sekrety na zewnątrz? A każdy z nas ma jakieś tajemnice... Oni są dla siebie rodziną. Nie bez powodu nazywają się konfratrami.

– Przecież sama pani do mnie przyszła. Podobno chcecie znaleźć mordercę.

Na chwilę w pokoju zawisła chmura milczenia. Pierwsza odezwała się Tomczyk.

– Społeczeństwo ma zbyt duże oczekiwania względem księży. Chcą widzieć w nich istoty wyjątkowe, doskonałe, wręcz święte. Idealne. Bez wad, z samymi zaletami. Ale księża to tylko ludzie! Tacy jak my. Jedni są dobrymi kapłanami, inni gorszymi. Są też tacy, którzy nigdy nie powinni składać ślubów kapłańskich. Do takich należał prowincjał. W Zgromadzeniu są księża, których bardzo cenię. Podziwiam i szanuję. Którzy poszli do seminarium z powołania. Nie tylko głoszą Słowo Boże, lecz także według niego żyją. – Widząc minę Bieglera, uśmiechnęła się lekko. – Wiem, że mówię teraz jak ksiądz na kazaniu. Mnie też czasami udziela się trochę ich patosu. – Odchrząknęła. – Nasiadka był typem karierowicza. U księży również się to zdarza, tak jak w każdej grupie społecznej. Niech pan popatrzy na polityków. Czy oni są tymi najlepszymi z narodu? Nie. Przeważnie są to ludzie pazerni na władzę i pieniądze, krzykliwi i bezwzględni. Prawdziwych patriotów raczej wśród nich nie uświadczysz. Tak samo jest w kręgach klerykalnych. Po drabinie zaszczytów wspinają się przeważnie księża żądni sukcesu. Bardzo ambitni, czasami bezwzględni, bez krzty empatii, za wszelką cenę chcący zrobić karierę i zapewnić sobie dobre życie. Często zapominają, po co wstąpili do seminarium, albo od początku kierują się niskimi pobudkami. Przejrzałam Nasiadkę już na samym początku, gdy tylko go poznałam, a przekonałam się w stu procentach po tym, w jaki sposób potraktował księdza Ślęzaka. – Na chwilę się zamyśliła. – Nie znam wrogów Nasiadki, ale miał ich na pewno wielu. Nie znam również jego przyjaciół, ale... znam jego ostatnią przyjaciółkę. – Spojrzała na Bieglera. – Arleta Kumięga była jego kochanką.

Znowu przez moment zrobiło się w pokoju cicho.

– Tak podejrzewałem. Czy była nią już wcześniej, czy stała się nią dopiero, gdy zaczęła tam pracować?

– Myślę, że wcześniej się nie znali. Ale wydaje mi się, że ona nie była pierwszą jego kochanką. – Zawahała się.

– Skąd takie przypuszczenie?

Wzruszyła ramionami.

– Wiem. My, kobiety, mamy intuicję w tych sprawach.

– Skąd pani wie, że byli kochankami? Może to tylko przypuszczenia?

– Kiedyś wieczorem ją śledziłam.

– Czy wchodziła na teren Zgromadzenia przez szopę?

Beata gwałtownie podniosła głowę, trochę zaskoczona słowami Bieglera.

– Widzę, że domyślił się pan, że to zakamuflowane przejście.

– Czy inni wiedzieli o tym przejściu?

– Nie wiem. Chyba tak.

– A wiedzieli o romansie?

– Wątpię. Arleta i prowincjał byli bardzo dyskretni. Wśród pracowników panowała opinia, że Nasiadka bardzo jej nie lubi. Tak wszyscy mówili. Krzyczał na nią, wyśmiewał się z niej. Nawet się zdarzało, że przez niego płakała.

– To może już przestali być kochankami?

– Nie. Oboje grali. Skandal mógłby zniszczyć jego karierę. Dużo młodych księży ma romanse. Przełożeni raczej patrzą na to przez palce, ale panuje zasada: nie daj się złapać, bo dostaniesz po łapach. Rozumieją, że nad naturą nie da się zapanować. I tak jest lepiej, gdy ksiądz ma kochankę, a nie kochanka, no i że jest nią dorosła kobieta, a nie dziecko.

– W waszej Fundacji też to się zdarza?

– Wątpię. Prezes Ślęzak trzymał krótko księży. Jak coś takiego zauważył, to odsyłał na prowincję albo za granicę. Nasi księża z Osieka są naprawdę wyjątkowi. Rzadko się teraz takich spotyka.

Beata zamknęła drzwi za Bieglerem. Weszła do pokoju córki. Karolina spała w najlepsze mimo włączonego telewizora. Kobieta przykryła dziewczynkę. Dłonią sprawdziła temperaturę. Na szczęście czoło było chłodne. Teraz zacznie się czas chorowania – westchnęła. Dopiero wrzesień, a mała już złapała infekcję. Co będzie jesienią i zimą? Musi rozejrzeć się za jakąś opiekunką, przecież nie może ciągle opuszczać pracy. Ślęzak już nie wstawi się za nią. I tak cud, że jej nie zwolniono. Gdy tylko nowy dyrektor zawitał do Osieka, zaraz zaczął robić czystkę wśród pracowników. Pozwalniał wszystkich „ludzi Ślęzaka". Główną księgową, kadrową, nawet architekta, chociaż był bardzo dobry i tani.

Weszła do kuchni, by przygotować na jutro obiad. Postanowiła zrobić spaghetti, Karolina je lubiła.

Przyrządziła sos, ugotowała makaron. Spojrzała na zegarek. Michał jakoś długo nie wracał.

Postawiła laptop na stole i go włączyła. Wpisała hasło, nasłuchując, czy syn nie nadchodzi. Dopiero by było, gdyby Michał to przeczytał! Na samą myśl ciarki jej przeszły po plecach. Zanim zaczęła pisać, przeczytała tekst od początku.

Rozdział 4

Beata

Postanowiłam napisać pamiętnik, opisać wszystko, co się wydarzyło, i dać mu do przeczytania. Nie wiem jednak, czy się na to odważę. Czy będę na tyle silna? Ale sam fakt, że dzielę się moimi wspomnieniami, nawet z laptopem, powoduje, że trochę mi lżej na duszy. Postanowiłam być szczerą. Do bólu szczerą. Otworzę się jak przed nikim wcześniej, wyjawię wszystkie moje sekrety, odsłonię myśli i uczucia. Będzie to moja spowiedź, może trochę specyficzna, nietypowa, ale szczera.

Nie jestem pozytywną osobą. W książkach i filmach taka postać jak ja wzbudzałaby niechęć i pogardę. Więcej: gdyby niektóre głowy obleczone w moherowe berety dowiedziały się o mnie prawdy, wywiozłyby mnie na taczkach z mojego bloku niczym Jagnę Borynową. Mój biedny anioł stróż chyba ze zgryzoty powyrywał sobie już wszystkie pióra, patrząc na to, co wyrabiałam. A było tego dużo...

Niestety w niczym nie przypominam dzielnych bohaterek powieści: dumnych, odważnych, szlachetnych i prawych. Tak, jestem złą kobietą - tak by mnie prawdopodobnie zakwalifikował Bogusław Linda.

Czy już w dzieciństwie byłam zła? Czy ja wiem...? Nie wyrywałam muchom skrzydełek, nie rozgrzebywałam kijem mrowisk ani nie znęcałam się nad kotem. Zapowiadałam się całkiem dobrze, to chyba później opętał mnie szatan.

Te destrukcyjne cechy charakteru zaczęły pojawiać się u mnie dopiero w liceum. Wtedy zauważyłam, że nie cierpię się uczyć, nie znoszę sprzątać swojego pokoju i nienawidzę swojej siostry. Że coraz częściej uciekam się do kłamstwa, wykorzystuję ludzi i myślę o tym, o czym niewinne młode dziewczynki nie powinny myśleć.

Dzieciństwo spędziłam w Żuradzie Leśnej, małej wiosce pod Olkuszem. Mieszkałam wraz z rodzicami w domu babci - porządnej i bogobojnej kobiety. Było mi tam całkiem dobrze, bo byłam babciną ulubienicą. Wspinałam się po drzewach, objadałam malinami prosto z krzaka i chodziłam do lasu na jagody i grzyby. Miałam mnóstwo kolegów, z którymi bawiłam się w berka i podchody.

Gorzej natomiast mieszkało się tam mojemu ojcu, który nie przepadał ani za bigosem i grochówką swej teściowej, ani za jej osobą. Babcia zawsze uważała, że mama popełniła mezalians, wychodząc za mąż za ojca. Według niej Jerzy Makowski nie był zbyt dobrą partią dla jej wyjątkowej córki. Ciągle narzekała na jego braki: brak dyplomu z tytułem inżyniera, brak urody i brak ochoty do prac polowych. Główną wadą jednak była jego mała zaradność życiowa. Nie tylko nie umiał zarabiać pieniędzy, lecz także nie potrafił wbić gwoździa w ścianę. Po przyjściu z pracy zamiast iść z motyką na pole, by okopywać zagon ziemniaków, wolał usiąść w fotelu i czytać książki. Żurada stała się teraz sypialnią Olkusza, ale w czasach mojej wczesnej młodości była małą wioską zamieszkałą przez chłoporobotników. Nikt z jej mieszkańców nie mógł utrzymać się z mikroskopijnych poletek wynoszących niewiele ponad hektar, musiał więc pracować w przemyśle. Po ośmiu godzinach pracy w hucie lub fabryce, dwóch godzinach dojazdu do miejsc pracy (autobusy bardzo rzadko jeździły) nieszczęsny chłoporobotnik ledwo zjadł obiad, a już musiał zakasać rękawy i brać się do nowej roboty: sadzić lub wykopywać ziemniaki, siać czy kosić zboże i karmić krowę bądź wieprzka. Najgorsze w tym było to, że tak małe gospodarstwa nie przynosiły prawie żadnego dochodu. Tradycja i zakorzenione przywiązanie do ziemi nakazywało ludziom z pokolenia babci obsiewać nawet nieurodzajne poletka i trzymać w chlewie prosiaka, ponieważ ziemia nie mogła leżeć odłogiem. Mój tato widział bezsens takich gospodarstw, dlatego nie garnął się do roboty. Kiedy tylko dostał szansę, by wyrwać się z domu teściowej, od razu wziął nogi za pas i zwiał do bloków, do Olkusza.

Trzypokojowe mieszkanie otrzymane od „państwa" było niewiele większe od dwóch pokoi zajmowanych przez nas u babci. Całość naszej powierzchni mieszkalnej wraz z loggią wynosiła niecałe czterdzieści osiem metrów kwadratowych. Kuchnia dla krasnoludków, pokoiki dla liliputów, natomiast loggia godziwych rozmiarów. Jako pięcioosobowej rodzinie przysługiwał nam większy metraż, ale ojciec wolał zadowolić się M-4, niż dzielić dalej kuchnię i łazienkę ze swoją teściową.

Śmieję się z metrażu mojego rodzinnego mieszkania, tymczasem moje obecne mieszkanko jest jeszcze mniejsze. Ale za każdy jego metr trzeba było słono zapłacić, a tamto rodziców dostaliśmy prawie za darmo.

Byłam najmłodszą pociechą państwa Makowskich, oprócz mnie mieli syna, o trzy lata starszego ode mnie Dariusza, i pięć lat starszą (rocznikowo) córkę Aldonę – różnica wynosiła prawie sześć lat, bo ona była ze stycznia, a ja z grudnia. Brata uwielbiałam, siostry nie cierpiałam. Nie znosiłam jej – bo jak można lubić istotę doskonałą? Aldona była zawsze chlubą rodziny: najlepszą uczennicą, później najlepszą studentką medycyny na roku; pracowita w szkole i w domu. Pomagała mamie w porządkach domowych, gotowała z nią obiad i pilnowała młodszej siostry – to znaczy mnie. Pilnowanie polegało na donoszeniu rodzicom o wszystkim, co robię. Kiedy zauważyła, że zamiast się uczyć, czytam „głupią" książkę, od razu informowała o tym mamę. Gdy zobaczyła z tyłu regału paczkę papierosów, pobiegła w te pędy do ojca. A gdy kilka lat później znalazła w mojej szufladzie prezerwatywę (pierwsza zasada płaskiego brzucha: „zawsze używaj prezerwatyw" nigdy mojej siostry nie dotyczyła), triumfującym tonem oznajmiła o tym i mamie, i ojcu.

Boże, jak ja jej wtedy nienawidziłam…

Ze względu na tę samą płeć musiałyśmy dzielić pokój. Strasznie zazdrościłam Darkowi tego, że ma własny kąt, że może zamknąć drzwi na klucz i nikt nie będzie grzebał mu w jego rzeczach. Ja niestety miałam osobistego szpiega, musiałam „sypiać z wrogiem". Oczywiście zarówno rodzice, jak i Aldona uważali, że to wszystko dla mojego dobra, że jako starsza siostra musi partycypować w moim wychowaniu. Na szczęście była pięć lat starsza ode mnie, więc kiedy ja skończyłam siódmą klasę, ona zdała maturę i poszła na studia. Dzięki temu moja młodość była tłamszona przez nią tylko przez dwa weekendy w miesiącu, bo resztę dni moja prześladowczyni spędzała na uczelni lub w akademiku w Krakowie. Wywalczyłam nawet zamianę łóżek – teraz ja spałam na fotelu jednoosobowym, a siostra na łóżku chowanym w segment, które wcześniej było przeze mnie zajmowane. Do mnie należała również ściana nad tym fotelem i połowa dwuosobowego biurka, połowa szafy i regału, i cały parapet.

Moja licealna młodość przypadła na początek lat dziewięćdziesiątych. Hormony buzowały, zaczęła rodzić się we mnie kobiecość, a w Polsce tymczasem powoli rodził się kapitalizm. Ja poczułam zew natury, a Polacy – zew przedsiębiorczości. Moi rodzice również się do nich zaliczali. Tata na skutek przemian restrukturyzacyjnych w przemyśle dostał wypowiedzenie i spory ekwiwalent pieniężny. Postanowił otworzyć własną działalność. Pełen nadziei, że nareszcie przestanie mieć nad sobą szefa i sam nim będzie dla siebie, patrzył w przyszłość z wielkim optymizmem. Tak się złożyło, że mama również dostała kopa z pracy, ale urząd miasta był mniej wspaniałomyślny, ponieważ otrzymała tylko trzymiesięczną odprawę. Przez całe następne dwudziestolecie żałowała, że piastowała wtedy w urzędzie funkcję kierowniczki wydziału, a nie zwykłej urzędniczki, ponieważ nadal by tam pracowała. Niestety pani Makowska, eksczłonkini PZPR, nie spodobała się „styropianowym kolegom" Lecha Wałęsy. Wraz ze zmianą prezydenta zmieniono również władze w powiecie. Wszyscy „ekspartyjniacy" byli niemile widziani. Cóż z tego, że partyjność mojej mamy ograniczała się do płacenia składek i chodzenia od czasu do czasu na partyjne zebrania. Nie pragnęła zapisać się do PZPR, ale wymagało tego od niej jej szefostwo – niestety, żeby zajmować kierownicze stanowisko, trzeba było należeć do partii. No i zapisała się, bo była osobą ambitną, chcącą robić karierę zawodową. Później przez całe lata narzekała na swą głupotę, że nie rzuciła w odpowiednim czasie legitymacją partyjną, tak jak zrobili jej koledzy.

Nie zrobiła tego, ponieważ uważała, że nie wolno kopać leżącego, a według niej PZPR była wtedy właśnie w takiej sytuacji. Inni „towarzysze", kiedyś zagorzali piewcy marksizmu i leninizmu, teraz ostentacyjnie chrześcijańsko-demokratyczni radykałowie, zachowali swe stołki i zabezpieczyli się na niepewną polityczną przyszłość, zostając prezesami państwowych spółek. O towarzyszce Makowskiej jednak nie pamiętali, ponieważ nie piła z nimi wódki, a była za stara na kochankę.

Mama również zaraziła się mężowskim optymizmem i razem rzucili się na biznes jak szczerbaty na suchary. Pierwsze, co ojciec zrobił, to kupił porządny telewizor marki Grundig i odtwarzacz wideo. Kolejnymi zakupami były komputer i telefon komórkowy. Pieniędzy z odprawy starczyło jeszcze tylko na zakup samochodu dostawczego. Na kupno mebli i towaru do sklepu zabrakło już funduszy. Ojciec wziął w banku samobójczy kredyt, oprocentowany przez Balcerowicza morderczą stawką.

Nasz pierwszy sklep miał siedzibę w centrum Olkusza i był eleganckim butikiem z damską odzieżą. Mamie nie podobało się sprzedawanie serów i ziemniaków – jeśli już miała czymś handlować, to eleganckimi sukienkami. Wystrojona w jedną z nich dumnie siedziała za eleganckim biureczkiem i elegancko zachwalała eleganckie odzienie. Niestety szybko została zdegradowana, bo pół roku później musiała sprowadzić do sklepu buty i tenisówki *made in China*, żeby po jakimś czasie spaść na najniższy szczebel hierarchii handlowej i sprzedawać warzywa i jarzyny. Ubrana w dederonowy fartuch ważyła buraki i jabłka, modląc się po cichu, żeby ktoś przyszedł do sklepu i coś kupił. Czynsz za lokal był horrendalnie wysoki, a zagęszczenie sklepów tak duże, że rodzice przegrali z konkurencją i musieli wynieść się na osiedle. Niestety, żeby zarobić na czynsz, składki do ZUS-u, podatek obrotowy i nieszczęsną ratę kredytu, trzeba było nieźle się nagimnastykować.

Państwo Makowscy imali się wszystkiego, by wyjść na swoje. Mieli „wsio" w swoim sklepie: chleb, jajka, wędlinę i ziemniaki, a obok buty i garsonki – pozostałość po poprzednich branżach. Ojciec wprowadził nawet wypożyczalnię kaset wideo, żeby zwabić osiedlowego klienta. Szkoda mi było taty, biedak naprawdę bardzo się starał. Niestety, gdy zagraniczne koncerny handlowe typu Lidl i Biedronka znalazły na mapie nawet taką mieścinę jak Olkusz, zmuszony był wyciągnąć białą flagę i się poddać. Obca potężna konkurencja całkiem zniszczyła sklepik mojego ojca. Tato do dziś ma pretensje do Balcerowicza, że potraktował po macoszemu polskich handlowców, zwalniając z podatków wielkie zagraniczne molochy handlowe.

– To niesprawiedliwe! Dlaczego oni nie płacą podatków, a my, Polacy, musimy to robić?! Niech Balcerowicz zwolni z podatków producentów, a nie hipermarkety. Niech zwabi do Polski wielki przemysł, by tu budowano fabryki i zakłady dające miejsca pracy Polakom. A nie handlowców! Przecież handel nie wymaga takich nakładów pieniężnych, dlatego powinno się zostawić tę branżę dla Polaków – mówił. – Nasi politycy są krótkowzrocznymi sprzedawczykami, którzy dorwali się do władzy i skubią Polskę na wszystkie strony. Słowa Bogusława Radziwiłła, który porównywał Polskę do czerwonego sukna szarpanego przez mocarzy, nadal są aktualne. Polska jest słaba wobec silnych, a silna wobec słabych – mówił wtedy. I do dziś tak mówi.

Rzeczywiście drobny handel w Olkuszu całkiem upadł, jedynie targ wciąż przyciągał klientów. Rodzice byli w nieciekawej sytuacji. Na szczęście babcia sprzedała dwie morgi ziemi, dwa wieprze i krowę... i spłaciła nasz kredyt. Już po pierwszym rachunku telefonicznym za swoją komórkę ojciec szybko zaczął ograniczać rozmowy. Przestał chwalić się znajomym wielkim jak cegła aparatem i zasilaczem jak plecak, tylko stulił uszy i szybko zerwał umowę z operatorem. Ale za to później mógł powiedzieć, że był jednym z pierwszych abonentów sieci komórkowej w Olkuszu.

Nasze rodzinne finanse uratował stary wysłużony mercedes transporter. Mimo że samochód miał już sędziwy wiek, piętnaście lat eksploatacji, nadal był niezawodny. Dzięki niemu ojciec mógł zająć się handlem obwoźnym. Kupował w hurtowni towar i jeździł z nim w targowe dni po wszystkich wsiach i miasteczkach powiatu olkuskiego. Handlował wszystkim, czym się dało. Najpierw butami, potem garnkami, później firankami. Wstawał o trzeciej nad ranem, by zająć dobre miejsce na bazarze, i rozkładał swój majdan. Najpierw było to łóżko polowe, a potem duży stół i regały na towar, które rozstawiał pod specjalnym parasolem zrobionym na zamówienie.

Przez wiele lat mama towarzyszyła tacie w tych wojażach. Niestety nie było ich stać na opłacenie obu „zusów", dlatego nie widniała w dokumentach jako osoba współpracująca. Z myślą o przyszłej emeryturze zmuszona była zatrudnić się w innym sklepie. Nie było mowy, żeby znalazła pracę biurową. Wychowana na piórze maczanym w kałamarzu i liczydle, słabo posługiwała się komputerem. Chociaż skończyła prawo, obarczona trójką dzieci nie zrobiła jednak potrzebnych aplikacji. Generalnie mówiąc: nie była przygotowana do dzisiejszych czasów. Nie umiała robić nic konkretnego – nic, czego wymagał potencjalny pracodawca. Pozostał jej handel albo sprzątanie. Nie chciano jej nawet w hipermarketach. Nie nadawała się na stanowisko kierownicze, a do wykładania towaru na półkach była zbyt wykształcona. No i za stara. Mama bardzo przeżywała swą degradację zawodową. Mnóstwo wysiłku kosztowało ją skończenie studiów, bo została matką już na drugim roku. Mimo to – z Aldoną przyssaną do piersi – dzielnie zaliczyła wszystkie egzaminy, i to w trybie dziennym, nie zaocznym. Dlatego teraz czuła się przegrana i oszukana.

Moi rodzice należeli do pokolenia, które zniosło najgorzej transformację ustrojową. Za młodzi na emeryturę, jeszcze czynni zawodowo, nieprzygotowani merytorycznie ani mentalnie do nowych czasów, zostali wrzuceni bez pardonu w wir wilczego kapitalizmu i nie mogli się w nim odnaleźć. Rozczarowani i rozgoryczeni, nadal wspominają lata rządów Gomułki i Gierka z dużym sentymentem. Mimo osiągniętego wieku emerytalnego wciąż muszą pracować zawodowo, bo nie utrzymaliby się z tych nędznych emerytur, które im wypłaca ZUS. Tato nadal jeździ swoim dostawczakiem po małopolskich bazarach, a mama sprzedaje w kiosku gazety i kupony totolotka. Teraz, gdy pozbyli się pasożytów w postaci swoich dzieci, dużo im lżej, mogą nawet od czasu do czasu obdarowywać prezentami sześcioro wnucząt i wyjechać na urlop nad morze, co było niemożliwe kilka lat temu.

Ja i moje rodzeństwo nie przejmowaliśmy się problemami finansowymi naszych rodziców, inna sprawa, że oni również nie chcieli obarczać nas swymi kłopotami. Starali się stworzyć nam w miarę dobre dzieciństwo i młodość. Nie było luksusów w szafie ani lodówce, nie wyjeżdżaliśmy na drogie wycieczki zagraniczne, ale nie narzekaliśmy na niedostatek. Ich podstawową misją, którą sobie narzucili, było zapewnienie swoim dzieciom dobrego wykształcenia. Aldona jako studentka medycyny i przyszły lekarz nie zawiodła ich, ale gorzej było ze mną i bratem, bo nie byliśmy tak pilni i skorzy do nauki jak nasza siostra.

Darek po skończeniu technikum samochodowego poszedł na politechnikę, ale zagrzał tam tylko rok. Nie lubił się uczyć. Uważał, że wiedza teoretyczna, jaką zdobył w szkole średniej, jest wystarczająca do tego, co ma zamiar robić w życiu, a studiowanie to tylko strata czasu. Odkąd był małym dzieckiem, kochał samochody. Nie umiał jeszcze dobrze mówić, a już rozróżniał wszystkie auta, które jeździły po polskich drogach. Kiedy trochę podrósł, motoryzacja stała się jego prawdziwą pasją. Pierwszy motor złożył jeszcze w podstawówce, a kilka lat później auto, fiata 126p, chociaż nie miał jeszcze skończonych osiemnastu lat ani prawa jazdy. Zbudował składaka sam, od podstaw. Przez parę lat był to jedyny samochód osobowy w naszej rodzinie.

Darek rzucił studia i pojechał do Niemiec, gdzie zarobił kasę na kilkuletniego opla astrę i… warsztat samochodowy. Wrócił z zagranicy akurat wtedy, gdy byłam w klasie maturalnej, i zaraz zaczął szukać lokalu pod zakład motoryzacyjny. Brat, w przeciwieństwie do reszty rodziny, miał żyłkę do interesów. Obecnie ma trzy zakłady samochodowe i całkiem nieźle mu się powodzi. Chciał nawet zatrudnić u siebie rodziców, ale się nie zgodzili: ani na pracę u niego, ani na zapomogę od niego.

Z dużym sentymentem wspominam swoje lata szkolne. Zawsze uważałam je za najlepszy okres w moim życiu. Gdy się jest młodym, pieniądze nie są aż tak istotne jak wtedy, gdy się jest dorosłym. Chociaż przez kilkanaście lat byłam żoną majętnego człowieka, który zapewnił mi i dzieciom wysoki standard życia, nigdy nie byłam tak szczęśliwa, jak mając dziewiętnaście lat.

Tak, klasa maturalna to najlepszy czas mojego życia. Właśnie wtedy poznałam Artura.

Bardzo dobrze pamiętam ten dzień. Była to pierwsza środa września, tuż po rozpoczęciu roku szkolnego. Słońce mocno świeciło i było wyjątkowo upalnie – za gorąco na szkolny chałat, który my, uczennice I LO im. Kazimierza Wielkiego w Olkuszu, musiałyśmy zakładać do szkoły. Promienie wdzierały się do sali, gdzie trzydzieści pięć dziewcząt siedziało w dwóch rzędach stolików czteroosobowych i bezmyślnie gapiło się na tablicę zapisaną niezrozumiałymi dla nas liczbami. Matematyczka tłumaczyła nam, co się wzięło z czego, a my z tępymi wyrazami twarzy przytakiwałyśmy, nie rozumiejąc ni w ząb. Nagle w połowie lekcji usłyszałyśmy lekki stuk-puk, drzwi się otworzyły i wszedł ON. Moja wielka miłość, najważniejszy mężczyzna, którego spotkałam na swojej życiowej drodze. Człowiek, który odcisnął głęboki ślad na moim życiu, psychice i sercu. Dla którego stałam się katem i jednocześnie jego ofiarą…

Rozdział 5

Mark wyjechał z garażu, pilotem zamknął bramę.

Dzwoniła Berta. Za kilka dni będzie musiał jechać do Wiednia na zebranie rady nadzorczej. Po śmierci macochy Gretchen Biegler Mark wycofał się z interesów firmy. Prezesem została Berta Schmidt, siostrzenica Gretchen, a dawna narzeczona Marka, z którą związał się ponownie, gdy dowiedział się o zdradzie Marty. Na wspomnienie tego incydentu zacisnął szczęki. Gdy myślał o niewierności żony, wciąż odczuwał igiełki bólu. I gniewu. Cierpienie bywa najbardziej dotkliwe, gdy cios zadają bliskie osoby: ukochana żona i najlepszy przyjaciel. Przygoda miłosna Marty z Davidem Singlerem spowodowała, że Mark wrócił do swojej byłej narzeczonej. Jednak uczucie do żony było również silne jak jej skrucha, dlatego wybaczył jej zdradę i znowu byli małżeństwem. Nie mógł całkiem zerwać kontaktów z Bertą, ponieważ zbyt dużo ich łączyło. I to nie tylko interesy.

Chociaż Mark scedował zarządzanie hotelami na Bertę, nie chciał zerwać z działalnością dziennikarską, dlatego dał się namówić na pisanie cotygodniowych felietonów do jej dziennika i dwóch periodyków, które pozostały jej ze schedy po ojcu. Początkowo eksnarzeczona miała zamiar sprzedać odziedziczone wydawnictwo i stację telewizyjną, ale później zrezygnowała z tego pomysłu i zostawiła sobie kilka poczytnych tytułów prasowych. Mimo kryzysu potrafiła nadal utrzymać się na rynku.

Rozmyślania Marka przerwała melodyjka telefonu. Spojrzał na wyświetlacz. Komisarz Bieda.

– Mark Biegler. Słucham?

– Panie Marku, gdzie pan teraz jest?

– Jadę do Osieka. Nie rozmawiałem jeszcze z nowym dyrektorem Fundacji. Podobno on również był wtedy u prowincjała. A o co chodzi?

– Mam dla pana newsa, ale to raczej nie na telefon.

– Może więc spotkamy się gdzieś na mieście?

– Teraz nie mam czasu. Zresztą powiem panu przez telefon. Dostałem wyniki badań śladów zebranych na miejscu zdarzenia.

Prowincjała zabito nie kablem, tylko tkaniną. Prawdopodobnie stylonową pończochą koloru czarnego.

– Hm, nieźle.

Mark włożył komórkę do kieszeni kurtki. Po chwili zastanowienia zawrócił samochód i skierował się na ulicę Kalwaryjską. Dyrektor może poczekać, więcej do powiedzenia ma na pewno ksiądz ekonom.

Zadzwonił na portiernię. Dyżur znowu pełnił Wojciech Zakała. Otworzono bramę, by Biegler mógł wjechać na teren Zgromadzenia.

Dobrze się składało, bo ekonom był w swoim gabinecie.

– Dzień dobry – przywitał się Mark, wchodząc do kancelarii księży.

– Niech będzie pochwalony Jezus Chrystus – odpowiedział mu ekonom. – Tutaj tak się witamy.

– Przyszedłem tu nie do księdza, tylko do Zygmunta Pałasza – odparł chłodno Mark. – Chciałbym w końcu usłyszeć prawdę.

– Nie wiem, o czym pan mówi. – W oczach ekonoma dostrzegł zmieszanie i pewien niepokój.

– Kiedy wreszcie przestanie pan kłamać?! – Gdy odpowiedziało mu milczenie, dodał: – Ciało prowincjała znalazł pan wieczorem, a nie rano. Zatarł pan wszystkie ślady, niszcząc tym ważne dowody. Czy zdaje pan sobie sprawę, że to jest przestępstwo? Matactwo i utrudnianie śledztwa. A może nawet to pan zabił Edwarda Nasiadkę?

Na twarzy ekonoma pojawiło się oburzenie.

– Jak pan śmie tak mówić! Oczywiście, że go nie zabiłem! Nikt z konfratrów go nie zabił. Jak w ogóle takie słowa mogą wyjść z pańskich ust. Przecież byśmy pana nie wynajęli!

– To dlaczego wszyscy kłamiecie?

Pokój na moment wypełniła cisza, słychać było jedynie dochodzące zza okna odgłosy przejeżdżających samochodów.

– Nie można zrobić jajecznicy, nie rozbijając jajek – zacytował swoje ulubione powiedzonko Mark. – Musicie mi zaufać, jeśli chcecie, żebym znalazł mordercę. – Popatrzył bystro na księdza. – Proszę mi wszystko opowiedzieć. Wiem, że prowincjał miał romans z Arletą Kumięgą. Ktoś udusił go za pomocą pończochy. Prawdopodobnie była to jej pończocha.

Ksiądz podniósł głowę, zdziwiony słowami Marka.

– Co takiego? Skąd pan wie?

– Mam swoje źródła. – Mark wzruszył ramionami. – W obawie przed plotkami sprzątnął pan butelki po alkoholach, starł ślady, żeby nie było odcisków, i zamienił pończochę na kabel. Tak?

– Tam nie było żadnej pończochy. Nie mogłem dopuścić, żeby znaleziono butelki po alkoholu, dlatego je wyrzuciłem. Zostawiłem tylko kieliszek z odrobiną wina.

– Na szyi denata nie było pończochy?

– Nie. Kabel od myszki.

Mark myślał intensywnie. Tego się nie spodziewał. Podrapał się nerwowo po głowie.

– Czy wiedział pan o romansie prowincjała?

– Dowiedziałem się dwa dni przed jego śmiercią. Ostrzegłem go przed konsekwencjami i nakazałem mu to szybko zakończyć.

– To znaczy zerwać z Arletą?

– Tak. Ostatnio ksiądz prowincjał miał dużo kłopotów, dlatego szukał pocieszenia w alkoholu.

– Jakiego typu były to kłopoty?

– Noo ten romans.

– Tak panu powiedział?

– Tak. I chyba było coś jeszcze, ale nie chciał nic więcej zdradzić. – Schował twarz w dłonie. – Łatwo jest ludziom osądzać księży, ale nikt nie wie, jak trudno nam żyć z nimbem świętego nad głową. Każdy z nas musi być postrzegany przez wiernych jako ideał człowieka, wzorzec do naśladowania. Wszyscy oczekują tego od nas. A człowiek jest ułomny. Każdy człowiek. Ksiądz również. Ale parafianie nie chcą widzieć w nas ludzi tak samo słabych jak oni. Chcą widzieć w nas świętych.

– Czy wiedział pan o furtce w ogrodzeniu?

– Wiedziałem – odparł po chwili z pewnym wahaniem Pałasz.

– Kto jeszcze z księży wiedział o niej oprócz pana i Nasiadki?

– Chyba nikt więcej, ale nie jestem tego pewny. Tamta część ogrodu nie była odwiedzana ani przez kleryków, ani innych konfratrów. Oddzielono ją tujami.

– Czy pan również korzystał z tego przejścia?

– Ależ skąd! Klucze do altanki miał tylko ksiądz prowincjał. Nie chciał, żeby portierzy wiedzieli o wszystkich jego gościach. Mówiąc „goście", nie mam na myśli kobiet. Ksiądz Nasiadka, prowadząc Zgromadzenie, musiał spotykać się z różnymi ludźmi, którym również zależało na dyskrecji.

– Hm, kto u niego bywał?

– Nie wiem, nie operował nazwiskami.

– Może wśród nich jest morderca?

– Wątpię. Zabójcą jest na pewno ta nierządnica. Zabiła go, bo z nią zerwał. – Na twarzy ekonoma pojawił się cień pogardy. – Od początku byłem przeciwny jej zatrudnieniu. Nie powinno się narażać księży na pokusy. Dobrze się stało, że odeszła od nas ta Tomczyk, ale trzeba było zatrudnić mężczyznę. A jeśli już kobietę, to o innym wyglądzie. A nie tę ladacznicę.

Mark zostawił ekonoma, by porozmawiać z Arletą Kumięgą. Wszedł do biura, w którym mieściła się księgowość. Obie kobiety siedziały za biurkiem i wklepywały dane do komputera. Kiedy podszedł do Arlety, zauważył w jej oczach strach. Zaraz jednak przywołała na usta dyżurny uśmiech.

– O, pan znowu u nas?

– Chciałbym z panią porozmawiać. Ekonom pozwolił mi skorzystać z pokoju socjalnego.

– Teraz? Mam dużo pracy.

– Teraz. Nie będę długo pani niepokoił.

Wyszli z pokoju, zostawiając drugą księgową z pytaniem w oczach. Mark zamknął drzwi pokoju i usiadł, wskazując kobiecie ręką drugie krzesło, żeby także spoczęła.

– Od razu przejdę do rzeczy. Wiem o pani romansie z prowincjałem. Wiem również, że była pani w dniu jego śmierci w jego mieszkaniu. To pani zamieniła pończochę, którą został zabity, na kabel od myszki. Dlaczego go pani zabiła? – zaszarżował. – Z zemsty, że panią porzucił? Czy stało się to w trakcie kłótni i poniosły panią emocje?

Kobieta wybuchła płaczem.

– Ja tego nie zrobiłam! Byłam tam, ale go nie zabiłam. Już nie żył – mówiła, szlochając głośno. – Kiedy zobaczyłam tę pończochę, wpadłam w panikę, bo wiedziałam, że wszyscy pomyślą, że to ja go zabiłam. Dlatego zabrałam pończochę i zawiesiłam mu na szyi kabel od myszki.

Mark w milczeniu obserwował dziewczynę.

– Zerwał ze mną dzień wcześniej. Powiedział, że dowiedzieli się o nas, dlatego nie możemy się dalej spotykać. I że poszuka mi innej pracy. Wtedy rzeczywiście się zdenerwowałam. Powiedziałam, że napiszę do generała do Watykanu i wszystko opowiem. Uderzył mnie w twarz i zagroził, że jeśli to zrobię, to mocno tego pożałuję. I wyrzucił mnie z mieszkania. Zapomniał o kluczach do furtki, to znaczy do altanek, i dzień później, gdy przyszłam do pracy, kazał mi je oddać. Powiedziałam, że zostawiłam je w domu. Wtedy kazał mi je jak najszybciej zwrócić. – Zamilkła na chwilę. – Zależało mi na nim. Naprawdę. Chciałam go przekonać, żebyśmy dalej się spotykali. Moglibyśmy wynająć jakieś mieszkanie na mieście albo spotykać się w motelu. Dlatego wieczorem, pod pozorem oddania kluczy, poszłam do niego. Weszłam przez drzwi tarasowe. Kiedy go zobaczyłam siedzącego przy biurku, myślałam, że surfuje w sieci, bo często to robił. Uważał internet za najlepsze źródło informacji. Kiedy podeszłam bliżej, zorientowałam się, że nie żyje. I wtedy ujrzałam na jego szyi moją pończochę. On lubił kochać się ze mną, gdy miałam na sobie pończochy i seksowną bieliznę... Przeraziłam się, że wezmą mnie za morderczynię, dlatego zamieniłam pończochę na kabel. Zabrałam również wszystkie swoje rzeczy. – Spojrzała błagalnie na Marka. – Przysięgam, że go nie zabiłam.

– Jeśli nie pani, to kto mógł to zrobić? Czy prowincjał dał jeszcze komuś klucze do altanki?

– Nie. Ale niektórzy ludzie korzystali z tego przejścia. Umawiali się telefonicznie. Edek, to znaczy prowincjał, otwierał im obie altanki.

– Czy poznała pani tych ludzi?

– Nie. Nikt o mnie nie wiedział. Byliśmy bardzo ostrożni, przecież Edka obowiązywał celibat. Nawet swoim przyjaciołom nie mówił o mnie.

– Czy pani wie, kto należał do jego przyjaciół?

– Wiem, że kiedyś przyjaźnił się z biskupem Wesołowskim, kiedy tamten jeszcze żył. To znaczy nie wiem, czy była to przyjaźń, ale często rozmawiali ze sobą telefonicznie. Od czasu do czasu biskup przyjeżdżał do niego.

– Z kim jeszcze się przyjaźnił?

– Chyba z ekonomem. I parę razy rozmawiał z kimś o imieniu Zbyszek. Ale nie wiem, jak ten ktoś się nazywał.

– Czy Zbyszek też był księdzem?

– Nie wiem. Kiedy go o to zapytałam, to mnie ofuknął, że to nie mój interes.

– Czy ten Zbyszek bywał w mieszkaniu prowincjała?

– Nie wiem.

– O której godzinie była pani w mieszkaniu prowincjała?

– Przed dziesiątą. To znaczy przed dwudziestą drugą. Nie mogę określić dokładnie, bo nie patrzyłam na zegarek. Ktoś wcześniej był u niego, ponieważ widziałam butelki wina na stoliku w salonie i rozpoczętą butelkę wódki. I filiżankę po kawie. Był też talerzyk z kawałkiem niedojedzonego ciasta tortowego i popielniczka z niedopałkami papierosów... – Zawahała się.

– O co chodzi? Widzę, że pani chce coś zataić.

– Pomyślałam, że Edek znalazł sobie kogoś innego. Wydawało mi się, że wtedy była tam kobieta.

– Dlaczego pani tak uważa?

– Te niedopałki. To były cienkie papierosy. I tort. Mężczyźni raczej palą normalne papierosy, a nie słomki. Nie przepadają też za słodyczami.

– Ja lubię słodycze. Czy zauważyła pani na niedopałkach ślady szminki?

– Nie. Ale Edek nie lubił, kiedy malowałam wargi. Nie pozwalał mi przychodzić do siebie z umalowanymi ustami, żebym go czasami nie wybrudziła szminką.

– Podejrzewała więc pani prowincjała o nowy romans?

– Tak.

– Czy wcześniej, przed panią, miał również inne kobiety?

– Oczywiście! Sutanna i koloratka nie czynią z mężczyzny impotenta – prychnęła. – Tym bardziej że nadal był przystojnym mężczyzną. Nie to co ekonom. Jego rówieśnik, a wyglądał przy Edku jak dziad. Bałam się, że Edek się mną znudził tak jak Beatą Tomczyk.

Mark o mało co nie rozdziawił ust ze zdziwienia.

– Beata Tomczyk była jego kochanką?!

– Tak. Nie przyznał się do tego, ale ja wiedziałam. Nie wiem, kto zerwał, ona czy on, ale widziałam, jak patrzył na nią.

Mark potarł czoło dłonią, intensywnie myśląc.

– Pani mówi, że oni mieli romans?

– Jestem tego pewna. Kiedyś znalazłam jej zdjęcie w jego prywatnym laptopie. Czasami mówił: „Gdy Beata pracowała, to był porządek w dokumentach". Nigdy nie mówił o niej „pani Beata", ale „Beata". Spodobało mi się, że jest dyskretny. Że zaprzecza, że coś ich łączyło. Pomyślałam, że to dobrze o nim świadczy jako dżentelmenie.

Mark wciąż nie mógł ochłonąć z wrażenia. Beata była kochanką prowincjała?! Hm, to dlatego przy pierwszym spotkaniu nic o nim nie wspominała. Dopiero gdy się wydało, że się znali, zaczęła go oczerniać – jak każda porzucona kobieta.

Przesłuchując dalej Arletę, nie mógł się skupić. Postanowił jeszcze z nią kiedyś porozmawiać. Teraz jak najszybciej chciał spotkać się z Tomczyk i rzucić jej w twarz słowa Arlety. Musi zobaczyć, jak zareaguje.

– Co pani zrobiła z pończochą? – zapytał na odchodnym. Nie za bardzo wierzył, żeby były tam ślady mordercy, ale można spróbować je zbadać.

– Spaliłam.

– Coo?! Zniszczyła pani najważniejszy dowód! To przestępstwo.

Kobieta zbladła i przestała nad sobą panować.

– Bałam się, że policja pomyśli, że to ja go zabiłam. Że dojdą do tego, że mieliśmy romans i mnie rzucił. Przecież to była moja pończocha. Boże, czy mogą mnie za to zamknąć?

– Mogą – odburknął. – Chyba że znajdę mordercę. I jeśli jest pani rzeczywiście niewinna.

– Błagam, niech go pan znajdzie.

Mark zostawił kobietę w pokoju socjalnym i wsiadł do samochodu. Wybrał numer do Tomczyk. Nie odebrała. Postanowił jechać do Osieka, powinna być już w pracy. Zresztą i tak musi porozmawiać z nowym dyrektorem, następcą Ślęzaka.

Pół godziny później był na miejscu. Niestety okazało się, że Beaty Tomczyk nie było w pracy, nadal miała opiekę nad chorą córką.

Zrezygnowany, zamknął drzwi pokoju kadr i wyszedł na korytarz. Zauważył księdza, którego spotkał za pierwszym razem. On również go poznał.

– O! Pan znowu u nas. Kogo pan dzisiaj szuka? – zapytał z uśmiechem. – Też księdza Ślęzaka?

– Nie, tym razem przyjechałem do pani Tomczyk. Ale jej nie zastałem.

– Pani Beata wzięła opiekę nad córką. Nie ma jej dziś w pracy. Księdza Ślęzaka również.

– A dyrektor jest?

– Tylko dyrektor szkoły, to znaczy ja – znowu się uśmiechnął. – Dyrektor Fundacji powinien wrócić za dziesięć minut. Może pan poczekać w moim gabinecie – zaproponował.

Mark posłusznie poszedł za księdzem. Weszli do niewielkiego pokoju z biurkiem i dwoma regałami na dokumenty. Przy bocznej ścianie stało kilka krzeseł. Jedno z nich ksiądz postawił przy biurku.

– Proszę usiąść. Przeważnie siedzi na nim delikwent, który coś przeskrobał i musi wytłumaczyć się ze swojego przestępstwa. – Nagle się wyprostował. – Przepraszam, ale jeszcze się panu nie przedstawiłem. Piotr Szydłowski, dyrektor szkoły.

– Mark Biegler. Dziennikarz.

– I detektyw w jednej osobie – dodał ksiądz. – Słyszałem, że szuka pan mordercy księdza prowincjała.

– Powiedzmy, że usiłuję go znaleźć.

Mark obserwował księdza. Szydłowski miał około czterdziestki i był nadal bardzo przystojnym mężczyzną. Wysoki, ładnie zbudowany, o regularnych rysach twarzy i inteligentnych oczach. Miał brązowe włosy, modnie przycięte na Jamesa Deana. Ubrany w granatowe dżinsy i niebieską koszulę z wystającą białą koloratką prezentował się lepiej niż Richard Chamberlain w *Ptakach ciernistych krzewów*. Na pewno niejedna kobieta uważała, że takiego przystojniaka szkoda oblec w sutannę – pomyślał złośliwie Mark. I niejedna chętnie zaprosiłaby go do swojego łóżka.

Biegler nie mógł zrozumieć, jak normalny mężczyzna może wbrew naturze narzucać sobie jarzmo celibatu.

Hm, chyba że ten ksiądz ma inne seksualne preferencje. Albo nie przestrzega przykazań. Mimo starannej fryzury i schludnego wyglądu Szydłowski jakoś nie wyglądał Markowi na geja. Nie był lalusiowaty i nie miał tej miękkości w ruchach ani sposobu mówienia charakterystycznego dla pederastów. Na notorycznego onanistę też nie wyglądał. A testosteron wręcz buchał od niego. Ten facet musi kijem opędzać się od kobiet – pomyślał Biegler. Wątpliwe, czy nawet sutanna dała radę go przed nimi uchronić.

– Napije się pan czegoś? Dysponuję tylko zimnymi napojami. Wodą mineralną, pepsi lub sokami jabłkowym i pomarańczowym. Mam jeszcze sok marchewkowy.

– Marchewkowy? – uśmiechnął się Mark.

– Tak. Bez konserwantów, z dwudniowym terminem przydatności do spożycia. Zero chemii, samo zdrowie. Trzeba się zdrowo odżywiać.

– Ale pepsi również pan pije. – Mark jakoś nie mógł go tytułować księdzem.

– Pepsi jest dla tych, których nie lubię – znowu się uśmiechnął. – Panu proponuję marchewkę.

– Wnioskuję, że mnie pan lubi... tylko nie wiem dlaczego.

Może rzeczywiście jest pedałem – pomyślał Mark.

– Jeszcze chwila i pan pomyśli, że mam zamiar pana molestować seksualnie – roześmiał się Szydłowski.

Mark przyjrzał się uważniej mężczyźnie. Dziwnie zachowuje się jak na księdza. Bardzo wyluzowany.

– Zauważyłem, że niektórzy mężczyźni patrzą na nas, księży, jak na dziwolągów. Ich wzrok mówi: „Dlaczego ten facet jest księdzem?". Pan właśnie ma takie spojrzenie.

– Nie spodziewałem się z ust księdza takich bezpośrednich słów. Ale rzeczywiście, nurtuje mnie to pytanie, gdy patrzę na niektórych księży. Zastanawiam się, dlaczego przystojny, inteligentny facet dobrowolnie rezygnuje z tylu przyjemności, które ma do zaoferowania życie. Kobiety, rodzina, dzieci...

Ksiądz lekko się uśmiechnął.

– To temat nie na dzisiejszy dzień. Zbyt długo trwałaby nasza rozmowa, a za chwilę nadjedzie ksiądz dyrektor.

Mark zrozumiał, że to koniec lekkiej pogawędki.

– O ile wiem, ksiądz Bielecki również spotkał się w ten feralny dzień z prowincjałem?

– Tak.

– Potem była msza? Nie wie pan, czy dyrektor został na niej, czy wrócił do Osieka?

– Był obecny na mszy, tak jak ja. Prawie wszyscy z naszego Zgromadzenia, mieszkający w Krakowie, byli tam wtedy. Było to oficjalne rozpoczęcie roku seminaryjnego. Klerycy zjechali po wakacjach do Krakowa i chcieliśmy ich uroczyście powitać.

– Czy prowincjał nie powinien też tam być?

– Miał być, ale źle się poczuł, dlatego zastąpił go ksiądz superior i celebrował mszę zamiast niego.

– Ile osób liczy Zgromadzenie Księży Katechetów?

– W prowincji polskiej jest nas trzystu dziewięćdziesięciu, a w Krakowie czterdziestu pięciu. Przepraszam, czterdziestu czterech, bo prowincjał już nie żyje. Na ulicy Kalwaryjskiej jest główna siedziba naszego Zgromadzenia, ale domy Zgromadzenia Księży Katechetów są w całej Polsce.

– Domy?

– To odpowiednik parafii. Nie jesteśmy księżmi diecezjalnymi, należymy do Zgromadzenia. Tu, w Osieku, również tworzymy dom. Odpowiednikiem proboszcza jest superior.

– Kto w Osieku jest superiorem?

– Ksiądz Marian Bielecki. Pełni dwie funkcje, dyrektora Fundacji „Nasze Dzieci" i superiora domu Księży Katechetów w Osieku.

– Aha. Czy pan i dyrektor Bielecki wróciliście razem do Osieka? – Akurat struktura organizacyjna Zgromadzenia mało Marka interesowała, dlatego przeszedł do głównego tematu.

– Osobno, bo każdy przyjechał swoim samochodem. – Spojrzał przez okno. – Właśnie wrócił ksiądz dyrektor. Zadzwonię do niego.

Wyjął z kieszeni komórkę.

– Marian, pan Mark Biegler chciałby z tobą porozmawiać. Jest u mnie w gabinecie.

Odłożył komórkę na biurko.

– Panowie są chyba w podobnym wieku? – zapytał Mark.

– Tak, jesteśmy rówieśnikami. Byliśmy razem w seminarium.

– Mam wrażenie, że się przyjaźnicie?

– Tak. Ksiądz również potrzebuje przyjaźni.

– To dlatego teraz jesteście razem w Osieku?

Szydłowski wzruszył ramionami.

– Prowincjał oddelegował nas tutaj obu. Ale wcześniej byliśmy rozdzieleni na różne domy.

W tym momencie otworzyły się drzwi i wszedł dyrektor.

Marian Bielecki był równie przystojnym mężczyzną jak jego kolega; z powodzeniem mogli uchodzić za braci, bo wyglądali, jakby wyszli spod jednej sztancy. Dyrektor Fundacji również był wysoki, niewiele tylko niższy od Szydłowskiego. Był szatynem o smukłej sylwetce i przyjemnej twarzy. Obaj księża w niczym nie przypominali opasłych proboszczów z rysunkowych dowcipów, jakie można znaleźć w internecie. Inteligentni, nowocześni, bez zaściankowego myślenia. Cóż, świat się zmienia. Kler również.

– Muszę zostawić panów samych – zakomunikował Szydłowski. – Obowiązki wzywają. Za chwilę mam lekcję.

– No tak, dyrektor też bywa czasem nauczycielem. – Mark się uśmiechnął. – Życzę owocnej lekcji katechezy.

– Nie uczę religii – uśmiechnął się Szydłowski – tylko informatyki.

Zamykając za sobą drzwi, zostawił w gabinecie zdziwionego Bieglera i trochę podenerwowanego Bieleckiego. Dyrektor Fundacji usiadł za biurkiem.

- Słucham. Czym mógłbym panu służyć? - zapytał.

Jakbym słyszał sprzedawcę w markecie budowlanym - pomyślał w duchu Mark.

- Ksiądz Ślęzak poprosił mnie o wyjaśnienie okoliczności śmierci prowincjała. Podobno widział się pan z nim tuż przed jego śmiercią. Chciałbym się dowiedzieć, o czym rozmawialiście. - Mark również Bieleckiego nie potrafił tytułować księdzem, dlatego pominął zwrot popularnie stosowany wobec przedstawicieli kleru.

- Po pierwsze, to nie ksiądz Ślęzak pana wynajął, tylko ksiądz ekonom. Ksiądz Ślęzak nie ma tu już nic do powiedzenia. Po drugie, tuż przed śmiercią prowincjał spotkał się ze Ślęzakiem, a nie ze mną. A jeśli chodzi o temat naszej rozmowy, to rozmawialiśmy o Fundacji. Nie ma to nic wspólnego z jego śmiercią.

- Myli się pan. Wszystko, co dotyczy prowincjała, może mieć znaczenie dla wyjaśnienia jego śmierci. O czym rozmawialiście?

Bielecki wzruszył ramionami.

- Mówiłem o działalności Fundacji. Zdawałem mu relację z naszych poczynań mających na celu wyprowadzić Fundację z kłopotów finansowych.

Mark przez chwilę w milczeniu obserwował mężczyznę. Bielecki miał minę rasowego pokerzysty, nic nie dało się z niej wyczytać. Zero emocji.

- Chciał pan powiedzieć: kłopotów, które sprowadził na Fundację ksiądz Ślęzak? Chyba pan za nim nie przepada?

- Chyba lepiej od pana wiem, co chciałem powiedzieć. Nikogo o nic nie obwiniam.

- Zajmuje pan teraz jego stanowisko? Tak? Mówiąc krótko, wysadził go pan z siodła?

- Ksiądz Ślęzak osiągnął już wiek emerytalny i dlatego Zgromadzenie doszło do wniosku, że powinien odejść na zasłużony odpoczynek.

- Czy często zdawał pan relacje prowincjałowi?

- Tak, często. Czasami on tu przyjeżdżał na inspekcję, ale częściej ja do niego jeździłem.

- O której pan wyszedł od niego?

- Tuż przed dwudziestą.

- Czy od razu wrócił pan do Osieka?

- Nie, zostałem na mszy, która rozpoczęła się o dwudziestej.

- O której godzinie pan wyszedł z siedziby Zgromadzenia?

– Po rekolekcjach. Nie patrzyłem na zegarek, ale było chyba po dwudziestej drugiej.
– Czy widział pan jeszcze prowincjała?
– Nie.
– Nie wie pan, dlaczego prowincjała nie było na mszy?
– Źle się czuł.
– Skąd pan wie?
– Kiedy byłem u niego, narzekał na ból głowy.
Niczego więcej Mark nie dowiedział się od Bieleckiego. Wyszedł z budynku Fundacji niezbyt zadowolony. Nic się nie ruszyło w sprawie morderstwa... oprócz newsa dotyczącego Tomczyk. Wyjął komórkę i zadzwonił do niej. Odebrała. Pozwoliła mu przyjechać do siebie.
Kiedy pokonał przeszkody w postaci domofonu i schodów, wpuściła go do mieszkania. W przedpokoju od razu pojawiła się jej córka.
– Przywiozłeś mi prezent? – zapytała.
O cholera! Nie pomyślał o małej.
– Karolinko, przestań naprzykrzać się panu Markowi. Tyle razy ci mówiłam, że nie wolno upominać się o prezenty. To bardzo brzydko.
– Przepraszam cię najmocniej, Karolino. Zapomniałem – powiedział ze skruchą Mark. – Ale obiecuję poprawę.
Dziewczynka zrobiła zawiedzioną minę.
– Wtedy też tak mówiłeś – westchnęła. – Nie wolno ufać mężczyznom.
Biegler parsknął śmiechem.
– Masz rację. Nie wolno nam ufać. Skąd w tak młodym wieku zdobyłaś tyle mądrości życiowych?
– Od cioci. No i bo jestem mądra. Umiem powiedzieć cały pacierz. Znam nawet dziesięć przykazań. Mogłabym już iść do komunii i dostać dużo prezentów.
Beata nachyliła się nad córką.
– Dość tego, proszę iść do pokoju. Ciągle dostajesz prezenty. Nie ma ich gdzie położyć.
– Ale pozwolisz mi oglądać bajkę?
– Dobrze – westchnęła Tomczyk, włączając telewizor.
– *Krainę lodu*?
– Przecież znasz ją na pamięć.
– Ale mi się podoba. Kiedy wróci Michał? Powiedział, że ściągnie mi z internetu nową bajkę.

Kobieta spojrzała trochę niepewnie na Bieglera.

– Niestety wychowałam pirata internetowego.

– Chyba wśród nas jest wielu piratów. Kto dziś nie ściąga czegoś z internetu – uspokoił Beatę Mark.

– Kiedy wróci Michał? – znowu zapytała Karolinka.

– Ma dziś trening, przyjdzie trochę później.

– O której godzinie? Będzie już ciemno? – dopytywała się dziewczynka.

– Nie będzie ciemno, ale to trochę potrwa, zanim dojedzie z Osieka.

– Syn chodzi do liceum w Osieku? – zapytał Mark.

– Tak. To bardzo dobre liceum. Jeździmy tam razem moim samochodem. Napije się pan kawy?

Zamknęła drzwi do pokoju małej i wlała wodę do kawiarki. Wyjęła z lodówki ciasto ze śliwkami i pianą z ubitych białek.

– Słucham. Czego chce się pan jeszcze ode mnie dowiedzieć, panie Marku? – zapytała z uśmiechem.

– Czy miała pani romans z prowincjałem? – Mark strzelił z grubej rury, nie spuszczając oka z jej twarzy.

Kobieta zrobiła zdziwioną minę i parsknęła śmiechem.

– Kto panu takich bzdur naopowiadał?

– Nieważne. Miała pani z nim romans?

– Oczywiście, że nie – spoważniała. – Ale przyznaję, że robił mi awanse. Nie można tego nazwać molestowaniem ani mobbingiem, ale dawał do zrozumienia, że mu się podobam. Obawiałam się, że wcześniej czy później dojdzie do krępującej dla mnie sytuacji, dlatego poprosiłam księdza Ślęzaka o przeniesienie. Wtedy prezes miał jeszcze coś do powiedzenia. Pomijając kwestię, że Nasiadka był księdzem, on po prostu mi się nie podobał. Nie był w moim typie.

– Ma pani rację, w Fundacji są przystojniejsi księża. Przykładowo Szydłowski lub Bielecki. Przyjrzałem im się dzisiaj, są naprawdę wyjątkowo przystojni. Gdybym był kobietą... albo homoseksualistą, to na pewno wolałbym ich niż Nasiadkę – powiedział Mark, lekko się uśmiechając.

Tomczyk wzruszyła ramionami.

– Cóż, nie gustuję w księżach – odparła. – Ale przyznaję, że są przystojni. Niestety nie interesują się kobietami pracującymi w Fundacji.

– Są homosiami?

– Skąd mogę wiedzieć. Są księżmi.

– Ale są również mężczyznami w sile wieku. Taki Pałasz może już nie mieć potrzeb seksualnych, ale tamci dwaj...

– Panie Marku, widzę, że bardzo interesuje pana życie intymne innych ludzi – zauważyła z uśmiechem, popijając łyk kawy.

Mark się roześmiał.

– Ma pani rację, to nie moja sprawa. Nasiadka nie był homoseksualny, a więc nie mógł mieć z nimi romansu. Tylko nie mogę zrozumieć, jak normalny facet może obyć się bez kobiety. Ja bym nie wytrzymał nawet tygodnia.

– Może większość z nich jest impotentami?

Biegler siedział u Beaty prawie godzinę. Dobrze mu się z nią rozmawiało. Podobała mu się. Gdyby nie Marta, mógłby się w takiej kobiecie nawet zakochać. Zastanawiał się, ile ona może mieć lat. Syn chodził do klasy maturalnej. Musiała mieć co najmniej trzydzieści siedem. Nie wyglądała na tyle, dałby jej dużo mniej. Berta, jego rówieśniczka, również zadbana, ładna i elegancka, sprawiała wrażenie starszej od niej o kilka lat.

Beata z ulgą zamknęła drzwi za Bieglerem. Głęboko odetchnęła. Napięcie z niej opadło. Z trudem opanowała drżenie rąk. Wyjęła z torebki papierosy i wyszła na balkon, by zapalić. Biegler wsiadał do swojego audi. Zauważył ją. Pomachała mu ręką, starając się, żeby wyglądało to naturalnie. Po chwili wróciła do pokoju i otworzyła laptopa. Czekając, aż system się załaduje, zastanawiała się, co wie Biegler. Nie doceniła go, nie przypuszczała, że jest tak spostrzegawczy. Przebywając w jego towarzystwie, ciągle była spięta. Miała nadzieję, że tego nie zauważył.

Nareszcie komputer był gotowy do użycia. Wpisała hasło i zaczęła pisać.

Rozdział 6

Beata

Artur. Moja miłość. Nadal mam przed oczami ten moment, gdy pierwszy raz go ujrzałam. Wszedł do naszej klasy w trakcie lekcji matematyki. Wysoki, z ciemnymi włosami i interesującą twarzą, ubrany w dżinsy i białą sportową koszulę – od razu wzbudził zainteresowanie wszystkich uczennic. Mógłby być nawet brzydki jak kwit na węgiel, a i tak zainteresowałby trzydzieści pięć dziewczyn siedzących samotnie, bez żadnego chłopa w klasie.

– Pan dyrektor skierował mnie do tej klasy – powiedział do nauczycielki.

– To ty jesteś ten nowy? Z Krakowa?

– Tak.

– Czy w krakowskiej szkole przerabialiście już całki?

– Tak, przerabialiśmy.

– To dobrze, w takim razie pomożesz nowym koleżankom, bo mają niezbyt tęgie miny. A teraz przedstaw się ładnie i siadaj w ławce.

Ławką były dwa połączone ze sobą dwuosobowe stoliki i twarde drewniane krzesła. Ustawiono je w dwóch rzędach, bo nie było za wiele miejsca w klasie.

Chłopak omiótł wzrokiem dziewczyny wpatrujące się w niego jak w supermana, który właśnie sfrunął z nieba, i przez chwilę zatrzymał na mnie spojrzenie. Trwało to moment, ale wiedziałam, że akurat mnie zauważył. Wyłuskał z tego tłumu blondynek, brunetek i szatynek i wyróżnił większą uwagą. Nasza klasa IVD składała się z samych dziewcząt. W liceum były trzy oddziały koedukacyjne i dwa żeńskie. Ja chodziłam właśnie do takiej babskiej klasy.

Artur usiadł w ostatniej ławce, w której siedziały dwie dziewczyny. Musiał czuć się głupio, będąc rodzynkiem wśród tylu bab, ale nie dawał tego poznać po sobie.

Na przerwie wszystkie dziewczyny go otoczyły, zaciekawione, dlaczego chłopak z Krakowa znalazł się w takiej dziurze jak Olkusz.

Byłam jedyną, która nie podeszła do niego. Nie podeszłam nie z powodu małego zainteresowania jego osobą, ale dlatego, że przyszedł do mnie mój chłopak, Włodek Banasiński.

Włodek uchodził za najprzystojniejszego faceta w naszym liceum. Podkochiwały się w nim wszystkie dziewczyny. Ciągle nie mogłam zrozumieć, dlaczego akurat mną się zainteresował. Nie byłam przecież najładniejszą dziewczyną w szkole. Wciąż zadawałam sobie pytanie, dlaczego Włodek ją rzucił i zaczął mnie podrywać. Nie zaprzeczę, że poczułam się tym wyróżniona. Prawdę mówiąc, właśnie Alina była głównym powodem, że zgodziłam się z nim chodzić.

Nigdy nie mogłam zrozumieć, co faceci we mnie widzą. Wiem, że nie jestem brzydka, ale daleko mi do miana piękności. Owszem, mam proporcjonalną sylwetkę i dość ładną twarz, niestety nie jestem żadną seksbombą. Ni to blondynka, ni to brunetka, o krótko ściętych włosach, 160 cm wzrostu i niezbyt obfitym biuście – wszystko to powodowało, że daleko mi było urodą do takich kobiet jak wspomniana Pamela Anderson czy Sabrina, gwiazda Festiwalu Sopot 1988. Kiedy gorąca Włoszka wołała do mikrofonu „Boys, boys", byłam jeszcze dzieckiem, ale już wtedy sobie postanowiłam, że gdy urosnę, będę tak samo piękna i seksowna jak ona. Niestety natura spłatała mi psikusa, nie obdarzając mnie tak szczodrze jak ją. Mimo wszystko podobałam się facetom i nadal się podobam. Ktoś kiedyś mi powiedział, że mam wypisane na czole, że kocham seks. Nie rozumiem, dlaczego tak uważał. Ani się nie maluję wyzywająco, ani wyzywająco nie ubieram. Nie prowokuję również sposobem bycia. Czy rzeczywiście jest coś takiego jak feromony? I to one powodują, że przyciągam płeć przeciwną? Nie wiem, ale to chyba jedyne wytłumaczenie, dlaczego do mnie lgną mężczyźni...

W każdym razie zainteresowałam sobą Artura. Zauważyłam jego ukradkowe spojrzenia rzucane w moją stronę, kiedy myślał, że nie patrzę. Słyszałam również od koleżanek, że o mnie wypytywał. Pewnego razu, siedząc w ławce, odwróciłam się w jego stronę i nasze oczy się spotkały, wtedy on nieoczekiwanie się zarumienił i szybko odwrócił wzrok. Pochlebiało mi, że „nowy" wyróżnia mnie swą uwagą.

W krótkim czasie Artur stał się najbardziej popularnym chłopakiem w całym liceum. Wzbudził zainteresowanie wszystkich dziewczyn i niechęć wszystkich chłopaków. Dziewczyny z innych klas przychodziły do nas na przerwę, by go sobie pooglądać. Przystojny, zawsze modnie ubrany i co najważniejsze – z Krakowa!

Większość z nas, mieszkańców takich miast jak Olkusz, cierpiała na kompleks małomiasteczkowości. Teraz, w dobie internetu, prowincja nie czuje się dużo gorsza od wielkich miast. Chociaż zdarza się, że megalomańsko nastawieni warszawiacy lub zarozumiałe krakusy dzielą Polaków na mieszkańców dużych miast i prowincji, podkreślając swą wyższość, ale nie jest to już tak bolesne dla nas, prowincjuszy, jak kiedyś. Dzięki internetowi i Facebookowi zatarły się granice mentalnej prowincji, jednak dwadzieścia lat temu kompleksy prowincjonalności dotkliwie dawały znać o sobie na wszystkich szczeblach. Mieszkańcy Żurady mieli kompleksy wobec olkuszan, olkuszanie wobec krakowian, a krakusy względem warszawiaków. Warszawiacy względem paryżan czy berlińczyków, oni z kolei w stosunku do nowojorczyków. A nowojorczycy... przy Europejczykach.

Wtedy, na początku lat dziewięćdziesiątych, Artur był dla nas, dziewczyn, atrakcyjny z przez sam fakt, że urodził się i wychował w Krakowie. Zdetronizował tym nawet Włodka Banasińskiego, do którego wcześniej wzdychały wszystkie olkuskie licealistki. Na „nowego" zagięła parol najładniejsza dziewczyna z naszej klasy i chyba z całej szkoły - Alina Kowal. Kowalówna miała urodę, o jakiej ja zawsze marzyłam: była wysoką długowłosą blondynką, z dużym biustem i twarzą Madonny (tej od Dzieciątka, nie piosenkarki). Właśnie taka chciałam być. Niestety nie dysponowałam pożądanymi atrybutami, jakie miała nasza koleżanka.

Chcąc nadrobić braki w urodzie, zakładałam buty na wysokich obcasach i nosiłam biustonosz kupiony na bazarze z kilogramem gąbki w środku. Postanowiłam również zostać blondynką. W tym celu wylałam butelkę wody utlenionej na swoje włosy nijakiego koloru. Efekt jednak był mało zadowalający. Pomijając awanturę, którą zrobili mi rodzice, i krytyczne uwagi brata, sama niestety też doszłam do wniosku, że jajecznica na głowie to nie to, o co mi chodziło. Patrząc na siebie w lustrze, musiałam przyznać uczciwie, że w blond włosach wyglądam jak tania dziwka. Dlatego podjęłam ciężką dla mnie decyzję i obcięłam włosy, które z takim trudem zapuszczałam. Fryzjerka przefarbowała je na kolor zbliżony do mojego naturalnego, a ja od nowa zaczęłam je zapuszczać. Jakoś nigdy nie mogłam wyhodować długich włosów. Gdy już w miarę urosły, zawsze coś się działo i musiałam je znowu obcinać. Albo wypadały i lekarka nakazała obcięcie, albo wszy się do nich dobrały, albo woda utleniona.

Wszy złapałam w podstawówce. Ja i mama strasznie to przeżyłyśmy. Owszem, zdarzyło mi się to również już wcześniej, ale to było w przedszkolu. W siódmej klasie, gdy zaczyna się dorastać, wszy to prawdziwa tragedia dla młodej dziewczyny. Świadczą one o brudzie, zaniedbaniu i braku higieny - w każdym razie tak uważała mama, i ja też. Bardzo się przejęłam nieproszonymi gośćmi na mojej głowie, schudłam równe pięć kilo, co było jedynym plusem wszawicy. Niestety moje włosy, które wyhodowałam już do ramion, trzeba było obciąć na całkiem krótkie. Kiedy ponownie odrosły, zachciało mi się eksperymentować z perhydrolem i znowu musiałam się „oskalpować".

Na początku czwartej klasy mój image zmienił się nie do poznania. Miałam fryzurę prawie jak rekrut, zero gąbki w biustonoszu i balerinki na nogach. Cóż, jeśli nie jest mi dane zostać seksualną kusicielką, trzeba z podniesioną głową zaakceptować swój wygląd. I co dziwne, właśnie wtedy zainteresował się mną Włodek, a później Artur.

Nie byłam zakochana we Włodku, nie wiem nawet, czy go lubiłam. Nudziłam się z nim. Nie czytał książek, które ja uwielbiałam, a filmy, które jemu się podobały, takie jak *Szklana pułapka*, mnie przyprawiały o ziewanie. Jego największym hobby było zbieranie infotronów w grze *Supaplex*. Chyba najbardziej podobało mi się w nim to... że zazdroszczą mi go inne dziewczyny. Przyznaję, byłam głupia. A może chciałam się w ten sposób trochę dowartościować?

Czy z tych samych powodów zainteresował mnie Artur? Sama nie wiem. Może na samym początku. Później, gdy bliżej go poznałam, dostrzegłam cechy, które przewyższyły nawet jego wizualne walory. I chyba dlatego go pokochałam.

Pierwszy raz rozmawiałam z nim dopiero pod koniec września, bo wcześniej nie było okazji. Stałam na przystanku i czekałam na autobus. Zobaczyłam, jak podchodzi do wiaty, by przeczytać rozkład jazdy. Zauważył mnie i podszedł.

– Cześć. Czekasz na autobus? – zapytał odkrywczo.

– Tak. Gdzie jedziesz?

– Na Pakuskę. A ty?

– Na Osiedle Młodych.

– No to jedziemy tym samym autobusem.

Nie wiedziałam, jak podtrzymać rozmowę, ale Artur mnie w tym wyręczył.

– Czy tam też są tak małe mieszkania jak na Pakusce?
– Jeszcze mniejsze. Całe nasze mieszkanie ma niecałe czterdzieści osiem metrów razem z loggią. Kuchnia jest szeroka na rozstaw moich rąk. A jakie są mieszkania w Krakowie?
– Różne. W blokach gomułkowskich są bardzo małe, ale gierkowskie są większe. Te, które teraz budują, nie są tak małe. Nasze trzypokojowe mieszkanie ma sześćdziesiąt cztery metry.
– To prawie pałac w porównaniu z naszym – ciągnęłam temat mieszkalnictwa w Polsce południowej. – Gdy moi rodzice dostali przydział, były do wyboru dwa warianty tego samego metrażu: dwu- i trzypokojowe. Tato wybrał to drugie, bo jest nas piątka.
– Nasze mieszkanie kupiła mama na wolnym rynku. W Krakowie było bardzo ciężko dostać mieszkanie spółdzielcze, dlatego mama pojechała do Stanów, by na nie zarobić. Mimo że je kupiła za własne pieniądze, musiała jeszcze kombinować, meldując na stałe babcię, żeby pozwolono jej na tak duży metraż. Dwie osoby w tak dużym mieszkaniu to był przecież prawdziwy kapitalistyczny zbytek. – Uśmiechnął się. Z uśmiechem wyglądał jeszcze bardziej zabójczo.
– Dlaczego przyjechałeś do takiej dziury jak Olkusz? – odważyłam się zapytać.
– Dlaczego dziura? To śliczne miasteczko.
– Co w nim ślicznego? – Wzruszyłam ramionami.
– Na przykład czternastowieczny kościół. Olkusz należy do najstarszych miast w Polsce. Miał prawa miejskie już w trzynastym wieku. Wiesz, że mieściła się tu mennica państwowa?
– I co z tego? To najbardziej zapyziałe miasto, jakie znam. No tak, ale ja nie znam zbyt wielu innych. – Westchnęłam. – Nie rozumiem, jak ktoś przy zdrowych zmysłach może tu się przeprowadzić z Krakowa. Ale to chyba tylko tymczasowa przeprowadzka?
– Nie wiem. Ale chyba tak. Kiedy pójdę na studia, to znowu zamieszkam w Krakowie.
– Nie odpowiedziałeś mi na pytanie. Dlaczego tu przyjechałeś? Czy to tajemnica?
– Ależ skąd. Przyjechałem do babci, by się nią opiekować, bo miała wylew. Mama jest w Stanach, a ciocia mieszka w Słupsku. Oczywiście powiedzieliśmy babci, że to ona ma się mną opiekować podczas nieobecności mamy, a nie ja nią.
– To dlaczego nie pojechała do Krakowa?
– Nie chciała. Starych drzew się nie przesadza.

Na chwilę zamilkliśmy oboje. Żeby przerwać ciszę, zagadałam:

– Co to za bransoletka, którą masz na ręku? – Nie lubiłam facetów obwieszających się błyskotkami. Artur miał tylko tę jedną ozdobę, ale mimo wszystko nie za bardzo mi się to spodobało.

– Muszę ją nosić, bo obiecałem mamie. Mam rzadko spotykaną grupę krwi, 0Rh minus. Znajomy mamy umarł, ponieważ zbyt późno dostarczono odpowiednią ilość właściwej dla niego krwi – odparł, pokazując mi wygrawerowany napis na srebrnej opasce.

Przerwaliśmy rozmowę, bo nadjechał autobus. Udało nam się załapać na wolne miejsca. Siedzieliśmy i gadaliśmy. Nagle Artur wstał i zrobił miejsce kobiecie w ciąży. Ja również poszłam w jego ślady i ustąpiłam miejsce kobiecie w wieku wczesnoemerytalnym. Prawdę mówiąc, nie miałam na to zbyt wielkiej ochoty, ale przypływ grzeczności wywołała u mnie chęć dalszej rozmowy z Arturem. Rzadko kiedy ustępowałam miejsca w autobusie, robiłam to wyłącznie dla prawdziwych staruszków. Wskaźnikiem dla wykrzesania mojej uprzejmości była wysokość obcasów. Jeśli kobieta miała na nogach szpilki, mogłaby mieć nawet sto lat, ale nigdy bym jej nie ustąpiła miejsca. Zażywna sześćdziesięciolatka również miała buty na obcasie, nie szpilki, ale siedmiocentymetrowy słupek, i według moich mierników nie zasłużyła na miejsce siedzące, ale grzecznie wstałam, by mogła usiąść. Podziękowała mi, dołączając uśmiech. Podziękuj Arturowi, wytapirowana stara prukwo – pomyślałam, ale również się ładnie uśmiechnęłam.

Staliśmy zawieszeni na rzemiennych ramiączkach autobusu i gadaliśmy. Nagle Artur podskoczył do drzwi, przez które próbowała wejść kobieta około siedemdziesiątki z dwiema siatkami w jednej ręce i laską w drugiej. Arturek – dżentelmen – usłużnie pomógł wsiąść kobiecinie. Cholera, ale ma sokoli wzrok do wyszukiwania staruchów – przeleciało mi przez myśl. Byłam trochę zła, bo rozdzielił nas tłum wsiadających do autobusu. Po chwili Artur wysiadł wraz z kobietą i jej siatkami. Pomachał mi ręką, podnosząc siatkę do góry. Może to jego babcia – pomyślałam.

Ale nie była to babcia, o czym dowiedziałam się dwa dni później na apelu. Po odśpiewaniu hymnu i wysłuchaniu prelekcji jednej z nauczycielek na temat wzrostu przestępczości wśród młodych głos zabrała pani dyrektor:

– Na koniec pocieszająca wiadomość, że ten problem na razie nie dotyczy uczniów naszego liceum. Wczoraj zadzwoniła do mnie pewna starsza kobieta z gratulacjami, że mamy wspaniałą młodzież. Grzeczną i dobrze wychowaną. Była zachwycona jednym z naszych wychowanków, uczniem klasy IVD. Arturze, to o tobie mówię. Podobno pomogłeś jej w autobusie, a później zaniosłeś jej siatki do domu? – Uśmiechnęła się do Artura. – Tak trzymać! Niech wszyscy wezmą z niego przykład – powiedziała i przeszła do innego tematu.

Po lekcjach znowu spotkałam Artura na przystanku. Dobrze się składało, że Alina mieszkała na „Smerfach", więc nie jeździła z nami autobusem. W klasie mówiono, że chodzą ze sobą. Chyba było to prawdą, bo siedzieli razem w ławce, a na przerwach ciągle ze sobą rozmawiali.

– Fajnie, że znowu będziemy razem wracać – powiedział.

– Fajnie. Ale chyba wolałbyś, żeby Alina też mieszkała na Pakusce? Wtedy byś z nią wracał – wypaliłam bez sensu.

Artur spojrzał na mnie zdziwiony i wzruszył ramionami.

– To tylko koleżanka.

– Słyszałam, że często bywasz na „Smerfach"? – Tak nazywano osiedle Słowiki, ze względu na niebieskie dachy bloków.

– Uczę ją matmy. To tylko koleżanka – powiedział i zaraz dodał: – Ten wysoki brunet z kasy IVA to twój chłopak?

– Nie, kolega – wyparłam się Włodka jak święty Piotr Pana Jezusa. – Czasami idziemy razem na imprezę lub dyskotekę.

Ucieszył się, a mnie zrobiło się głupio, że kłamię.

– Włodek uważa mnie za swoją dziewczynę, ale ja nie za bardzo chcę z nim chodzić – szybko się poprawiłam, żeby wierutną bzdurę trochę nagiąć do prawdy.

Chodziłam z Włodkiem na sto procent... bo chyba całowanie i obmacywanki zalicza się w zakres „chodzenia"?

– Mnie też przydałyby się korepetycje z matmy. Ale u starych cienko z forsą – wykorzystałam sytuację.

– Z przyjemnością mogę ci pomóc. Oczywiście, jeśli chcesz – powiedział, śmiesznie łapiąc się za płatek ucha.

– Pewnie, że chcę. Wybieram się na akademię ekonomiczną, a tam zdaje się geografię i matematykę. A ty gdzie chcesz iść na studia?

– Jeszcze się nie zdecydowałem. Mama chce, żebym poszedł na AGH lub politechnikę, ale ja wolałbym italianistykę.

– Italianistykę? – zdziwiłam się.

– Bardzo podoba mi się język włoski, ale wiem, że potem mogę mieć problemy ze znalezieniem pracy. To dobrze, że ty jesteś zdecydowana, co chcesz robić w życiu, ja niestety wciąż się waham.

Nie wyprowadziłam go z błędu. Ja również nie wiedziałam, gdzie iść na studia. Na początku myślałam o bibliotekoznawstwie, bo kocham książki, ale mama wybiła mi to z głowy wizją bezrobocia i namawiała na akademię ekonomiczną. Było mi obojętne, gdzie pójdę, najważniejsze, żeby móc wyrwać się z Olkusza.

– Jutro sobota, nie idziemy do szkoły, to może przyjdę do ciebie i wytłumaczę ci całki?

– Jutro nie mam czasu, jedziemy do babci. – Wierutne kłamstwo, jutro miał przyjść Włodek. – Może w niedzielę?

– Niestety w niedzielę z samego rana jadę z babcią i jej koleżanką do Kalwarii. Obiecałem im to już dwa tygodnie temu. Nie wiem, kiedy wrócimy – odparł z rozczarowaniem w głosie.

– Czy babcia i jej koleżanka nie mogą jechać same? Wsadzisz je do autobusu i po sprawie.

– Nie jadą autobusem, mam je zawieźć samochodem.

Spojrzałam na niego z zainteresowaniem. Mało osób wśród moich rówieśników miało już prawo jazdy. Ja miałam skończyć osiemnastkę dopiero w grudniu.

– Masz już prawko? I samochód?

– Tak. Samochód jest mamy. Babcia boi się o mnie i pozwala mi nim jeździć tylko wtedy, gdy siedzi obok mnie, tak jakby potrafiła uchronić mnie przed niebezpieczeństwem. Nie wie, że jej obecność w fotelu pasażera działa na moją jazdę raczej negatywnie. Jej idiotyczne wskazówki tylko mnie dekoncentrują. Kiedyś o mało co nie doszło do stłuczki, bo krzyknęła mi wprost do ucha, żebym uważał na samochód z lewej, tak jakbym go nie widział.

– To gdzie z nią jeździsz?

– Do kościoła, bo nie lubi mszy w osiedlowej kaplicy. I do lekarza. Teraz odważyła się pojechać ze mną aż do Kalwarii Zebrzydowskiej. Zanim pomodlimy się na wszystkich stacjach i zwiedzimy klasztor, to potrwa parę godzin.

– To może wpadniesz do mnie w przyszłym tygodniu, kiedyś po lekcjach?

– Raczej nie dam rady. Będę woził babcię na rehabilitację.

O Boże, ale z niego „babciny wnuczek" – pomyślałam trochę nim rozczarowana.

– Cóż, szkoda – wzruszyłam ramionami.

– A masz czas w przyszłą niedzielę? Zawiozę babcię na mszę, zjem obiad i wtedy mogę wpaść.

– Zobaczymy, jak będzie. Dam ci znać, przecież widzimy się codziennie w szkole – odparłam.

Nadjechał autobus. Już nie rzuciłam się na wolne miejsca siedzące, tylko stanęliśmy razem z Arturem z tyłu autobusu.

– Rzadko kiedy siadam, bo to nie ma sensu – powiedział. – Po drodze zawsze ktoś wsiada, komu trzeba ustępować miejsca.

Zawstydziłam się trochę. Zawsze od razu po wejściu do autobusu szukałam oczami wolnego siedzenia. Od tamtego czasu, gdy poruszam się środkami komunikacji miejskiej, stoję, siadam tylko wtedy, gdy nie ma żadnych pasażerów. Nauczył mnie tego Artur. Ale na szczęście rzadko korzystam z MPK.

Uwieszeni na skórzanych ramiączkach gadaliśmy całą drogę. Wcześniej nigdy z nikim nie rozmawiało mi się tak dobrze jak z Arturem. Żałowałam, że w sobotę mam randkę z Włodkiem...

W sobotę Włodek przyszedł jak zwykle trochę spóźniony. Nie było w planach żadnej imprezy, kino Orzeł zamknięto, a w lokalach gastronomicznych woleliśmy się nie pokazywać. Młodzież szkolna nie chodziła do restauracji ani kawiarni, bo nie warto było denerwować ciała pedagogicznego, a w takiej mieścinie jak Olkusz wcześniej czy później dotarłoby do dyrekcji, którzy uczniowie zamiast się uczyć, włóczą się po knajpach. Kiedy miałam ochotę potańczyć, jechałam do babci do Żurady i szłam na dyskotekę do remizy lub na festyn. Nie zawsze odpowiadało mi tamtejsze towarzystwo, ale mogłam się tam wytańczyć za wszystkie czasy.

W ową sobotę pierwszy raz żałowałam, że Aldona nie przyjechała na weekend do domu, ponieważ Włodek zaczął się do mnie (jak zwykle) przystawiać. Wcześniej nie miałam nic przeciwko temu, ale po rozmowie z Arturem jakoś nie miałam ochoty na przytulanki. Włodek zdziwił się, że nie zapaliłam świeczki, tylko lampę. Dotychczas zawsze robiłam w pokoju zaciemnienie i zagłuszenie. Włączałam głośną muzykę, żeby rodzice nie mogli słyszeć, co się dzieje. Światło świeczki nie tylko dawało nastrój, lecz także było zabezpieczeniem, gdyby ktoś nagle wtargnął do pokoju. Klucz już dawno mama zarekwirowała z obawy, że mogę zrobić takie samo głupstwo jak ona w młodości.

Tym „głupstwem" była Aldona - dowiedziałam się o tym niedawno. Kiedy moi rodzice byli na pierwszym roku, wpadli i musieli się pobrać. Tato rzucił studia, żeby utrzymać żonę i Aldonę. Mamie udało się zdobyć tytuł magistra, i to w trybie dziennym, a nie zaocznym. Ojciec niestety nie wrócił na uczelnię. Rodzice właśnie tę wpadkę uważali za przyczynę wszystkich swoich niepowodzeń, dlatego tak bardzo pilnowali, żebym nie poszła w ich ślady.

Wbrew obawom mamy nie byłam aż tak nieodpowiedzialna - jeszcze nie uprawiałam seksu. Może nie do końca powodem mojej roztropności była obawa przed wpadką, raczej sam Włodek. Wychowana na romansach, czekałam na swoją prawdziwą Wielką Miłość, a Włodek nie spełniał warunków wymarzonego księcia na białym koniu. Owszem był przystojny i niegłupi, jednak moje serce na jego widok nigdy nie biło jak szalone. Cóż, pozwałam mojemu adoratorowi na małe co nieco, ale nie na całość. Tym Pierwszym miał być ktoś wyjątkowy. W tamtą sobotę jeszcze nie wiedziałam, czy będzie nim Artur, ale byłam pewna, że nigdy nie zostanie nim Włodek.

- Dlaczego nie zapalisz świeczki? - zapytał. - Jasno tu jak na sali operacyjnej.

Wyjął z kieszeni zapalniczkę i zapalił świecę w świeczniku. Pogłośnił też radio. Po chwili zaciągnął mnie na fotel stojący w rogu i osłonięty regałem przed wścibskim wzrokiem wchodzących do pokoju.

- Puść mnie, nie mam ochoty na całowanie - burknęłam.

Mimo mojego oporu jego ręka zaczęła wędrować po moim ciele. Zwykle nie wzbraniałam się przed jego pieszczotami, dlatego zapoznaliśmy się już całkiem dobrze z naszą anatomią. Jednak oprócz... palcówki do niczego więcej nigdy nie doszło. Mimo jego nalegań nie chciałam zgodzić się na seks oralny. Początkowo myślałam, że to zboczenie, ale gdy odkryłam schowek mojego ojca, a w nim kasetę z filmem porno, zweryfikowałam swą opinię. Jeśli mój ojciec coś takiego ogląda, to prawdopodobnie również to robi. A jeśli mój ojciec to robi, to nie może być to zboczenie - wydedukowałam. Nie miałam jednak ochoty robić „tego" z Włodkiem. To również odłożyłam na później. Dla mojego Księcia. Włodkowi pozwalałam tylko na manualne pieszczoty i sama mu również ich nie żałowałam. Nie buntował się, cierpliwie czekał, aż się zdecyduję iść na całość.

– Coś ty taka dziś dla mnie niedobra – zamruczał, wkładając mi rękę do biustonosza.

– Zostaw mnie. Mam okres. – Wyrwałam się z jego objęć i usiadłam na krześle przy biurku.

– Kiedy ci się skończy?

– Nie wiem. Ogólnie źle się dzisiaj czuję. Chyba będę chora.

Rzeczywiście złapałam infekcję. Mama, widząc na słupku termometru prawie trzydzieści dziewięć stopni, wysłała mnie do lekarza. Z reguły zawsze lubiłam chorować. Cała rodzina mi wtedy nadskakiwała (oprócz Aldony), podsuwając różne przysmaki. Mogłam również decydować, co będziemy oglądać w telewizji. No i nie musiałam chodzić do szkoły.

Akurat wtedy choroba nie była mi na rękę. Wolałabym nudzić się na matmie, ale później wracać ze szkoły z Arturem. Oprócz tego w sobotę miała być impreza, osiemnastka Ewy, koleżanki z klasy.

Cały tydzień spędziłam w domu. Nikt mnie nie odwiedził, nawet Włodek. No tak, przecież zdrowy facet nie ma co robić z chorą dziewczyną. Ani nie będzie się z nią całować, ani jej obmacywać, bo można się zarazić – podsumowałam z sarkazmem męskie rozumowanie.

Do szkoły poszłam w piątek, co zaskoczyło moich rodziców, ponieważ zwolnienie miałam do końca tygodnia. Dziwili się, że nagle stała się ze mnie tak pilna uczennica. Nigdy nie przepadałam za szkołą. Nie lubiłam się uczyć, oceny miałam przeciętne – niestety nie byłam tak ambitna jak moja wspaniała siostra. Wystarczyły mi „dopy", przykładałam się tylko do przedmiotów potrzebnych do matury i studiów. Wolny czas wolałam spędzać na czytaniu książek; byłam od nich wręcz uzależniona. Książka towarzyszyła mi wszędzie: przy stole, w autobusie, na przerwach, nawet w toalecie. Nie mając jakiejś pod ręką, czułam się jak nałogowy palacz bez paczki papierosów.

W klasie nie zauważono mojej nieobecności. Po moim powrocie nikt się nie zainteresował, dlaczego mnie nie było w szkole. Artur, otoczony jak zwykle dziewczynami, nie podszedł do mnie, tylko się uśmiechnął. Na przystanku rozglądałam się, czy nie nadchodzi. Owszem, nadszedł, ale z Aliną. Przesłał mi uśmiech, powiedział cześć… i poszedł dalej, niosąc w ręce teczkę z książkami Aliny. Z trudem opanowałam rozczarowanie.

W sobotę wystroiłam się w czarne legginsy z lycry ucięte za kolano, czarne stylonowe rajstopy i złotą bluzkę przepasaną czarnym ozdobnym paskiem – wtedy była taka moda. Złote dodatki były dopełnieniem stroju. Na nogi włożyłam czarne szpilki. Nie założyłam natomiast majtek, bo ich zarys byłby widoczny na moich pośladkach obleczonych czarną lycrą, a stringów mama nie chciała mi kupić. Wymalowałam się, mocno tuszując rzęsy. Głównym atutem mojej urody były i są oczy. Duże, intensywnie niebieskie w oprawie ciemnych rzęs i brwi. Oprawę oczu mam ciemniejszą niż włosy. Pamiętam, że w pierwszej klasie matematyczka kazała mi iść do toalety i zmyć makijaż, bo myślała, że jestem umalowana. Do szkoły nie wolno nam było się malować. I się nie malowałam.

Teraz przed imprezą nałożyłam dwie warstwy tuszu, przez co moje rzęsy były długie i gęste jak u lalki. Po „lustracji" w lustrze łazienkowym stwierdziłam, że nieźle wyglądam. Tego samego zdania był Włodek, który po mnie przyszedł. Szczerze mówiąc, jego wizyta nie była mi na rękę. Umówiliśmy się w domu solenizantki, a jeśli z nim przyjdę, wszyscy (Artur!) będą wiedzieć, że jesteśmy parą. Naburmuszona przyjmowałam ozięble jego komplementy, w duchu licząc, że Artura jeszcze nie będzie u Ewy.

Niestety już był. Siedział na kanapie, a obok niego Alina. Muszę przyznać, że wyglądała rewelacyjnie. W czarnej dopasowanej mini, z długimi blond włosami i długimi nogami – uosabiała mój ideał kobiecego piękna. Jak ja jej zazdrościłam tego wyglądu! Ale jeszcze bardziej zazdrościłam jej Artura.

On również prezentował się znakomicie. W nowych niebieskich dżinsach i niebieskiej koszuli, z modnie obciętymi włosami i pachnący dobrą wodą kolońską w niczym nie ustępował urodą Tomowi Cruise'owi. No i był pół metra od niego wyższy.

Rodzice zostawili Ewie wolną chatę, żeby ich córka wraz z przyjaciółmi mogła godnie przywitać swe wejście w dorosłość. Hucznie i swobodnie. W tym celu zrobili bigos i kilka sałatek, upiekli tort, kupili pepsi i szampana. O resztę trunków postarali się goście, bo każdy przyniósł oprócz prezentu wino lub wódkę.

Dom był pełen ludzi. Jeden pokój przeznaczono na konsumpcję tego, co przygotowała matka solenizantki, i spożywanie etanolu, a drugi na tańce i swawole. W jednym i drugim pomieszczeniu było ciemno jak w kreciej norze, jedyne światło dawały świeczki tlące się mizernie w kątach pokojów. W „sali balowej" było głośniej niż na koncercie heavymetalowym, a w drugim pokoju niewiele ciszej. Dobrze, że Ewa mieszkała w domku jednorodzinnym, a nie w bloku z wielkiej płyty, bo nie obeszłoby się bez interwencji policji. Jedyną trzeźwą osobą w naszym gronie był Artur. Nie pił ani wódki, ani wina, ani drinków, tylko niegazowaną wodę mineralną. Wzgardził również papierosami, którymi częstowała go Alina. Nie spodobało się to chłopakom, szczególnie Włodkowi, który od dawna czuł się przez niego zdetronizowany z pozycji największego przystojniaka szkoły.

– Ty, Nowy, czy w tym Krakowie wszyscy są takimi cieniasami? Nie piją, nie palą? Nie przeklinają? Z czynności na literę „p" to chyba ci tylko plucie zostało, bo nie wierzę, żebyś wiedział, co to pierdolenie. – Włodek, cytując stary dowcip, nie popisał się oryginalnością.

– Mylisz się. Jest jeszcze wiele innych czynności na „p". Na przykład „przewidywanie". Za chwilę urżniecie się i mogą być kłopoty.

– Wiesz co, powinieneś zostać ministrantem.

– Wyobraź sobie, że nim byłem – powiedział spokojnie… i głupio, bo od tego czasu nie nazywano go już Nowym, tylko Ministrantem.

Artur miał rację, wkrótce alkohol dał znać o sobie. Tanie wino wymieszane z mocną wódką plus sałatki i tort zrobiły swoje. Niestety układ trawienny większości moich kolegów domagał się trochę większego respektu z ich strony i dobitnie im o tym przypomniał częstymi „podróżami do Rygi". Ja, świadoma skutków nieroztropnego mieszania alkoholu, trzymałam się wina, dlatego procenty wchłonęły mi się dostojnie, nie tak jak solenizantce. Ewa szybko się upiła, przytrzymując kolejkę do ubikacji, co zaowocowało podlewaniem ogródka różnymi cieczami o różnorakiej konsystencji. Później musiała tłumaczyć rodzicom, co robiły kawałki kiełbasy na płatkach herbacianej róży rosnącej koło tarasu.

Nie wszyscy upili się tak szybko jak Ewa, część ludzi, nie zważając na niedyspozycję gospodyni, nadal tańczyła lub obściskiwała się po kątach. Włodek w tańcu i przy stole również próbował mnie całować i obłapiać. Ze względu na Artura nie za bardzo mi to pasowało, dlatego odpychałam jego ręce i unikałam pocałunków.

– Przestań! Nie jesteśmy sami – warknęłam.

– Odkąd ci to, kurwa, przeszkadza? To ty przestań być taka sztywna. Lepiej się napij, będziesz łatwiejsza. – Zarechotał, wlewając mi wino do szklanki. – Pij.

– Nie mam ochoty – odburknęłam.

– Widzę zgubny wpływ Ministranta na ciebie. Byłaś fajną dziewczyną, a za chwilę zrobi się z ciebie zakonnica.

Zostawiłam go i poszłam tańczyć do kółka. Obok mnie tańczyli również Artur i Alina. Ale nie trzymali się za ręce. Kiedy skończyła się szybka piosenka i zaczęli grać wolny utwór, powiedział coś do Aliny i poprosił mnie do tańca.

To był pierwszy nasz taniec. Dłuższą chwilę tańczyliśmy w milczeniu.

– Okłamałaś mnie. Jednak chodzisz z Włodkiem – zauważył.

– A ty z Aliną – odparłam.

Spojrzał na mnie przeciągle. Pod wpływem jego spojrzenia serce zaczęło mi bić szybciej. Na tym jednak skończyła się nasza rozmowa. Chwilę później, po zakończeniu piosenki, skłonił się przede mną i mi podziękował.

– Zaprowadzić cię do stolika? – zapytał, łapiąc się za ucho. Zauważyłam, że często to robił pod wpływem zdenerwowania, niepewności lub zażenowania.

– Nie musisz – odparłam, wzruszając ramionami.

Akurat w tym momencie pojawił się przy mnie Włodek. Nie miałam ochoty z nim tańczyć, wróciliśmy do stolika. A Artur do Aliny.

Zaraz po godzinie dwudziestej trzeciej Artur jako pierwszy wyszedł z imprezy.

– Dlaczego już idziesz? – zapytała jedna z dziewczyn.

Słyszałam ich rozmowę, ponieważ zmieniano płytę i muzyka na chwilę przestała walić po uszach.

– Obiecałem babci, że wrócę przed północą.

– To ja też idę – powiedziała Alina.

Wyszli razem, a mnie z zazdrości przewracał się bigos w żołądku. Pół godziny później ja również wyszłam, a ze mną niezadowolony, bo niedopity, Włodek.

– Co tak wcześnie opuszczasz imprezę? Chcesz szluga?

– Jestem zmęczona. Przecież niedawno byłam chora – burknęłam. – Daj, też zapalę. – Od czasu do czasu lubiłam zapalić papierosa, tak jak to robi większość nastolatków, by zamanifestować swą dorosłość.

Szliśmy w milczeniu, nie miałam ochoty na rozmowę. W pewnym momencie objął mnie i próbował przytulić.

– Przestań! – burknęłam.

– Kurwa, co się z tobą dzieje. Odnoszę wrażenie, że masz ochotę na tego pedzia z Krakowa.

– Przestań pieprzyć – obruszyłam się. – A swoją drogą Artur wcale nie jest pedziem.

– To ciota. Na kilometr widać. Zobacz, jak on się ubiera, jaką ma fryzurkę. Wymuskany jak każdy pedał. Przecież on na samo słowo „kurwa" dostaje spazmów.

– Rzeczywiście, zdanie bez przekleństwa brzmi dla ciebie niegramatycznie albo pedalsko – mruknęłam.

– Nie mam zaufania do ludzi, którzy nie klną. Mówię ci, że on jest cieplutki, na sto procent.

Wymuskany owszem, ale na pewno nie pedał – pomyślałam.

Włodek mnie zdenerwował. Bardzo. Po krótkiej wymianie złośliwości przestaliśmy rozmawiać ze sobą, trwało to przez resztę drogi. Kiedy przed moim blokiem usiłował mnie pocałować, wyrwałam mu się i wbiegłam do klatki.

W następnym tygodniu, kiedy Włodek przychodził na przerwach do naszej klasy, ostentacyjnie go ignorowałam.

Artura również. Udawałam, że go nie dostrzegam, ale na przystanku wytężałam oczy, szukając go wzrokiem. Jednak się nie pojawił.

W sobotę w szkole urządzano dyskotekę. Nasza klasa była organizatorem, dlatego wychowawczyni poprosiła, żebyśmy wszyscy byli obecni. Na szkolne dyskoteki szło się z niechęcią. Nie wolno było przecież palić ani pić alkoholu, a bez tego nie można dobrze się bawić. Poszłam jednak, bo wiedziałam, że Artur tam będzie – jak mógłby nie dostosować się do zaleceń wychowawczyni?!

Już po miesiącu pobytu w szkole stał się beniaminkiem wszystkich nauczycieli. Obowiązkowy, zawsze przygotowany do lekcji, układny i grzeczny – idealny uczeń w oczach każdego nauczyciela. Jedynie fizyk za nim nie przepadał. Było to widoczne, gdy go przepytywał. Na kilometr się wyczuwało, że chce go na czymś ulać. Natomiast wszystkie nauczycielki lubiły Artura, były nim wręcz zachwycone. Ciągle go chwaliły i dawały za przykład. Dziewczyny w naszej klasie podzielały zdanie nauczycielek. Uważały go za koleżeńskiego, dobrze wychowanego i skorego do pomocy. Chłopcy natomiast go nienawidzili. Na wuefie, na który chodził z chłopcami z klasy C, chłopaki wyśmiewali się z niego (chociaż był bardzo wysportowany) i kpili, nazywając go Ministrantem.

Tym razem na dyskotekę szkolną ubrałam się inaczej niż do Ewy. Założyłam szeroką, rozkloszowaną kolorową spódniczkę za kolano w różne esy i floresy oraz obcisłą czarną bluzeczkę z dekoltem w łódkę i rękawkiem za łokieć, pożyczoną od Aldony – oczywiście bez jej zgody, bo sama by mi nic nie dała. Stylonki i szpilki były efektownym wykończeniem stroju. Wyglądałam jak rówieśniczka młodego Presleya. Do tego makijaż i krótka fryzurka nazywana szumnie przez fryzjerkę „garsonką lekko cieniowaną", również w stylu epoki rock and rolla.

Swoim ubiorem i wyglądem zwróciłam uwagę wszystkich chłopców na dyskotece. Zdeklasowałam nawet Alinę ubraną w sukienkę z dekoltem do pępka i tak krótką, że ledwie przysłaniała wątrobę. Zaraz koło mnie pojawił się Włodek. Zignorowałam go, nie zatańczyłam z nim ani razu. Oczami szukałam Artura. Był jak zwykle otoczony dziewczynami z naszej klasy, zabawiał je rozmową lub z nimi tańczył. Wśród nich była również Alina. Z przyjemnością zauważyłam, że nie wyróżniał jej jakoś specjalnie spośród innych dziewczyn.

Mnie niestety również…

Zrezygnowana, już miałam zamiar podejść do odtrąconego wcześniej Włodka i dać się przeprosić, kiedy nagle tuż przede mną wyrósł Artur.

– Zatańczysz? – zapytał niepewnie.

Oczywiście, że z nim zatańczyłam. Tańczyłam i tańczyłam. Szybkie kawałki i wolne. A tańczył bardzo dobrze.

– Ślicznie wyglądasz. Przypominasz mi Audrey Hepburn. Jesteś do niej podobna.

Prawdę mówiąc, nie wiedziałam, o kim mówił. Chyba to zauważył.

– To aktorka. Ulubiona aktorka mojej mamy i babci. Występowała w *Śniadaniu u Tiffany'ego* i *Rzymskich wakacjach*. – Ani jeden tytuł, ani drugi nic mi nie mówiły. – To również moja ulubiona aktorka. Pod koniec życia poświęciła się działalności humanitarnej, pomagając dzieciom z najuboższych krajów świata. Niedawno umarła na raka jelit. Szkoda, była wspaniałym człowiekiem. Miała nie tylko piękną twarz, lecz także duszę.

Cóż, ja niestety nie miałam ani pięknej twarzy, ani duszy. – Nie wyprowadzałam go jednak z błędu, tylko uśmiechnęłam się uroczo.

To był wspaniały wieczór. Jeden z najpiękniejszych dni spędzonych w murach szkoły. Cały czas tańczyliśmy razem. Bardzo niezadowolona Alina i również niezadowolony Włodek zaczęli pocieszać się swoim towarzystwem.

Wyszliśmy przed końcem dyskoteki. Artur zaprowadził mnie do swojego samochodu, trzyletniego passata. Srebrny metalik wydawał się luksusem przy czerwonym maluchu moich rodziców.

– Babcia pozwoliła ci wziąć samochód? Jak długo masz prawo jazdy?

– Już ponad rok. Osiemnastkę skończyłem w styczniu ubiegłego roku. W dzieciństwie przez pół roku chorowałem, stąd to opóźnienie w nauce. Babcia dała mi auto, bo wolała to, niż żebym się plątał nocą sam po mieście. Od czasu wycieczki do Kalwarii Zebrzydowskiej uwierzyła, że jestem niezłym kierowcą. A kiedy wróciłem z imprezy u Ewy o umówionym czasie, zrozumiała, że umiem dotrzymać danego słowa.

Dlaczego nie powiedział wtedy na imprezie, że przyjechał samochodem?! Chłopaki nie śmialiby się z niego, tylko by mu zazdrościli. „Nie piję, bo jestem autem" – czyż nie jest to najlepsze usprawiedliwienie abstynencji?! Brzmi tak dorośle i elegancko.

Na pewno odwiózł wtedy Alinę do domu. Ciekawe, co robili – pomyślałam. Czy tylko się całowali, czy coś więcej? Alina podobno od dawna nie była już dziewicą – tak twierdził Włodek, bo się z nią przespał.

Nie pojechaliśmy od razu pod mój blok, tylko zatrzymaliśmy się w pobliskim lasku. Było cudownie. Całowaliśmy się, rozmawialiśmy i znowu się całowaliśmy.

Tylko się całowaliśmy!

Nie próbował mnie obmacywać, jak to robił Włodek już na pierwszej randce. Spodobało mi się to. To znaczyło, że mnie szanuje.

Do domu wróciłam przeszczęśliwa.

Następne tygodnie upłynęły nam na wzajemnym poznawaniu się. Niestety poznawaliśmy tylko nasze dusze, nie ciała. Nie wiedziałam, co o tym sądzić. Wcześniej chłopcy zawsze próbowali dobrać mi się do majtek i biustonosza. To nie znaczyło, że wszystkim na to pozwalałam.

Ale próbowali. A Artur nie.

Wydawało mi się to trochę dziwne. W ogóle był dziwny. Inny niż reszta chłopaków, których dotychczas znałam. Większość nastolatków na każdym kroku podkreśla swą dorosłość i samodzielność. Nikt nigdy by się nie przyznał publicznie, że liczy się ze zdaniem babci. Nikt nie towarzyszyłby jej na mszy w kościele ani nie chodził z nią do spowiedzi, tak jak on to robił. Chociaż wszyscy z naszej klasy pochodzili z katolickich rodzin i uważali się za katolików, jednak nikt z nich nigdy by nie manifestował tego tak ostentacyjnie jak Artur. Prędzej przyznaliby się do udziału w satanistycznej mszy na cmentarzu, niż do tego, że byli kiedyś ministrantami! W szkole śmiano się mu w twarz, wyzywając go od „babcinych synków" i „zciociałych ministrantów". A najbardziej dokuczał mu Włodek.

Mówiąc szczerze, bardzo mi przeszkadzało, że Artur nie reaguje na te przezwiska. Kiedyś mu to zarzuciłam, gdy Włodek rzucił pod naszym adresem obraźliwy wierszyk:

– Kurwa, co za niesamowita para. Ministrant i puszczalska lala.

Aż się we mnie zagotowało. A Artur nic. Spłynęło to po nim jak woda po kaczce.

– Wiesz co, poety raczej z ciebie nie będzie. Weź się lepiej do nauki – powiedział spokojnie.

Później zrobiłam mu o to awanturę.

– Dlaczego nie zareagowałeś, gdy ten cham mnie obraził?!

– Jest zazdrosny, że wybrałaś mnie, a nie jego. Przecież to nieprawda, co o tobie powiedział. – Wzruszył ramionami. – Co według ciebie miałem zrobić? Wyzwać go na pojedynek? Bić się z nim?

– Zachowałeś się jak tchórz. Znieważono mnie.

– Uważasz, że bohaterstwem byłoby wszcząć bójkę?

– Cóż, Zbyszkiem z Bogdańca to ty nie jesteś. On wyzwał osiłków na pojedynek z dużo błahszego powodu. No tak, zanikła już rycerskość w polskim narodzie – mruknęłam.

Roześmiał się.

– Mam stanąć na ławce w klasie i ogłosić wszem i wobec: panna Beata Makowska jest najpiękniejszą dziewczyną w Rzeczpospolitej?

Nie odpowiedziałam, ale moja mina świadczyła dobitnie, co o tym wszystkim myślę. Objął mnie i pocałował w policzek.

– Obiecuję, że zrobię to jutro na wuefie. Chyba że chcesz, żeby stało się to w klasie? Ale w naszej klasie są same dziewczyny. Czy mam je również wyzywać na pojedynek?

– Przestań się ze mnie naśmiewać. – Spojrzałam mu w oczy. – Dlaczego pozwalasz chłopakom na to wszystko?

– To znaczy na co?

– Żeby śmiali się z ciebie? Żeby nazywali cię ministrantem?

– Przecież kiedyś nim byłem.

– Ale to takie… niemęskie – powiedziałam niepewnie.

Spojrzał na mnie uważnie.

– Uważasz, że mężczyzna wierzący w Boga nie jest męski?
– No, niee. Ale ministrant kojarzy się z dewotkami przesiadującymi całymi dniami w kościele.
– Jeśli ktoś ma potrzebę często chodzić do kościoła, czy to jest według ciebie tak bardzo naganne?
– No nie, ale ty jesteś za młody, by utożsamiać się ze starymi, świętojebliwymi babami – bąknęłam. Wtedy nie był znany termin „mohery" określający takie osoby, użyłam więc słowa bardziej dosadnego, ale często wtedy używanego.
Nie spodobało się to Arturowi. Zmarszczył brwi z niezadowolenia, ale nic nie powiedział. Wyjątkowo mnie to zdenerwowało.
– Widzę, że nie podoba ci się słowo „świętojebliwy"? Nie potrafisz nawet wyartykułować tak paskudnego wyrazu, bo musiałbyś później myć usta mydłem?! Boisz się, że pójdziesz przez to do piekła? – zaatakowałam go, nie wiadomo dlaczego. – Przestań w końcu być na każdym kroku takim pierdolonym ministrantem!
Raczej nie przeklinałam, wulgarnego słownictwa używałam jedynie w wyjątkowych okolicznościach, ale wtedy mnie poniosło. Wylałam na niego całą moją złość – że jest taki porządny, taki religijny, że pozwala się obrażać... i że nie pragnie seksu ze mną... To ostatnie najbardziej mi przeszkadzało. Może rzeczywiście on woli chłopców? Albo jest impotentem? Przecież w tym wieku w każdym normalnym chłopaku hormony aż buzują! Dlaczego on nawet nie próbuje mnie dotknąć?!
Tamtego wieczoru po dyskotece wydawało mi się, że wreszcie spotkałam księcia z moich marzeń. Że to on będzie tym pierwszym. A może nawet tym jedynym.
Teraz miałam wątpliwości. Duże wątpliwości.
Wtedy po raz pierwszy się pokłóciliśmy. Poszedł do domu, zostawiając mnie samą. Było mi z tym źle. Bardzo źle. Całą noc nie spałam. Nie mogłabym zdefiniować dokładnie uczuć, które żywiłam do Artura – czy go już kochałam, czy tylko lubiłam – ale zależało mi na nim. Pociągała mnie ta jego odmienność. To, że nie wstydzi się swych poglądów i uczuć, że jest stanowczy, niezłomny, że nie ugina się pod presją opinii innych i nie stara za wszelką cenę wszystkim przypodobać. Że ma silny kręgosłup moralny. Z drugiej strony... no cóż, my, kobiety, lubimy słodkich drani. Albo inaczej: młode kobiety ich lubią. Imponuje nam przebojowość, zaradność, bezczelność, samolubstwo, czasami nawet bezwzględność, jeśli są okraszone męską

witalnością, czarem i urokiem osobistym. Trzeba dojrzałości, żeby docenić cechy charakteru wcześniej ignorowane, takie jak wrażliwość, empatia, uczciwość, poświęcenie, oddanie...

Po nieprzespanej nocy nadal nie wiedziałam, czy Artur będzie mężczyzną mojego życia, ale wiedziałam, że mi na nim bardzo zależy.

Po kilku dniach się pogodziliśmy. Dalej byliśmy parą. Ale dopiero po dwóch tygodniach rozwiały się wszystkie moje wątpliwości. Trzeba było jechać do Krakowa, żebym zrozumiała, że Artur jest tym jedynym, wyśnionym...

Nigdy nie byłam na dyskotece z prawdziwego zdarzenia. Dlatego ciągle marudziłam Arturowi, żeby wziął mnie do osławionego Klubu pod Jaszczurami. Marudziłam, marudziłam... aż w końcu się zgodził.

W pewną listopadową sobotę pojechaliśmy do Krakowa. Chociaż Kraków leży niecałe pięćdziesiąt kilometrów od Olkusza, w swoim osiemnastoletnim życiu byłam tam tylko kilka razy: na wycieczkach szkolnych i na zakupach z rodzicami. Oprócz Wawelu, rynku i Floriańskiej nie znałam innych miejsc. Artur postanowił pokazać mi miasto. Powiedział babci, że musi zobaczyć, czy wszystko w porządku z mieszkaniem. Natomiast ja poinformowałam rodziców, że jadę na wycieczkę szkolną z noclegiem poza domem. Uwierzyli. I babcia Artura, i moi rodzice.

Pojechaliśmy. Mieszkanie Artura znajdowało się na osiedlu Oświecenia, leżącym w Nowej Hucie.

Zaparkował przed jednym z betonowych wieżowców i zaprowadził mnie do ich M-4. Wystrój wnętrza sugerował, że jego matka nieźle radzi sobie finansowo. Piękna łazienka i kuchnia, wytworny salon urządzony eleganckimi meblami świadczyły o guście i zamożności. Bardzo zaimponowała mi ta kobieta. Musiała być wyjątkowo zaradną osobą, nie tylko samotnie wychowywała syna, lecz także potrafiła zapewnić im wysoki standard życia. Dokonała tego sama, bez męża. Podzieliłam się swymi spostrzeżeniami z Arturem.

– Babcia nam pomagała. Kiedy mama wyjechała do Stanów, babcia przyjechała tu, żeby się mną opiekować. Dużo jej zawdzięczamy. Teraz mama znowu poleciała za ocean, żeby kupić mi mieszkanie. Nie chciałem tego, ale się uparła – westchnął. – Ma bardzo dobrą pracę, nie musi wydawać żadnych pieniędzy, bo zapewniono jej mieszkanie i wyżywienie. Opiekuje się sympatyczną staruszką. Pojechała tam na dwa lata.

Po obejrzeniu mieszkania pojechaliśmy zwiedzać Kraków. Artur zostawił samochód pod blokiem, dlatego musieliśmy korzystać z usług MPK. Pierwszy raz jechałam tramwajem. Bardzo mi się to spodobało, chociaż podróż do centrum trwała prawie godzinę. Artur pokazywał mi swoje miasto: pożydowski Kazimierz, który zaczęto właśnie remontować, Wawel, Kanoniczną i inne zabytkowe uliczki. Byliśmy na Starym i Nowym Kleparzu – osławionych krakowskich bazarach – a kiedy się ściemniło, pojechaliśmy do Podgórza do pierwszej otwartej w Krakowie chińskiej restauracji. Jak urzeczona patrzyłam na obrotowy talerz z różnymi orientalnymi przysmakami. Bardzo mi przypadła do gustu kuchnia chińska. Do dziś ją lubię.

Przed dyskoteką niestety nie wróciliśmy do mieszkania, by się przebrać. Nie byłam z tego powodu zbytnio ukontentowana, ponieważ w torbie czekała na mnie piękna bluzka, którą zamierzałam włożyć. Musiałam przyznać rację Arturowi, że nie było sensu spędzić dwóch następnych godzin w tramwaju lub autobusie, bo tyle trwałaby podróż w jedną i drugą stronę.

O godzinie dziewiętnastej stanęliśmy przed drzwiami do Jaszczurów. Bramkarz bardzo łatwo dał się skorumpować odpowiednią sumą pieniędzy i nie zwracając uwagi na brak legitymacji studenckiej, wpuścił nas w podwoje tego osławionego przybytku.

Prawdę mówiąc, trochę się rozczarowałam i samym klubem, i dyskoteką. Nic nadzwyczajnego – wystrój taki sobie, a muzyka głośna jak w remizie w Żuradzie. Artur poszedł do baru, by kupić coś do picia, a ja z boku stałam i czekałam, aż wróci. O miejscach siedzących trzeba było zapomnieć. Mój towarzysz wrócił z dwiema szklaneczkami wina akurat wtedy, gdy podrywał mnie jakiś stały bywalec Jaszczurów, dziwiący się, dlaczego nigdy wcześniej mnie tu nie spotkał.

– Ona jest ze mną – powiedział chłodno Artur do chłopaka na pewno starszego od siebie o kilka lat.

– No to sorry. – Jaszczurowy bywalec podniósł dwie ręce do góry i zaraz usunął się z pola widzenia.

Spodobała mi się stanowczość w głosie Artura, gdy zwracał się do chłopaka. Może on nie jest takim tchórzem, jak myślałam – przeleciało mi przez głowę.

– Deprawuję cię, dziś przeze mnie popełniłeś dwa grzechy. Okłamałeś babcię i upijasz się alkoholem – zauważyłam, przekornie się uśmiechając.

– Jedna lampka wina to nie grzech. Mam przecież skończone osiemnaście lat – odpowiedział mi również uśmiechem. – Czerwone wino w małych ilościach jest bardzo zdrowe.

W klubie nie zabawiliśmy długo, nie minęła jeszcze dwudziesta trzecia, gdy wyszliśmy z lokalu. Nie padało, nie było zbyt zimno, dlatego zrobiliśmy sobie mały spacerek po rynku i pobliskich uliczkach. Chociaż była jesień i późny wieczór, Kraków nadal tętnił życiem. Nie to co Olkusz – pomyślałam. U nas ludzie chodzą spać z kurami, już zaraz po zmroku miasto wygląda, jakby dżuma, czarna ospa i hiszpanka razem wzięte nawiedziły olkuską społeczność – a po dwudziestej nie uświadczysz żywej duszy.

Artur chciał wracać taksówką, ale ja zaprotestowałam. Przecież wydał na mnie już tyle pieniędzy!

– Wrócimy tramwajem nocnym – powiedziałam. – Jeszcze się nim nie najeździłam. W Olkuszu nie ma tramwajów.

Poszliśmy na przystanek przy poczcie głównej. Nie musieliśmy długo czekać, bo zaraz podjechała jedynka jadąca do Mistrzejowic. Usiedliśmy obok siebie, przytuleni i uśmiechnięci.

– To był cudowny dzień – powiedziałam z rozmarzeniem w głosie, przytulając się do Artura. – I wieczór.

– Jeśli chcesz, to możemy za trzy tygodnie znowu tu przyjechać.

– Pewnie, że chcę! – ucieszyłam się. – Chciałabym iść do prawdziwego kina. W naszym domu kultury nie ma kinowej atmosfery, a kino Orzeł remontuje się i remontuje. Obiecujesz, że znowu mnie tu przywieziesz? Kraków to takie piękne miasto, to nie to co Olkusz.

– Mnie się Olkusz podoba.

– Dlatego ci się podoba, bo przyjechałeś tylko na chwilę. Gdybyś mieszkał całe życie, znudziłby ci się tak jak mnie.

Teraz nocą tramwaj jechał szybciej niż za dnia. Nie było zbyt dużo ludzi w wagonie, przeważała młodzież. W pewnym momencie niedaleko nas zrobiło się małe zamieszanie. Trzech wyrostków, na oko w naszym wieku, uwzięło się na chłopaka – nieboraka w okularach. Najpierw się z niego wyśmiewali, a potem zaczęli go poszturchiwać. Nieznajomy nic nie mówił, tylko kulił szyję w ramiona.

– Dajcie mu spokój – odezwał się nagle Artur. – O co wam chodzi?

– Ty się lepiej nie wtrącaj, chyba że chcesz oberwać – powiedział jeden z bandziorów, groźnie patrząc na mojego chłopaka

Przeraziłam się, zaczęłam uspokajać Artura. Całe szczęście odwrócili uwagę od nas i ponownie skierowali ją na swoją ofiarę.

– Oni się znają, to widać po ich rozmowie. Błagam cię, Artur, nie mieszajmy się w ich sprawy.

Tramwaj zatrzymał się. Chłopak wyszedł, a za nim trójka tamtych. Widziałam przez okno, że go popychają. Nagle Artur poderwał się z siedzenia.

– Wysiądź na następnym przystanku. Czekaj tam na mnie. Tylko pamiętaj, nie ruszaj się stamtąd, zaraz tam przyjdę – rzucił w moją stronę i zeskoczył po schodkach z tramwaju.

Jego zachowanie było takie nieoczekiwane, że nie zdążyłam nawet zareagować. Dopiero po chwili się zorientowałam, co się stało. Poderwałam się z miejsca, chcąc za nim wysiąść. Za późno. Drzwi się zamknęły, tramwaj ruszył. Z krzykiem pobiegłam do motorniczego.

– Proszę zatrzymać tramwaj! Ci chuligani ich zabiją! Słyszy pan! Proszę im pomóc.

– Proszę nie krzyczeć i pozwolić mi pracować. Nie będę wtrącał się w kłótnię smarkaczy.

– To nie smarkacze, to bandyci! Jeśli się pan nie zatrzyma, zgłoszę to pana przełożonym! – krzyczałam.

Motorniczy ani się nie wystraszył moich gróźb, ani nie zatrzymał tramwaju. Zrobił to dopiero na przystanku. Wypadłam jak oszalała z wagonu z zamiarem powrotu na tamten przystanek. Na widok budki telefonicznej nagle się zatrzymałam. Przecież nie umiem się bić! Nie pomogę mu, muszę wezwać policję. – Nareszcie racjonalna myśl zaświtała w mojej głowie.

W budce jedna osoba gadała do słuchawki, a dwie stały w kolejce. Wyrwałam słuchawkę z rąk zaskoczonego mężczyzny.

– Przepraszam, ale właśnie zaczęłam rodzić. Proszę mi dać monetę. Błagam – zawołałam. Nie miałam dużego brzucha, ale minę tak przerażoną, że facet zgłupiał.

– Żeby zadzwonić na numery alarmowe, nie trzeba mieć monet, rozmowy są darmowe.

– Tak? – Nie wiedziałam o tym. Skąd miałam wiedzieć?! Dotychczas nigdy nie miałam potrzeby, żeby z nich korzystać. – Jaki jest numer alarmowy na policję? – zapytałam.

– Chyba na pogotowie?

– Na policję, potrzebuję eskorty.

– Dziewięćset dziewięćdziesiąt siedem – odparł jeszcze bardziej osłupiały.

Po chwili odebrano.

– Proszę natychmiast przyjechać na przystanek tramwaju jedynki. – Odwróciłam się do gapiów. – Jaki to przystanek?
– Dom Towarowy Wanda – usłyszałam.
– Na przystanek przed przystankiem przy domu towarowym Wanda. Trzech bandytów napadło na chłopaka. Oni mają nóż! – zawołałam histerycznie.
– Jadąc od miasta czy od Mistrzejowic?
– Od miasta. Błagam, przyjedźcie natychmiast. Oni zabiją Artura! – Odłożyłam słuchawkę i pobiegłam w stronę przystanku. Nie wiem, ile czasu biegłam, ale czułam się, jakbym zaliczyła maraton. Gdy znalazłam się na miejscu, radiowóz już stał, a obok Artur. Po chuliganach ani śladu. Rzuciłam mu się w ramionach.
– Artur, czy wszystko w porządku? Boże, jak ty wyglądasz!
– Jeden z nich miał kastet.
Patrzyłam przerażona na jego czoło. Nie widziałam nigdy takiego guza. Nad prawym okiem miał coś na kształt wielkiej pieczarki, węższego u nasady. To coś miało kolor sinoczerwony. Oka prawie nie było widać.
Rozryczałam się.
– Boże, co te łajdaki ci zrobili!
– To nic takiego. Oni też oberwali.
– To pani dzwoniła? – zapytał jeden.
– Tak. Złapaliście ich?
– Uciekli.
– A gdzie jest ten chłopak, co się za nim wstawiłeś? – zapytałam Artura.
– Uciekł – bąknął Artur. – Ale i tak by nie mógł pomóc za wiele, przecież było z niego takie chuchro.
– Musicie złożyć zeznanie – powiedział policjant.
– Ale może wcześniej zawieziecie go na pogotowie, co? – zauważyłam sarkastycznie. – Nic nie powiemy, jeśli Artura nie opatrzy lekarz. Proszę zobaczyć, jak on wygląda.
Popatrzyli na siebie w milczeniu i kazali nam wsiąść do radiowozu. Zawieźli nas do szpitala im. Żeromskiego, gdzie zrobiono Arturowi prześwietlenie głowy i założono opatrunek. Po godzinie znowu znaleźliśmy się w suce. Tym razem pojechaliśmy na posterunek.
Spisali nasze dane – Artura z dowodu, a moje z legitymacji szkolnej.
– Nie jesteś z Krakowa? Jak tu się znalazłaś?

– Chodzimy razem do szkoły – odparł za mnie mój chłopak. – Mieszkam tymczasowo w Olkuszu.

– Aha. Proszę opisać całe zdarzenie – rozkazał jeden z policjantów.

Artur opowiedział po kolei, co się działo w tramwaju.

– Dlaczego wysiadłeś na przystanku, a twoja dziewczyna pojechała dalej?

– Oni by tego chłopaka skatowali... Chciałem mu pomóc.

– Nie bałeś się? Przecież i tak było ich więcej.

– Ale ja trenowałem aikido.

Policjanci obserwowali nas w milczeniu.

– Co innego zeznałaś przez telefon – zauważył jeden z policjantów, patrząc na mnie. – Powiedziałaś, że napadło go trzech chuliganów. Z tego, co słyszymy, to on sam wtrącił się do bójki. – Spojrzał na Artura. – Widzę, że lubisz się bić.

Tego było już za wiele. Nie wytrzymałam.

– Jak śmie pan tak mówić! – wypaliłam. – Artur nie lubi się bić. Nawet jak mnie Włodek obraził, to Artur się z nim nie bił. Jest najlepszym uczniem w naszej klasie. Jedyny z całego tramwaju zareagował, gdy ci chuligani przyssali się do tamtego chłopaka. Motorniczemu nie chciało się palcem kiwnąć. Wstrętny tchórz! Napiszę zażalenie na niego. Artur wysiadł, bo chciał pomóc temu chłopakowi. Zrobił to, co należy do waszych obowiązków! To policja powinna zapewnić bezpieczeństwo obywatelom, a motorniczy pasażerom. Zamiast patrolować ulice, śpicie w krzakach. U nas w Olkuszu policja jest o niebo sprawniejsza. Tam nic takiego by nie miało miejsca.

– To trzeba siedzieć w Olkuszu, a nie włóczyć się po Krakowie.

– Nie włóczyłam się. Przyjechałam na wycieczkę. Ale Kraków przestał mi się już podobać. I proszę zwracać się do nas grzeczniej, nie piliśmy z panami bruderszaftu. Nie jesteśmy dziećmi.

– Jakoś nie widzę twojego dowodu osobistego.

– Za trzy tygodnie skończę osiemnaście lat. A Artur dawno już skończył.

Na moment zrobiło się cicho. Policjanci popatrzyli na siebie.

– Proszę opisać, jak oni wyglądali.

Opisaliśmy wygląd chłopaków i jak byli ubrani. Policjant już nas nie „tykał", zwracał się do nas bezosobowo. Na koniec powiedział:

– Na drugi raz, chłopcze, przemyśl dobrze, czy warto się wtrącać w chuligańskie porachunki. Sami widzicie, że napastowany chłopak uciekł i zostawił swojego obrońcę na pastwę losu. Nie pomyślałeś, dlaczego akurat jego zaczepili? Prawdopodobnie się znali. Mam syna w twoim wieku - powiedział starszy z policjantów. - A tak swoją drogą, radzę ci, chłopcze, trzymać się tej dziewczyny, gotowa jest w twojej obronie oczy wydrapać. A panienka niech go bardziej pilnuje, by nie narażał się niepotrzebnie.

„Panienka", „chłopcze" - jakbym czytała Makuszyńskiego. Miałam ochotę powiedzieć temu policjantowi, że panienki to są na placu Słowiańskim po dwudziestej drugiej (mówił mi o nich Artur), ale ugryzłam się w język.

Warto było trzymać język za zębami, bo gliniarze odwieźli nas suką na osiedle Oświecenia, pod sam blok.

Właśnie po tym zajściu z chuliganami zrozumiałam, jak bardzo kocham Artura. Wtedy również postanowiłam, że to jemu oddam to, co mam najcenniejszego. Moją cnotę.

W tym dniu nie było odpowiedniej atmosfery, żeby skonsumować naszą miłość. Artur, poobijany i z guzem wielkim jak arbuz, nie był na siłach spełnić się jako kochanek deflorator. Dlatego położyłam się grzecznie na kanapie w salonie, gdy tymczasem on zamknął się w drugim pokoju. Jak mówi mądrość życiowa: co się odwlecze, to nie uciecze. Tym bardziej że obiecał za trzy tygodnie znowu mnie tu przywieźć.

Wtedy stanie się To! - postanowiłam. Wtedy stanę się kobietą.

Rozdział 7

Mark rozglądał się przed kawiarenką Loża przy Rynku Głównym, szukając oczami komisarza Biedy, z którym się umówił na spotkanie. Chociaż był już koniec września, stoliki w ogródkach kawiarni nadal cieszyły się dużym wzięciem u klientów. Pledy leżące na ratanowych fotelach i grzejniki elektryczne umieszczone pod parasolami zapewniały potencjalnych smakoszy kawy lub piwa, że zimno im nie zagraża. Komisarza jednak nie było. Mark zauważył go w środku, siedzącego w loży przy oknie.

Bieda był mężczyzną przed pięćdziesiątką, średniego wzrostu, żylasty, o sprężystym chodzie i bystrym spojrzeniu. Mocno przerzedzone włosy koloru jasnobrązowego z siwymi pasemkami tu i ówdzie zaczesane były tak, żeby ukryć pojawiające się zakola. Marka zawsze zastanawiało, dlaczego mężczyźni w średnim wieku tak bardzo starają się udawać, że nadal mają bujną czuprynę.

Wszedł do lokalu i usiadł przy stoliku. Ledwo zdążył przywitać się z policjantem, a już pojawił się kelner. Przy kawie i serniku prowadzili lekką pogawędkę, jak dwójka dobrych znajomych, chociaż znali się słabo. Po kilku minutach komisarz przeszedł do meritum.

– Panie Marku, prokurator chce przymknąć Arletę Kumięgę. Mamy wystarczające dowody, żeby to zrobić. Znaleźliśmy w mieszkaniu jej odciski, chociaż starała się zatrzeć ślady. I jej włos. Pończocha, którą prowincjał został uduszony, prawdopodobnie należała do niej. Była jego kochanką. Nie ma alibi na czas morderstwa. Matka, z którą mieszka, powiedziała nam, że jej córka była wtedy w domu, ale to nieprawda, bo sąsiadka widziała, jak Arleta wychodziła z domu po dwudziestej i wróciła dopiero późnym wieczorem. Chyba nie żyją w sąsiedzkiej zgodzie.

– Wątpię, czy to Kumięga zabiła prowincjała. Nie radziłbym jej zatrzymywać w areszcie. Odciski w mieszkaniu to żaden dowód, nawet nie poszlaka. Gdy ją zamkniecie, zrobi się szum. Po co nagłaśniać sprawę?

Policjant w milczeniu pił kawę. Odezwał się dopiero po chwili.

– Musimy się czymś wykazać. Kumięga bardzo nam pasuje na morderczynię. Ma motyw, bo z nią zerwał. Nie jest księdzem ani zakonnicą. – Mówiąc to, uśmiechnął się pod nosem. – Tak naprawdę nawet nam na rękę, że księża wynajęli pana. Trochę niezręcznie nam prowadzić to śledztwo. Mamy nakaz robić to w białych rękawiczkach. Sam pan wie, kto teraz rządzi w kraju. Naszym zwierzchnikom zależy na znalezieniu sprawcy, ale nie chcieliby, żeby był w to zamieszany ktoś z kleru. Dlatego Kumięga jest idealną kandydatką na oskarżoną o morderstwo. Jej mieszkanie jest pod obserwacją, mimo że podczas rewizji nie znaleźliśmy tam żadnej pończochy. Ale gdy ją przyciśniemy, to się przyzna.

– To nie ona! I na pewno się nie przyzna. Owszem, była kochanką prowincjała. Była również wtedy w jego mieszkaniu i zabrała pończochę, zamieniając ją na kabel. Bezpośredniego dowodu zbrodni nie macie, bo spaliła pończochę. Komisarzu, niech się pan zastanowi. Trzeba by było być kompletną idiotką, żeby udusić kogoś swoją pończochą, gdy jest tyle innych rzeczy pod ręką nadających się do duszenia.

– Dlatego ją usunęła. Nie zdawała sobie sprawy, że to odkryjemy.

– Komisarzu, niech mnie pan nie rozśmiesza. Każdy, kto obejrzał w swoim życiu choć jeden kryminał, wie, jakimi instrumentami dysponuje teraz policja. Kumięga, owszem, usunęła pończochę, ale to nie ona posprzątała ślady w mieszkaniu.

– To kto?

– A jak pan myśli?

– Księża? Cholera! Który z nich?

– Nie mogę panu powiedzieć. Ale ten ktoś według mnie również nie jest mordercą. – Mark na chwilę się zawahał. – Wiecie o tym tajnym wejściu przez altankę?

Policjant zmarszczył brwi.

– O czym pan mówi? Jakie wejście? Prawdę mówiąc, nie rozglądaliśmy się tam za dobrze, bo nie chcieliśmy drażnić księży, zajęliśmy się tylko mieszkaniem.

Mark powiedział Biedzie o przejściu.

– Mordercą może być ten „gość" wchodzący przez altankę? Wiem, że bywał u niego ktoś, kto nie chciał oficjalnie być widzianym przez portiera. I nie była to kobieta. Nie znam nazwiska, jedynie imię: Zbyszek. Trzeba iść tym śladem. Proszę nie zapominać, że prowincjałowi ktoś rozkwasił nos. Wątpię, czy zrobiła to kobieta.

Przy pożegnaniu Bieda powiedział do Marka.

– Na razie wstrzymamy się z aresztowaniem Arlety Kumięgi. Ale musi pan z nami współpracować, panie Marku. Panu jest wygodniej z nimi rozmawiać, bo sami pana wynajęli.

– Wynajęli mnie, ale nie po to, żebym później donosił o wszystkim policji.

– Panie Marku, nie policji, tylko Ryszardowi Biedzie. Obiecuję, że nie zrobię nic bez pana zgody. Musimy jednak czymś się wykazać przed zwierzchnikami.

Trzy dni później Mark pojechał do Wiednia na zebranie rady nadzorczej. Tym razem bez Marty, bo miała podwyższoną temperaturę i źle się czuła – prawdopodobnie złapała jakiegoś wirusa, tak stwierdził Robert. Nie zaaplikował jej antybiotyku, ale doradził kilkudniowe leżenie w łóżku. Biegler, niezadowolony i trochę zaniepokojony niedyspozycją żony, wyjechał z Krakowa zaraz po południu, by przenocować w Wiedniu, ponieważ rano o ósmej musiał już być w siedzibie firmy. Zebranie trwało ponad cztery godziny, później kazano mu podpisać kilkanaście dokumentów i przeczytać miesięczne sprawozdanie. Był wolny dopiero przed czternastą.

– Chodźmy coś przekąsić – zaproponowała Berta, jego dawna narzeczona i partner w interesach.

– Z przyjemnością, ale nie mam czasu. Muszę jeszcze zobaczyć się z siostrą i odwiedzić Ingrid Schulz.

Widząc jednak zawiedzioną minę kobiety, uległ namowom i poszedł z nią do restauracji.

Z siostrą Tiną widział się tylko chwilkę, bo o siedemnastej był umówiony z Ingrid Schulz, a kobiety tak bogate i wpływowe jak ona nie tolerowały niepunktualności.

Zajechał pod jej posesję. Był tu kilka razy ze swoją nieżyjącą już macochą. Drzwi otworzyła mu sama gospodyni. *Frau* Schulz należała do grona tych niewielu ekscentrycznych milionerów, którzy za wszelką cenę starali się żyć skromnie jak przeciętny obywatel. Nie miała kamerdynerów ani stałych służących. Oprócz sprzątaczki i kucharki, które przychodziły trzy razy w tygodniu na parę godzin, zatrudniała jedynie kobietę do towarzystwa, by nie być samą. Ingrid Schulz dawno temu skończyła już dziewięćdziesiątkę, ale nadal trzymała się prosto, sama prowadziła samochód i korzystała z komputera. Codziennie również wypijała kieliszek różowego wina. Wcześniej było to wino czerwone, ale ostatnio stwierdziła, że musi zacząć dbać o swoją wątrobę. Pomimo ogromnego bogactwa pozostała osobą skromną i bardzo religijną. Z tyłu domu wybudowała prywatną kaplicę, gdzie całymi godzinami się modliła. Mark wiedział od Gretchen, że często gościła u siebie księży z Polski, którzy odprawiali w kaplicy msze.

Ingrid Schulz bogactwo zawdzięczała ojcu, byłemu oficerowi SS, który po powrocie z frontu wschodniego dorobił się ogromnego majątku. Tajemnicą poliszynela było to, że wzbogacił się na wojnie. Na starość jednak zajął się szeroko pojętą działalnością charytatywną, pomagając nie tylko ubogim mieszkańcom Wiednia, lecz także ludziom z innych krajów. Jego córka kontynuowała dzieło ojca i stała się jedną z największych austriackich filantropek. Nie miała rodziny, nigdy nie wyszła za mąż, co dodatkowo przyczyniło się do jej wzmożonej aktywności na rzecz filantropii.

Mark omiótł spojrzeniem niską, drobną babinkę o siwych włosach obciętych na wysokości karku. Przedzielone były na boku głowy równym jak od linijki przedziałkiem i podpięte zwykłą wsuwką. Nie wyglądała na dziewięćdziesiąt siedem lat. Ubrana była w prostą wełnianą, spódnicę długą do pół łydki, i brązowy sweter. W niczym nie przypominała wyfiokowanych amerykańskich milionerek jeżdżących na Florydę ze stadem służących.

– Pan Biegler? Zapraszam do pokoju – powiedziała z uśmiechem. – Miło mi gościć syna Gretchen Biegler. Szkoda, że odeszła. Była jeszcze młoda, przecież nie skończyła dziewięćdziesiątki.

Mark usiadł w fotelu, rozglądając się po wnętrzu. Urządzone było meblami z lat pięćdziesiątych – solidne mahoniowe komody, skórzane meble wypoczynkowe i aksamitne zasłony w oknach. Obok kanapy i dwóch foteli skrzył się ognistym płomieniem kamienny kominek, chyba najbardziej nowoczesny element wystroju w tym pomieszczeniu.

– Nam, starym, zawsze zimno, dlatego kazałam napalić w kominku – powiedziała. – Niestety nie byłam na pogrzebie pana matki, przebywałam wtedy w szpitalu po operacji. Ale niebawem ja i Gretchen znowu się spotkamy. – Spojrzała bystro na Marka. – Pan taki młody, Gretchen musiała pana urodzić w późnym wieku?

– Gretchen nie była moją matką. Była pierwszą żoną mojego ojca. Zamieszkałem z nią, gdy byłem już dorosły, ale zaprzyjaźniliśmy się zaraz po śmierci mojego ojca, kiedy miałem zaledwie dziesięć lat.

– Taak? Zawsze mówiła o panu „mój syn".

– I tak mnie traktowała. Dla mnie również była bliska jak matka... – Na wspomnienie Gretchen westchnął i sposępniał. – Brakuje mi jej – szepnął.

– Gdzie podziała się moja gościnność! Nie zaproponowałam panu nic do picia. Kawa, alkohol? Wino jest bardzo zdrowe. Napije się pan ze mną?

– Poproszę kawę. Nie mogę pić alkoholu, bo chcę jeszcze dziś wracać do Krakowa.

Kobieta podniosła głowę z zaciekawieniem.

– To pan nie mieszka w Wiedniu?

– Przeniosłem się z żoną do Krakowa. Żona jest Polką. Moja biologiczna matka również była z Polski.

– To interesujące, bo ja też mam przyjaciół w Krakowie. Dokładnie mówiąc, pod Krakowem, w Osieku.

– Taak? – ucieszył się Mark, bo od pewnego czasu zastanawiał się, jak zagaić rozmowę o Osieku i Fundacji. – Byłem tam. Znam księdza Ślęzaka, założyciela Fundacji „Nasze Dzieci".

– Co za zbieg okoliczności! Bardzo dobrze znam księdza Bolesława. Trochę pomogłam mu w jego dziele. Dzieło – tak nazywa Fundację. To wspaniały człowiek i bardzo dobry ksiądz. I oddany przyjaciel. Znamy się od prawie czterdziestu lat. Przyjeżdża do mnie co miesiąc na parę dni. Teraz, gdy jestem taka stara, już się nie kryguje, bo przedtem złe ludzkie języki nie pozwalały nam czuć się swobodnie. Zawsze ktoś, mówiąc kolokwialnie, musiał robić za przyzwoitkę. Ludzie potrafią być okropni. Oczywiście nie chodziło mi o siebie, tylko o niego, był przecież księdzem. Gdy się poznaliśmy, on miał trzydzieści lat i był przystojnym młodzieńcem, a ja miałam prawie sześćdziesiąt. Polubiliśmy się szczerze. Oczywiście nie było mowy o żadnych relacjach damsko-męskich, ale złośliwość ludzka nie zna granic.

– W jakich okolicznościach się poznaliście?

Kobieta na moment się zawahała. Spojrzała badawczo na Marka. Westchnęła głośno.

– Cóż, chyba mogę panu powiedzieć, to teraz nie ma już znaczenia. Mój ojciec był na froncie wschodnim. Udało mu się uciec z niewoli. W czterdziestym szóstym roku w cywilnym ubraniu zawędrował do małej wioski niedaleko Rzeszowa. Widząc kościółek, wstąpił tam, by się pomodlić. Był chory i bardzo słaby. Postanowił tam umrzeć. Zobaczył go tamtejszy kościelny. Pomógł mu. Dał mu jeść i schronienie. I nie wydał milicji. Chyba uratował mu życie. – Kobieta zawiesiła głos. – Niestety mój ojciec, tak jak większość Austriaków, dał się uwieść Hitlerowi. Chociaż przed wojną był katolikiem, na rękach miał krew wielu ludzi. Dowiedziałam się o tym dość późno. A może nie chciałam wiedzieć… Ojciec po powrocie do domu, kiedy otrząsnął się z brudu wojny, zaczął żyć jak większość Austriaków. Jakby wojna była złym snem, a oni tylko śnili, że mordują i grabią. Pomogła im w tym również propaganda. Etykieta „pierwszej ofiary wojny", którą przyklejono Austrii, uwolniła nasz naród z wyrzutów sumienia i poczucia odpowiedzialności za drugą wojnę światową. To źli Niemcy ją wywołali, a nas, biednych Austriaków, zaanektowano do Rzeszy jak inne podbite narody. Zapomnieliśmy, co zrobiliśmy Żydom. Zapomnieliśmy, że co drugi z nas był esesmanem strzelającym do kobiet i dzieci, że wielu z nas zajmowało wysokie stanowiska w obozach śmierci... Dalej modliliśmy się i co niedziela chodziliśmy na mszę do kościoła. Mój ojciec również. – Na chwilę zamilkła. – Tata umiał zarabiać pieniądze. W krótkim czasie stał się bardzo majętnym człowiekiem. Hotele, które wniosła do małżeństwa moja mama, to tylko niewielki procent naszego majątku. Ojciec największe pieniądze zarobił w branży farmaceutycznej. Wszystko wskazywało na to, że fortuna mu sprzyja. Zapomniał o Bogu, o swoich ofiarach i o pewnym Polaku, który uratował mu życie. Jednak los lubi wyrównywać rachunki... Najpierw stracił ukochaną żonę, moją mamę, a później syna, następcę swojego imperium. Ja, kobieta, nigdy nie byłam brana pod uwagę jako prezes firmy. Po śmierci mojego brata ojciec całkiem się załamał. Przewartościował pewne sprawy. Zajął się działalnością filantropijną. I przypomniał sobie o tym kościelnym spod Rzeszowa. Niestety ów człowiek już nie żył. Ale żył jego syn, Bolesław.

Kobieta zamilkła. Mark również milczał. Zaskoczyła go swą opowieścią. Myślał, że ona i ksiądz spotkali się przypadkowo.

– Nie wiem dlaczego, ale Bolesław woli trzymać genezę naszej znajomości w tajemnicy. Ja już pogodziłam się z myślą, że byłam córką mordercy. Ojciec bardzo starał się naprawić swe błędy. Wymógł na mnie, żebym kontynuowała to, co on zaczął. Nie musiał mnie długo namawiać. Zawsze byłam osobą religijną, chciałam nawet wstąpić do klasztoru, ale mi nie pozwolono. Cieszę się, że ojciec szukał odkupienia swych win. Może Bóg mu wybaczy. – Znowu westchnęła. – A co pana do mnie sprowadza?

Mark, trochę speszony, że kilka minut wcześniej miał zamiar okłamać kobietę, zaczął mówić jej prawdę. Zaraz jednak się zorientował, że Ingrid Schulz nie wie nic o zabójstwie prowincjała. Prawdopodobnie Ślęzak nie powiedział jej o okolicznościach jego śmierci. I o tym, że jest podejrzanym. Nie chcąc wkopać księdza, zaczął brnąć w opowiastki o współpracy z Fundacją. Widać Ślęzak miał swoje powody, że nie powiedział jej o swych kłopotach.

– Ksiądz Bolesław to wspaniały człowiek – rozwodziła się dalej nad zaletami księdza Ingrid Schulz. – On robi tyle dobrego dla młodzieży. Podziwiam go i bardzo szanuję. Jest dla mnie wzorem chrześcijanina. Taki sam jak jego ojciec. Skromny, uczynny, ludzki...

Mark wyszedł przed dziewiętnastą. Późno – pomyślał, wsiadając do samochodu. W Krakowie będzie dopiero po północy. Włączył telefon. Przeczytał komunikat, że dzwonili Marta i komisarz Bieda. Po kilku minutach rozmowy z żoną wybrał numer policjanta.

- Witam, komisarzu. Dzwonił pan do mnie?

- Tak. Gdzie pan jest? Chciałbym porozmawiać, mam świetnego newsa.

- Niestety dziś się nie spotkamy, bo jestem w Wiedniu. Czegóż ciekawego pan się dowiedział?

- Zresztą powiem panu przez telefon. Furtian Zgromadzenia, Wojciech Zakała, jest kochankiem Arlety Kumięgi. Często gości w jej domu.

Beata Tomczyk zajechała pod swój blok. Z bagażnika wyjęła zakupy. Zostawiła zgrzewkę wody mineralnej. Przyniesie ją Michał - zadecydowała. Nie powinno się przemęczać, gdy się ma jedną nerkę.

Mieszkanie było puste, Karolina bawiła się z córką sąsiadki, a Michał nie wrócił jeszcze z treningu. Niech chłopak ćwiczy, lepsze to niż ślęczenie przed komputerem. Wbrew tej maksymie sama usiadła przed otwartym laptopem. Poczekała, aż komputer się załaduje, wpisała hasło i otworzyła folder z dokumentami.

Rozdział 8

Beata

Artur nie wycofał się z obietnicy ponownego wyjazdu do Krakowa. Nakłamał babci, że pośliznął się na schodach. Babcia uwierzyła - przecież Artur nigdy nie kłamał! Dopóki nie poznał Beaty Makowskiej...

W szkole oczywiście zainteresowano się obrażeniami „lalusiowatego ministranta" - jak Włodek i inni chłopcy nazywali Artura. Chociaż wyśmiewali się z niego, on nie reagował na słowne zaczepki, a na ich pytania odpowiadał, że zaciął się przy goleniu. Dziewczynom natomiast mówił co innego: podtrzymywał wersję sprzedaną babci.

Ale ja nie potrafiłam słuchać spokojnie obelg chłopaków rzucanych pod adresem Artura.

– Lepiej uważajcie na tego lalusiowatego ministranta, bo kiedyś nie wytrzyma i spuści wam manto tak jak tamtej trójce – wysyczałam kiedyś na przerwie do Włodka. – Wyobraźcie sobie, że on ćwiczył aikido.

– Chyba ma słabe osiągnięcia w tym aikido, patrząc na jego guza – zauważył złośliwie Włodek.

– Ich było trzech, matole. I jeden z nich miał kastet!

– Chciałbym to zobaczyć – mruknął Włodek.

– Ja też z przyjemnością bym popatrzyła, jak roznosi cię na strzępy. Niestety Artur bije się tylko wtedy, gdy innym grozi niebezpieczeństwo. Nie zadaje się ze słabeuszami mocnymi tylko w gębie. Kodeks aikido mu na to nie pozwala – dodałam od siebie.

Zbliżał się dzień wyjazdu do Krakowa, a ja byłam w Arturze coraz bardziej zakochana. Zaczęły nawiedzać mnie obawy, czy spodobam mu się naga. Zamykałam się w łazience i przed lustrem studiowałam anatomię mojego ciała. Nikt wcześniej nie widział mnie gołej. Włodek ujrzał tylko niektóre partie mojego ciała, ale po ciemku, i zapoznał się z nimi tylko dłońmi, a nie oczami.

Na ten wyjątkowy dzień postanowiłam zaopatrzyć się w seksowną bieliznę – przecież nie założę bawełnianych majtek po samą szyję ani różowego biustonosza, jakie kupowała mi mama. Wyjęłam ze skarbonki plik banknotów przeznaczonych na moją osiemnastkę i poszłam do sklepu z elegancką bielizną. Rodzice stwierdzili, że lepszym prezentem niż zorganizowanie balangi będzie kurs prawa jazdy. Nie stać ich było na jedno i drugie, dlatego ściubiłam grosz do grosza ze swojego kieszonkowego, żeby zaprosić najbliższych znajomych do remizy w Żuradzie. Teraz jednak odeszła mi ochota na bale. Wolałam wybrać upojne erotyczne doznania w ramionach Artura niż upojenie się etanolem i późniejszego kaca.

Kupiłam czarne koronkowe stringi, czarny seksowny biustonosz ozdobiony koronkami, cieniutkie czarne pończochy i pas do pończoch, również wykończony koronką. Na czarną koronkową haleczkę niestety zabrakło funduszy, dlatego postanowiłam podkraść siostrze czarną szyfonową bluzkę, którą kupiła sobie na sylwestra.

Cała w skowronkach przyniosłam do domu torbę z nowo zakupioną erotyczną bielizną.

Teraz powstał następny problem - gdzie to schować. W tak małym mieszkaniu nie ma możliwości na dobry schowek, zwłaszcza gdy dzieli się pokój ze wścibską starszą siostrą. Nawet profesjonalna skrytka taty w tapczanie została przypadkowo przeze mnie odkryta. Kiedyś mama nakazała mi schować pościel rodziców do szuflady, bo nie zdążyła posłać łóżka. Upychając kołdrę, zauważyłam, że szuflada ma podwójne dno. Odkręciłam śrubokrętem wystającą śrubę i uchyliłam półkę ze sklejki. Moim oczom ukazały się tajemnicze skarby taty: kaseta wideo z pornosami, kilka egzemplarzy „Playboya" zarekwirowanych mojemu bratu, które mama wrzuciła do kosza, a ojciec je wyciągnął i schował dla siebie. Była tam również paczka kondomów o smaku truskawkowym i... seksowna damska bielizna, taka sama, jaką ja kupiłam.

Powiedziałam o skrytce bratu i chociaż się trochę wzbraniał przed oglądaniem pornosa z małoletnią siostrą, razem obejrzeliśmy filmik z Teresą Orlowsky w roli głównej. Niestety nasz seansik filmowy miał przykre reperkusje, bo Aldona znalazła kasetę ukrytą przeze mnie na mojej półce w bieliźniarce. Awantura była na czternaście fajerek. Uratował mnie brat, biorąc całą winę na siebie. Zrobił to nie pierwszy raz, wcześniej już kilkakrotnie wyciągał mnie z opresji. Na przykład wziął na siebie rozbity dymion z winem z wiśni. Pewnego dnia razem z koleżanką podbierałyśmy wino plastikową rurką, kiedyś służącą ojcu do przelewania benzyny, i czterdzieści litrów czerwonej jak krew cieczy rozlało się w niespełna szesnastometrowym pokoju. Gdy usiłowałam posprzątać mieszkanie, wyglądałam jak lady Makbet unurzana we krwi. Wino rozbryzgało się po tapecie, kanapie i fotelach. Najgorzej było z dywanem, bo narzuty z wersalki i foteli po wypraniu w ace wróciły do poprzedniego wyglądu, ale dywan nadawał się do wyrzucenia. Na ratunek jak zwykle przyszedł mi brat. Nie tylko posprzątał ze mną (głośno szlochającą) pokój, lecz także kupił za swoje pieniądze nowy dywan, ku ogromnej uciesze mamy. Oczywiście winę wziął na siebie. Nowym zakupem zrehabilitował się nie tylko w oczach mamy, ale nawet ojca.

Darek wziął na siebie również wpadkę z wódką. Tata, abstynent z natury, miał zawsze w barku połówkę na nieprzewidziane okoliczności. Kiedyś z koleżanką zrobiłyśmy sobie z części wódki drinka, bo butelka była otwarta, i dolałyśmy wody (przegotowanej), by wyrównać braki. Tak działo się parę razy. Pewnego dnia mama, chcąc podziękować uprzejmemu sąsiadowi z góry – który podjął się naprawić nam zlew, a nie chciał pieniędzy – wyciągnęła z barku wódkę i nalała mu kielicha. Sobie nie nalała, bo nie lubiła wódki. Tata również się nie napił, ponieważ miał jeszcze jeździć samochodem. Pierwszy kieliszek sąsiad przechylił i nic nie powiedział, chociaż jego mina wyrażała zdziwienie, ale po drugim kieliszku zareagował.

– Sąsiadko, co ta wasza wódka taka cienka?

Zaskoczony ojciec napełnił sobie kieliszek i posmakował jego zawartości.

– Kurwa mać! – zawołał, chociaż bardzo rzadko przeklinał. – Pamiętasz, gdzie kupiliśmy tę wódkę? – zapytał mamę. – Trzeba ją zareklamować.

Wtedy z pokoju wyszedł mój brat i ze skruchą powiedział, że ulał sobie trochę wódki z zamiarem odkupienia, ale potem zapomniał. Ojciec wyrozumiale machnął ręką, trochę zdziwiony, dlaczego jego syn nie powiedział mu o tym, tylko dolewał wody do butelki.

Uwielbiałam Darka. Jak można nie kochać tak wspaniałego brata! Do dziś jest dla mnie kimś wyjątkowym.

Wracając do moich bieliźnianych zakupów: postanowiłam schować je w piwnicy. Kupione *dessous* włożyłam do słoika, szczelnie zakręciłam i postawiłam na półkę między grzybkami marynowanymi a kompotem z czereśni.

Wreszcie przyszedł ten upragniony dzień. Ładnie się ubrałam, wypachniłam i zakomunikowałam rodzicom, że jadę na weekend do koleżanki do Bukowna. Staruszkowie uwierzyli, tylko Aldona jak zwykle wyczuła, że to kłamstwo, i podpuściła mamę, żeby zadzwoniła do rodziców koleżanki na spytki. Na szczęście mama nie zadzwoniła, bo miała na głowie dużo ważniejsze problemy: trzydzieści par dziecięcych kozaczków, które reklamowali podenerwowani klienci. Buciki wyprodukowano w Zakładzie Obuwniczym Podhale, wielkim molochu komunistycznym, któremu komornik siedział na karku. Owszem, były ładne, ale „niewzuwalne". I bardzo dobrze, bo te „niewzuwalne" kozaczki uratowały moją randkę.

Naszą wycieczkę do Krakowa rozpoczęliśmy od Wieliczki i kopalni soli. Tym razem samochód nie stał pod blokiem, tylko nas zawiózł pod samą kopalnię. Po zwiedzaniu pojechaliśmy do centrum Krakowa, do pierwszego McDonalda otwartego przy ulicy Floriańskiej. Prawdę mówiąc, czułam się trochę rozczarowana: nie smakował mi ten amerykański mielony ze słodką bułką i liściem sałaty, dużo lepsze były hamburgery z ulicy Długiej, które jadłam, będąc kiedyś z mamą na zakupach. Ale nadal uważam ten lokal przy Floriańskiej za jeden z najładniejszych McDonaldów, które w swoim życiu widziałam. Może spowodował to wystrój i architektura secesyjnej kamienicy, a może sentymentalne wspomnienia z nim związane...

Wieczorem poszliśmy do kina Kijów. Nie było jeszcze Multikina, ale poczciwy Kijów mimo wszystko zrobił na mnie duże wrażenie. Nie zapamiętam jednak ani tytułu, ani fabuły filmu, bo byłam zbyt przejęta oczekiwaniem na to, co miało wkrótce nastąpić.

Do mieszkania wróciliśmy przed jedenastą w nocy. Zamknęłam się w łazience, a Artur w tym czasie szykował nam posłania. Po półgodzinnych ablucjach ukazałam się wreszcie zdziwionym oczom mojego oblubieńca. Na jego twarzy pojawił cały kolaż emocji: zdziwienie, konsternacja, szok i... przerażenie. Miał minę, jakby nagle zawieziono go w piżamie na galę rozdania Fryderyków i kazano śpiewać.

Ja tymczasem podeszłam do niego powabnym krokiem w swych dziesięciocentymetrowych szpilkach i erotycznej bieliźnie osłoniętej jedynie szyfonową bluzką Aldony, na dodatek niezapiętą ani na jeden guzik. Wymalowana, wypachniona i seksualnie nastawiona zbliżyłam się do niego powabnym krokiem i zmysłowym, trochę drżącym ze zdenerwowania głosem, wyszeptałam:

– Przepraszam, że tak długo na mnie czekałeś. – I musnęłam go ustami w policzek, zostawiając czerwony ślad szminki. Prawdę mówiąc, nie pomyślałam o tym, malując wargi...

Artur odsunął się nagle jak rażony tysiącwoltowym prądem.

– To chyba niezbyt dobry pomysł – powiedział, uciekając oczami w bok.

Poczułam się tak, jakby oblano mnie strumieniem lodowatej wody, plując mi przy tym w twarz. Z jednej strony byłam wściekła jak rozłoszczony byk na torreadora, z drugiej zaś miałam ochotę się rozpłakać.

– Dlaczego? – zapytałam cicho.

– Jesteśmy za młodzi.

To idiotyczne tłumaczenie jeszcze bardziej mnie rozwścieczyło. Odwróciłam się do niego i zaczęłam się ubierać.

– Co robisz? – zapytał, widząc, że wpycham swoje rzeczy do torby i wkładam kozaczki.

– Wracam do Olkusza – wysyczałam.

– Jest jedenasta w nocy.
– Guzik mnie to obchodzi. Jeśli mnie nie zawieziesz, to śpię na dworcu.
– Nie wygłupiaj się, przecież możesz się przespać...
– Dobra, wychodzę – przerwałam mu, zarzucając na siebie płaszcz i kierując się ku drzwiom.
– Przestań! Poczekaj, aż się ubiorę.
W milczeniu wyszliśmy z mieszkania i w milczeniu dojechaliśmy aż do Przegini. Wtedy zatrzymał samochód. Odwrócił się w moją stronę.
– Beatko, zrozum mnie...
– Tu nie ma czego rozumieć – znowu mu przerwałam. – Włodek prawdopodobnie miał rację, wolisz chłopców niż dziewczyny.
– Beato...
– Albo jesteś impotentem. Ani jedno, ani drugie mi nie pasuje. Jeśli mając prawie dwadzieścia lat, nie masz potrzeb seksualnych, to jesteś nienormalny! W tym wieku hormony powinny buzować w chłopaku niczym wrzątek w czajniku! – warknęłam i dodałam trochę ciszej: – Albo ci się po prostu nie podobam... Od Włodka nie mogłam się wręcz opędzić. Nie przespałam się z nim, bo czekałam na miłość. Owszem, przyszła, ale teraz prysła jak bańka mydlana. – Cóż, moje porównania nie były zbyt wyszukane. – Niestety nie umiem kochać faceta, którego nie pociągam fizycznie. Który z niechęcią mnie całuje i nie chce mnie dotykać. Który się mną brzydzi...
– Przestań pierdolić!
Aż mnie zatkało z wrażenia. Pierwszy raz usłyszałam przekleństwo w ustach Artura! Szok jednak zaraz minął.
– Nie powinieneś tak mówić. Będziesz musiał teraz przez godzinę myć usta mydłem i szorować pumeksem. – Uśmiechnęłam się szyderczo. – A potem przez pół dnia leżeć krzyżem na posadzce w kościele.
– Jakaś ty głupia! Czy nie widzisz, co się ze mną dzieje, gdy jestem blisko ciebie?! – Nie zareagował na moje kpiny. – Cały czas napadają mnie myśli erotyczne związane z tobą. Sam pocałunek powoduje, że bardzo muszę się starać, żeby nie szczytować. To co by było, gdyśmy się pieścili?! – Na chwilę zamilkł. – Uważam, że jesteśmy za młodzi na seks. Moja mama urodziła mnie przed maturą i przez to nie miała młodości, bo zamiast bawić się na dyskotekach, musiała mnie niańczyć. Nie znam swojego ojca, bo wyparł się mnie... Był w tym

samym wieku co ja teraz. Obiecałem mamie, że nigdy nie postawię dziewczyny przed taką sytuacją. Sama mówiłaś, że życie twoich rodziców też inaczej by wyglądało, gdyby twoja mama nie zaszła w ciążę. – Znowu przerwa. – Myślałem, że pobierzemy się po pierwszym roku studiów...

– Co takiego?! Ty masz zamiar zrobić to dopiero po ślubie?! W życiu nie wyszłabym za faceta, z którym wcześniej bym się nie przespała. Nie mam zamiaru kupować kota w worku – powiedziałam chłodno. – Wiesz, Artur, chyba do siebie nie pasujemy. Zbyt się różnimy. Nie odpowiada mi chłopak o mentalności ministranta. Nie chcę podchodzić do życia jak buchalter. Wszystko kalkulować, ważyć i zastanawiać się, czy to jest rozsądne... Chcę, żeby mnie życie zaskakiwało, chcę niespodzianek, może czasami przykrych, ale dzięki temu nigdy nie będzie nudno. Chcę czerpać pełnymi rękami to, co nam los przynosi, kosztować życia, nie zastanawiając się ciągle, że mogę trafić na zbuka i dostać niestrawności. Ty boisz się życia. Podchodzisz do niego jak pies do jeża. Stworzyłeś sobie sztuczne ramy z religii i zasad wiary, myśląc, że uchronią cię przed bólem i nieprzyjemnościami, które mogą cię spotkać. Ale ból i cierpienie to też elementy naszej egzystencji. Bez nich nie można w pełni docenić szczęścia. – Zamilkłam na chwilę. – Chyba powinniśmy się rozstać. Nie pasuję na dziewczynę ministranta.

Skończyłam swą tyradę. Przez chwilę w samochodzie było cicho jak w kościele po śmierci organisty. Pierwszy odezwał się Artur.

– Ministranta... Może masz rację, że zbyt sztywno trzymam się zasad głoszonych w kościele. Ale dekalog to mój drogowskaz. Mój kompas, który pomaga mi iść dobrą drogą. Może rzeczywiście trochę przesadzam, czasami trzeba zboczyć z głównej drogi, by nie przegapić piękna, które jest na poboczu... – Spojrzał na mnie. – Kocham cię... Bardzo... Nie chcę cię stracić. Jeśli chcesz, żebyśmy rozpoczęli życie seksualne, to OK. Sylwestra spędzimy razem. W łóżku.

– Hm, nie chcesz mnie stracić, a więc poświęcisz się i się ze mną prześpisz... Twój entuzjazm jest powalający.

– Beatko... – Przytulił mnie.

– Nie chcę cię do niczego zmuszać.

– Przepraszam, źle się wyraziłem. Bardzo cię pragnę... Bardzo... – Spojrzał na mnie wzrokiem psa proszącego o kiełbasę. – Kocham cię...

Trzydziestego pierwszego grudnia ponownie przyjechaliśmy do Krakowa. Rodzicom powiedziałam, że znowu jadę do koleżanki, która robi w swoim domu imprezę sylwestrową. Rodzice uwierzyli - albo nie chcieli za bardzo wnikać w szczegóły, chociaż Aldona ich podpuszczała. Sama nie poszła nigdzie, dlatego jak pies ogrodnika nie chciała dopuścić, żeby ktoś inny dobrze się bawił. Nie mogłam zrozumieć, dlaczego nie miała żadnych koleżanek ani kolegów. Nauka nauką, ale życie towarzyskie potrzebne jest każdemu. Nawet Aldonie Makowskiej. Stwierdziłam, że moja siostrunia już teraz, mając dopiero dwadzieścia cztery lata, zaczęła staczać się powoli w staropanieństwo.

Do Krakowa przywieźliśmy ze sobą małą choinkę w doniczce, żeby stworzyć świąteczny nastrój. Artur przyniósł z piwnicy lampki i ozdoby choinkowe. Po ubraniu choinki mój chłopak ugotował obiad. Nie był to tradycyjny kotlet schabowy z ziemniakami, tylko potrawa orientalna. Wieprzowina na półsłodko, z gruszkami z puszki i rodzynkami. Smakowała przepysznie! Moja mama raczej nie eksperymentowała w kuchni, na obiad zawsze był nieśmiertelny rosół z makaronem i kotlety z ziemniakami, bo tata nie lubił „cudacznego żarcia". Natomiast ja uwielbiałam eksperymenty w każdej dziedzinie życia.

Do obiadu Artur podał białe wino. Było trochę cierpkie, ale udawałam, że mi smakuje. Później obejrzeliśmy film z kasety wideo *Śniadanie u Tiffany'ego* z Audrey Hepburn w roli głównej. Rzeczywiście, trochę ją przypominałam z urody.

Kiedy skończył się film, Artur włączył kasetę z utworami zespołu Bee Gees. Siedzieliśmy obok siebie, przytuleni, wsłuchani w muzykę, wpatrzeni w siebie. Było cudnie. Wino i nasza bliskość obudziły w nas hormony. Czułam, jak głośno biją nasze serca. Nie wiedziałam, które głośniej - jego czy moje.

Całując mnie, zaczął powoli rozpinać mi bluzkę. Po chwili oboje byliśmy rozebrani. Przez moment przeleciało mi przez myśl, że powinniśmy wcześniej się wykąpać, ale kilka sekund później o niczym już nie myślałam...

Nasz pierwszy stosunek był baardzo krótki. Wystarczyło, że go dotknęłam... i już było po wszystkim. Nie zdążyłam nawet założyć mu prezerwatywy.

– Przepraszam – wyszeptał, gwałtownie łapiąc oddech.

– Nie szkodzi – uśmiechnęłam się uspokajająco.

Jednak przed następnym zbliżeniem wzięliśmy wspólną kąpiel. Zanurzeni w mydlanej pianie, rozpaleni namiętnością, poznawaliśmy swoje ciała, tak długo dla nas niedostępne. Artur przed randką musiał się chyba dobrze przygotować teoretycznie, bo doskonale wiedział, gdzie i jak mnie pieścić i całować, żeby doznania były intensywne.

Pamiętam jak dziś tamten dzień, tamtą noc. Nadal mam przed oczami rozpaloną twarz Artura. Jego wezbraną męskość, jego młodzieńcze ciało. Nadal czuję smak jego pocałunków, dotyk jego dłoni...

Po kąpieli wyjął mnie z wanny i zaniósł do łóżka, byśmy mogli dalej konsumować rozpoczętą już wcześniej erotyczną ucztę. Powoli, niespiesznie zaczęliśmy odkrywać nowe, nieznane nam dotąd rejony miłosnych uniesień. Z wielką atencją badaliśmy nasze ciała i ich reakcje na erotyczne bodźce. Szczęśliwa i rozentuzjazmowana, z wypiekami na twarzy przyjmowałam jego pieszczoty i pocałunki, rewanżując mu się tym samym. Otwarta na nowe seksualne doznania, nie wzbraniałam się, gdy całował moje piersi, gdy jego dłonie i usta ślizgały się po moim brzuchu i udach, a potem wessały się w moją kobiecość. Po chwili całe moje ciało płonęło podnieceniem, już gotowe na przyjęcie kochanka. Kiedy pokonał barierę i wszedł we mnie, wypełniając mnie sobą, poczułam dziką radość i satysfakcję, jak sportowiec na podium, jak zwycięzca przynoszący do domu nowe trofeum. Zdobyłam go! Pokonałam jego moralne opory i religijne zakazy. Teraz był mój. Należał do mnie. Objęłam go mocno ramionami, oplotłam nogami, biorąc w miłosną niewolę. Teraz tworzyliśmy jedność. Scalony miłością monolit. Pulsujący tym samym rytmem, wymieszany wspólnymi oddechami i erotycznymi spazmami. Jeden kłębek dwóch płonących namiętnością ciał.

Podobno pierwszy stosunek jest dla kobiety przeważnie bolesny i niezbyt udany. I bez szczytowania. Tymczasem u mnie było inaczej. Nie tylko nic mnie nie bolało, lecz także przeżyłam niesamowity orgazm. Jedynie maleńka plamka krwi na pościeli świadczyła o tym, że byłam dziewicą.

Kiedy nad ranem trochę obolała miłosnymi harcami wreszcie zasnęłam, przyśniła mi się wielka usiana kwiatami łąka i my, ja i Artur, nadzy, kochający się namiętnie na również wielkim łożu usianym kwiatami.

Nasza pierwsza wspólna noc uświadomiła mi, że kocham się kochać! Uwielbiam seks! I ubóstwiam Artura!

Rozdział 9

Mark zadzwonił na portiernię siedziby Zgromadzenia, by powiadomić o swoim przyjeździe. Miał szczęście, ponieważ i tym razem dyżurował Wojciech Zakała. Szybko dokończył jeść śniadanie, włożył naczynia do zmywarki. Był sam w domu, Marta wróciła już do formy i poszła do pracy. Dobrze, że miała jakieś zajęcie. Uczenie dzieciaków anatomii dżdżownicy i żaby sprawiało jej wyjątkową przyjemność. Mark nie wyobrażał sobie pracy w kieracie, narzuconych przez pracodawcę ograniczeń i zależności służbowych. Nie lubił mieć zwierzchników, przed którymi musiałby tłumaczyć się z każdej przepracowanej minuty i wykonywać ich nawet najbardziej głupie polecenia. Pracując jako dziennikarz, nigdy nie był związany umową o pracę, zawsze działał w tej branży jako wolny strzelec. Oczywiście etatowa umowa o pracę miała również swoje plusy i co najważniejsze: bezpieczeństwo finansowe – on jednak był w tej dobrej sytuacji, że dzięki Gretchen o pieniądze nigdy nie musiał się martwić. Teraz, mimo że podpisał z wydawnictwem Berty umowę, jedyne, co go ograniczało, to terminy wysyłania felietonów do redakcji. I nic więcej. Nie dotyczyła go żadna cenzura ani narzucony temat czy zalecenia szefowej. Był panem siebie i swojego pióra – tylko pod tym warunkiem zgodził się pracować dla Berty.

Rozmyślając o różnorakich sposobach zarabiania na chleb, zarzucił na siebie skórzaną kurtkę. Ubrał się ciepło, ponieważ jesień już delikatnie dawała o sobie znać. Włożył do kieszeni komórkę i klucze od auta i wyszedł z mieszkania.

Podróż nie zajęła mu wiele czasu, minął już okres największych korków, przez kilka godzin można było poruszać się po ulicach Krakowa w miarę szybko, zanim znowu nie rozpocznie się szczyt powrotów z pracy. Po dwudziestu minutach był na miejscu. Furtian gościnnie uchylił wrota. Audi Marka wjechało w czeluście siedziby Zgromadzenia Księży Katechetów i z gracją umościło się na parkingu.

Mark wszedł do środka zamyślony. Przez nieuwagę wpadł na sprzątaczkę, Zofię Trzaskę, niosącą stertę segregatorów. Dokumenty wypadły kobiecie z rąk.

– Przepraszam najmocniej, nie zauważyłem pani – powiedział ze skruchą Mark, pomagając zebrać upuszczone papiery.

– Chyba zakochany – zauważyła, przywołując na usta dobrotliwy uśmiech. Twarz sprzątaczki zazwyczaj była pochmurna i jakby rozczarowana życiem. – To moja wina, wzięłam za dużo na roz. Księgowe potrzebują te papierzyska. Jo to bym dawno już je spoliła. Kto to widzioł trzymać to dziadostwo tyle lot. Niech pan popatrzy, przecież one są sprzed pienciu roków. Tylko kurz mo się gdzie zbierać.

– Pomogę pani – zaoferował się Biegler, biorąc do rąk kilka segregatorów. – Trzeba je zanieść do księgowości?

– Tak. Mają jakiś audet czy jakoś tak. Coś im się nie zgadzo.

Audyt? Ciekawy jestem dlaczego – pomyślał Mark, kierując się w stronę księgowości. W pokoju zastali tylko jedną księgową, Janinę Kajdę. Zamiast Arlety Kumięgi za biurkiem zastawionym filiżankami i talerzykami siedziała kucharka. Agata Kutaj na widok Marka uśmiechnęła się radośnie.

– Do towarzystwa brakuje nam tylko przystojnych młodych chłopaków. Jak to dobrze znowu pana widzieć, panie Marku. My właśnie pijemy poranną kawkę. Wykorzystujemy moment, że nie ma ekonoma – powiedziała rozbrajająco. – Zosia upiekła pyszną szarlotkę. Wypije pan z nami kawę?

– Z przyjemnością – odparł, siadając na krześle obok Zofii Trzaski. Sprzątaczka wytarła zakurzone ręce w fartuch i wzięła talerzyk z ciastem. – Dlaczego piją panie kawę tutaj, a nie w pokoju socjalnym?

– Wolimy tu, bo tam jeszcze by przylozł ten stary pierdoła.

– Furtian?

– Furtian, portier czy jak go tam zwoł. – Kobieta widelczykiem nabiła kawałek szarlotki. – Człowiek nie może spokojnie wypić kawy, bo tyn już przy nos i nadstawio ucha. Pan Bóg wie wszystko, a nasz furtian jeszcze więcy. Dlatego wolimy tu siedzieć, bo to troche dalej od portierni.

– Co, donosi do księży?

– To nie to – wtrąciła Janina Kajda. – Ale my, kobiety, lubimy sobie czasami pogadać we własnym gronie.

– Teraz po pani słowach czuję się intruzem – bąknął.

– Pan to co innego. Tak jak mężczyźni lubią sobie popatrzeć na ładne młode dziewczyny, to i my, kobiety, lubimy rzucić okiem na ładnego młodzieńca. Kawa wtedy lepiej smakuje. – Kucharka puściła oko do Marka.

– Pani Agato, dziękuję za komplement. Dawno nikt mnie nie nazwał ładnym młodzieńcem. Niestety mam już skończone trzydzieści sześć lat.

– Moglibyśmy mieć synów w pana wieku – odparła Kajda. Zabrzmiało to trochę smutno.

– Cóż, Pan Bóg chyba stwierdził, że się do tego nie nadajemy – zauważyła Trzaska, poprawiając chustkę na głowie. – Pani Janinka nadaje sie do papirzysk, Agatka do gorków, a jo do miotły, a nie do wychowywania dzieci. Taka widać była wola Boża.

Dziś pani Zosia jest wyjątkowo rozmowna – pomyślał Biegler.

Wszyscy w pokoju się roześmiali.

– Zocha jak coś powie, to powie – kucharka uśmiechnęła się do sprzątaczki.

– Widzę, że brakuje pani Arlety?

– No tak, ckni się panu za Arletą. Stare baby to nie towarzystwo dla młodego – mruknęła pani Zocha.

– Ależ skąd! Młodą to ja mam w domu. Po co mi druga. Pytam tylko z ciekawości.

– Wysłałam Arletę na pocztę – powiedziała Janina Kajda.

– Żebyśmy my, stare baby, mogły sobie poplotkować – dodała kucharka.

Miło i przyjemnie piło im się w czwórkę kawę i jadło szarlotkę. Co chwila wybuchano śmiechem. Prym w opowiadaniu dowcipnych anegdotek wiodła pani Zofia. Swoją góralską gwarą dodawała im jeszcze więcej komizmu. Mark, wychodząc z pokoju, stwierdził, że to bardzo sympatyczne starsze panie.

Podszedł do portierni. Zakała przeglądał swojego smartfona, ale widząc Bieglera, szybko go wyłączył.

– Chciałbym z panem porozmawiać. Czy możemy na chwilkę iść do pokoju socjalnego? – powiedział Mark.

– Jestem w pracy, nie wolno mi opuszczać portierni bez zezwolenia.

– Lepiej, bym to ja z panem pogadał niż policja. Chyba że woli pan rozmowę w komisariacie.

Furtianowi trochę zrzedła mina.

– Nie rozumiem, co ma do mnie policja. Wszystko już im powiedziałem – burknął.

– Naprawdę wszystko? – mruknął kpiąco Biegler. – Nie sądzę. Na razie nic pan nie powiedział, ale musi się to zmienić, jeśli nie chce być pan oskarżony o morderstwo. Ewentualnie o współudział w zbrodni. Z Arletą Kumięgą – dodał.

– Chodźmy do pokoju socjalnego – westchnął portier.

Mark zamknął drzwi.

– Mam nadzieję, że nie okradną Zgromadzenia w ciągu dziesięciu minut mojej nieobecności – mruknął portier. – Słucham, o czym chce pan ze mną porozmawiać?

– Co łączy pana z Arletą Kumięgą? Wiem, że bywa pan u niej prawie codziennie i często zostaje na noc. Od kiedy to trwa?

Zakała pokręcił głową z pewnym niedowierzaniem.

– Takiego idiotyzmu nie spodziewałem się po panu. – Pokręcił głową z niesmakiem na twarzy. – Brałem pana za inteligentniejszego człowieka. Arleta jest moją córką. Nieślubną.

Mark bardzo się starał nie zrobić głupiej miny. Podrapał się po głowie. Rzeczywiście, wiadomość od Biedy wydawała mu się od początku trochę niedorzeczna.

– Dlaczego pan to trzyma w tajemnicy?

– Jak to dlaczego? Przecież mam żonę. Matkę Arlety poznałem w sanatorium, kiedy mnie tam wysłano po złamaniu nogi. Też była mężatką, ale nie mogła zajść w ciążę, widocznie jej mąż był bezpłodny. Ja w tym czasie miałem już dwójkę dzieci. – Zamyślił się. – Był to taki sanatoryjny romans, jakich wiele. Trzy tygodnie zapomnienia. Nie wiedziałem, że spodziewa się mojego dziecka. Nikomu o tym nie powiedziała. Ani mężowi, ani córce. Nie widziałem Marysi przez dwadzieścia kilka lat. Ona była z Krakowa, ja mieszkałem w różnych miejscach, bo byłem zawodowym wojskowym. Ale nie wytrzymałem do emerytury. Szkoda. Przyznaję, że miałem problem alkoholowy... Dowódca kiedyś nie wytrzymał i kazał mi odejść z wojska, bo to mogłoby skończyć się więzieniem. Kiedyś po pijaku wkurwiłem się na takiego jednego. Wyciągnąłem broń i oddałem dwa strzały. Dobrze, że nikomu nic się nie stało. W Krakowie mieszkam dopiero piętnaście lat. Przenieśliśmy się, bo żona dostała mieszkanie po śmierci babki. Sam pan wie, o pracę trudno. Nie chcieli mnie w firmach ochroniarskich, bo nie jestem rencistą. Za rencistę nie płaciło się ZUS-u. Teraz niby pracodawcy płacą, ale zwraca im PFRON. Ksiądz Ślęzak znalazł mi tę pracę. Bardzo porządny człowiek. Kiedy przestał być prowincjałem i zajął się tylko Fundacją, powinienem iść za nim do tego Osieka, ale musiałbym dojeżdżać. Dlatego tu zostałem, czego bardzo żałuję. Marysię, matkę Arlety, spotkałem przypadkowo trzy lata temu. Była już wdową... Cóż, odnowiliśmy znajomość... Powiedziała mi o Arlecie. Nie chcę się rozwodzić z żoną. Mamy wnuki... Żona też nie jest najgorsza. Ale Marysia to kobieta, przy której mężczyzna odpoczywa. Spokojna, niewymagająca, zawsze pogodna. No i mamy Arletę... Gdy Arleta się o mnie dowiedziała, w pierwszej chwili była wściekła na matkę, ale potem jej przeszło. Teraz między nami dobrze się układa. Traktuje mnie jak wujka. Chciałem im jakoś pomóc i wynagrodzić te wszystkie lata. Nie mam pieniędzy... Kiedy Arleta straciła pracę, poszedłem do prezesa Ślęzaka i go poprosiłem, żeby ją zatrudnił. W Osieku nie było żadnego wakatu, ale akurat tutaj zwolniło się miejsce, bo odeszła Tomczyk. Nie przypuszczałem, że ten pierdolony katabas będzie się do niej dobierał.

– Kiedy się pan dowiedział o ich romansie?

– Niedawno, dwa dni przed jego śmiercią. Umieli się kamuflować. Nikt nie przypuszczał, że coś ich łączy. Ten klecha zawsze się z niej podśmiewywał. – Zakała uciekł oczami w bok.

– I co pan zrobił?

– Jak to co? Wkurwiłem się jak każdy ojciec. Ten podstępny skurwysyn nie tylko był dużo starszy od niej, ale nawet ode mnie, i do tego wszystkiego był jeszcze księdzem.

– Rozmawiał pan z córką?

– Wtedy jeszcze nie.

– W jaki sposób pan się o nich dowiedział?

– Widziałem ich raz na korytarzu, jak rozmawiali ze sobą. Nie słyszałem rozmowy, ale coś mnie tknęło. Gdy kiedyś wyszła z domu, zacząłem ją śledzić. Widziałem, jak wchodziła do tej pakamery. Nigdy bym nie przypuszczał, że tam jest przejście.

– I co potem pan zrobił? – Mark musiał pociągnąć portiera za język, bo znowu zamilkł.

– Wtedy nic. Ale następnego dnia poszedłem do prowincjała i zagroziłem mu, że jeśli nie skończy tego romansu, to powiem wszystkim, co on wyprawia, że napiszę nawet do generała do Rzymu. Stary okurwieniec się wystraszył i zerwał z nią. Żałowałem, że nie kazałem mu jakoś jej tego wszystkiego wynagrodzić finansowo. Przydałoby się dziewczynie trochę grosza. Biedulka bardzo przeżyła to zerwanie. Nic nie mówiła, ale miała czerwone oczy. Matka też niczego się nie domyślała. Wiedziała, że ma chłopaka, ale w życiu by nie przypuszczała, że ten chłopak chodzi w czarnej sukience i jest starszy o prawie trzydzieści lat.

Mark obserwował mężczyznę. Widział, jak żuchwa chodzi mu ze zdenerwowania.

– Nie lubi pan księży? – zapytał.

– Nienawidzę! Pracując tu, naoglądałem się dużo. Wiem, do czego są zdolni. Jacy są podstępni. Oczywiście nie wszyscy. Najgorsi są ci na wierchuszce. Ci młodsi, jeszcze niezepsuci, są w porządku. Nawet mi ich żal. Prezes Ślęzak to w ogóle wyjątek. Gdyby wszyscy byli tacy jak on... – Nie dokończył, tylko machnął ręką. – Superior jest głupi, ale niegroźny. Wszystkiego się boi i nie ma nic do powiedzenia. Najgorszy był prowincjał. I ekonom. Trzymali się razem, bo byli podobni do siebie. Pieniądze i władza to dla nich najważniejsze. I zawsze im mało. Myśleli, że portier to musi być głupi i nic nie wie. Ale ja głupi nie jestem. Mam maturę i dwa lata studiów. Gdybym skończył ten pieroński WAT, to może bym został nawet pułkownikiem albo i generałem. Ale byłem młody i nie chciało mi się uczyć, no i musiałem się żenić, bo wpadliśmy. Nie jestem głupi. Mam oczy i uszy szeroko otwarte. Wiem o nich wszystko. O ich sprawkach. Wykończyli Ślęzaka, bo im nie pasował. Z zawiści. Nie podobało im się, że jest poważany przez ludzi, że założył Fundację. Postanowili go zniszczyć i go zniszczyli.

– Dlaczego pan uważa, że chcieli go zniszczyć? Może odsunięto go od władzy, bo były ku temu powody?

– Powody zawsze się znajdą. Wiadomo. Owszem, zakup tej fabryki makaronu był błędem i wpędził w kłopoty Fundację, ale oni nie pozwolili mu tego naprawić. Wiem, bo mam znajomych w Osieku. Czego się nie podjął, wytrącali mu to z ręki. Wie pan, że pewna gmina ofiarowała prezesowi kompleks szkół zawodowych wraz z majątkiem wartym trzydzieści milionów złotych, a oni nie pozwolili mu tego wziąć? Podkreślam: ofiarowała, za darmo. Warunek był tylko jeden, żeby prezes Ślęzak to prowadził. Ale te zawistne katabasy woleli olać tyle pieniędzy, niż żeby prezes zapunktował w oczach innych księży w Zgromadzeniu.

– Może mieli jakiś powód, że nie wzięli tych szkół? Może było to niedochodowe? Jeśli gmina chciała oddać za darmo, to musiała być jakaś przyczyna.

– Szkoła jako instytucja budżetowa nie może prowadzić działalności gospodarczej. Nie można wbić gwoździa bez ogłoszenia przetargu. Starosta słyszał o dokonaniach Ślęzaka, dlatego jemu to zaproponował. Ale te klechy nie mogły dopuścić do tego, żeby Ślęzak się zrehabilitował. Woleli zrobić z niego nieudacznika, który nie nadaje się do prowadzenia Fundacji. Wie pan, że te skurwysyny doniosły na niego na policję? Biedak ma teraz problemy, bo zaufał pewnemu oszustowi i zrobił go wspólnikiem. Mimo że później, gdy ksiądz się zorientował, z kim ma do czynienia, wyprostował wszystko i wycofał się ze współpracy, to te gnidy nadal nie odpuściły. Koniecznie chcieli widzieć go pokonanego. Słyszałem, jak prowincjał powiedział kiedyś, że zniszczy Ślęzaka. No i zniszczył. Ludzie z Osieka przysyłali listy do prowincjała, wysłali delegację, żeby przywrócono go z powrotem. Nawet dawni uczniowie prezesa umieścili apel w internecie, żeby nie zapominano o dokonaniach księdza Ślęzaka, ale nic to nie dało. Ślęzak musiał odejść w niesławie i koniec. Nie pomogło to, że tyle pieniędzy załatwił dla Zgromadzenia, że dzięki niemu dostaną duży spadek od tej Austriaczki. Nie wspominając o tym, ile zrobił dla młodzieży i ludzi z Osieka, ale to dla tych klechów w ogóle się nie liczy. Dla nich liczą się tylko pieniądze. I władza.

Portier zamilkł, ale emocje nadal w nim buzowały. Zrobił się czerwony na twarzy, a oczy płonęły wściekłością.

– Mam w dupie, że mnie zwolnią. Już się nie boję. Może im pan powtórzyć, co o nich myślę.

– Nic im nie powtórzę – uspokoił go Mark. – Chcę jedynie się dowiedzieć, kto zabił prowincjała. Na razie pan i pana córka jesteście najbardziej podejrzani ze wszystkich ewentualnych kandydatów na mordercę.

– Ani ja, ani Arleta nie zabiliśmy tego rozpustnego opoja. Prawdopodobnie znajdą jakiegoś kozła ofiarnego, który weźmie wszystko na siebie, tak jak to zrobili w przypadku Wesołowskiego. Każą mu się przyznać dla dobra Zgromadzenia. Może będzie to Ślęzak, a może ktoś taki poczciwy jak Szydłowski.

– Szydłowski? – zdziwił się Mark. – Czy on był wtedy u prowincjała.

– Nie – zaprzeczył zbyt szybko portier. – Ale był wtedy w kościele. Dałem tylko przykład.

– Skąd pan zna Piotra Szydłowskiego? Przecież on jest w Osieku.

– Ale przychodził tu na dywanik, jest przecież dyrektorem szkoły.

– Co pan o nim sądzi? Co mówi zarząd i inni konfratrzy?

– Dla zarządu jest nikim. Pionkiem. Nie ma władzy, nie zarabia pieniędzy dla Zgromadzenia. A to, że jest bardzo dobrym pedagogiem, to się dla nich nie liczy. Według mnie to bardzo porządny człowiek. I ksiądz. Tak samo porządny jak Ślęzak. Dam przykład. Mam sąsiadów, którzy nieźle tankują. I on, i ona. Zawsze chodzą pijani, w ogóle nie zajmują się dziećmi. Mają ich trójkę. Najstarsza córka szlaja się za pieniądze, ten średni siedzi w więzieniu. W domu został im najmłodszy. Bystry chłopak. W gimnazjum miał nie najgorsze oceny, może też nie najlepsze, ale dosyć dobre. Gdyby miał lepsze warunki domowe, mógłby coś osiągnąć. Znam go od dziecka. To dobry chłopak. Posłuszny, opiekuńczy dla rodziców pijaków i zawsze pogodny. Naprawdę go lubię, nie zasłużył na takie życie. Czasami starałem mu się jakoś pomóc, ale sam nie mam za wiele. Podsunąłem mu pomysł, żeby startował do liceum w Osieku, bo tam wysoki poziom i dobre warunki dla uczniów. Chłopak złożył podanie, ale go nie przyjęli, bo byli lepsi od niego. Gdyby to było za księdza Ślęzaka, to nie byłoby sprawy, na pewno by go przyjął. Zawsze wychodził z założenia, że woli mieć w szkole gorszych uczniów z dużym potencjałem i chęcią do pracy, ale z biednych rodzin, niż zdolniejsze dzieci, ale z bogatych domów. Niejednemu takiemu dzieciakowi pomógł, dając wikt i opierunek. Kupował im ubrania i dawał kieszonkowe, a jak dobrze się uczyli, to wysokie stypendium. Niestety nastały teraz inne czasy. Dzisiejsze władze w Osieku wolą wyrzucić jedzenie, niż dać ludziom. Za prezesa każdy mieszkaniec Osieka miał darmową zupę i chleb, pracownicy mogli kupić dobry obiad trzydaniowy za dziesięć złotych. A jak się wykupiło karnet, to wychodziło po pięć złotych. Teraz nie ma żadnych dopłat, bo nie wiedzą, jak to zaksięgować. A o darmowej zupie nie ma nawet mowy. Ale wracam do tematu. Poszedłem w sprawie tego chłopaka od sąsiadów do samego prowincjała. Opisałem mu sytuację, jednak on, tak jak się spodziewałem, umył ręce, mówiąc, że on o tym nie decyduje. Wiedziałem, że Ślęzak nic nie wskóra, bo w ogóle się tam już z nim nie liczą, dlatego spróbowałem u Szydłowskiego. Nie znałem go jeszcze wtedy, bo dopiero wrócił z misji. Zdziwiłem się, bo bardzo się tym chłopakiem zainteresował. Przyjął go do szkoły, załatwił dla niego miejsce w internacie i nieodpłatne całodzienne wyżywienie. Ubrał go od stóp do głów i przyznał mu stypendium. Chłopak jest teraz jednym z najlepszych uczniów w klasie. Proszę sobie wyobrazić, że kiedy ten dzieciak przyjeżdża do domu, to za pieniądze ze swojego stypendium kupuje jedzenie tym pijakom! Takie z niego dobre dziecko... A za Szydłowskim skoczyłby w ogień! Mówi o nim jak o jakimś świętym. Rzeczywiście ten ksiądz Piotr to wyjątkowy ksiądz. Grzeczny, dobrze wychowany. Zawsze uśmiechnięty, zawsze coś zagada. Gdyby jego wybrano prowincjałem, to inaczej by było w Zgromadzeniu. Ale jemu nie w głowie robienie kariery.

– A co pan sądzi o Bieleckim? Szydłowski chyba się z nim przyjaźni?

– Nie znam go osobiście, ale to przeciwieństwo księdza Piotra. Jest bardzo oficjalny, gdy tu przychodzi. „Szczęść Boże" i nic więcej. W Osieku bardzo na niego nadają. Trzyma wszystkich krótko, z nikim się nie spoufala. Przedtem, za Ślęzaka, panowała tam rodzinna atmosfera, teraz każdy boi się, że zostanie zwolniony. Zawsze organizowano tam wigilię i różne festyny. A teraz oszczędzają pieniądze na wszystkim, bo mówią, że trzeba ratować Fundację, bo zniszczył ją Ślęzak. Że musieli sprzedać tanio fabrykę makaronów, żeby pozbyć się strupa. Ale to nieprawda. Wiem od Arlety, że prezes przyprowadził dobrego kupca na fabrykę, który dawał dziesięć milionów, a sprzedali za pięć bratu Bieleckiego.

– Tak? – zdziwił się Mark. – Za pół ceny? A mówił pan, że pieniądze dla nich najważniejsze.

– Jednak ważniejsze od forsy było zniszczenie Ślęzaka.

– Dlaczego?

– Bo są zawistni. Prowincjał był przez długi czas sekretarzem Ślęzaka. Musiał go we wszystkim słuchać. A u nich posłuszeństwo wobec przełożonego jest najważniejsze. Gorzej niż w wojsku. Wpaja się klerykom od pierwszych dni w seminarium, że przez przełożonego przemawia Duch Święty. Gdy Nasiadka został prowincjałem, zresztą z poręczenia Ślęzaka, stał się automatycznie jego przełożonym. Jednak prezes był bardzo szanowaną osobą wśród konfratrów, bo był ich wykładowcą, później prowincjałem, no i nagonił dużo pieniędzy do Zgromadzenia, dlatego przez dłuższy czas Nasiadka nie mógł nic zrobić Ślęzakowi, ale zawsze go nie cierpiał.

– Nie rozumiem? Przecież z tego, co pan mówi, był jego dobroczyńcą.

– Owszem. Zna pan bajkę La Fontaine'a o żmii i chłopie? Bardzo mądra przypowieść. Nasiadka był typem karierowicza z nieposkromioną, wręcz chorą ambicją. On był gotów wszystko zrobić, żeby osiągnąć swój cel. Płakać, całować tyłek, komu popadnie, szczuć, snuć intrygi, a nawet zabić. Taki człowiek.

– Tylko że to jego zabito...

– Zabito go właśnie dlatego, że taki był. Miał mnóstwo wrogów i oprócz ekonoma żadnego przyjaciela. Ale wydaje mi się, że ekonom też za nim nie przepadał. Gdyby zajął jego miejsce, stałby się taki jak Nasiadka dla Ślęzaka.

– Podobno prowincjał był w zażyłych stosunkach z jakimś biskupem?

– Mówi pan o Wesołowskim? Rzeczywiście chyba się przyjaźnili.

– Czy on również był ze Zgromadzenia?

– Nie. To był ksiądz diecezjalny, podległy arcybiskupowi i prymasowi.

– To skąd się znali tak dobrze?

– Nie wiem. Ale Wesołowski często tu przyjeżdżał. Kiedyś podsłuchałem ich rozmowę. Wesołowski zwierzał się Nasiadce ze swoich kłopotów. Pewnego dnia przyjechał do jakiejś parafii, akurat gdy był tydzień komunijny. Balowali razem z proboszczem. Podobno był nieźle wstawiony. Kiedy wieczorem wracał, potrącił na drodze dziewczynkę w sukience komunijnej. Wyszedł z samochodu i zobaczył, że stan jest ciężki. Wsiadł do auta i uciekł z miejsca wypadku. Wybuchła afera, bo ludzie go widzieli. W kurii chciano jakoś to zatuszować, ale sprawa stała się głośna, bo byli świadkowie, którzy widzieli go w tym samochodzie. Nazajutrz na policję zgłosił się ksiądz z orszaku biskupa, powiedział, że to on prowadził, i wziął całą winę na siebie. Chociaż wszyscy wiedzieli, że sprawcą był Wesołowski – prokurator i sędzia również – ale w więzieniu wyrok odsiedział kto inny. Tak się załatwia sprawy w tym gronie.

Furtian jest niezłym źródłem informacji – pomyślał Mark. Nareszcie ktoś zaczął coś mówić. Miał ochotę jeszcze posłuchać, co Zakała ma do powiedzenia na temat konfratrów, ale musiał przejść do najważniejszego punktu: do dnia zabójstwa.

– Panie Wojciechu, proszę opisać dokładnie, co się wydarzyło tamtego dnia. Tylko proszę nie kręcić.

Zakała wzruszył ramionami.

– Dlaczego miałbym kręcić. Powiem prawdę, już nie mam nic do stracenia, najwyżej mnie wyleją.

– Nie wyleją pana. W każdym razie na pewno nie za to, co pan teraz powie. Nie powtórzę żadnemu księdzu naszej rozmowy. Jak było z Arletą? Kiedy panu o wszystkim powiedziała?

– Zadzwoniła do mnie zaraz po tym, jak ujrzała zwłoki prowincjała. Była przerażona. Umówiłem się z nią za ogrodzeniem

Zgromadzenia, bo wolałem, żeby jej tu nie widziano. Opowiedziała mi wszystko. Wiem, że to nie ona zabiła prowincjała. Po pierwsze zależało jej na nim, a po drugie nie miałaby tyle siły, żeby go udusić.

– Kiedy usunęła swoją pończochę? Przed spotkaniem z panem czy później?

– Przed. Miała ją w torebce. Kazałem jej ją spalić, gdy tylko wróci do domu. Wiedziałem, że pozostawiła po sobie mnóstwo śladów, ale bałem się tam iść. Jeszcze by nas ktoś zobaczył i zrobiono by z nas morderców. Wiedziałem, że księża boją się skandalu i posprzątają za nas. Dlatego powiedziałem ekonomowi, że dzwonił podenerwowany prowincjał, żeby ekonom natychmiast przyszedł do niego. Pałasz od razu poszedł pod jego drzwi, ale były zamknięte. Wtedy ja doradziłem mu, żeby wszedł przez taras. Po chwili wrócił przerażony i powiedział mi o śmierci prowincjała. Nie mógł trzymać tego w tajemnicy przede mną. Wymógł na mnie zachowanie milczenia. Razem posprzątaliśmy w mieszkaniu. Obiecał podwyżkę. Później to chyba żałował, że mnie w to wtajemniczył, ale był wtedy w szoku i nie myślał, co robi. Resztę pan zna.

– Czy zauważył pan tam coś charakterystycznego? Coś, co rzuciło się panu w oczy?

– Zapach papierosów. Niedawno rzuciłem palenie i jestem wyczulony na woń tytoniu. Według mnie to były mentole. Mężczyźni raczej nie palą mentolowych słomek.

– Arleta również tak uważa. Albo powtarza po panu – skomentował słowa portiera Mark. – Co jeszcze pan zauważył?

– Na stole stała butelka z wódką i dwie butelki wina. Był tam też talerzyk deserowy z niedojedzonym ciastem tortowym. I filiżanka po kawie. Ekonom wszystko wyrzucił, a naczynia umył, bo on też uważał, że była tam kobieta.

– I tym samym zatarł najważniejsze ślady – mruknął Mark.

Możliwe, że zostawił je morderca – zamyślił się na chwilę. Jeśli morderca był głupcem… Albo był w szoku i nie pomyślał o śladach.

– To nie Arleta, znam ją. To dobra dziewczyna… Może była tam inna baba i ona go zabiła. Ktoś z jego przeszłości. Na przykład Beata Tomczyk.

Rozdział 10

Beata

Sylwester całkiem odmienił moje życie. Życie Artura również. Wszystko teraz nabrało innych barw, wszystko również inaczej teraz odbierałam. Zawsze podświadomie wiedziałam, że polubię seks. Fizyczność od dawna we mnie pulsowała, ale wtedy, w sylwestra wybuchła niczym gejzer gorącej wody. Pocałunki Artura sprawiały mi większą przyjemność niż czekolada, a pieszczoty doprowadzały do niewyobrażalnej rozkoszy. Nasza miłość wspięła się na wysoki pułap, tuż-tuż za płotem był raj. Byliśmy tak bardzo szczęśliwi, tak zakochani i oszołomieni bogactwem nowo odkrytych doznań, że trudno było nam to wszystko zrozumieć. Wypełnieni radością, zachłyśnięci pożądaniem, budziliśmy się rano, z niecierpliwością czekając na ponowne spotkanie. Ciągle razem, ciągle blisko siebie, ciężko nam było przeżyć nawet kilka godzin rozstania. Nasze ręce spragnione dotyku przyciągały się jak dwa bieguny magnesu. Na lekcjach, na przerwie, po wyjściu ze szkoły - zawsze nierozłączni. Spędzaliśmy ze sobą kilkanaście godzin dziennie. Albo ja byłam u niego, albo on u mnie.

Dwa razy w tygodniu jeździliśmy do Krakowa, do jego mieszkania. Tu, w bezpiecznych ścianach wielkopłytowego bloku, odcięci od świata zewnętrznego, zanurzaliśmy się w oceanie namiętności, cielesnych doznań i rozkoszy. W szybkim tempie opanowaliśmy podstawy *ars amandi* i poznaliśmy swoje seksualne upodobania. Obdarzaliśmy się nawzajem pieszczotami zarezerwowanymi dla dorosłych. Według prawa byliśmy już dorośli - ja skończyłam osiemnaście lat, a Artur prawie dwadzieścia. Wszystkie jego dotychczasowe opory i obawy rozwiały się jak dym. Zabezpieczeni antykoncepcyjne nie baliśmy się już niepożądanej ciąży. Wyedukowani na filmach erotycznych i poradnikach seksualnych rzuciliśmy się w otchłań fizyczności z zachłannością dzieci zwiedzających fabrykę czekolady.

Dwie godziny później - zaspokojeni, nasyceni sobą jak pysznym obiadem - wracaliśmy z niewinnymi minami na twarzach do swoich domów, by zabrać się gorliwie do nauki. Moi rodzice ani babcia Artura nie mieli pojęcia o naszych sekswojażach do Krakowa. Na poczekaniu wymyślaliśmy bajeczkę o dodatkowych fakultetach, zajęciach pozalekcyjnych i kółkach zainteresowań. Widzieli w nas parę zakochanych uczniaków, którzy przeżywają swoją pierwszą miłość. Nie podejrzewali, że ta dwójka dzieciaków mogłaby ich, dorosłych, bardzo dużo nauczyć w niektórych sprawach...

Moja rodzina prawie od razu zaakceptowała Artura. Mamę i babcię mój chłopak szybko zauroczył swoimi manierami i dżentelmeńską postawą, z ojcem i Arkiem proces ten trwał trochę dłużej, ale wkrótce również go polubili. Nawet moja siostrzyczka zazdrośniczka przekonała się do niego i – co tu dużo mówić – najzwyczajniej mi go zazdrościła. Ona również pragnęła poznać kogoś, kto byłby równie przystojny, inteligentny, miły i tak zakochany jak Artur. Niestety zbliżał się koniec jej studiowania, a kandydata na męża ani widu, ani słychu. Wiem, że obawiała się staropanieństwa, bo w takiej mieścinie jak Olkusz trudno później upolować frajera do ołtarza. Tym bardziej że zasięg łowów był ograniczony – dla pani doktor to przecież mezalians zostać żoną zwykłego hydraulika czy mechanika.

Moja rodzinka była usatysfakcjonowana miłosnym wyborem swojej młodszej córki, niestety nie można było tego powiedzieć o krewnych Artura. Kiedy tylko jego babcia mnie ujrzała, od razu poczuła do mnie antypatię – i nawet nie starała się tego ukrywać. Zwracała się do mnie opryskliwie, czasami wręcz niegrzecznie. Nie wiem, dlaczego była do mnie uprzedzona, bo naprawdę starałam się być dla niej miła, a Artur wcale jej nie zaniedbywał, nadal robił zakupy, zawoził ją do lekarzy i kościoła. I nadal bardzo dobrze się uczył. Chyba najbardziej przeszkadzała jej świadomość, że musi się teraz z kimś dzielić swym ukochanym wnukiem. Może była to zazdrość i zaborczość, a może obawa o duszę Artura? Może instynktownie wyczuwała zło, które się we mnie gdzieś w środku zagnieździło?

Chyba miała rację...

Artur był innego zdania, żadnego zła we mnie nie dostrzegał. Ale on w nikim nie widział nic złego... Chyba musiał zwrócić babci uwagę, bo zauważyłam zmianę jej stosunku do mnie. Nadal mnie nie cierpiała, jednak nie okazywała tego tak otwarcie jak przedtem.

Nie spodobałam się również mamie Artura. Prawdopodobnie babcia musiała podzielić się z nią swoimi obawami o los i duszę swojego uwielbianego chłopczyka, bo pani Halina zjawiła się w Polsce już w lutym.

Pamiętam dokładnie nasze pierwsze spotkanie. Jak zwykle po szkole poszliśmy do sklepu zrobić zakupy dla babci. Z listą w ręce wrzucaliśmy do kosza potrzebne artykuły, a potem, objuczeni niczym andyjskie jaki, zanieśliśmy je do mieszkania Artura. W dużym pokoju na kanapie siedziała elegancka kobieta około czterdziestki. Wysoka, szczupła szatynka o bystrych oczach prześwietlających mnie z dokładnością tomografu komputerowego. Wiedziałam od razu – matka Artura! Nie tylko ja byłam zaskoczona jej pojawieniem się w Polsce, Artur również. Chwilę stał, jakby nie dowierzał swoim oczom, a później rzucił się do niej jak pies na widok pana.

– Mama?! Dlaczego nie powiedziałaś, że przylatujesz?! Odebrałbym cię z lotniska.

– Chciałam zrobić ci niespodziankę – powiedziała z uśmiechem Brunnera ze *Stawki większej niż życie*. – Widzę, że nie jesteś sam. Przyprowadziłeś ze sobą koleżankę.

– To nie koleżanka, tylko moja dziewczyna – odparł, biorąc mnie za rękę. – Mamo, poznaj Beatę.

Podała mi rękę, mówiąc:

– W tym wieku są tylko koleżanki. – Miało to chyba zabrzmieć pobłażliwie, a zabrzmiało zaczepnie.

Artur zmarszczył brwi, ale zaraz przywołał na usta uśmiech.

– Zresztą nazewnictwo nie ma znaczenia, i tak mam zamiar się z nią ożenić. Zaraz gdy skończę dwadzieścia jeden lat.

Nie powiem, trochę zaskoczyła mnie jego niespodziewana deklaracja... ale również mile połaskotała moje ego. Uśmiechnęłam się do jego matki. Uśmiech mój mówił: uważaj, babo, kiedyś mogę zostać twoją synową.

Matka Artura roześmiała się sztucznie, ale wiem, że w środku zagościł niepokój.

– Synku, rozbawiłeś mnie. To tylko świadczy o tym, jaki jesteś jeszcze młody i niedojrzały, jeśli chcesz się żenić ze swoją pierwszą dziewczyną.

– Mamo, pierwszą i ostatnią – rzekł z taką stanowczością i powagą, że niepokój pani Haliny zamienił się w strach.

Nie wiedziała, co powiedzieć, dlatego machnęła ręką i zmieniła temat, opowiadając o swoim locie.

Siedziałam tam jeszcze dwie godziny. Jadłam obiad, piłam herbatę z cytryną i słuchałam rozmowy matki i syna, ciągle czując na sobie chłodny wzrok kobiety. I cały czas się zastanawiałam, w jaki sposób pani Halinka ma zamiar pozbyć się mnie z życia swojego synka.

Do szturmu przystąpiła już następnego dnia, zabierając Artura do Krakowa na cały weekend. Widząc jego wahanie, powiedziała, słodko się uśmiechając:

– Synku, Beatę znowu będziesz miał cały czas, a ja niedługo wyjadę. Musimy posprzątać mieszkanie, wymienić piecyk w łazience i zrobić zakupy. Na ferie pojedziemy do cioci do Słupska. Tak dawno nie widziałam siostry. Babcia nie może doczekać się tej wizyty.

Ale jej druga córka chyba nie za bardzo – pomyślałam – bo nie odwiedziła swojej matki od września ani razu. Słupsk przecież nie jest na końcu świata, jedynie na końcu Polski.

Wiedziałam, że przegrałam tę potyczkę: Artur nie mógł matce odmówić. Pojechał. I do Krakowa, i do Słupska. Po raz pierwszy rozstaliśmy się na tak długo – na całe czternaście dni! Dla nas, zakochanych, te dwa tygodnie ciągnęły się jak dwa lata. Tęskniliśmy bardzo za sobą. Przez ten czas rzadko się kontaktowaliśmy. Rozmawialiśmy tylko cztery razy, bo jego matka stwierdziła, że nie można narażać cioci na koszty drogich rozmów telefonicznych, a pisanie listów było bezsensowne.

Mimo to wysłał mi jeden list. Długi na trzy strony, piękny jak erotyk Asnyka. Pisał w nim, jak bardzo mnie kocha, jak tęskni i pragnie znowu być przy mnie. Jego wymowa była wyraźna: to były słowa kochanka do kochanki. Chciałam zachować ten list na pamiątkę, jednak Aldona dorwała się do niego i nie tylko sama przeczytała, lecz także zaczęła go czytać moim rodzicom. Słowa „pragnę Twoich ust, Twojego dotyku" czy „czuć Twoje dłonie na mojej męskości" brzmią jednoznacznie. Nie zdążyła przeczytać całego listu, bo wyrwałam go jej z rąk i najpierw dokładnie potargałam, a potem spaliłam. Od tego czasu moi rodzice patrzyli na Artura z przerażeniem – jak na potencjalnego inseminatora, który może zapłodnić ich córkę i tym samym przekreślić jej przyszłość zawodową.

Za to mój brat już nigdy nie nazwał Artura ministrantem.

Ten list nauczył mnie jednego: trzeba uważać, co się pisze, bo nie wiadomo, kto to przeczyta.

Po dwóch tygodniach ferii Artur nareszcie wrócił do Olkusza. Niestety wróciła również jego matka. Wbrew jej planom odosobnienie nie tylko nie zaszkodziło naszej miłości, lecz jeszcze bardziej ją wzmocniło. I podsyciło pożądanie. Od czasu przyjazdu matki ani razu się nie kochaliśmy. Nie było ani gdzie, ani kiedy. Nie mogliśmy jechać do krakowskiego mieszkania ani zrobić „tego" w samochodzie, bo pani Halina położyła na kluczykach swą wypielęgnowaną łapkę. Nawet przyjeżdżała po Artura pod szkołę, żeby czasami nie wracał ze mną. I zawsze wymyśliła jakiś pretekst, żeby mnie nie zabrać. Czekałam na jej powrót do Stanów jak dzieci na Świętego Mikołaja. Nie tylko ja czekałam, Artur również. Oczywiście nigdy nie powiedział tego na głos, ale czułam, że wizyta matki coraz bardziej mu ciąży. Pani Halina prawdopodobnie cały czas dopuszczała się sabotażu w naszym związku, co wywnioskowałam po ich rozmowie, którą niechcący podsłuchałam.

– Wychowanie chłopca na mężczyznę zajęło mnie i babci dwadzieścia lat, a potem pojawia się ta smarkata i robi z ciebie durnia w ciągu dwóch miesięcy. – Głos matki Artura brzmiał szorstko, jakby przetarty papierem ściernym.

– Mamo, nie wiem, czy wiesz, ale obraziłaś nie tylko moją dziewczynę, lecz także mnie, nazywając mnie durniem – skomentował chłodno. – Kocham Beatę i nic tu nie zdziałają twoje złośliwości.

Pod koniec kwietnia matka Artura wreszcie odleciała, nie na miotle, tylko zwyczajnie, samolotem, chociaż uważałam ją za wiedźmę pierwszej kategorii. Jej zabiegi obrzydzenia mnie w oczach syna nie odniosły żadnych efektów, Artur nadal był we mnie zakochany jak przed jej wizytą, a może nawet bardziej.

Wszystko wróciło do normy. Znowu byliśmy tylko ja i on. Nikt nie mógł zaszkodzić naszej miłości, babcia była niegroźna, a moi rodzice uspokojeni... gdy zobaczyli moje tabletki antykoncepcyjne, które im ostentacyjnie pokazała Aldona. Oczywiście najpierw okazali oburzenie, później wygłosili pogadankę uświadamiającą, a tak naprawdę odetchnęli z ulgą, że się zabezpieczam, ponieważ panicznie się bali, bym nie zaszła w ciążę.

Potem przyszła matura i egzaminy na studia. Zdaliśmy jedno i drugie i dostaliśmy się tam, gdzie chcieliśmy się dostać: ja na akademię ekonomiczną na marketing i zarządzanie, a Artur na UJ na anglistykę. To, że wybrał ten kierunek, uważałam za moje pierwsze zwycięstwo nad jego matką, bo ona namawiała go na politechnikę lub AGH, a ja go przekonałam, żeby studiował to, co lubi robić. Zamiast anglistyki wolałby studiować italianistykę, ale zwyciężył rozsądek – jako magister filologii angielskiej miał większe możliwości niż italianista.

Lato powoli mijało, nadszedł wrzesień. Do Polski znowu przyleciała matka Artura. Tym razem nie ja byłam powodem jej wizyty, tylko ślub. Jej ślub. Pani Halina wychodziła za mąż. W młodości nie znalazła nikogo, kto chciałby ją poślubić, ale teraz jako czterdziestolatka złapała amerykańskiego frajera i przywiozła go do Polski, żeby ślubował jej miłość, wierność i że nie opuści jej aż do śmierci. Nieborakowi obojętne było, gdzie złoży ofiarę ze swej wolności: czy będzie to magistrat w Chicago, czy urząd stanu cywilnego w Krakowie i czy później powtórzy to przed obliczem dostojnego anglikańskiego pastora, czy polskiego katolickiego księdza.

Oblubieniec pani Haliny był sześćdziesięcioletnim bezdzietnym wdowcem, ekspolicjantem, synem staruszki, którą się opiekowała. I nadal miała się nią opiekować, tylko teraz za darmo, bo nie wypadało brać pieniędzy od swojej teściowej. Facio prawdopodobnie wszystko dobrze przemyślał, rozważył wszystkie za i przeciw, i doszedł do wniosku, że bardziej mu się opłaca stracić wolność i zaoszczędzić kupę dolców na opiekunce (policyjne emerytury w Stanach są raczej skromne), niż zachować niezależność.

Niewysoki, pękaty narzeczony, pół metra niższy od swej narzeczonej, nie znał polskiego. Może i dobrze, bo nie musiał prowadzić konwersacji z kimś tak nudnym jak babcia Artura. Uśmiechał się do wszystkich i ciągle mówił: OK, *sorry* i *thank you*, bo były to jedyne słowa, które wszyscy rozumieli.

Śluby cywilny i kościelny odbyły się w tym samym dniu. Po opuszczeniu kościoła w Mistrzejowicach zaproszono wszystkich gości na obiad do pobliskiej restauracji. Lokal nie był zbyt elegancki, bo w Nowej Hucie nie ma takowych, ale zaserwowano nam smaczne potrawy. Przewidziane były również tańce. Panna młoda w białej długiej sukni i welonie wyglądała bardzo ładnie... i bardzo żałośnie (jak można się tak ubrać w wieku czterdziestu lat!). Nie skomentowałam przy Arturze stroju jego matki, on jednak chyba miał podobne o tym zdanie, bo tłumaczył, że suknia była pomysłem Johna.

Ja również zostałam zaproszona przez matkę Artura (wiem, że niechętnie) na ten ślub. Artur chciał, żeby zaprosiła też moich rodziców, ale wyłgała się ograniczoną liczbą miejsc w restauracji. Guzik prawda, zresztą rodzice i tak by nie przyjechali.

Po przyjęciu, nawiasem mówiąc nieciekawym, poszłam z rodziną Artura do ich mieszkania. Nie było mowy, żebym znalazła się w tym samym łóżku co Artur, dlatego przyszło mi spać z jego babcią. Artur położył się na podłodze, na dmuchanym materacu. Duży pokój był oddany do dyspozycji rodziny ze Słupska.

Przed powrotem „młodej pary" do Chicago zorganizowano jeszcze jedno przyjęcie: nasze zaręczyny. To nie był, broń Boże, mój pomysł, tylko Artura. Chciał w ten sposób przypieczętować nasz związek przed swoją matką. Początkowo bardzo się wzbraniałam, bo śmieszyły mnie takie deklaracje z pierścionkiem w roli głównej, ale on się uparł jak osioł. W końcu się zgodziłam, ale głównie dlatego, by wkurzyć jego matkę i babkę.

Zaręczyny zorganizowała moja mama. Było to skromne i bardzo kameralne przyjęcie, bo oprócz jego najbliższej rodziny uczestniczyli w nim tylko moi rodzice, rodzeństwo i moja babcia. Po raz pierwszy doszło do spotkania naszych rodzin. Mama przygotowała na kolację kurczaka à la flaczki i sałatkę jarzynową z wędliną. Największym jednak wzięciem cieszył się smirnoff – tylko młodzież i babcie go nie piły, pozostała czwórka opróżniła trzy butelki. Dzięki towarzystwu smirnoffa konwersacja przy stole nabrała rumieńców, ponieważ wcześniej było niemrawo. Jedynie babcie od razu znalazły wspólny temat – kościół i księża. Obie zażarcie dyskutowały, które kazanie i którego księdza było lepsze.

Pierścionek – skromny, z cyrkoniami zamiast brylantów – kupił sam Artur, bez wsparcia finansowego matki. Poświęcił na to wszystkie swoje oszczędności. Uroczyście wsunął mi go na serdeczny palec, wyznając miłość i chęć poślubienia mnie tuż po skończeniu przez niego dwudziestu jeden lat. Cała ta ceremonia zalatywała mi trochę pretensjonalnością i prowincjonalnością, ale... ale mimo wszystko przyjemnie było patrzeć na miny pani Haliny i Aldony. Moja siostra na pozór śmiała się z tych zaręczyn, jednak w głębi duszy cała płonęła wściekłością i zazdrością, starając się za wszelką cenę ukryć przed wszystkimi swe prawdziwe uczucia.

Wkrótce potem matka Artura i jej mąż polecieli do Chicago. Miesiąc miodowy niestety im się nie udał, ponieważ tydzień później John spadł ze schodów i złamał kość biodrową. Lekarze zoperowali go i kazali leżeć nieruchomo przez kilka miesięcy. Pani Halina awansowała do roli opiekunki dwóch osób. Zamiast podróży poślubnej na Florydę miała teraz w domu miniszpital.

Chociaż nie lubiłam tej kobiety, zrobiło mi się jej trochę żal. Miała baba pecha!

Niestety, nie tylko ona. Fatum zawisło nad rodziną Artura. Nie minął nawet tydzień, gdy jego babcia dostała ponownego wylewu. Tym razem dużo bardziej poważnego niż ten poprzedni. Lewa połowa jej ciała była sparaliżowana i uszkodzony został ośrodek mowy. Rokowania nie były najlepsze. Lekarze nie dawali jej dużych szans na poprawę, istniała nawet obawa, że wylew może się powtórzyć.

Nasze plany spaliły na panewce. Od dawna ja i Artur marzyliśmy o wspólnym studiowaniu. Chociaż przydzielono mi akademik, planowaliśmy razem zamieszkać w jego mieszkaniu. To miał być rok próby przed oficjalnym związaniem się na zawsze. Ten rok miał zadecydować, czy jesteśmy gotowi na ślub. Czy jesteśmy na tyle dojrzali, by naszej miłości nie zabiła szara codzienność: zlew pełen naczyń do umycia, niewyczyszczona toaleta czy walające się na fotelu biustonosze i skarpetki. Tak, rok wspólnego zamieszkania miał być sprawdzianem naszego związku.

Niestety nie było nam pisane nigdy się o tym dowiedzieć…

Zaraz po wylewie babci Artura przyleciała z Chicago jego matka, a ze Słupska ciotka. Płakały, zamartwiały się i deliberowały, co zrobić z chorą kobietą. I wydeliberowały – babcią zajmie się Artur.

Kiedy dowiedziałam się o tym, nawet nie ukrywałam oburzenia.

– To czysty egoizm z ich strony – zawyrokowałam. – Myślą tylko o sobie. Poświęcają twoją przyszłość dla swojej wygody.

– Nie mów tak. Mama musi wracać do Stanów, bo czeka tam na nią niesprawny mąż i teściowa. Kto się nimi zajmie, jeśli nie ona? A ciotka ma dwójkę dzieci w wieku szkolnym i jednego niemowlaka. Oprócz tego nie ma warunków mieszkaniowych, żeby babcię wziąć do siebie. A ktoś musi się nią zająć. Nie oddam jej do hospicjum… oprócz tego jest szansa, że nastąpi poprawa. Ona jest przytomna, wszystko rozumie, chociaż nie mówi…

– A nasze plany?! A twoja przyszłość?!

– Jesteśmy młodzi, całe życie przed nami. Jeden rok nie zrujnuje mojej przyszłości zawodowej. Z Olkusza do Krakowa nie jest daleko. Będziemy się widywać co tydzień. – Spojrzał na mnie żałośnie. – Beatko, zrozum, muszę się nią zająć.

– Czy zdajesz sobie sprawę, co cię czeka? Pampersy, karmienie, kąpanie. Jesteś młodym chłopakiem, nie dasz sobie z tym rady.
– Nie martw się, będę miał pielęgniarkę do pomocy. Kiedy byłem mały, babcia się mną opiekowała, teraz nadeszła pora, żebym spłacił zaciągnięty u niej dług.
Artur nie zmienił zdania. Potrafił być bardzo uparty. Albo stanowczy – jeśli ktoś woli takie określenie. Dla niektórych stał się prawdziwym bohaterem: chłopak poświęcający swoją młodość, by pielęgnować chorą babcię.
Ale ja wtedy inaczej na to patrzyłam. Traktowałam jego decyzję jako dowód niedostatecznego miłosnego zaangażowania w stosunku do mnie. Akt wyboru. Wybrał ją, a nie mnie. Poczucie obowiązku zwyciężyło nad miłością. Widać uczucie, które żywił do mnie, nie było zbyt mocne…
Tak wtedy myślałam. Może byłam niedojrzała, może byłam egoistką… a może go za mało kochałam. Może do prawdziwej miłości trzeba dorosnąć…
Od października wszystko się zmieniło. Zmieniła się nasza codzienność, zmieniła się również nasza miłość. Nie. Nie nasza miłość, tylko moja. Jego uczucie do mnie pozostało takie samo. To u mnie nastąpiły zmiany. Proces ten rozwijał się powoli, niewidocznie, lecz postępował jak groźna choroba, której symptomy początkowo są mało widoczne, ale która każdego dnia opanowuje coraz szersze spektrum.
Odległość, brak stałego kontaktu, nowe obowiązki, nowe otoczenie. Nowe towarzystwo. Wszystko to spowodowało, że oddalaliśmy się powoli od siebie. Tęsknota przestała być tęsknotą, stała się nieobecnością. Pożądanie i namiętność przemieniały się w cielesny dyskomfort. Mam większe potrzeby seksualne niż przeciętna kobieta. Może jestem nimfomanką…? Ale kto to jest nimfomanka? Kobieta, która chce się kochać tak samo często jak przeciętny mężczyzna? Nie ukrywam, że moje zapotrzebowanie na seks jest tak samo duże jak u mężczyzny. Większość dziewczyn nie musi mieć faceta do łóżka, bardziej potrzebują go z powodów czysto duchowych. To nie fizyczność zmusza je do szukania partnera, raczej strach przed samotnością. Dla nich potrzeba duchowej bliskości jest ważniejsza od bliskości cielesnej.
Ze mną jest inaczej. Nie wystarcza mi sama obecność mężczyzny w życiu, potrzebuję go również w łóżku…

Nasze rzadkie kontakty seksualne sprawiły, że powoli zaczęłam oddalać się od Artura. Brak regularnego seksu spowodował wyrwę w moim sercu. Nie tylko nasze ciała się odsuwały, dusze również.

Widywaliśmy się najpierw dwa razy w tygodniu, potem raz na tydzień, a niedługo później już tylko co dwa tygodnie. On nie mógł często przyjeżdżać do Krakowa, a mnie nie za bardzo ciągnęło do Olkusza. Po co miałam przyjeżdżać, jeśli i tak nie mogliśmy się kochać? Artur nie chciał tego robić, mając babcię za ścianą.

Ale mimo to go nie zdradzałam. Owszem, chodziłam na dyskoteki do klubów studenckich i na imprezy w akademikach. Owszem, zawsze miałam jakiegoś adoratora plączącego się koło mnie, jednak pierścionek na palcu przypominał mi o Arturze.

I nadal czułam się jego narzeczoną.

Miałam jednak pretensje do pani Haliny, że obarczyła Artura obowiązkiem pielęgnowania babci. Miał już dwa lata opóźnienia w studiowaniu w porównaniu ze swoimi rówieśnikami. Według mnie to świadczyło o jej egoizmie i wygodnictwie. Tym bardziej że jej mąż powoli dochodził do zdrowia. Jej usprawiedliwianie się, że nadal musi opiekować się teściową, wcale mnie nie przekonywało. Artur oczywiście tłumaczył zachowanie matki, mówiąc, że sam ją namawiał do pozostania w Stanach.

– Beatko, zrozum, ona nie miała łatwego życia. Od wczesnego dzieciństwa była półsierotą, straciła ojca, mając dwanaście lat. De facto nie miała młodości, bo była mną obarczona... Nareszcie po latach spotkała na swojej drodze porządnego człowieka, dlatego należy jej się od życia trochę szczęścia. Rok czy dwa opóźnienia w nauce nie przekreślą mojej przyszłości zawodowej – mawiał.

– Nie zgadzam się z tobą. Mogłam zrozumieć waszą decyzję rok temu, ale teraz, gdy jej mąż jest już prawie zdrowy, to ona powinna wraz ze swoją siostrą opiekować się własną matką, a nie obarczać tym młodego chłopaka. To czysty egoizm z ich strony. Zabierają ci młodość.

– Nie przesadzaj, jeszcze długo będę młody.

Nadszedł czerwiec. Rok akademicki zbliżał się ku końcowi. Rozpoczęła się letnia sesja egzaminacyjna. Zimową zdałam dość dobrze, teraz również chciałam zaliczyć jak najszybciej wszystkie egzaminy, żeby móc wrócić do Olkusza. I do Artura. Trzy miesiące bliskości powinny naprawić to, co zepsuła odległość w naszym związku.

Musiałam odłożyć na chwilę swoje wkuwanie, bo wychodziła za mąż moja kuzynka z Żurady. Na weselu mieliśmy się stawić całą rodziną. Wymusiłam na Arturze, żeby mi tam towarzyszył. Z wielkim bólem na twarzy i wyrzutami przyjechała ze Słupska ciotka Artura, by zająć się przez dwa dni swoją chorą matką. Słuchając jej narzekań, nie byłam w stanie się opanować i powiedziałam jej, co o tym wszystkim myślę. Opuściła Kraków oburzona i obrażona. A mnie tymczasem trochę ulżyło.

Wesele obfitowało w różne niespodzianki, ale największą z nich był młody mężczyzna przy boku Aldony. Zaskoczyła tym faktem całą naszą rodzinę – wszystkie kuzynki i kuzynów, ciotki i wujków. A najbardziej mnie. Nikt nigdy nie widział mojej siostry z żadnym facetem! W jej życiu oprócz nauki nie było miejsca na nic innego. Zawsze uważałam, że anatomię i fizjologię mężczyzny Aldona zna tylko teoretycznie, że gołego faceta widziała jedynie na stole w prosektorium. A tu nagle taka niespodzianka. Tym bardziej że facio był całkiem przystojny. Niezbyt wysoki, ale o proporcjonalnej sylwetce i z sympatycznym uśmiechem na przyjemnej twarzy – naprawdę mógł się podobać dziewczynom. Był stomatologiem, miał swoje mieszkanie i niezłą furę z automatyczną skrzynią biegów i skórzaną tapicerką. Samochód ujrzeliśmy na własne oczy, a resztę oczami wyobraźni na podstawie zeznań Aldony.

Moja starsza siostrzyczka była cała w skowronkach. Uśmiechała się, szczebiotała i ciągle przytulała do swojego przyjaciela... Całkiem nie w jej stylu!

Aldona nie była brzydka, można ją było nawet nazwać ładną, ale faceci jakoś jej unikali. Nie wiem dlaczego. Może dlatego, że brakowało jej łagodności i dziewczęcego wdzięku? Wszyscy mężczyźni, chłopcy również, nie lubią sztywnych, przeintelektualizowanych i zimnych kobiet, które umieją tylko strofować i wgniatać ich w ziemię. Od czasu do czasu warto być słodką idiotką.

Do takich samych wniosków prawdopodobnie doszła wreszcie Aldona, bo usilnie chciała te braki nadrobić. Paweł – tak miała na imię jej zdobycz – łaskawie pozwalał się jej adorować, ale oczami ciągle świdrował w moim kierunku. Po spojrzeniach, jakimi mnie obrzucał, domyśliłam się, że mu się podobam... a chwilkę później dowiedziałam się o tym z jego własnych ust.

Wykorzystał moment, gdy któraś z moich kuzynek porwała Artura na parkiet, i poprosił mnie do tańca. Był już nieco wstawiony i przez to bardziej rozluźniony. Przytulił mnie mocno do siebie. Bardziej, niż wymagało tego tango.

– Cieszę się, że Aldona wreszcie kogoś sobie znalazła – powiedziałam niezbyt taktownie. – Dotychczas od towarzystwa żywego faceta wolała męski szkielet. Dobrze na nią działasz. – A w myślach dodałam: może będzie mniej wredna. – Długo ze sobą chodzicie?

– Hm, chodzimy? Czy ja wiem...

– Nie wiesz, czy chodzicie? To kto ma to wiedzieć, jeśli nie ty?

– Nie nazwałbym naszej znajomości chodzeniem – odparł i mną zawirował.

Potem znowu mnie przytulił.

– Czy ten chłopak to naprawdę twój narzeczony? – zapytał, patrząc mi głęboko w oczy. – Rzeczywiście były zaręczyny?

– Tak. Dlaczego pytasz?

– Czy nie jesteście jeszcze na to trochę za młodzi?

Moją odpowiedzią było wzruszenie ramionami.

– Szkoda – powiedział po chwili.

Spojrzałam na niego trochę zdziwiona. Spodziewałam się uwodzicielskiego spojrzenia, tymczasem jego oczy były wyjątkowo poważne. Chciałam znowu wzruszyć ramionami, ale się opanowałam.

– Szkoda – powtórzył.

W tym momencie przestali grać. Paweł odprowadził mnie na miejsce. Zaraz obok pojawił się Artur i objął mnie zaborczym gestem.

– Nie podoba mi się ten facet – powiedział, gdy Paweł odszedł.

– Coś podobnego, nareszcie ktoś ci się nie podoba!

– Przyszedł z Aldoną, a wodzi za tobą oczami. Gdy gapi się na ciebie, ma minę jak żebraczka patrząca na witrynę jubilera.

– Czyżbyś był zazdrosny? – Uśmiechnęłam się. – Czy zazdrość pasuje do dobrego chrześcijanina? – zażartowałam. Widząc jego minę, dodałam: – Rozchmurz się, nic ci nie zagraża... z jego strony. – Znowu się uśmiechnęłam.

Artur przestał być powściągliwy – jaki z reguły bywał przy mojej rodzinie – cały czas mnie teraz obejmował i przytulał. Po raz pierwszy ujrzałam go na sporym rauszu, wcześniej rzadko pił alkohol, najwyżej lampkę wina.

– No, może będą jeszcze z ciebie ludzie – skomentował jego przeistoczenie mój brat, ponownie napełniając mu kieliszek. – Niedobrze mieć szwagra abstynenta.

Chyba inne zdanie miałyby na ten temat jego babcia i mama – pomyślałam. Cóż, znowu sprowadzam go na manowce; przeze mnie przestał chodzić do spowiedzi, zaczął się bzykać i pić alkohol. No, no, jego spowiednik nie byłby z niego zadowolony.

Wesele odbywało się w jednej z najlepszych olkuskich restauracji. Właściciel zaliczał się do najbogatszych ludzi w Olkuszu, należało do niego kilka stacji benzynowych i hotel z restauracją. Tak dobrze mu się powodziło, że zainteresował się nim urząd skarbowy i wysłał na bezpłatne wczasy do Tarnowa, gdzie znajdował się zakład penitencjarny. Chociaż właściciel hotelu odpoczywał na koszt podatnika w mało przytulnej celi, jego biznes działał w najlepsze.

Niestety hotel „penitencjarnego biznesmena" nie mógł przenocować wszystkich przyjezdnych gości, dlatego olkuscy weselnicy zaprosili przyjezdnych do swoich domostw. Moi rodzice również przyjęli na nocleg, oprócz Pawła, jeszcze jedną kuzynkę. Kuzynka miała spać w moim pokoju razem z Aldoną, Paweł na łóżku mojego brata, a brat na materacu na podłodze. Dla mnie podłogi by też starczyło, ale zabrakło materaca, dlatego poszłam spać do swojego narzeczonego.

Ciotka na mój widok zrobiła zdegustowaną minę, ale nic nie powiedziała, kiedy zaszyliśmy się w pokoju Artura. Rano również nie skomentowała nocnych odgłosów dochodzących z jego pokoju. Po raz pierwszy Artur złamał swoją zasadę i kochał się ze mną, mając za ścianą nie tylko chorą babcię, lecz także zdrową ciotkę. Alkohol plus spojrzenia Pawła wymierzone w moją stronę okazały się całkiem skutecznym afrodyzjakiem.

Następny tydzień dobrze wróżył naszej przyszłości. Chociaż został mi do zdania jeszcze jeden egzamin, nie wróciłam do Krakowa, tylko nadal przebywałam w Olkuszu. Dzieliłam sprawiedliwie mój czas, poświęcając go w tych samych proporcjach matematyce i mojemu narzeczonemu.

Ciotka wróciła do siebie, do Słupska. Opieka nad babcią znowu spoczęła na Arturze. Jednak już się nie krygował i kiedy tylko babcia zasypiała, sprawiał sobie zasłużoną nagrodę, zamykając się ze mną w pokoju.

I wtedy stało się to najgorsze: babcia dostała trzeciego wylewu.

Przez trzy dni leżała nieprzytomna w szpitalu, w czwartym dniu zmarła. To było takie niespodziewane, tak nagłe... bo wszystko wskazywało, że powoli zaczyna przychodzić do siebie...

Artur bardzo przeżył jej śmierć. Serce mi się kroiło, gdy widziałam jego smutek. Nic nie mówił, ale jego oczy wyrażały to, jak bardzo cierpi. Był ogromnie przywiązany do babci, wychowywała go na równi z matką. Z powodu braku ojca zajmowała w jego sercu miejsce przeznaczone dla drugiego rodzica. A teraz jej zabrakło. Głupio mi było, że nie przepadałam za nią, kiedy żyła...

Na pogrzeb przyleciała z Chicago pani Halina, przywożąc ze sobą męża.

Po śmierci matki pani Halina musiała mieć chyba wyrzuty sumienia, że się nią nie opickowała, tylko scedowała to na syna. Widać to było po jej twarzy i zachowaniu. Prawdopodobnie dręczyła ją również świadomość, że edukacja syna uległa dwuletniemu opóźnieniu, bo mu zaproponowała, żeby jechał z nią do Chicago szlifować język, co pomoże mu dostać się na studia w przyszłym roku, bo w tym roku było już na to za późno.

Artur się zgodził. Ja natomiast aż pieniłam się z wściekłości i rozczarowania. Tyle sobie obiecywałam po naszych wspólnych wakacjach! Tak bardzo chciałam odświeżyć nasz związek, żeby znowu było jak kiedyś. Nie docierało do mnie tłumaczenie Artura, że potrzebuje tego wyjazdu, zarobi pieniądze na studia, odpocznie i pobędzie trochę z matką. I że w październiku znowu będziemy razem.

Według mnie te wakacje należały się nam – mnie i jemu. A nie matce.

Artur jednak wybrał matkę... Postanowił lecieć do Chicago. Znałam go, wiedziałam, że nie zmieni decyzji. Upór i stanowczość to podstawowe cechy jego charakteru.

Pożegnaliśmy się w mieszkaniu babci. Matka z mężem pojechali do siostry do Słupska. Nazajutrz Artur miał do nich dołączyć, by kilka godzin później lecieć razem z nimi z Gdańska do Chicago.

Pożegnaliśmy się bardzo namiętnie. Nie zmrużyliśmy nawet oka, bo całą noc spędziliśmy na kochaniu się. Nie wiem dlaczego, ale podświadomie czułam niepokój. Jakbyśmy kochali się ostatni raz w życiu. Artur chyba również był zaniepokojony, wywnioskowałam to z jego zachowania i słów, którymi starał się uspokoić i mnie, i siebie.

– Beatko, to tylko trzy miesiące. Będę dzwonił... I codziennie myślał o tobie. Wkrótce znowu będziemy razem.

– Mam nadzieję, że nie zakochasz się w jakiejś Amerykance. – Prawdę mówiąc, trochę mnie to niepokoiło. Może matka narai mu jakąś dziewczynę, żeby został w Stanach na stałe? Po pani Halinie wszystkiego mogłam się spodziewać.

Wtedy on spojrzał mi głęboko w oczy i pokręcił głową.

- Chyba nie zdajesz sobie sprawy, kim dla mnie jesteś... - wyszeptał.

Uwierzyłam. Odetchnęłam.

Odjechał.

Starałam się nie myśleć o Arturze, tylko ciałem i duszą oddać się matematyce, z której wkrótce miałam egzamin. Uczyłam się regułek, rozwiązywałam zadania i wkuwałam na pamięć wzory. Chciałam zdać egzamin i mieć dla siebie wakacje.

Ale spotkała mnie miła niespodzianka. Dwa dni później ujrzałam w drzwiach Artura. Patrząc na niego, nie mogłam uwierzyć w swe szczęście.

- Zostajesz? Nie lecisz? Boże, jak się cieszę! - zawołałam radośnie.

Trochę spochmurniał.

- Nie. Lecę, ale z Warszawy, bo w Gdańsku odwołano lot z powodu pogody. Ma mocno wiać przez kilka dni. Mama została w Warszawie, a ja przyjechałem tutaj. Mamy dla siebie całe trzy godziny.

Rzuciłam książki i zaszyliśmy się w mieszkaniu jego babci, całkiem wyłączeni dla świata. Było cudownie. Cudowne trzy godziny. Boże, jak ja go wtedy kochałam...

Wyjechał. Zostałam sama. Sama ze wspomnieniami i plikiem jego zdjęć.

Po przylocie do Chicago zaraz zadzwonił. Przed moim egzaminem jeszcze raz z nim rozmawiałam. Znalazł pracę i przez różnicę czasu nie miał kiedy ze mną rozmawiać.

Tydzień po naszym ostatnim spotkaniu pojechałam do Krakowa na egzamin. Zdałam. Szczęśliwa chciałam się z kimś tą swoją radością podzielić. Poszłam na pocztę i zadzwoniłam do Chicago. Telefon odebrała matka Artura.

- Nie ma Arturka. Pojechał z córką swojego szefa na wycieczkę. Nie wiem, czy ci mówił, ale chyba przedłuży swój pobyt tutaj. Znalazł wspaniałą pracę.

- Nic mi nie mówił - odparłam głucho. - Proszę mu przekazać, że dzwoniłam.

Przez długi czas tłumaczyłam sobie, że to przez nią doszło do tego wszystkiego, co nastąpiło później. Cóż, najlepiej zwalić winę na kogoś innego. Ciężko jest żyć w świadomości, że samemu złamało się swoje życie...

Rozdział 11

Mark wszedł do budynku Zgromadzenia. Chciał porozmawiać z księgową.

- Dzień dobry panu - zawołał na jego widok Zakała.

Czy on nigdy nie ma wolnego - pomyślał Mark. Ile razy tu przychodził, zawsze napotykał tego samego portiera.

- Pan znów w pracy? - zapytał grzecznie.

- Tak. Mój zmiennik poszedł na urlop. A ten drugi woli ciągnąć same nocki. A pan do kogo tym razem? Nie ma ekonoma ani superiora.

- Chciałbym porozmawiać z główną księgową.

- Jest z pozostałymi babami w pokoju socjalnym. Zamknęły się i gadają.

Mark zapukał do drzwi i nie czekając na odpowiedź, wszedł do środka. Kucharka, sprzątaczka i główna księgowa siedziały nad filiżankami kawy oraz ciastem tortowym i żwawo o czymś dyskutowały. Dziwne. Trzy starsze kobiety o różnym wykształceniu i pochodzeniu lgną do siebie jak nastolatki. Do tej konfiguracji najmniej pasowała Zofia Trzaska. W jaki sposób góralka bez żadnego wykształcenia mogła znaleźć wspólny język z kobietą inteligentną i oczytaną taką jak Janina Kajda, główna księgowa? - zastanawiał się Mark.

- Witam. Panie znów piją kawę i zajadają smakołyki. Szkoda, że dla mnie nic nie ma - przywitał kobiety z uśmiechem.

- A właśnie, że jest. I kawa, i ciasto - odparła kucharka, Agata Kutaj.

- I nowe dowcipy. Usłyszałam wczora, jak byłam u rzeźnika, dobry kawoł. Ale pon chyba za młody na świńskie kawoły?

- Pani Zofio, zaraz wyciągam paszport. Wiem, że młodo wyglądam, ale skończyłem już osiemnaście lat. Naprawdę.

– No to panockowi opowim – powiedziała sprzątaczka. – Idzie baca w czwartek do miasta i niesie biblie pod pachom. „Dokąd to, baco, idziecie?" – pyto jedyn cepr z Krakowa. „Ide do burdelu" – odpowiada baca. „To po co wom biblia?" „Bo jak bedzie piknie, to zostane do niedzieli".

– To ma być świński dowcip, pani Zofio?!

– Bardzi świńskiego ponu nie opowiem, bo się wstydze. Jo przecie dziewica.

Mark parsknął śmiechem.

Wypił kawę, zjadł kawałek tortu i wysłuchał dowcipów pani Zosi. Po kilkunastu minutach nawiązał do tego, po co tu przyszedł.

– Pani Janino, chciałbym zapytać panią o pewną rzecz. Możemy iść do pani pokoju?

– Tam jest Arleta.

– My już sobie pójdziemy, proszę się nie krępować – zauważyła pani Kutaj, podnosząc się z krzesła.

Sprzątaczka i kucharka wyszły z pokoju.

– O co chodzi, panie Marku?

– Nie wiem, czy nie będzie musiała pani skorzystać z komputera, żeby odpowiedzieć na moje pytanie. Czy teren poza ogrodzeniem należy do Zgromadzenia, czy do miasta?

– Do miasta. Wszystko, co się znajduje za murem, to tereny miejskie.

– Czy mogłaby pani sprawdzić, od kiedy wynajmujecie tę pakamerę przylegającą do waszego ogrodzenia? Tę z tyłu ogrodu sąsiadującego z tarasem prowincjała.

Kobieta zrobiła wielkie oczy, widocznie nie miała pojęcia, o czym Mark mówi.

– Nie wynajmujemy od miasta żadnej pakamery.

– A jakiś teren? Ten pas zieleni przy ogrodzie?

– Nie. Zgromadzenie nic nie wynajmuje od miasta. Na pewno bym o tym wiedziała.

Mark po wyjściu z siedziby Zgromadzenia, kiedy już siedział w samochodzie, zadzwonił do Biedy.

– Komisarzu, proszę sprawdzić, kto wynajmował tę szopę przyklejoną do ogrodzenia Zgromadzenia. To nie jest ich teren. Panu będzie łatwiej to zrobić niż mnie.

– Dobrze, sprawdzę i dam panu znać. A tak w ogóle, to co słychać u pana?

Pogadali przez chwilkę o nieistotnych sprawach.

Mark postanowił jeszcze zajechać do Osieka. Zamierzał porozmawiać ze Ślęzakiem. Musi się dowiedzieć, co sprowadziło księdza do prowincjała i dlaczego wyszedł od niego taki wzburzony.

Pół godziny później był już na miejscu. Bardzo podobał mu się Osiek. Dużo zieleni, zadbane domy. Miejscowość oddalona o dwadzieścia kilometrów od Krakowa stała się sypialnią dla zamożnych Krakusów. Teraz dodatkowo zyskała liceum, basen, siłownię, no i kościół.

Kiedy Mark parkował na terenie obiektu, ujrzał Szydłowskiego i Bieleckiego wychodzących z nowiutkiej toyoty. Wyglądają jak bracia - pomyślał Mark. Szydłowski, widząc go, uśmiechnął się.

- Witamy ponownie w Osieku.

- Ile razy tu jestem, zawsze się spotykamy - odpowiedział mu z uśmiechem Mark.

- Cóż, mieszkam tutaj. Co tym razem pana do nas sprowadza? Czy chciałby pan z którymś z nas porozmawiać?

- Nie. Akurat przyjechałem do księdza prezesa. - Mark zauważył, że Bielecki skrzywił się trochę. Chyba nie lubił, gdy nazywano Bolesława Ślęzaka prezesem.

- Ksiądz Ślęzak jest chyba w kościele - poinformował Szydłowski. - On lubi pomodlić się przed mszą.

- O której będzie msza?

- Za pół godziny.

- To może zdążę z nim chwilkę porozmawiać.

Mark wszedł do kościółka. Od razu zauważył Ślęzaka klęczącego przed ołtarzem. Podszedł bliżej i głośno odchrząknął. Ksiądz spojrzał w jego kierunku i się uśmiechnął.

- Witam. Czy pan również poczuł chęć porozmawiania z naszym Panem? - zapytał ksiądz, uśmiechając się dobrotliwie.

- Raczej z księdzem. Czy mógłby mi ksiądz poświęcić parę minut? Przepraszam, że przeszkadzam, ale...

- Dobrze - przerwał mu Ślęzak. - Chodźmy do mojego gabinetu. Jeszcze mi go nie odebrano.

Mark posłusznie podążył za nim. Po chwili siedział w wygodnym fotelu i pił wodę mineralną.

- Czy zdobył już pan jakieś informacje dotyczące morderstwa? I czy w ogóle jest szansa na wykrycie sprawcy?

- Posuwam się powoli do przodu. Już mam kilku podejrzanych.

– Tak? Mam nadzieję, że nie podejrzewa pan nikogo z naszych? Kim są ci podejrzani?

– Nie mając konkretnych dowodów, wolałbym nie wymieniać nazwisk. W każdym razie wiem coraz więcej.

– To zabrzmiało trochę niepokojąco... – mruknął ksiądz. – O czym chciałby pan ze mną porozmawiać?

– Chciałbym wreszcie poznać powód, dla którego ksiądz pojechał wtedy do prowincjała. – Ślęzak milczał. – Wyrobiłem już sobie ogólny obraz Edwarda Nasiadki. Wiem, jakiego pokroju był to człowiek. Nie ma sensu, żeby ksiądz dalej go krył.

Ślęzak nadal milczał, patrząc nieobecnym wzrokiem w okno. Dopiero po chwili spojrzał na Marka.

– Łatwo jest człowieka osądzać... ale czy mamy do tego prawo, nie znając jego myśli ani prawdziwych zamierzeń? Ludzie, którzy panu naświetlili jego obraz, znali go tylko powierzchownie... Jak się okazało, ja też go nie znałem, chociaż długo był moim sekretarzem...

– Wiem. I wiem, że odwrócił się od księdza...

– Pan nasz powiedział: jeśli uderzą cię w policzek, nadstaw drugi...

– Proszę księdza, nie po to tu przyjechałem, żeby wysłuchiwać katechezy. Jestem tu, żeby znaleźć mordercę. Wydawało mi się, że księdzu, tak jak i innym konfratrom, również powinno zależeć na wykryciu sprawcy. Bo chyba dlatego zwróciliście się do mnie, prawda? Wiem, że prowincjał miał wielu wrogów, a niewielu przyjaciół. Ktoś go zabił. Pytanie: dlaczego? – Mark na chwilkę przerwał. – Proszę mi powiedzieć, dlaczego ksiądz wyszedł od niego wzburzony?

Ślęzak głośno westchnął.

– Nie wiem, czy pan potrafi zrozumieć, czym dla mnie jest Fundacja? – Przerwał, jakby czekał na odpowiedź. Zaraz jednak kontynuował: – Każdy człowiek chciałby coś po sobie pozostawić. Coś, co by przetrwało po jego śmierci, co by było owocem jego życia. Dla muzyka czymś takim są jego utwory, dla malarza jego obrazy, dla pisarza książki, dla poety wiersze... a dla przeciętnego człowieka jego dzieci. Nie jestem artystą, a jako ksiądz nie mogłem mieć dzieci, ale też chciałem coś po sobie zostawić. Tym czymś, tym dziełem mojego życia miała być Fundacja „Nasze Dzieci". Szukałem sponsorów, prosiłem możnych tego świata, czasami wręcz żebrałem... I udało mi się. Zbudowałem ten obiekt. Miał służyć dzieciom. Przede wszystkim dzieciom z ubogich rodzin. Tym zdolnym, pracowitym i zdeterminowanym. Fundacja miała pomóc im wyrwać się ze szponów biedy, w której żyły, i wystartować do nowego, lepszego życia. Dać im szansę, której nie miały w domu rodzinnym. To nie miała być ochronka, getto dla biedaków, dlatego chciałem, żeby znalazło się tu również miejsce dla dzieci z normalnych rodzin, nie tylko ubogich. Pragnąłem, żeby poziom nauczania był wysoki, ale żeby uczniowie wychowywali się na chrześcijańskich wzorcach. – Znowu westchnął. – Jednak żeby utrzymać szkołę i internat, trzeba mieć ku temu środki. Owszem, jako szkoła publiczna dostajemy część pieniędzy od państwa, ale musimy też sami zarobić. Stąd ta działalność gospodarcza. – Przerwał na chwilę, by zaczerpnąć tchu. – Na początku wszystko dobrze się układało. Restauracje i hostele przynosiły dochody, basen również. Wytwórnia biopaliw też zarabiała niezłe pieniądze... Ale ja chciałem dalej rozwijać naszą działalność. Chciałem zdobyć fundusze na więcej miejsc w szkole i w internacie. Chciałem pomóc większej liczbie dzieci... Pewnego dnia na mojej drodze pojawił się człowiek, który zaproponował mi, to znaczy Fundacji, wspólną działalność gospodarczą. Zakup fabryki makaronu. Znałem dobrze jego rodzinę, z nim też spotkałem się wielokrotnie. Wiedziałem o nim, że ma żyłkę do interesów. Zaufałem mu. Przystąpiłem do spółki. Wyłożyłem pieniądze. – Zamknął na moment oczy. – Jak się później okazało, był to mój największy błąd życiowy. Człowiek ten był kombinatorem, oszustem ściganym przez prawo... Konfratrzy dali mi wolną rękę, ponieważ zawsze mi ufali. Niestety zawiedli się na mnie... Chciałem naprawić swój błąd... Jakoś pozbyłem się tego niewygodnego wspólnika, który rzucał cień na Fundację. Wykupiłem jego udziały. Fabryka pochłonęła jednak dużo pieniędzy. Kosztowna modernizacja, leasingi i kredyty na samochody i maszyny, a przy tym niestety mały zbyt. Nie wiedziałem, że tak trudno wejść dziś na rynek z nowym produktem. Cóż, Fundacja zaczęła mieć problemy finansowe. Może wreszcie wyszlibyśmy na swoje, bo już pojawiało się światełko w tunelu, ale prowincjał nie pozwolił mi dalej zarządzać Fundacją. Odstawiono mnie na boczne tory. Na moje miejsce przyszli młodzi... Sprzedali zakład. Bardzo tanio, chociaż znalazłem kupca, który dawał dwa razy tyle...

Ślęzak przerwał. Wstał i podszedł do regału. Wyjął butelkę wina.

– Nigdzie dziś nie jadę, mogę się napić. – Wlał trochę wina do kieliszka i wypił. Zaraz jednak gwałtownie odstawił. – Ojejku, zapomniałem o mszy.

– To w tej sprawie ksiądz udał się do prowincjała?

– Pośrednio tak. – Ksiądz zawahał się trochę, ale potem dodał stanowczym głosem: – Tak, w tej sprawie poszedłem do prowincjała.

– Wyszedł ksiądz od niego wzburzony. Czy dlatego się pokłóciliście?

– Tak.

– Czy prowincjał był pod wpływem alkoholu?

Ślęzak się znowu zawahał. Jego spojrzenie ponownie powędrowało za okno.

– Nie wiem. Przy mnie nie pił.

Mark jeszcze chwilę zabawił w gabinecie Ślęzaka. Niczego istotnego się więcej nie dowiedział. Wychodząc, miał nieodparte wrażenie, że ksiądz nie powiedział mu wszystkiego.

Kiedy podchodził do swojego audi, ujrzał z daleka Szydłowskiego. Oniemiał. Ksiądz zakładał kask motocyklisty i wsiadał na nowiutkiego harleya. Nawet z daleka rozpoznał, że to nowy model dyna street bob. Niezła hulajnoga – pomyślał. Chyba nówka. Musiał kosztować około osiemdziesięciu tysięcy, a na pewno nie mniej niż pięćdziesiąt. Mark również miał harleya-davidsona, ale dwumiejscowego. Niestety stał w garażu w Wiedniu i zbierał kurz. Mark po wypadku, który miał kilka dobrych lat temu, obiecał swojej macosze Gretchen, że nie będzie już na nim jeździł. Później dołączyła do niej Marta i obie suszyły mu głowę, gdy miał zamiar wsiąść na motocykl. Teraz jeździł na nim tylko okazjonalnie, i to z Martą z tyłu. Od pogrzebu brata koleżanki, który zginął w wypadku, dziewczyna jeszcze bardziej panikowała. Niestety motocyklista w zderzeniu z szybko jadącym samochodem nie ma zbyt dużych szans. Mark przekonał się o tym na własnej skórze, bo kierowcy volvo – po którego stronie leżała wina za spowodowanie wypadku – nic się nie stało, a Biegler wylądował na trzy tygodnie w szpitalu.

Biegler westchnął, patrząc z zazdrością na Szydłowskiego. Taki to ma dobrze, nie ma żadnych bab, które odbierają człowiekowi taką wspaniałą przyjemność jak jazda na motorze.

Markowi nie pasował motocykl do wizerunku księdza Piotra. Na zlocie motocyklistów widział również duchownych, ale elegancki Szydłowski, z modnie przyciętymi włosami, zawsze pachnący dobrą wodą kolońską jakoś nie pasował do obrazu miłośnika dwóch kółek. Patrząc na przystojnego, wysportowanego mężczyznę, nikt by nie przypuszczał, że pod tym modnym kaskiem i skórzaną czarną kurtką ukrywa się koloratka.

Ten facet musi chyba grabiami opędzać się od kobiet... Kiedy wsiadał na motocykl, testosteron buchający od niego doleciał aż tu, do audika - pomyślał złośliwie.

Szydłowski dopiero teraz go zauważył i pomachał ręką. Przejeżdżając obok samochodu Bieglera, nie zatrzymał się, tylko pojechał dalej.

Kiedy wieczorem Mark z żoną wrócili od Orłowskich po rodzinnej kolacji, zadzwonił komisarz Bieda.

- Chyba znaleźliśmy tego tajemniczego Zbyszka. Nazywa się Zbigniew Tomczyk. To on wydzierżawił miejsce przylegające do ogrodzenia. Postarał się również o pozwolenie na wybudowanie szopy na narzędzia. Miał tam trzymać drobny sprzęt budowlany.

- Zbigniew Tomczyk? - zdziwił się Mark. - Czy to może były mąż Beaty Tomczyk?

- Nie wiem.

Rozdział 12

Beata

Rozmowa z matką Artura wyprowadziła mnie z równowagi. Byłam wzburzona, zaniepokojona i wściekła. I na panią Halinę, i na Artura. Nie miałam ochoty na powrót do Olkusza, a z akademika już się wykwaterowałam.

Postanowiłam odwiedzić siostrę, która nadal mieszkała w Krakowie, ponieważ odrabiała staż w klinice na Kopernika. Jej towarzystwo nie było tym, o czym marzyłam, ale musiałam się komuś poskarżyć na swój parszywy los. Czułam podświadomie, że to babsko (matka Artura) zrobi wszystko, żeby zatrzymać go w Stanach. Dlaczego Artur zadaje się z córką swojego szefa?! Co to za dziewczyna?! Ona na pewno chce uwieść Artura...

Doszłam na Kopernika i już miałam zapytać portiera, gdzie jest oddział laryngologii, gdy nagle, jakby wyrósł spod ziemi Paweł, chłopak mojej siostry.

– Cześć, cóż tu robisz? – zapytał zdziwiony.

– Przyszłam do Aldony. Odrabia tu staż. Mówiła mamie, że ma dziś dyżur. Nie wiesz, czy jest na oddziale?

Paweł wzruszył ramionami.

– Nie wiem. Skąd mam wiedzieć?

– Jak to skąd, przecież chodzicie ze sobą?

– Ja bym tego nie nazwał chodzeniem... – Znowu wzruszył ramionami. – A ty na długo przyjechałaś do Krakowa? Mieszkasz tu przez wakacje?

– Miałam dziś egzamin, zaraz wracam do domu.

– I co, zdałaś?

– Zdałam.

– No to trzeba to oblać. Zapraszam cię na obiad.

– No nie wiem... muszę wracać. – Odmówiłam chyba mało stanowczo.

– Czy twój... hm... narzeczony czeka na ciebie? – Nie spodobał mi się sposób, w jaki wymawiał słowo „narzeczony".

– Narzeczony poleciał do Stanów. Ale...

– Nie przyjmuję odmowy. Zapraszam cię do Wierzynka. Byłaś tam kiedyś?

– Nie. Ale...

– No to idziemy. Musisz zobaczyć, co serwuje najdroższa knajpa w Krakowie.

Szczerze mówiąc, miałam ochotę tam iść. Rzadko bywałam w restauracjach, a w tak ekskluzywnych jak Wierzynek nigdy nie byłam. Widząc moje wahanie, Paweł wziął mnie za rękę i pociągnął do swojego samochodu.

Sama nie wiem, dlaczego wtedy z nim poszłam. Czy dlatego, że chciałam zobaczyć, co jedzą posiadacze dużej ilości wyrobów mennicy państwowej? Czy byłam zła na Artura i jego matkę? Czy może czułam się rozczarowana i zaniepokojona stanem uczuć Artura do mnie? Nie wiem... Ale wiem, że nie myślałam wtedy o swojej siostrze. Nie przejmowałam się tym, że zaprosił mnie facet, w którym ona była zakochana. A nawet mi zaimponowało, że przystojny lekarz, starszy ode mnie o osiem lat, mężczyzna, a nie dzieciuch, pragnie mojego towarzystwa.

Poszłam z nim.

Poszłam nie tylko do restauracji, lecz także do łóżka.

Później tłumaczyłam się sama przed sobą, że byłam pijana, oszołomiona atencją interesującego mężczyzny. Że nie za bardzo wiedziałam, co robię, że to nie była moja wina, że to on mnie uwiódł... Może i była to prawda, ale...

Właśnie to „ale"...

Obudziłam się rano w jego łóżku, z silnym bólem głowy, wysuszonym gardłem i ogromnym pragnieniem napicia się czegoś.

Z kacem fizycznym i moralnym...

Na moje usprawiedliwienie przemawiało jedynie to, że rzeczywiście mocno się upiłam. Nie pamiętałam nawet, jak się znalazłam w jego mieszkaniu. Wiem, że plotłam trzy po trzy, co bardzo Pawła bawiło. Potem poszliśmy na dancing do Feniksa. On również pił, dlatego zostawił samochód i do jego mieszkania przyjechaliśmy taksówką. Tutaj też piliśmy.

Ale czy picie alkoholu jest jakimś usprawiedliwieniem?

Kiedy się obudziłam w łóżku Pawła, on jeszcze spał. Wyślizgnęłam się cicho z jego mieszkania, żeby go nie obudzić. Nie chciałam z nim rozmawiać. Wstydziłam się. Wstydziłam się tego, co zrobiłam.

Wyszłam z bloku i skierowałam się na przystanek tramwajowy. Paweł mieszkał przy ulicy Wielickiej. Trójka zawiozła mnie na dworzec autobusowy. Tam umyłam się i trochę odświeżyłam. Autobus do Olkusza odjeżdżał za kilkanaście minut. Godzinę później byłam już w domu.

Mama trochę mnie zrugała, że nie uprzedziłam ich o pozostaniu na noc w Krakowie, ale gdy usłyszała o zdanym egzaminie, dała mi spokój.

Niestety ja sobie spokoju nie dałam. Wyrzuty sumienia, poczucie winy i ogromny kac męczyły mnie cały dzień. Wieczorem było jeszcze gorzej, bo zadzwonił Artur. Wyjaśniło się nieporozumienie. Chciałam się z nim pokłócić, wyładować na nim złość, ale jak można krzyczeć na świętego? Od razu nadstawia drugi policzek...

Czułam się paskudnie. W sobotę jeszcze gorzej, gdy przyjechała zapłakana Aldona, mówiąc, że zerwali z Pawłem.

A najbardziej paskudnie się poczułam, gdy trzy tygodnie później kupiłam test ciążowy i ujrzałam pozytywny wynik.

Byłam w ciąży! I nie wiedziałam z kim.

W ciągu jednego tygodnia spałam z dwoma facetami. To za mała różnica w czasie, żeby stwierdzić, który z nich zrobił mi dzidziusia. Po pierwszym pożegnaniu z Arturem odstawiłam tabletki. Jego powrót był tak niespodziewany, że przy pierwszym stosunku nie pomyślałam o zabezpieczeniu, później stosowaliśmy stosunki przerywane, bo nie mieliśmy prezerwatyw. Natomiast idąc do łóżka z Pawłem, byłam tak pijana, że nie pamiętałam nawet, jak się nazywałam, a co dopiero o zabezpieczeniu!

Czas mijał, dzidziuś we mnie rósł, a ja nadal nie wiedziałam, co mam zrobić. Kiedy Artur do mnie dzwonił, nie powiedziałam mu o ciąży, bo nie wiedziałam, czy to on jest ojcem.

Ale musiałam wreszcie komuś powiedzieć. Powiedziałam mamie.

– O Boże! Co wyście narobili najlepszego! Nie skończysz studiów! On jeszcze nawet ich nie zaczął! Będzie tak samo jak ze mną i ojcem. Dziecko zniszczy wam życie – lamentowała. – Tak się tego bałam. Tak cię ostrzegałam.

– To nie Artur jest ojcem dziecka. – Słowa wyszły bez udziału mózgu. Wyskoczyły z moich ust, zanim zdążyłam im przeszkodzić. Nie wiem, dlaczego to powiedziałam. Chyba chciałam przerwać jej biadolenie.

Mamę zatkało.

– To kto, jeśli nie Artur?

– Paweł – powiedziałam cicho, spuszczając głowę.

– Który Paweł? – zapytała, jakby znała cały tuzin Pawłów. – Paweł Aldony?

– Tak.

O dziwo, matkę to jakby uspokoiło. Albo tylko tak mi się wydawało.

– To ty z nim... Hm, ładne kwiatki. Kiedy to się stało?

– W tym dniu, kiedy zdałam egzamin – powiedziałam ze spuszczoną głową.

– A Artur?

– O niczym nie wie.

– Boże, wychowałam córkę na puszczalską... Często go zdradzałaś?

– Nie, tylko wtedy... Pokłóciłam się z nim. To znaczy jego matka mi powiedziała, że on pojechał z córką szefa i że zostanie w Stanach na dłużej... – Mówiąc to, rozpłakałam się. – Co ja teraz zrobię? – chlipałam coraz głośniej.

Matka objęła mnie.

– Nie płacz. Trzeba powiedzieć temu Pawłowi. Zobaczymy, jak zareaguje.

– A Artur?

– Przecież on nie ma zawodu. Myślisz, że jego matka zgodzi się utrzymywać nie tylko was oboje, ale jeszcze nie jego dziecko?

– A Aldona?

– Da sobie radę w życiu. Ma dobry zawód. Gorzej z tobą. Zawsze o ciebie najbardziej się z ojcem martwiliśmy.

Nic innego mi nie pozostało, jak tylko jechać do Krakowa i zobaczyć się z Pawłem. Dotychczas nie byłam pewna, kto jest sprawcą ciąży. Teraz nabrałam przekonania, że to Paweł.

Na pewno był nim Paweł! Musiał być nim Paweł!

Pojechałam na Wielicką. Bez trudu odnalazłam jego blok, ale pomyliły mi się klatki. Po trzech próbach trafiłam pod właściwe drzwi. Wpuścił mnie – nie wiem, czy bardziej zaskoczony, czy ucieszony.

– Beata?! To ty? Dlaczego wtedy uciekłaś? – Patrzył na mnie, jakby ujrzał krasnoludka. – Czekałem na październik, aż zacznie się rok akademicki, bo głupio mi było pojawić się w twoim domu. No wiesz, Aldona... – zawahał się na chwilkę. – Cieszę się, że cię widzę. Bardzo się cieszę.

Nie wiedziałam, jak zacząć. Wypiłam kawę, zjadłam dwie delicje i nabierałam siły do rozmowy.

– Może napijesz się czegoś mocniejszego? Drinka, wina?

– Nie. Nie mogę pić. – Podniosłam głowę i wypaliłam z grubej rury: – Jestem w ciąży.

Zamarł. Zmarszczył brwi i spojrzał na mnie badawczo.

– Czy twoja wizyta ma coś z tym wspólnego?

– Tak. Ty jesteś jej sprawcą – powiedziałam, starając się patrzeć mu prosto w oczy.

– Skąd wiesz, że to nie twój chłoptaś, który wyjechał do Ameryki?

Wstałam, złapałam torebkę i ruszyłam do wyjścia. Zagrodził mi drogę.

– Nie obrażaj się. Tylko zapytałem. Usiądź. – Lekko popchnął mnie na kanapę.

Usiadłam, dalej nic nie mówiąc. Bo nie wiedziałam, co powiedzieć. Nie chciałam nachalnie go przekonywać co do jego ojcostwa, tym bardziej że sama nie byłam tego pewna.

– Na pewno jesteś w ciąży?

– Tak. Zrobiłam trzy testy i byłam u ginekologa.

Pokój wypełniła cisza, tylko zegar wiszący na ścianie cicho tykał, dając subtelnie znać, że czas płynie.

– No to w takim razie bierzemy ślub – powiedział, podnosząc się z fotela.

Usiadł obok mnie na kanapie i otoczył ramionami.

– Czy mogę pocałować swoją przyszłą żonę?

Następne godziny i dni mijały tak, jakby wstrzyknięto mi środek odurzający. Niby jawa, niby sen. Ale nie ten sen z katalogu kolorowych snów, gdzie wszystko jest cudowne i fantastyczne, jednak również nie z kategorii koszmarów nocnych. Wszystko było trochę surrealistyczne jak u Mrożka czy Gombrowicza.

Sprawy organizacyjne dotyczące ślubu wziął na swe barki Paweł. Jego ciotka pracowała w USC, a żona kumpla prowadziła kawiarenkę, w której postanowiono przygotować przyjęcie weselne. Nie musieliśmy chodzić na nauki przedmałżeńskie, gdzie „uczono, jak zrobić, żeby nie zrobić", ponieważ pomógł nam w tym dawny katecheta Pawła, Bolesław Ślęzak. Ślub i wesele załatwiono w błyskawicznym tempie, miesiąc później stanęliśmy przed ołtarzem jednego z kościołów Zgromadzenia Księży Katechetów.

Ślub i wesele były skromne, zaproszono łącznie niecałą pięćdziesiątkę osób. Na weselu zabrakło brata pana młodego (chciał być, ale nie mógł, bo przebywał w Stanach) i siostry panny młodej (mogła być, ale nie chciała i przebywała w Olkuszu).

Aldona na wieść, kto zostanie moim mężem, wpadła najpierw w rozpacz, potem w żal, a jakiś czas później we wściekłość. Chociaż zerwali ze sobą jakiś czas temu i według Pawła nie był to poważny związek, potraktowała nasz ślub jak cios nożem w plecy, spoliczkowanie i naplucie w twarz – wszystko razem wzięte. Mnie znienawidziła bardziej niż Hitler Żydów. Stałam się dla niej synonimem wszystkiego, co najgorsze, podłe i fałszywe. Wiedziałam, że miała rację, i dlatego nie próbowałam się nawet tłumaczyć. Powinna mnie nienawidzić. Zasłużyłam na to. Jej nienawiść działała na mnie jak balsam szczypiący w skórę. Bolało, ale również przynosiło pewną ulgę.

Z nienawiścią Aldony potrafiłam zmierzyć się twarzą w twarz, natomiast z Arturem nie mogłam – stchórzyłam. Nie dzwoniłam, nie odbierałam od niego telefonu, jedynie wysłałam list. Krótki, lakoniczny. Można go było podsumować w kilku zdaniach: Wychodzę za mąż. Wybacz mi. Żegnaj.

Nie tłumaczyłam się, nie wyjaśniałam, nie wybielałam.

Nie spotkałam się z nim ani nie rozmawiałam przed moim ślubem.

Po jakimś czasie dowiedziałam się, że wrócił do Polski i wstąpił do seminarium duchownego, by zostać księdzem.

Rozdział 13

Mark zajechał na parking przy ulicy Szpitalnej, gdzie umówił się z komisarzem Biedą. Policjant akurat parkował. Po chwili podszedł do niego, uśmiechając się na powitanie.

– Dzwonił Tomczyk i przeprosił, że spóźni się pół godziny. Przed spotkaniem z nim możemy więc trochę pogadać – powiedział Bieda. – Zdam panu relację, czego się o nim dowiedzieliśmy.

Skierowali się na Floriańską do kawiarenki, w której mieli spotkać się ze Zbigniewem Tomczykiem. Bieda specjalnie zaaranżował spotkanie poza komisariatem, żeby Mark również mógł być obecny przy rozmowie. Policjant wywiązywał się bez zarzutu z obietnicy współpracowania z Bieglerem. Nawet Mark miał małe wyrzuty sumienia, że nie mówi wszystkiego komisarzowi, ale nie chciał być nielojalny w stosunku do księży. Gdy będzie wiedział coś konkretnego, wtedy mu powie. Wolał nie rzucać niepotrzebnych podejrzeń.

– Prokurator niecierpliwi się brakiem wyników. Bardzo pasuje mu Kumięga jako podejrzana. Ma motyw, była tam i zatarła ślady… No i ten Zakała. Też dobry kandydat na mordercę. A najbardziej podoba się prokuratorowi, że ani jedno, ani drugie nie chodzi w sutannie – mruknął znad karty menu, zapominając, że kobiety raczej nie noszą sutanny. – Z przyjemnością by ich zaprosił do jakiejś przytulnej celi.

– Jeśli później chce się tłumaczyć przed kamerami, niech to zrobi. – Mark wzruszył ramionami. – Bardzo wątpliwe, żeby to oni zabili prowincjała.

Musieli przerwać rozmowę, bo podeszła kelnerka.

– Dlaczego zorganizował pan spotkanie tutaj, a nie w firmie Tomczyka?

– Hm, bo był z tym problem. Facet ma kilka zarejestrowanych firm i żadnego biura. Nasz człowiek był pod jednym z adresów podanych jako siedziba i zastał tam puste mieszkanie z gołą żarówką przy suficie i jakiegoś głuchoniemego leżącego na materacu rzuconym na podłogę. Nie mógł się z nim za bardzo dogadać. Człeczek powiedział, że szef kazał pilnować mu mieszkania. Tylko nie wiem czego – mruknął. – Chyba tej gołej żarówki i obsikanego materaca.

– Hm, ciekawe... Czego się jeszcze dowiedzieliście o tym Tomczyku?

– Nie ma stałego miejsca zamieszkania. Przebywa w Polsce tymczasowo, a na stałe mieszka w Anglii. Nie wiemy o nim jeszcze wszystkiego. Za mało mieliśmy czasu. Ale ściga go prokurator za wyłudzenia. Sprawa w toku. Jakiś czas siedział, ale musieli go wypuścić z braku dowodów. Będę miał więcej informacji dopiero za parę dni. Może za wcześnie na to spotkanie, ale przecież możemy jeszcze nieraz go przycisnąć.

– Nic o nim nie wiecie? Jaki ma zawód? Ile lat? Czy ma rodzinę?

– Urodzony w Tarnowie w 1969 roku. Rozwiedziony. Była żona jest Angielką. Kilka lat mieszkał w Nowym Jorku. Skończone dwa fakultety. Historia na UJ-cie i historia sztuki na ASP. Z drugiego kierunku zrobił nawet doktorat. Ma w Krakowie trzy mieszkania, kamienicę i dom na Woli Justowskiej, ale tam nie mieszka, tylko w hotelu, bo podobno wszędzie jest remont. Jeździ autem lepszym od pańskiego, ale wyłączyli mu prąd w jednym z mieszkań, bo nie płacił rachunków. Telefonów komórkowych ma szesnaście. Nie aparatów, tylko numerów. I żadnego oficjalnego pracownika. Ale... – Nie dokończył zdania. – Już przyszedł. – Pomachał ręką do wysokiego mężczyzny stojącego w przejściu.

Mężczyzna podszedł do stolika. Był przystojnym brunetem z lekko posiwiałymi skrońmi, o sylwetce kogoś, kto często odwiedza siłownię. Nienagannie ubrany w elegancką tweedową marynarkę i szare spodnie sprawiał wrażenie zamożnego człowieka.

Typ faceta, któremu nie oprze się żadna kobieta – podsumował Mark. Tomczyk przypominał mu trochę z urody Roberta Orłowskiego, tylko że w przeciwieństwie do teścia w tym mężczyźnie było coś niepokojącego. Fałsz? Obłuda? Było to widoczne w jego przymilnym uśmiechu i rozbieganych, zimnych oczach.

Kiedy podawał im rękę na powitanie, owiała ich chmurka drogiej wody kolońskiej. Facet ma gust i wie, co jest dobre – stwierdził Mark, przyglądając się jego roleksowi na nadgarstku.

– Gratuluję, komisarzu, od razu mnie pan rozpoznał – powiedział, znowu się uśmiechając.

– Zdjęcia policyjne bardzo dokładnie oddają podobieństwo – odpowiedział mu również z uśmiechem Bieda.

Po jego słowach Tomczykowi trochę zrzedła mina, poruszył się niespokojnie na krześle. Sięgnął do kieszeni, jakby po papierosy, ale zaraz cofnął rękę.

– Ja również mam ochotę zapalić. Szkoda, że jest zakaz palenia w lokalach gastronomicznych – zauważył Mark. – Ale możemy wyjść na zewnątrz. Z przyjemnością będę panu towarzyszył.

– To dziecinada wychodzić i palić po kryjomu jak w szkolnej toalecie.

– Ja jednak muszę już teraz poczuć dym tytoniowy. – Włożył rękę do kieszeni. – O cholera, skończyły mi się papierosy. Czy mógłby mnie pan poczęstować, bo nie wiem, czy mają w bufecie?

– Niestety nie palę.

– Taak? A myślałem, że pan pali. Mam dobry węch. Poczułem zapach tytoniu.

– Rzuciłem jakiś czas temu.

Guzik prawda, łżesz jak z nut – pomyślał Mark.

– Ale chyba niedawno? – powiedział.

– Dwa lata temu.

Dwa tygodnie temu jeszcze paliłeś, i to mentole – pomyślał Biegler.

Kelnerka postawiła przed nimi zamówione napoje. Dla Marka wodę mineralną z cytryną, dla Biedy czarną kawę, a dla Tomczyka cappuccino i ciastko tortowe.

– Panie komisarzu, czego życzy sobie ode mnie policja?

– Wydzierżawił pan od miasta plac pod drewnianą pakamerę przy posiadłości Zgromadzenia Księży Katechetów. W jakim celu?

Tomczyk zmarszczył brwi.

– Taak? Coś tam wydzierżawiłem? Nie pamiętam, ale jeśli policja tak mówi, to możliwe. – Zamyślił się, jak aktor grający Hamleta. – Teraz sobie przypominam. Rzeczywiście wynająłem niewielki pas gruntu pod szopę na drobny sprzęt budowlany. Moja firma remontowała budynek w okolicy, a nie mieliśmy gdzie przetrzymywać młota pneumatycznego i innych narzędzi.

– Dalej pan tam trzyma młot pneumatyczny i inne narzędzia?

– Nie. Chyba nie.

– To dlaczego wciąż pan wydzierżawia ten plac?

– Bo zapomniałem o tym. Mam tyle różnych rzeczy na głowie...

– W takim razie inne pytanie: jak dobrze zna pan Edwarda Nasiadkę, prowincjała Zgromadzenia Księży Katechetów?

– Owszem znam go, ale słabo.

– Zna go pan słabo i odstąpił mu pan tę szopę? Trochę dziwne.

– No tak, teraz sobie przypomniałem, że prosił mnie, żebym mu dał klucz do niej, jeśli jej nie potrzebuję.

– Kiedy widział pan ostatnio księdza prowincjała?

– Nie pamiętam dokładnie.

– Coś ma pan słabą pamięć, panie Tomczyk. – Bieda skrzywił się w ironicznym uśmiechu. – Czy pan wie, że Edward Nasiadka nie żyje?

– Tak? Nie wiedziałem. Nic nie mówią o tym w mediach.

Mark obserwował uważnie Tomczyka. Facet wyjątkowo go wkurwiał. Co za śliski gad z tego elegancika. Wije się jak piskorz. Biegler postanowił trochę go przycisnąć.

Wyjął z kieszeni woreczek foliowy, taki, jakich używa policja do zabezpieczenia śladów, i nie dotykając ręką, włożył do niego widelczyk, którym Tomczyk jadł ciasto.

– Cóż pan robi, do cholery?! – zawołał zaskoczony Tomczyk.

– Teraz mamy dowód, że był pan w mieszkaniu prowincjała w dniu jego śmierci. Jadł pan tam ciastko tortowe i pił kawę.

Oczy Tomczyka zabłysły nerwowo.

– O nie! Nie wrobicie mnie w morderstwo. Co to to nie. Zresztą to żaden dowód. Nie macie zezwolenia na pobranie próbek mojej śliny.

– O to postaramy się w odpowiednim czasie. – Mark uśmiechnął się zimno. – Skąd pan wie, że go zamordowano? Podobno nie wiedział pan o jego śmierci.

– Jeśli jego śmiercią interesuje się policja, to musi to być morderstwo. – Mężczyzna wzruszył ramionami. – Dobrze, poddaję się: byłem tam wtedy. Ale gdy wychodziłem od niego, prowincjał był żywy jak my tu wszyscy. Gdybym go zabił, to nie zostawiałbym żadnych śladów po sobie. Nie jestem idiotą.

Rzeczywiście, Mark z niechęcią przyznał mu rację.

– Wszystko pan posprzątał. Mimo że chciał pan zatrzeć ślady, jednak znaleźliśmy pańskiego peta. – Mark brnął dalej.

Tomczyk zrobił tak głupią minę, że Mark z trudem zachował powagę. Można było niemal zobaczyć, jak przeskakują trybiki w mózgu Tomczyka.

– Hola, hola. Co wy kombinujecie? Nic tam nie sprzątałem. Zostawiłem Nasiadkę, bo był już tak wstawiony, że nie można było się z nim dogadać, i wyszedłem. Nic po sobie nie sprzątałem.

– Po co pan był u niego? – Teraz wkroczył Bieda.

– W interesach – odparł lakonicznie. Oczy znowu zaczęły mu latać w różne strony.

– W jakich interesach? Jakie interesy mogły łączyć pana z księdzem?

– Księża też prowadzą biznes. A Nasiadka miał wyjątkową głowę do interesów.

– Czy często się spotykaliście?

– Od czasu do czasu. Gdy była taka potrzeba.

– Tylko w interesach? A towarzysko? Prywatnie?

– Towarzysko to mogę spotykać się z piękną dziewczyną, a nie z księdzem. – Wzruszył ramionami.

– Czy zawsze wchodził pan do niego przez to tajne wejście? Czy oficjalnie również tam pan bywał?

– Edward nie chciał za bardzo afiszować się naszą znajomością.

– Czy to ze względu na pana zrobił to tajne przejście?

– Wątpię. Chociaż był księdzem, był również mężczyzną, a nie chciał, żeby w Zgromadzeniu wiedziano o odwiedzinach kobiet.

– Czy dużo kobiet u niego bywało?

– Nie wiem. Nigdy na ten temat nie rozmawialiśmy. Ale po co by mu było potrzebne takie przejście, jeśli nie ze względu na kobiety? Ze mną mógłby umawiać się na mieście, w takiej kawiarni jak ta.

– Czy miał pan klucze do tych altanek?

– Nie. Ja tylko wydzierżawiłem na swoje nazwisko plac, bo mnie o to prosił. Kiedy miałem zamiar przyjść, dzwoniłem do niego i drzwi były otwarte.

– Kto jeszcze korzystał z tego przejścia?

– Nie wiem. Chyba jakaś kobieta. Albo kobiety.
– Czy zastał pan u niego kiedyś innych biznesmenów?
– Nie. – Spojrzał wyzywająco na Biedę. – Powtarzam: nie zabiłem go. Nie miałbym powodów, bo bardzo dobrze nam się prowadziło interesy. Mieliśmy w planie dużą inwestycję.
– Jaką inwestycję?
– Teraz to nie ma żadnego znaczenia. Niestety musicie szukać dalej. Przykro mi, ale to nie ja go zabiłem, chociaż wiem, że bardzo by wam to pasowało. To na pewno ktoś z tych księżuli.
– Czy rozmawialiście o innych konfratrach? A może zwierzał się panu z jakichś kłopotów?
– Nic mi nie mówił, ale wiem, że miał wielu wrogów.
– W jakich okolicznościach pan go poznał?
– Nie pamiętam dokładnie. Chyba mi go przedstawiono na jakimś przyjęciu. Ale nie pamiętam u kogo.
Znowu kłamie – zauważył Mark.
W tym momencie zadzwoniła komórka Tomczyka. Odebrał. Wstał od stolika. Oddalił się trochę i przez chwilę z kimś rozmawiał.
– Muszę iść. Wzywają mnie. Czy mają panowie jeszcze jakieś pytania, bo naprawdę bardzo mi się spieszy.
– Na pewno będziemy mieli do pana jeszcze niejedno pytanie. – Mark chłodno patrzył mu w oczy. – Aha, jeszcze na koniec: kim jest dla pana Beata Tomczyk?
– Jaka Beata?
Facet znowu wije się jak piskorz. Chyba z przyzwyczajenia – przemknęło Markowi przez myśl.
– Niewysoka szatynka o niesamowitych oczach, zamieszkała w bloku na osiedlu Na Kozłówce.
– Aaa, o tę Beatę panu chodzi! To moja bratowa. Coś jeszcze?
– Na razie nic.
Mark razem z Biedą patrzyli, jak Tomczyk się oddala.
– Nie podoba mi się ten facet – mruknął Mark.
– Mnie też. Ale niestety to chyba nie on jest mordercą.
– Chyba nie.
W tym momencie przy stoliku pojawiła się kelnerka.
– Coś podać? – Spojrzała wymownie na widelczyk w torebce.
Mark uśmiechnął się do niej i wyjął widelczyk.
– Chcieliśmy ukraść, ale pani nas ubiegła.

– Jesteśmy z policji – wtrącił szybko Bieda, pokazując legitymację służbową.

Wypili jeszcze po kawie i zjedli po ciastku, rozprawiając o dowodach i poszlakach. Potem się pożegnali.

– Zadzwonię do Beaty Tomczyk. Może ona coś mi powie interesującego o swoim szwagrze – rzucił na koniec Mark, podając rękę Biedzie.

– Może coś powie.

Rozdział 14

Beata

Stało się: zostałam mężatką.

Jeszcze miesiąc wcześniej byłam szczęśliwą narzeczoną Artura, niewyobrażającą sobie bez niego życia. Teraz moja przyszłość została związana z człowiekiem całkiem mi obcym, którego w ogóle nie znałam ani nie kochałam. Z perspektywy czasu i z pułapu nabytych doświadczeń życiowych mogę podsumować jednym zdaniem swoje zachowanie: postąpiłam jak kompletna idiotka. Nie mogę obarczać matki za moje błędy, chociaż również nie była bez winy, ale to ja odpowiadałam za wszystko. Unieszczęśliwiłam siebie, Pawła i Aldonę. A najbardziej Artura.

Miesiąc poprzedzający mój ślub przeżyłam jak w malignie, nie do końca zdając sobie sprawę, co się dzieje... jakby mnie ogłuszono i nafaszerowano lekami uspokajającymi. Wszystkie bodźce i emocje docierały do mnie, jakbym była odgrodzona szybą. Tak naprawdę to dopiero tydzień po ślubie, gdy leżałam obok swojego świeżo poślubionego męża, zrozumiałam, co narobiłam. To dziwne, ale właśnie codzienne obcowanie z Pawłem uświadomiło mi, jak bardzo kochałam Artura. Wszystko, co kojarzyło się z moim mężem, jego obecność przy stole, na kanapie i w małżeńskim łożu, potwierdzało absurd mojej życiowej decyzji. Dlaczego, do cholery, wyszłam za Pawła?! Przecież ja i Artur byliśmy dla siebie przeznaczeni! Kochaliśmy się, rozumieliśmy i wzajemnie się uzupełnialiśmy. Nie było przecież żadnych realnych przeszkód, żebyśmy nie mogli być razem. Brak wyuczonego zawodu nie powinien być powodem, by go dyskwalifikować. Moja ciąża, gdyby nawet nie on ją spowodował, również nie musiała być przyczyną, żebyśmy nie mogli być razem. Artur by mi wybaczył... Na pewno by mi wybaczył.

Miesiąc po ślubie podzieliłam się moimi myślami i wątpliwościami z mamą. Jej reakcja była tak ostra, że zaraz tego pożałowałam.

– Zwariowałaś?! Teraz żałujesz?! – zawołała wzburzona. – Teraz po ślubie?! Trzeba było o tym myśleć, zanim poszłaś z nim do łóżka. Tak niby kochałaś Artura, a wystarczył tydzień jego nieobecności, żeby przyprawić mu rogi. Dziewczyno, opamiętaj się! I tak ci się udało. Masz dobrego męża. Z dużymi perspektywami, z mieszkaniem i dobrym zawodem. Jeśli tego nie zepsujesz, będziesz miała z nim życie jak w raju.

Raj. Z boku rzeczywiście moje obecne życie mogło przypominać polski raj. Na samym starcie naszej drogi małżeńskiej: duże eleganckie mieszkanie własnościowe, wypasiony samochód, konto dolarowe... i bogata teściowa, która to wszystko zapewniła.

Matka Pawła: Teresa Tomczyk.

Moja teraźniejsza teściowa niestety okazała się jeszcze gorsza od tej niedoszłej. To tak, jakby zamienić głośno ujadającego ratlerka na leżącego w kącie rottweilera, niby spokojnego, niegroźnego, ale który może w każdej chwili rzucić się na ciebie i przegryźć ci gardło.

Teresa Tomczyk, owszem, była hojną kobietą, ale niestety tylko wobec swoich synów. Miała ich dwóch: Pawła i o rok młodszego Zbyszka. Zostawiła ich pod opieką męża, kiedy Paweł miał jedenaście lat, i pojechała za ocean zarabiać pieniądze. Życie za Wielką Wodą bardzo jej się spodobało, dlatego nie miała zamiaru wracać do Polski. Jeszcze bardziej od Ameryki spodobał się jej pewien podstarzały, ale za to wyjątkowo zamożny Amerykanin, którego wbrew jego rodzinie szybko poślubiła. Był dobrym i troskliwym mężem – ale nie ojcem – bo szybko zwinął się z tego świata, zostawiając cały swój majątek swojej polskiej żonie. Jego dzieci przegrały z macochą walkę o należne im miejsce w sercu ojca i jego konto bankowe i niestety nie wywalczyły przed sądem ani centa. Za to synowie Teresy zyskali bardzo dużo. Sprawa sądowa o unieważnienie testamentu ciągnęła się dość długo, ale z pozytywnym skutkiem dla Polki.

Teresa Tomczyk mogła teraz udowodnić swoim synom, jak bardzo ich kocha. Najpierw kupiła im po mieszkaniu i wypasionym samochodzie, później zamieniła im owe mieszkania na eleganckie domy, a auta na jeszcze bardziej wypasione.

Chociaż kochała Zbyszka bardziej niż Pawła, nigdy by się do tego nie przyznała. Zawsze traktowała ich sprawiedliwie. Dochodziło nawet do tego, że gdy Zbyszek wybrał czerwony kolor dla swojego BMW, natomiast Paweł grafit metalik o trzy tysiące złotych droższy, musiała dopłacić Zbysiowi te trzy tysiące, bo się o nie upomniał.

Paweł, z urody i charakteru podobny do ojca, był pragmatykiem stąpającym mocno po ziemi. Wybrał sobie również takie studia: stomatologię. Wiedział, że zęby zawsze będą się Polakom psuć i że będą musieli je naprawiać. Tym bardziej w dobie kapitalizmu, kiedy piękny uśmiech świadczy o dobrobycie. Nie poszedł na medycynę ze względów czysto praktycznych – będąc lekarzem, mógł zarabiać dużą kasę dopiero po zrobieniu specjalizacji i kilku latach pracy w szpitalu. A dobrze zarabiającym stomatologiem mógł zostać dużo szybciej.

Natomiast Zbyszek miał duszę artysty, a fantazję i wyobraźnię nie gorszą niż Tolkien. Nie miał niestety żadnych zdolności artystycznych, a fantazja i wyobraźnia szybko obrały bardzo realistyczny kierunek: jak oskubać frajera i nieźle zarobić, nic przy tym nie robiąc. W przekrętach i machlojkach finansowych pan Zbigniew Tomczyk wykazywał wyjątkowy talent. Miał pomysły nadające się na scenariusz do niejednego filmu gangsterskiego. W przeciwieństwie do mafii nie używał broni palnej ani innych metod stosowanych w tych kręgach, jedynie swojej głowy, luk w przepisach prawnych i ludzkiej naiwności. Okradał swoje ofiary w białych rękawiczkach, a robił to tak po mistrzowsku, że nawet oskubane do zera nieboraki nadal nie mogły uwierzyć, że Zbysio ich oszukał.

Niestety dowiedziałam się o tym wszystkim dużo za późno, kiedy i mnie oskubał. Nie tylko z pieniędzy. Również z godności, uczciwości i szacunku do samej siebie.

Ale o tym później, teraz powrócę do mojego małżeństwa i męża. Nie mam żadnego prawa na Pawła narzekać, naprawdę bardzo się starał być idealnym małżonkiem i dobrym ojcem. Był czuły, opiekuńczy, zapewnił nam wysoki standard życia… Niestety nie potrafił jednego: wzbudzić we mnie miłości i pożądania.

W niektórych małżeństwach seks odgrywa dużą rolę. Nie mówię, że we wszystkich. Istnieją związki, w których przyjaźń i wzajemny szacunek są fundamentem rodziny, seks jest na drugim planie. Są również małżeństwa oparte na dobrze wykalkulowanym zaspokajaniu wzajemnych potrzeb: on daje kasę, a ona mu dupy - tu seks jest ważny tylko dla jednej strony.

Ja natomiast potrzebuję i miłości, i namiętności. I to w równych proporcjach. Nie umiałabym kochać kogoś tylko platonicznie, bez zaangażowania ciała. Samo pożądanie, bez udziału serca, również mi nie wystarcza. Artur dostarczał mi jednego i drugiego. Nasza miłość płonęła, ciągle podsycana namiętnością. Miłość była ogniskiem, dla którego paliwem stało się pożądanie.

Paweł natomiast dawał mi dużo uczucia, jednak nie umiał wzbudzić we mnie żaru namiętności. Nie pociągał mnie fizycznie, czułam do niego wręcz seksualną niechęć. Więcej: cielesne obcowanie z nim wzbudzało we mnie wstręt. Nie znosiłam jego zapachu, jego potu, jego min i postękiwania w trakcie stosunku. Artura kochałam dotykać, pieścić, wręcz rozkoszowałam się jego męskością... Natomiast do męża czułam obrzydzenie. Nie wiem, co było tego powodem. Przecież nie był brzydki, dbał o higienę i czystość, mimo to w łóżku mnie od niego odrzucało. Bardzo się starałam, żeby tego nie zauważył. Udawałam podniecenie i orgazm, ale w duchu czekałam, żeby jak najszybciej skończył. Na szczęście nie miał takiego popędu jak większość mężczyzn w jego wieku - jeden numerek tygodniowo całkowicie zaspokajał jego potrzeby seksualne. Kilka lat później, po wypadku na nartach, jego apetyt na seks jeszcze bardziej się stępił... co bardzo mi odpowiadało.

Pod innymi względami życie z Pawłem nie było najgorsze. Nie łączyło nas wiele. Był starszym ode mnie o osiem lat mężczyzną ukształtowanym już charakterologicznie, gotowym pod względem psychicznym i materialnym założyć nową komórkę społeczną. Miał mieszkanie, samochód, własną przychodnię (wszystko zasługa matki), teraz potrzebował do tego mieszkania i samochodu odpowiedniej żony... a przychodnia miała za zadanie tę żonę (i resztę) utrzymać.

I tak się stało. Miałam wszystko, o czym młoda małżonka może zamarzyć. Wysoki standard życia, garderobę pękającą od nadmiaru sukienek i bluzek, kilka razy do roku wczasy w ciepłych krajach, swój samochód. I wyrozumiałego męża. Brakowało mi tylko jednego: miłości.

Szybko nadrobiłam zaległości na studiach i skończyłam je w terminie - ku zadowoleniu mojego męża i moich rodziców, a niezadowoleniu mojej teściowej. Ona wolałaby, żebym je rzuciła, bo mogłaby mi to na każdym kroku wytykać, tak jak wytykała moje ubóstwo. Przecież jej syn wniósł do małżeństwa wszystko, a ja byłam tylko prowincjonalną gąską z pretensjami. Mimo że sama pochodziła z Tarnowa, zawsze uważała się za światową kobietę, mnie natomiast traktowała jak nieobytą prowincjuszkę.

Nienawidziłam tej baby bardziej nawet niż seksu z moim mężem. Ale Pawła lubiłam. Naprawdę lubiłam. Był przecież taki słodki... Tak bardzo się starał... Niestety nie umiałam go pokochać. Naprawdę bardzo chciałam być dla niego dobrą żoną. Zasłużył na to. Pomijając jego zachowanie w stosunku do mnie, bardzo pozytywne zresztą, zdobył w moich oczach dodatkowe uznanie jako ojciec. Po urodzeniu Michała, gdy ujrzałam jego grupę krwi, wpadłam w panikę: była taka sama jak Artura. Niestety pomyliłam się, wytypowałam złego kandydata jako dawcę genów mojego syna.

Byłam przerażona. Co będzie, gdy mąż się dowie, że urodziłam nie jego dziecko?! Jak dam sobie radę sama z synem, kiedy nas porzuci?! Artur przecież już od dawna klepie zdrowaśki w seminarium!

Na szczęście Paweł nie zwrócił na to uwagi. Cieszył się z bobaska, jakby trafił główną wygraną w totolotka. Odetchnęłam z ulgą, jednak przez długi czas pełna niepokoju obserwowałam moje dziecko, ciągle licząc na to, że znajdę jakiś dowód potwierdzający ojcostwo Pawła. Niestety, prawie z każdym dniem dostrzegałam kolejne podobieństwa do Artura, może nie tyle w samym wyglądzie, ile w zachowaniu. To samo spojrzenie, te same ruchy i ten sam uśmiech. Gdy patrzyłam na mojego uroczego synka, serce mnie bolało z tęsknoty za Arturem... I z powodu krzywdy wyrządzonej jemu i sobie...

Nie powiedziałam mamie o moim odkryciu, że jej wnuk ma w sobie DNA Artura. Nie chciałam jej denerwować i obarczać nowymi dylematami. Wiedziałam, że rodzice się cieszą, że jedna z ich córek ma dobrego męża... chociaż druga córka wylewała z tego powodu mnóstwo łez.

Cóż, pogodziłam się z myślą, że Aldona będzie mnie całe życie nienawidzić. Nienawiść do mnie tak mocno się zakorzeniła w jej sercu, że nawet gdy wyszła za mąż i urodziła dziecko, nadal mnie unikała. Kiedy przyjeżdżałam do rodziców, ona nigdy się tam nie pojawiła. Z tego powodu musiałam spędzać wszystkie Wigilie z moją ukochaną teściową, a dom rodzinny odwiedzać w inny dzień świąt.

Pierwszy raz spotkałam się z siostrą dopiero na ślubie naszego brata, trzy lata po moim. Oczywiście siedziałyśmy daleko od siebie, ale zamieniłyśmy kilka zdawkowych słów. Poznałam jej męża, który był kolegą Darka. Cóż, każda kobieta marzy o księciu na białym koniu, niestety zazwyczaj kończy się to na romansie ze stajennym. Z Aldoną było podobnie, z tą tylko różnicą, że ów stajenny poprowadził ją do ołtarza. Główną wadą małżonka nie były cechy charakteru, lecz braki w wykształceniu. Nie spełnił jej oczekiwań, ponieważ nie miał dyplomu magistra, jedynie świadectwo zawodówki. Mimo dobrych zarobków, bo jako hydraulik zarabiał niezłą kasę, nie zaspokajał ambicji Aldony. W jej mniemaniu popełniła wielki mezalians: pani doktor została żoną naprawiacza pieców gazowych! Szwagier wykazał się jednak zaradnością życiową i umiejętnością dopasowania się do reguł rządzących gospodarką kapitalistyczną. Założył firmę usługową, później sklep z częściami hydraulicznymi i kręcił niezłe lody, co trochę udobruchało moją siostrzyczkę - nawet do tego stopnia, że się zgodziła spędzić ze mną (i Pawłem) następną Wigilię.

Michał rósł jak na drożdżach, a ja coraz bardziej nudziłam się w domu. Dlatego mąż mi zaproponował, żebym zaczęła spełniać się zawodowo. Stwierdziłam, że jako magister od marketingu bez problemu będę potrafiła prowadzić własną firmę. Nie chciałam mieć nad sobą żadnych zwierzchników i przełożonych, przed którymi musiałabym się płaszczyć i prosić o urlop. Ten drugi argument najbardziej przekonał Pawła, żeby wyłożył pieniądze na mój biznesowy kaprys - tak stwierdziła moja teściowa. Musiała jednak wyrazić na to zgodę, bo chociaż Paweł zarządzał przychodnią stomatologiczną, oficjalnie była jego wspólniczką.

Niestety złowrogie krakanie mojej teściowej, że nie dam sobie rady jako bizneswoman, spełniło się i rzeczywiście pieniądze wyłożone na trzy księgarnie okazały się niewypałem inwestycyjnym. Cóż, zdolności biznesowe prawdopodobnie odziedziczyłam po ojcu. Chociaż swą działalność zaczęłam z wielką pompą, po roku musiałam zamknąć dwa sklepy, bo nie przynosiły żadnego dochodu i jedynie generowały coraz większe koszty. Łapałam się różnych sposobów, żeby zwiększyć sprzedaż. Stosowałam upusty, drobne upominki, założyłam nawet sklep papierniczy i kawiarenkę literacką, chcąc skusić klientów do kupowania książek. Nic nie poskutkowało, sprzedaż się nie zwiększyła. Kiedy niedaleko jednej z moich księgarni otworzono Empik, a w drugiej podwyższono znacznie czynsz, musiałam się poddać.

Żeby mieć jakieś zajęcie, zostawiłam sobie jeden sklep z książkami i artykułami papierniczymi, chociaż dobrze wiedziałam, że nie zrobię na nim fortuny. Ruch był jedynie w sierpniu, kiedy rodzice kupowali podręczniki dla swoich pociech. Na całe szczęście dla księgarzy, a nieszczęście dla rodziców, ministrowie szkolnictwa i edukacji wymyślali coraz to nowsze podstawy programowe obowiązujące w szkołach. Dzięki temu chociaż jeden miesiąc w roku był dla nas, księgarzy, dochodowy – niczym dla piekarzy tłusty czwartek – i mogliśmy załatać największe dziury budżetowe.

Rozdział 15

Dzwonek u drzwi przerwał Beacie literackie wynurzenia. Przestała pisać i szybko zamknęła laptopa. W drzwiach stał Mark Biegler. Schowała niepokój za uprzejmym uśmiechem i przywitała się z gościem.

– Witam, panie Marku. Proszę dalej. – Wprowadziła go do pokoju dziennego.

– A gdzie Karolina? Mam dla niej mały prezent – powiedział, wyciągając z reklamówki wielkiego kangura.

– Nie ma jej. Jest w Olkuszu, u mojej mamy. Przepraszam za nią. Nie umiem jej oduczyć wyłudzania od ludzi prezentów.

– Jest przeurocza. Zakochałem się w niej.

– A pan ma dzieci?

– Nie – westchnął. – Niestety nie. Ale pracujemy z żoną nad tym.

– Czego się pan napije? Herbaty czy kawy?

– Poproszę kawę.

– Rozpuszczalną czy z kawiarki? Ja wolę z kawiarki.

– No to ja również taką poproszę. Z mlekiem.

– Ubiję panu mleko. Zobaczy pan, jaka pyszna będzie taka kawka – szczebiotała, uśmiechając się zalotnie.

W środku była cała spięta. Zawsze tak na nią działał. Źle się czuła w jego towarzystwie. Miała wrażenie, że jego oczy szperają w jej mózgu, śledząc każdą myśl.

Jej krzątanie się w kuchni trochę się przedłużało, czego pewnie nie omieszkał zauważyć Biegler. Dlatego odwróciła się do niego z uśmiechem, żeby nie nabrał podejrzeń.

– Może usiądziemy na kanapie, a nie przy stole? Będzie wygodniej – zaproponowała i nie czekając na odpowiedź, postawiła tacę z filiżankami kawy i ciastem na małym stoliku z IKEA.

Mark usiadł w fotelu, a ona na kanapie.

– Cóż pana do mnie sprowadza tym razem? O czym chciałby pan ze mną porozmawiać?

– Z panią o wszystkim. – Uśmiechnął się. – Ale przede wszystkim o pani szwagrze, Zbigniewie Tomczyku.

Beata przybrała obojętny wyraz twarzy, chociaż nie przyszło jej to łatwo.

– Dlaczego mi pani o nim nie powiedziała, gdy panią zapytałem, czy nie zna pani jakiegoś Zbigniewa? – spytał, nie spuszczając z niej wzroku.

Roześmiała się trochę sztucznie.

– Panie Marku, proszę sobie nie żartować. Są tysiące Zbigniewów w Polsce, skąd mogłam wiedzieć, że chodziło panu o mojego szwagra.

Mark przez chwilę obserwował ją w milczeniu. Włączył swój wewnętrzny wariograf i czekał, jaki wyjdzie zapis.

– Czy wiedziała pani, że prowincjał znał pani szwagra? Że wspólnie prowadzili interesy?

– Ależ skąd! Nie miałam o tym pojęcia.

– Nie wie pani, jak się poznali?

– Może przez księdza Ślęzaka? Zbyszek i ksiądz spotkali się kilka razy w naszym domu na imieninach i urodzinach mojego męża.

– Czy pani mąż znał prowincjała?

– Nie wiem. Może. Znał Ślęzaka, bo ksiądz był jego katechetą w liceum.

– I od tego czasu utrzymywali kontakty towarzyskie? To dość niespotykane – zdziwił się Mark.

– Bo nie zna pan księdza prezesa. Mój mąż nie był wyjątkiem. Ksiądz utrzymuje kontakt z wieloma swoimi uczniami. Chociaż od czasów, kiedy uczył religii w liceum, minęło trzydzieści lat, nadal się z nimi spotyka. Zaprasza ich na imieniny i na inne uroczystości.

Nikt z moich znajomych nie potrafi tak jak ksiądz Ślęzak pielęgnować przyjaźni. Powinniśmy się od niego tego uczyć. To on pierwszy dzwoni i pyta, co słychać. I zawsze, gdy się jest w potrzebie, pomaga. Oczywiście w miarę swoich możliwości. Ksiądz jest naprawdę wyjątkowym człowiekiem.

– A jakie relacje łączą panią ze szwagrem? Co mogłaby pani o nim powiedzieć jako człowieku?

– Cóż mam powiedzieć: to dzięki niemu znalazłam się w takiej sytuacji finansowej, w jakiej teraz jestem. Straciłam dom, cały majątek i zostałam bez środków do życia.

– Nie rozumiem... A pani mąż?

– Mąż nie żyje.

– Przepraszam. Myślałem, że jesteście po rozwodzie.

Beata nic nie powiedziała, tylko podeszła do barku, wyjęła butelkę koniaku i kieliszek.

– Przepraszam, ale mówiąc o moim kochanym szwagrze, muszę się napić. Napije się pan ze mną?

– Niestety nie mogę, bo moje autko czeka na mnie pod pani oknami. – Wziął do ręki filiżankę. – Muszę zadowolić się kawą i tym wybornym ciastem. – Odstawił filiżankę, by położyć na talerzyk kawałek ciasta ze śliwkami. – Więc nie przepada pani za nim?

– Mało powiedziane. Ja go nienawidzę – powiedziała bardzo spokojnie.

– Czy słyszała pani, że jakiś czas spędził w więzieniu?

– Tak. W areszcie. Ale musieli go wypuścić. Wszyscy wiedzą, że to oszust i złodziej, ale nie można mu niczego udowodnić.

– Przed chwilą z nim rozmawiałem. Zdążyłem wyrobić sobie o nim zdanie. Czy utrzymujecie teraz, po śmierci męża, jakieś kontakty rodzinne?

– Czy pan oszalał?! Przecież mówiłam panu, że zrobił ze mnie dziadówkę.

– Nie spotyka go pani na przykład u teściowej?

– Od śmierci męża nie utrzymuję z nią kontaktu. Raz tylko ją widziałam, gdy mój szwagier oddał ją do szpitala. Zadzwoniono do mnie, bo nie mieli co z nią zrobić, ponieważ się po nią nie zgłosił, a sama nie była w stanie wracać do domu. Chociaż Teresa Tomczyk jest właścicielem i współwłaścicielem wielu spółek, to jednak nie ma dostępu do konta, bo położył na nie łapę jej ukochany Zbysio. – Parsknęła sarkastycznie.

Mark się zamyślił.
– Jak pani uważa, czy Zbigniew Tomczyk byłby zdolny zabić człowieka?
Beata wzruszyła ramionami.
– Nie wiem. Jest bardzo sprytnym oszustem. Umie zrobić bardzo dobre wrażenie i wykorzystując swój urok osobisty, oskubać człowieka do gołej skóry.
– Hm, rodzinę również? – Kręcił głową z niedowierzaniem.
– Dla niego rodzina nie ma żadnego znaczenia. Sam powiedział, że przekręciłby nas przez maszynkę do mięsa i zrobił sznycle. Ten człowiek nie ma skrupułów! On nie wie, co to empatia. A co, jest podejrzanym o zabójstwo prowincjała?
– Niestety nie ma dowodów. Jedynie poszlaki. Nic konkretnego.
– Czy pan wie, że Zbyszek jest wspaniałym szachistą? W czasach studenckich był mistrzem uczelnianym. Umie przewidzieć kilka ruchów do przodu. Wie, co zrobi przeciwnik. Życie jest dla niego również grą. Ma analityczny umysł, jest dobrym psychologiem, umie myśleć perspektywicznie. Wie, jak się zachowa strona przeciwna. Opowiem panu pewien przypadek. Jedna z jego ofiar przyszła wraz z prokuratorem do więzienia, kiedy siedział, by zaproponować mu ugodę. Obiecano mu odstąpić od zarzutów, jeśli podpisze dokument, że zrzeka się należnych mu prawnie, ale wyłudzonych pieniędzy. Zrobił przekręt, prawdziwy przestępczy majstersztyk, ale nie było na to dowodów. Wykorzystał furtkę prawną. Zna kodeks karny i ustawy lepiej niż dekalog. Kiedy prokurator, chcąc uchronić poszkodowanego przed niesprawiedliwymi konsekwencjami finansowymi, zaproponował Zbyszkowi wycofanie zarzutów, jeśli on odstąpi od swoich roszczeń finansowych, mój wspaniały szwagier powiedział, że się nad tym zastanowi, i kazał im przyjść dzień później. Owszem, zastanowił się i podpisał dokument. Ale okazało się, że w międzyczasie pod pozorem napisania testamentu wezwał notariusza i przy nim sporządził dokument, że prokurator go szantażuje, by podpisał zrzeczenie się należnych mu pieniędzy w zamian za uwolnienie z więzienia. Ze względu na to, że nie jest w stanie dalej wytrzymać pobytu w więzieniu, bo jest w depresji, prawdopodobnie to podpisze. I jak pan myśli, co się potem stało? Wypuścili go, a on pokazał sądowi notarialny dokument i wystąpił z roszczeniami pieniężnymi. – Beata pokiwała głową. – To prawdziwy mistrz oszustwa i matactwa. Potrafiłby panu wmówić,

że jest powódź, chociaż od miesięcy panuje susza. Na pana miejscu nie wierzyłabym temu człowiekowi w ani jedno słowo.

Mark nie wyszedł jeszcze z bloku Beaty, kiedy zadzwonił telefon. Spojrzał na wyświetlacz. Bieda. Odebrał.

– Panie Marku, może pan rozmawiać?

– Tak. Właśnie wyszedłem z mieszkania Tomczyk.

– I czego się pan od niej dowiedział?

– Że Ślęzak to chodzący ideał, niemal święty, a jej szwagier łajdak nad łajdakami. Gdyby to jego zabito, mogłaby pretendować do głównej podejrzanej. Powiedziała mi, że facet jest wyjątkowo sprytny. Potrafi przewidzieć zachowanie swego przeciwnika, gdy on jeszcze o tym nawet nie pomyśli. Podobno bardzo dobry z niego krętacz i matacz. Mógłby dla dobra sprawy sam siebie oczernić, by później to wykorzystać. Może rzeczywiście to on zabił prowincjała, a zostawił tak ewidentne ślady tylko po to, żebyśmy go z tego powodu wykluczyli?

– Hm, sam nie wiem. Nie ma motywu.

– Gdy się prowadzi wspólne interesy, zawsze jakiś powód się znajdzie – stwierdził Mark. – Ale dlaczego pan dzwoni?

– Moi ludzie wyniuchali, że Tomczyk był wspólnikiem Ślęzaka. Oczywiście cichym wspólnikiem, bo Tomczyk rzadko ma coś zarejestrowane na siebie. Jego matka, która chodzi za pomocą balkoniku, była udziałowcem w fabryce makaronu.

– Jak to? Tomczyk prowadził interesy i ze Ślęzakiem, i z prowincjałem? Z dwoma wrogami? Dziwne to... Jakoś mi Ślęzak nie pasuje do tego, żeby kumać się z takim oszustem jak Zbigniew Tomczyk.

– A może Ślęzak nie jest takim ideałem, jak przedstawiają go Beata Tomczyk i furtian?

– Pojadę do Osieka. Muszę pogadać ze Ślęzakiem.

Mark odłożył słuchawkę. Dlaczego Beata mu nie powiedziała, że Ślęzak współpracował z jej szwagrem? Czyżby nie wiedziała? Jego myśli zawędrowały znów do przytulnego mieszkanka ślicznej Beatki. Ona coś kręci – czuł to podskórnie. Ciekawe, co przed nim ukrywa? I dlaczego?

Kiedy Beata zamknęła drzwi za Bieglerem, odetchnęła głośno i napełniła kieliszek koniakiem. Każda rozmowa z nim kosztowała ją sporo nerwów. Okazał się dużo bystrzejszy, niż przypuszczała. Jak prawdziwy detektyw, a nie dziennikarz. Westchnęła. Cóż, najwyżej przyzna się do wszystkiego. Przecież po to pisała ten pamiętnik.

Spojrzała na zegarek. Michał wróci dopiero za godzinę, ma więc trochę czasu na następną porcję wspomnień.

Rozdział 16

Beata

Czas płynął. Patrzyłam, jak mój syn przemienia się z niemowlaka w przedszkolaka, a później w ucznia. Obserwując go, dostrzegałam w nim Artura. Chociaż wizualnie mało go przypominał, bo był podobny do mnie, widziałam ukochanego w jego uśmiechu, gestach, mimice, w sposobie, w jaki się poruszał. To samo marszczenie czoła, gdy był z czegoś niezadowolony, takie samo podniesienie brwi w odruchu zdziwienia i te same radosne ogniki w oczach, gdy był szczęśliwy... Chodził identycznie jak jego biologiczny ojciec, tak samo się uśmiechał i łapał za ucho w stanach niepokoju i zdenerwowania. Również charakter kształtował mu się na podobieństwo jego dawcy genów. Ta sama łagodność, ta sama empatia i chęć pomocy innym. Początkowo rejestrowałam te podobieństwa z przerażeniem, widząc w nich dowód na ojcostwo Artura, ale z biegiem czasu strach minął, a w jego miejsce pojawiła się nostalgia i tęsknota za Arturem.

Nie zapomniałam o nim. Nie mogłam zapomnieć, mając w domu nosiciela jego DNA! Uczucia do mojego byłego narzeczonego ciągle ewoluowały, przybierając po latach dziwną, a nawet wręcz dziwaczną formę. Najpierw przeważało poczucie winy i wstydu za to, co zrobiłam, później żal i ból, że to ja zniszczyłam nasz związek, a wreszcie próba pogodzenia się z sytuacją i przystosowanie do nowego życia. Nie wykreśliłam jednak z niego Artura, nadal był w nim obecny jako metafizyczny twór. Ezoteryczny duch miłości.

Święty od skomplikowanych spraw egzystencjalnych Beaty Makowskiej-Tomczyk. Jej wyimaginowany duchowy patron i wzorzec do naśladowania.

Naprawdę tak go traktowałam. Chociaż nadal żył, dla mnie już umarł, wstępując do seminarium, – mógł więc odgrywać rolę świętego. Może moje słowa to bluźnierstwo, ale nigdy nie spotkałam człowieka tak prawego, uczciwego i dobrego jak Artur.

Często rozmawiałam z nim w myślach. Pytałam go, co mam zrobić, i sama sobie odpowiadałam, bo domyślałam się jego odpowiedzi. Wyłuszczałam swoje dylematy i tłumaczyłam podjęte decyzje, przekonując jego, a zarazem siebie. Wiem, że było to dziwne. Gdyby ktoś się o tym dowiedział, wziąłby mnie za wariatkę. Zdarzało mi się do tego stopnia zapominać, że mówiłam na głos. Kiedyś mój syn zapytał mnie, kto to jest Artur, bo słyszał, jak z nim rozmawiałam. Całe szczęście myślał, że gadam przez telefon, inaczej mógłby się wystraszyć, że jego mama oszalała.

Nie mogę powiedzieć, że byłam z Pawłem nieszczęśliwa, bo byłoby to nieprawdą. Był dobrym mężem i ojcem. Miałam zapewnione bezpieczeństwo finansowe, nie musiałam się martwić tym, że książki w mojej księgarni się nie sprzedają. Mój syn miał zawsze w Pawle wsparcie psychiczne i dobry wzorzec do naśladowania. Nawiązali ze sobą idealne relacje synowsko-ojcowskie. Nie miałam prawa narzekać…

A jednak narzekałam. Ale tylko do samej siebie i eterycznego Artura. Głównym i jedynym powodem mojego niezadowolenia z męża był brak dobrego seksu. Jest wiele kobiet, dla których ta sfera w pożyciu małżeńskim nie odgrywa znaczącej roli, niestety nie dla mnie. Miałam zapotrzebowanie na seks jak mężczyzna. W oczach wielu uchodziłabym za porąbaną nimfomankę, która nie docenia tego, co ma, i szuka dziury w całym. Jednak brak zaspokojenia seksualnego objawiał się u mnie złym humorem, muchami w nosie i ogólnym niezadowoleniem. Cóż, najzwyczajniej w świecie cierpiałam na „syndrom niedorżnięcia". Niestety masturbacja w łazience nie zaspokajała moich potrzeb, brakowało mi kochanka.

I niestety pewnego dnia kochanek pojawił się w moim życiu. Nie mogłam wybrać gorzej. Był nie tylko cynicznym łajdakiem i oszustem bez krzty empatii, lecz także dodatkowo bratem mojego męża.

Zbyszek Tomczyk.

Wstydzę się tego. Bardzo. Żałuję i będę wyrzucać to sobie do końca życia. Paweł nie zasłużył na to, co mu zrobiłam. Przyprawiłam mu rogi w najbardziej bolesny i okrutny sposób. Nie tylko go zdradziłam – zrobiłam to z jego bratem!

Mój postępek wobec Pawła był dużo gorszy niż zło, które wyrządziłam Aldonie. Nie mam nic na swoje usprawiedliwienie...

Pierwszy raz spotkałam Zbyszka tuż przed moim porodem, kiedy byłam gruba i opuchnięta. Oczywiście nie zwrócił wtedy na mnie uwagi i zajęty rozmową z bratem cały czas mnie ignorował. Jego wizyta nie trwała długo, wypił tylko kawę i zjadł kawałek ciasta. Chociaż uwielbiał słodycze, nadal miał idealną sylwetkę.

Nie widziałam go przez kilka lat. Kiedy przyleciał znowu do Polski, przywiózł ze sobą nowo poślubioną żonę, Angielkę, z którą miał zamieszkać w Londynie. Tym razem zabawił trochę dłużej, bo zdążył zjeść obiad i deser, ale zaraz potem pojechał z żoną do mojej teściowej do Tarnowa. Razem z nimi wybrał się tam również Paweł – ja zostałam, bo nie miałam ochoty oglądać Teresy Tomczyk.

Ponownie ujrzałam Zbyszka po pięciu latach, rozwiedzionego już i wolnego jak ptak. Tym razem poświęcił mi więcej uwagi. Opowiadał o swoich kłopotach z byłą niedobrą żoną i o tym, jak bardzo mu tęskno za Polską i Polakami. Widziałam, że po raz pierwszy stara się zrobić na mnie dobre wrażenie. Muszę przyznać, że mu się to udało. Był inteligentny, elokwentny i dowcipny. Wtedy jeszcze nie wiedziałam, że czarowanie ludzi to jego specjalność.

Mój mąż od zawsze był pod jego urokiem. Byli prawie rówieśnikami, dlatego łączyło ich wiele wspólnych przeżyć i młodzieńczych przygód. Mimo że Paweł dorastał w cieniu swojego czarującego i przystojnego brata, nie odbiło się to negatywnie na ich wzajemnych relacjach. Ze strony Pawła nie było zawiści ani zazdrości, tylko podziw i duma. Wcześniej mąż dużo mi opowiadał o ich dzieciństwie w Krakowie pod opieką ojca – bo matka wybrała Chicago i innego męża. Chociaż rodzice się rozwiedli, po rozwodzie nadal utrzymywali ze sobą przyjacielskie stosunki. Matka regularnie przysyłała pieniądze i paczki z ubraniami. Synowie Tomczyków zawsze mieli najmodniejsze dżinsy i kurtki kupione w Peweksie, co było powodem zazdrości ich rówieśników. Szpanowali komputerami i grami komputerowymi, kiedy inni koledzy mogli o tym jedynie pomarzyć.

Zbyszek był tym bratem, który zawsze wpadał w jakieś kłopoty, a Paweł tym, który go z nich wyciągał.

Słuchając opowieści męża o swoim wspaniałym bracie, wyrobiłam sobie o nim zdanie, a spotkania z nim tylko mnie w tym utwierdziły.

Teraz poznałam metody Zbyszka w zjednywaniu sobie ludzi. I – jak wiele osób przede mną – ja również dałam się nabrać.

Bracia, stęsknieni za sobą, postanowili spędzić weekend nad jeziorem. Pogoda była idealna na kilkudniowy biwak pod namiotem. Pojechaliśmy w Bieszczady, biorąc ze sobą Michała.

Opalaliśmy się, piliśmy piwo i kąpaliśmy się w jeziorze.

Leżąc na leżaku, słyszałam, jak Zbyszek przy Pawle zachwyca się jego wspaniałą żoną, a swoją bratową. Dowiedziałam się, że jestem urocza, piękna i bardzo sympatyczna. Że Paweł zawsze był mądrym facetem i umiał dokonywać mądrych wyborów w przeciwieństwie do swojego o rok młodszego brata.

Leżałam, opalałam się i puchłam z dumy, że jestem taką wyjątkową kobietą.

Tydzień później ta wyjątkowa kobieta dała się zerżnąć swojemu szwagrowi.

Już wtedy w Bieszczadach coś zaiskrzyło między nami. Wcześniej nigdy nie patrzyłam na Zbyszka w kategoriach ewentualnego kochanka. Był przecież bratem mojego męża! Ale gdy ujrzałam, jak wychodził z jeziora ociekający wodą, ładnie opalony, z lekko owłosionym torsem i umięśnionymi ramionami, nagle poczułam napływające do mojego podbrzusza soki podniecenia. A kiedy nasze oczy się spotkały, zrozumiałam, że podobnie dzieje się również z nim... Nie omieszkałam nie zauważyć pewnej formy aktywności w okolicach jego krocza.

W nocy nie mogłam zasnąć. Wciąż powracało do mnie wspomnienie opalonego, błyszczącego w słońcu ciała mojego szwagra i spojrzenie jego czarnych oczu. Obok mnie leżał mój mąż, spokojnie pochrapując, a ja wyobrażałam sobie, jak jego brat ściąga ze mnie bieliznę...

Tydzień później Paweł wyjechał na dwa dni na szkolenie do Warszawy, a Michał na dwa tygodnie na kolonie. Zostałam sama w domu.

Wieczorem usłyszałam dzwonek domofonu. Przed furtką stał Zbyszek z butelką koniaku w dłoni.

– Muszę napić się z wami czegoś mocnego – powiedział, uśmiechając się rozbrajająco.

– Ale Pawła nie ma. Wyjechał do Warszawy – odparłam trochę niespokojna.

– Mam nadzieję, że mimo to mnie wpuścisz.

Wpuściłam go, jeszcze bardziej podenerwowana. Bałam się naszego sam na sam. I niestety miałam rację, bojąc się tego.

Kiedy robiłam w kuchni kawę, podszedł do mnie z tyłu i objął. Próbowałam mu się wyrwać, wydostać się z jego objęć, uciec od jego ust... Ale mało skutecznie.

Pierwszy raz wziął mnie na stole kuchennym. Drugi raz w wannie. Trzeci – na kanapie.

Było niesamowicie. Cudownie! Wspaniale!

Nareszcie zaspokojona! Nareszcie wypieszczona!

Nareszcie dobrze zerżnięta...

Leżałam w łóżku w pokoju gościnnym obok naszego gościa Zbyszka Tomczyka. Nie miałam aż tyle tupetu, żeby przyprawiać mężowi rogi w naszej małżeńskiej sypialni. Leżałam, udając, że śpię.

– Wiem, że nie śpisz – usłyszałam nad uchem. – Jesteś niesamowita – zamruczał, szukając palcami mojej kobiecości.

– Boże, co ja narobiłam – powiedziałam tak cicho, że z trudem mnie usłyszał.

– Widocznie tego potrzebowałaś... Nie obwiniaj się... Nic nie zagraża waszemu małżeństwu – powiedział, nadal penetrując moje wnętrze.

Odepchnęłam jego rękę.

– Zostaw mnie. Ubierz się i wyjdź – warknęłam, podnosząc się z tapczanu.

Chwycił mnie za ramię i wciągnął do łóżka.

– Dobrze, ale za chwilę.

Poddałam się... Znowu mu się poddałam. Znowu się kochaliśmy. Gwałtownie, głośno, dziko, do utraty tchu. Jęczał tapczan, jęczało moje ciało i jęczała moja dusza...

Czułam się źle, mając świadomość zdrady i wiarołomstwa. Było mi przykro, że upokorzyłam swojego męża, który niczego się nie domyślał. I było mi wstyd, że było mi tak cudownie...

Kiedy Zbyszek wyszedł z naszego domu, postanowiłam sobie, że więcej się to nie powtórzy. Że wynagrodzę wszystko Pawłowi, że będę teraz lepszą żoną. Będę lepić mu pierogi, robić tort makowy i loda w łóżku. I nigdy, przenigdy już go nie zdradzę...

Owszem robiłam mu pierogi i tort makowy, w łóżku również starałam się, jak mogłam, przełamując fizyczną niechęć.

Ale nadal go zdradzałam... Z jego rodzonym bratem...

Zbyszek był sprytny. Wiedział o moich wewnętrznych oporach i rozterkach, ale wiedział również o mojej słabości do niego. Zaraz po seksie z nim miałam wyrzuty sumienia, ale z biegiem dni pragnienie i pożądanie ponownie zwyciężały rozum. Dlatego wydłużał okres nieobecności w Krakowie, by po miesiącu na powrót pojawić się w moim życiu. Znowu czekałam na SMS-a od niego, znowu przychodziłam pod wskazany adres i znowu tonęłam w wirach namiętności. Na kilka godzin oddawałam mu do dyspozycji swoje ciało, by doprowadzał je do ekstazy. Robiłam w łóżku wszystko, czego zażądał, żeby znowu chciał być ze mną. Seks z nim był dziki, ostry, bez żadnych granic i zahamowań. Po wyjściu od niego nogi miałam miękkie jak z waty, a serce ciężkie jak ołów, obciążone kilogramami winy i wyrzutów sumienia. Żałowałam, płakałam w samotności i zaklinałam się, że nigdy więcej tego nie zrobię.

Mijał miesiąc i znowu lądowałam w łóżku swojego kochanka.

Zbyszek stał się dla mnie narkotykiem. Nałogiem, któremu nie umiałam się oprzeć. Początkowo z euforią szłam na te spotkania. W nocy marzyłam o nim i fantazjowałam. Czułam się jak odurzona, zmysły zawładnęły mną i opanowały mój rozum, zamrażając wszystkie racjonalne myśli. Zamrażały również serce. Potem wszystko na jakiś czas odtajało i moje męki zaczynały się od nowa. Poczucie winy, wyrzuty sumienia, żal. Po jakimś czasie dołączyły do nich pogarda i wstręt do siebie. Niedługo później złość na Zbyszka. Kiedy odkrywałam ciemną stronę jego natury, widziałam jego wady i paskudne cechy charakteru, moja pogarda i wstręt do samej siebie przybierały coraz większe rozmiary, a złość na niego przemieniała się w nienawiść.

Ale nadal się z nim spotykałam.

Nigdy nie rozmawialiśmy o przyszłości. Kiedyś powiedział, że nie nadaje się do małżeństwa. Wiedziałam o tym i bez tego. W ogóle nie brałam pod uwagę, że mogłabym zostawić Pawła i zamieszkać ze Zbyszkiem. Nie interesowało mnie, czy w Anglii ma jakąś kobietę, był mi potrzebny tylko raz w miesiącu przez kilka godzin.

Z czasem obsesja na jego punkcie powoli mi przechodziła, ale zauważyłam, że jemu natomiast zaczynało coraz bardziej na mnie zależeć.

Pewnego dnia, kiedy po otrzymanym od niego SMS-ie przyszłam do hotelu, zastałam go leżącego w łóżku.

– Spóźniłaś się – powiedział z wyrzutem, patrząc na zegarek.

– Nie mogłam przyjść wcześniej. – Wzruszyłam ramionami.

Kiedy pocałowałam go w policzek na powitanie, chwycił mnie i pociągnął do łóżka.

– Wcześniej chcę się umyć – zaprotestowałam. – Po całym dniu jestem nieświeża.

– Wiesz, że Napoleon, wracając z bitwy do Paryża, wysyłał umyślnego do Józefiny, żeby się nie myła. – Uśmiechając się, zaczął rozpinać mi bluzkę. – Stęskniłem się za twoją „małą". – Wsunął mi rękę do fig i przewrócił na plecy.

Nie opierałam się za bardzo. Lubiłam, gdy był na mnie napalony i trochę brutalny. Po kilkunastu minutach ostrej jazdy poszliśmy we dwójkę pod prysznic. Chyba musiał zażyć viagrę, bo znowu był gotowy. Dokończyliśmy w łóżku.

Później sięgnął ręką do szafki nocnej i wyjął małe puzderko.

– Co to?

– Zobacz sama.

W środku były śliczne kolczyki. Srebrne sopelki.

– Bałem się kupić coś droższego, żebyś nie miała problemów w domu.

– Dziękuję. – Pocałowałam go, trochę zdziwiona. Pierwszy raz kupił mi prezent. Kwiaty, owszem, ale nic innego. Wiedziałam, że był skąpy z natury, dlatego trochę mnie to zaskoczyło.

– Jutro będę u was na obiedzie. Zrób coś smacznego.

– Nie lubię, gdy do nas przychodzisz. Głupio się czuję. Wolę, jak spotykasz się z Pawłem w Tarnowie u matki.

– Paweł nalegał – wzruszył ramionami. – Zastanawiam się, czy się nie przenieść na stałe do Polski.

Zmarszczyłam brwi.

– Po co? Czy ci tam źle w Anglii? Co będziesz tu robił?

– To co tam, prowadził interesy.

– To nie jest dobry pomysł – odparłam. – Paweł może się dowiedzieć.

– Nie chcesz, żebym częściej ci to robił? – zamruczał, zanurzając usta w mojej kobiecości.

– Częste spotkania mogą być niebezpieczne dla naszego związku – powiedziałam, szerzej rozchylając nogi.

Nazajutrz zjawił się w naszym domu jak brat stęskniony za bratem. Było mi niezręcznie i bardzo dziwnie, gdy widziałam go siedzącego przy stole obok Pawła. Spięta i podenerwowana, prawie w ogóle się nie odzywałam. Jadłam zupę cebulową, gapiąc się w żółty ser unoszący się na powierzchni, jakbym tam mogła znaleźć ratunek. Zauważył to mój mąż.

– Kochanie, coś ty dzisiaj taka milcząca?

– Trochę mnie boli głowa – odparłam, unikając jego wzroku.

– Zażyj tabletkę – doradził Zbyszek, patrząc na mnie znad talerza.

Miałam ochotę wylać mu tę zupę na głowę.

– Już zażyłam.

– Pyszna zupa. Twoja żona wspaniale gotuje. Czy mogę prosić dolewkę?

– Zaraz podam drugie danie. – Z trudem zachowałam spokój.

– Drugie też zjem.

Siedział w naszym domu aż do jedenastej w nocy. Paweł, zadowolony, że może gościć brata, ciągle dolewał mu wódki. Prowadzili braterską rozmowę, co chwila wybuchając śmiechem. Zbyszek nadawał konwersacji lekkiego tonu, opowiadając dowcipy i anegdotki. Paweł mu wtórował, od czasu do czasu dorzucając swój kawał. Ja nic nie mówiłam. Tylko czekałam, aż mój szwagier-kochanek wreszcie sobie pójdzie.

Któregoś dnia przyjechali do nas moi rodzice z przerażającą wiadomością: Aldona musi mieć zrobione przeszczepienie nerki, i to w bardzo szybkim czasie, bo inaczej umrze.

Sparaliżowało mnie. Wiedziałam, że cierpi na niewydolność nerek, ale nie przypuszczałam, że jest aż tak źle.

Nigdy nie przepadałam za swoją siostrą, nie była mi tak bliska jak brat, ale mimo wszystko siostra to siostra. Była jeszcze młodą kobietą... miała dwoje dzieci, młodszych od mojego Michała.

Całą noc nie spałam.

Rano podjęłam decyzję: muszę jej pomóc. Nic nie mówiąc mężowi, pojechałam do Olkusza, by porozmawiać z lekarzem Aldony.

Potwierdził słowa mamy. Jeśli Aldona nie dostanie szybko nowej nerki, nie przeżyje nawet roku. Nie pomogą dializy. Nic nie pomoże. Tylko przeszczep.

Kiedy wieczorem powiedziałam mężowi o mojej decyzji, próbował wybić mi to z głowy.

– Beatko, zastanów się jeszcze. To nie wyrwanie zęba! Nie tylko przejdziesz ciężką i bolesną operację, lecz także zostaniesz w pewien sposób kaleką do końca życia. Nie będziesz mogła prowadzić już takiego życia jak dotąd – odradzał mi gorliwie. – Mamy syna. Pomyśl o nim. I o mnie.

– Aldona ma DWOJE dzieci i również męża. Jej dzieci są młodsze od Michała. Gdy umrze, zostaną sierotami – powiedziałam ze zdecydowaniem. – Muszę to zrobić. Jestem jej to winna. Za to, co jej zrobiłam. Przecież odbiłam jej ciebie, nie pamiętasz? – dodałam cierpko.

– Przestań! Nic jej nie jesteś winna! Nigdy nic jej nie obiecywałem. To, że poszliśmy parę razy do łóżka, nie czyniło z nas narzeczonych – powiedział gniewnie. Po chwili jego głos złagodniał: – Kocham cię. Ja i Michał ciebie potrzebujemy.

– Paweł, jesteś lekarzem. Dobrze wiesz, że jestem najlepszym dawcą. Mamy taką samą grupę krwi, spełniam wszystkie warunki. Jestem jej jedynym ratunkiem.

– Nieprawda. Może znajdzie się inny dawca.

– Jakiś lubiący szybką jazdę zwariowany motocyklista? Nie wiadomo, czy taka nerka się przyjmie, czy organizm jej nie odrzuci. Ja daję jej największą nadzieję. Moja nerka jest idealna. Śliczna, różowiutka i zdrowa. Podjęłam już decyzję.

Nie tylko Paweł mi odradzał bycie dawcą, lecz także moi rodzice i brat.

– Beatko, lepiej poczekajmy, może znajdzie się szybko jakiś inny dawca. Po co ryzykować twoje życie. – Mówiąc to, mama się rozpłakała. – Mogę stracić obie córki.

– Albo możesz mieć je nadal obie. Już rozmawiałam z lekarzem transplantologiem. Zrobimy to w Krakowie. I to jak najszybciej.

Również Aldona miała obiekcje.

– Dlaczego chcesz to zrobić? – zapytała chłodno.

Chociaż odzywałyśmy się do siebie, to nasze relacje nadal nie były najlepsze. Nigdy się nie odwiedzałyśmy, spotykałyśmy się jedynie w domu rodziców lub na oficjalnych rodzinnych przyjęciach, takich jak komunia czy bierzmowanie.

– Bo jesteś moją siostrą.

Wtedy nieoczekiwanie się rozpłakała.

– Nie płacz. Zabrałam ci faceta, to oddam ci w zamian nerkę. Rachunki zostaną wyrównane – bąknęłam.

Nadal ryczała.

– Zobaczysz, wszystko będzie dobrze. Jakoś razem przez to przejdziemy – mruknęłam, poklepując ją po plecach.

– Ale ja byłam dla ciebie taka wredna! Całe życie ci zazdrościłam. Że rodzice cię bardziej kochają, że jesteś ode mnie ładniejsza. I że podobasz się chłopakom bardziej niż ja – powiedziała, chlipiąc. Podniosła głowę i spojrzała mi prosto w oczy. – Gdy braliście ślub, przyszedł do naszego mieszkania Artur.

Stężałam. Nie wiedziałam o tym.

Aldona pociągała nosem.

– Nie wiedział, co się dzieje. Chciał z tobą porozmawiać. Powiedziałam mu, że go zdradzałaś. Że jesteś szmatą i dziwką. I mnóstwo innych okropnych rzeczy.

Zamilkła na chwilę, ciągle mnie obserwując.

– Miałaś rację, mówiłaś tylko prawdę – powiedziałam cicho. – Jestem dziwką.

– Tak bardzo cię wtedy nienawidziłam… Zależało mi na Pawle. Dużo sobie obiecywałam po tej znajomości… A on wybrał ciebie. Czułam się taka upokorzona.

– Domyślam się. Zachowuję się podle – powiedziałam, specjalnie mówiąc w czasie teraźniejszym.

– Gdyby wtedy Artur spotkał się z tobą, może nie doszłoby do ślubu. – Popatrzyła na mnie z żalem. – Wiem, że tylko jego kochałaś… Wiedziałam, że się wahasz. Tym bardziej że Michał jest jego, nie Pawła.

Zesztywniałam. Przeleciał przeze mnie dreszcz strachu.

– Ojcem Michała jest Paweł. I zawsze nim będzie – powiedziałam twardo. Po chwili zapytałam z niepokojem: – Czy powiedziałaś Pawłowi?

– Nie. Chociaż nieraz miałam ochotę to zrobić. Ale mama mi zabroniła. Zastanów się, czy warto, żebyś przeze mnie narażała swoje życie.

– Koniec dyskusji – oznajmiłam zdecydowanie. – Mojej decyzji nic nie zmieni. Jutro jesteśmy umówione z transplantologiem.

Operację przeszczepienia zrobiono kilka tygodni później.

Cóż, miałam lepsze dni w swoim życiu niż te spędzone w szpitalu, ale jakoś przeżyłam. I co najważniejsze – mojej nerce spodobało się w ciele Aldony. Nie było odrzutu ani żadnych innych komplikacji. Organizm Aldony w pełni zaakceptował zdrowy organ jej wrednej siostry. Warto było przejść przez to wszystko.

Największą nagrodą dla mnie było patrzeć na szczęśliwe twarze moich siostrzeńców i szwagra. Cała moja rodzina traktowała mnie jak bohatera narodowego. Widząc w ich oczach podziw, respekt i szacunek, czułam się paskudnie, bo nie zasłużyłam na to. Ale najbardziej nie pasowały mi słowa uznania i dumy ze mnie, które słyszałam z ust Pawła. Czułam się wtedy wyjątkowo parszywie. Leżąc w szpitalu, lżejsza o nerkę, postanowiłam zerwać ze Zbyszkiem.

Paweł był dla mnie taki dobry i czuły... Taki troskliwy i kochający...

Nie widziałam się ze Zbyszkiem ponad dwa miesiące. Kiedy dzwonił, powiedziałam mu, że będę miała operację. Nie wspomniałam nic o przeszczepie, dowiedział się dopiero po fakcie. A po operacji wiadomo – rekonwalescencja.

Miesiąc po zabiegu odwiedzili nas kuzyn Pawła, Kuba, z żoną Ewą. W pewnym momencie rozmowa zeszła na temat Zbyszka.

– Wiecie, że Zbyszek przyjeżdża na stałe do Polski?

– Tak, wiemy – odpowiedział Paweł, chociaż ja o tym nie wiedziałam.

– Na pewno znowu musi uciekać przed ludźmi, których oszukał – stwierdził Kuba.

– Nie mów tak – zaperzył się Paweł.

– A dlaczego musiał uciekać ze Stanów? Jest tam poszukiwany listem gończym.

– Bzdura!

– Przestań go bronić. Dlaczego nigdy tam nie jedzie? Jego wspólnik podobno płakał rzewnymi łzami, ciągle nie mogąc uwierzyć, że Zbysio okradł go do centa – wtrąciła jego żona.

– Powtarzasz plotki.

– W Chicago wszyscy Polacy dobrze go znają. Wiedzą, że to oszust i malwersant. Nawet Kubę próbował kiedyś oszukać. Chciał mu wtrynić całego tira sparciałych koszul.

– Ale po bardzo niskiej cenie. – Paweł nie ustępował.

– Czy za bezwartościowe gówno jest jakaś cena? Albo ta kradziona koparka, którą chciał opylić naszemu sąsiadowi. Dobrze, że sąsiad zauważył brak tabliczki znamionowej, bo miałby poważne problemy. Zbyszek to kawał oszusta i krętacza. Zresztą jego była żona też psioczyła, że ją oszukał na duże pieniądze.

– Która ekszona mówi dobrze o swoim byłym mężu? – Paweł jak zwykle był bardzo lojalny. – Ewa, nie życzę sobie, żebyś pod moim dachem nadawała na mojego brata.

Po ich wyjściu zapytałam Pawła, czy coś wie o machlojkach Zbyszka.

– To zwyczajna potwarz. Ewa jest wściekła na niego, bo mieli kiedyś romans.

– Zbyszek miał z nią romans? – zdziwiłam się. To nie tylko ja jestem puszczalską w tej rodzinie...

– Kiedyś, dawno temu. Chciała nawet rozwieść się dla niego, ale Zbyszek ją rzucił. Kuba wyprowadził się z ich domu, ale później jej wybaczył. Dlatego nienawidzą Zbyszka.

Po tej wizycie jeszcze bardziej się utwierdziłam, że muszę zakończyć swój romans.

Szłam na randkę ze stuprocentowym postanowieniem zerwania. Tym razem umówiliśmy się nie w hotelu, tylko w jego apartamencie, który zamieszkiwał już od miesiąca. Podjechałam pod okazałą kamienicę na Królewskiej, z trudem parkując, bo nie było wolnego miejsca. Podobno kupił ją już kilkanaście lat temu, po bardzo atrakcyjnej cenie.

Kiedy mnie wpuszczał, zauważyłam, że rozgląda się strachliwie po klatce schodowej. Weszłam do środka i osłupiałam. Nigdy wcześniej nie byłam w takim mieszkaniu. Mieszkanie to nieodpowiednie słowo na to, co zastałam. To była istna nora! Brudne, odrapane ściany, wytarty parkiet, chyba nigdy wcześniej niecyklinowany. Żadnych mebli, tylko jakiś materac na podłodze i mnóstwo kartonowych pudeł. Wysoko u sufitu wisiała na drucie goła żarówka. Mieszkanie było duże, trzypokojowe, miało około sto metrów kwadratowych,

– Ty tu mieszkasz?! – zawołałam na powitanie.

– Tak. Trzeba zrobić remont, ale jakoś nie mogę się za to zabrać.
Oszołomiona, spojrzałam na kartony. Zauważyłam w jednym z nich kilkanaście zardzewiałych puszek groszku konserwowego. Z ciekawości wzięłam jedną do ręki. Data ważności minęła 15 lat temu! Na podłodze walały się butelki po wódce, różnej wielkości i marek. Była ich chyba ponad setka. Obok sterta starych gazet, też sprzed kilkunastu lat. Pościel na wyrku wyglądała na niezbyt świeżą.
Przeniosłam wzrok na elegancko ubraną postać mojego kochanka. Jego nienagannie skrojona sportowa marynarka i markowe dżinsy na tle pokoju wyglądały wręcz kuriozalnie.
Podszedł do mnie pachnący drogą wodą kolońską.
– Na czym ty tu siedzisz? – zapytałam, ciągle oszołomiona.
– Na krześle, jest w kuchni, bo jadłem tam obiad.
Odwrócił się i poszedł do kuchni, a ja za nim. Kuchnia nie była wcale lepsza. Kilka bardzo starych szafek kuchennych, pamiętających chyba Piłsudskiego, ale w żadnym razie niedających się podciągnąć pod zabytek, i krzesło stojące przy blacie. Stołu tu nie było. Kątem oka zauważyłam siedem zardzewiałych tarek do jarzyn. O Boże, albo zwariował, albo jest strasznym fleją!
– Czy ty kolekcjonujesz piętnastoletnie puszki groszku konserwowego i stare tarki?!
Wzruszył ramionami.
– Muszę wziąć się wreszcie za remont – powiedział, przytulając się do mnie. – Stęskniłem się za tobą.
Odsunęłam się od niego gwałtownie.
– Jeśli myślisz, że będę się kochać w takim brudzie, to jesteś w błędzie!
Tymczasem on władczym ruchem znowu mnie przyciągnął do siebie, jedną ręką chwycił moją głowę, a drugą włożył pod spódniczkę. Kiedy poczułam jego palce wsuwające się we mnie, przypomniałam sobie, co za chwilę nastąpi i… rozchyliłam nogi. Klęknął przede mną i zaczął mnie pieścić.
– W życiu nie położę się w tamtym barłogu – wyszeptałam gardłowo.
– To zrobimy to inaczej. Jest tyle różnych możliwości – wychrypiał.
Ściągnął marynarkę i położył ją na blacie, a mnie na niej.
Scena jak z *Fatalnego zauroczenia*, przeleciało mi przez głowę.
Seks z nim jak zwykle był niesamowity.

– Czuję się, jakbym się kochała w oborze – powiedziałam, ciągle jeszcze dysząc.

Roześmiał się głośno.

– Nie przesadzaj.

– Czy jest tu w ogóle łazienka?

Zaprowadził mnie. Tylko tutaj było schludnie. Stara wanna, ale starannie wyszorowana, tak jak i umywalka, a na półce stos nowiutkich ręczników i cały arsenał męskich kosmetyków.

– Widzę, że dbasz o urodę – mruknęłam.

– Muszę, jestem od ciebie o siedem lat starszy.

– Jak ty możesz tu mieszkać?

– Nie ma mnie całymi dniami. Przychodzę tu tylko się przespać.

– Czy ty się ukrywasz? – zapytałam znienacka.

Zmieszał się. Ale zaraz założył na twarz maskę szkolnego rozrabiaki.

– Kto ci takich głupot naplótł?

– Ewa. Żona twojego kuzyna.

– Ta opasła maciora?

– Fajnie określasz swoje byłe kochanki. Ciekawe, jak mnie będziesz nazywał – mruknęłam.

– Ciebie nie mam podstaw tak nazywać. Ważysz tyle co kurczak w hipermarkecie.

– Widzę, że twoje hobby to przyprawianie rogów facetom z waszej rodziny – mruknęłam sarkastycznie.

– Cóż, jeśli sami nie potrafią zaspokoić swoich kobiet, muszę ich w tym wyręczać. To mój rodzinny obowiązek dbać, by ich wybranki były zadowolone z życia seksualnego. Lepiej, żeby robiły to ze mną niż z kimś obcym. Takie sprawy lepiej załatwiać w gronie rodzinnym, po co angażować kogoś z zewnątrz.

– Wiesz, że wcale nie było to śmieszne? Kawał chama z ciebie, Zbyszek.

– Wiem.

– Czy naprawdę nie czujesz żadnych wyrzutów, że rżniesz żonę swojego brata? Nie gryzie cię sumienie?

Spojrzał na mnie dziwnie. Ale zaraz wzruszył ramionami.

– Może i gryzie, ale jest bezzębne. Lżej ci będzie, jeśli powiem, że zaraz po naszym bzykanku idę do spowiedzi, by okazać skruchę?

– Ale skurwiel z ciebie.

– Owszem, nigdy tego przed tobą nie ukrywałem. Tylko ty i parę osób wie, jaki ze mnie bydlak. – Nagle chmura niezadowolenia pokryła jego czoło. – Dlaczego to zrobiłaś? Jak Paweł mógł ci na to pozwolić?

– Nie wiem, o czym mówisz?

– Nie udawaj głupiej. O twojej nerce.

– Przytyłam i nie mogłam schudnąć, dlatego musiałam sobie coś wyciąć, żeby mniej ważyć.

– Czy wiesz, na co się naraziłaś? – powiedział, podnosząc mi spódniczkę. Zmarszczył brwi, patrząc na bliznę.

Zdenerwowało mnie jego spojrzenie.

– Co, nie podoba ci się moja blizna? – warknęłam, naciągając spódniczkę. Ale zatrzymał mi ręce.

– Bliznę można przykryć tatuażem – powiedział, dotykając wargami czerwonej jeszcze szramy. – Bardziej mnie martwi, że pod nią czegoś brakuje.

Jego usta zaczęły wędrować po moich pośladkach. Znowu poczułam podniecenie.

Tym razem kochaliśmy się nie na blacie, tylko nad wanną, od tyłu, na stojąco. Oparta o brzeg wanny, nie miałam czasu ani ochoty rozmyślać o zerwaniu.

Zadzwonił dwa tygodnie później z propozycją następnej randki. Wymigałam się brakiem czasu, spotkałam się z nim dopiero dwa tygodnie później.

Przed drzwiami o mało co nie zderzyłam się z małym, chudym człowieczkiem. Nie odpowiedział na moje „dzień dobry", tylko zrobił dziwaczny gest.

– Kto to? – zapytałam chwilę później Zbyszka.

– Mój pracownik, jest głuchoniemy. Hrabia Monte Christo miał swojego Jacopo, Zorro miał Bernarda, ja również mam swojego wiernego służącego.

Pocałował mnie w policzek. Kiedy weszłam do pokoju, stanęłam jak wryta i parsknęłam śmiechem.

– Chciałem, żeby było bardziej przytulnie – powiedział z szelmowskim uśmiechem.

Pokój nadal był pusty, ściany odrapane jak przedtem i również nie było mebli – oprócz dużego podwójnego łóżka z ciekawym zagłówkiem i szafkami nocnymi. I baldachimem! Łoże przykryte było elegancką narzutą, spod której wystawała nowa satynowa pościel. Jednak nie łóżko przykuwało wzrok, tylko ściany obwieszone obrazami. Nie znam się na malarstwie, ale nawet ja, dyletantka, potrafiłam rozpoznać prawdziwe dzieła sztuki. Niektóre obrazy były oprawione w ciężkie złocone ramy, ale były też oprawy surowe, bardziej wyrafinowane w swej prostocie. Cóż, lepiej znałam się chyba na ramach niż na tym, co było w środku. Ta dziwaczna galeria na tle brudnych ścian łuszczących się z farby tworzyła kuriozalne zestawienie. Obrazów było około trzydziestu. Obok starych olei były również obrazy współczesnych malarzy.

Najbardziej w oczy rzucał się jeden. Kary ogier z wąsatym jeźdźcem ubranym w jasne bryczesy i czerwony kubrak. Podeszłam bliżej, żeby się lepiej przyjrzeć sygnaturze na dole obrazu.

– To naprawdę Kossak?! – zapytałam zdziwiona. – Oryginał?!

– Oczywiście. Nie uznaję kopii. Miałem jeszcze jeden jego obraz, ale sprzedałem. Wojtek dużo malował, żeby zarobić na swoje potrzeby i przyjemności. Kobiety zawsze dużo kosztują. Miał przecież dwie rozpieszczone córki i całą rzeszę kochanek.

– Ciebie kobiety raczej mało kosztują. Jeśli uważasz, że srebrne kolczyki, które mi kupiłeś, to majątek, to podaj cenę, zaraz ci zwrócę – mruknęłam.

Objął mnie z tyłu. Sięgałam mu ledwie do brody.

– Przecież wiesz, że nie mogę cię obrzucać prezentami, bo twój mąż mógłby coś podejrzewać. Jeśli chcesz, to podaruję ci tego Kossaka.

– „Twój mąż"... jak to dziwnie brzmi w twoich ustach – bąknęłam. – Dlaczego nie powiesz „mój brat"?

– No to co, chcesz Kossaka? – Jakby nie słyszał moich słów. – Podaruję ci go, chociaż jest to mój ulubiony obraz.

Zaczął mnie całować, jednocześnie ściągając ze mnie ubrania.

– Stęskniłem się za tobą. Bardzo.

– Za mną czy za moją „małą"?

– Za twoją cipcią też – zamruczał w moje włosy. – Kazałem głuchoniememu wysprzątać mieszkanie na twoją cześć. Umył wszystkie podłogi i okna. I powiesił obrazy.

– Dlaczego nie wymalujesz ścian i nie wycyklinujesz podłóg?

– Trzeba zrobić gruntowny remont.

– A co zrobiłeś z puszkami groszku konserwowego i pustymi butelkami?

– Wyniosłem do drugiego pokoju. Nic nie mogę na to poradzić, że jestem leniwy jak islamski uchodźca na zasiłku.

Parsknęłam śmiechem.

Moment później pieprzyliśmy się jak króliki.

Po trzech numerkach leżeliśmy w łóżku nadzy i zrelaksowani i zajadaliśmy kupione na wynos lazanie odgrzane w mikrofali.

– Przyjdź jutro – usłyszałam.

– Zwariowałeś?!

– No to w przyszłym tygodniu.

Spojrzałam na niego uważnie.

– Nie chcę za często cię widywać, bo twoje negatywne jony przeskakują na mnie jak pchły i robię się podobna do ciebie – uśmiechnęłam się. Widząc jednak jego ponurą minę, dodałam: – Zbyszek, nie możemy się spotykać za często, bo to się wyda.

– Dlaczego miałoby się wydać, gdy będziemy ostrożni?

Wzruszyłam ramionami.

– Bo zawsze o takich romansach ktoś się może dowiedzieć. Na przykład głuchoniemy może komuś powiedzieć. Na migi.

– On jest dyskretny, ręczę za niego. – Na chwilę zamilkł. – Mam wrażenie, że traktujesz mnie jak wibrator. Potrzebny ci jestem tylko do jednego…

Przestałam jeść. Odłożyłam opakowanie na szafkę nocną.

– Zbyszek, czy naprawdę nie dostrzegasz kuriozalności naszego związku? Jestem żoną twojego brata. Układ jakby żywcem wyjęty z *Dynastii* czy *Mody na sukces*. Jeśli chcemy być razem, nie możemy się często spotykać. Rutyna zawsze gubi ludzi. Tylko sporadyczność naszych schadzek uratuje nasz romansik przed rutyną.

– To nie jest romansik, tylko bzykanko – zabrzmiało to dość lodowato. – W każdym razie dla ciebie.

– Myślałam, że dla ciebie również.

– Tak miało być z założenia. Ale… – Nie dokończył. Jego spojrzenie dopowiedziało resztę.

Westchnęłam.

– Zbyszek, powiedz mi, co wy we mnie widzicie? Wy, faceci. Nie mogę tego zrozumieć. – Chciałam zmienić temat rozmowy. – Przecież daleko mi do seksbomby. Dziś znowu mnie podrywano na parkingu. Ten dzieciak mógł mieć najwyżej kilka lat więcej od mojego syna. Co mam takiego w sobie, że was pociągam?

Zamyślił się.

– Picasso kiedyś powiedział, że piękne kobiety wierzą w swą inteligencję, natomiast kobiety inteligentne nie wierzą w swą urodę. Wiesz, jesteś inteligentną kobietą. – Potem się uśmiechnął. – Teraz odpowiem na twoje pytanie: feromony. To one są winne wszystkiemu. Oprócz tego w twoich oczach widać, że lubisz się bzykać. À propos bzykanka – trzeba wykorzystać te pół godziny, które dla mnie przeznaczyłaś.

– Chyba musiałeś zażyć viagrę, to już dziś czwarty raz... – zamruczałam, gdy zaczął wodzić ustami po moim brzuchu.

Rozdział 17

Mark wysiadł z samochodu. Kątem oka zauważył księdza Piotra grającego z uczniami w siatkówkę. Szydłowski również go zauważył. Machnął mu ręką na powitanie.

– Pan do mnie? – krzyknął.

– Do księdza Ślęzaka – odkrzyknął Mark.

Dobry nauczyciel z tego Szydłowskiego – pomyślał. Nie tylko na lekcji zajmuje się dzieciakami, ale jeszcze w godzinach wolnych od pracy. Cofnął się myślami do swoich lat szkolnych. Nie pamiętał, żeby któryś z jego belfrów zostawał w szkole, gdy mu za to nie zapłacono. No ale oni nie mieszkali w internacie. Wracali do swych domów, gdzie czekały na nich żony i gromadka własnych dzieci. Może rzeczywiście samotny nauczyciel jest lepszy od obarczonego rodziną? Ma wtedy więcej czasu dla uczniów.

Skierował się w stronę kościoła, przecież przyszedł tutaj nie po to, by rozmyślać o problemach edukacji, tylko żeby pogadać ze Ślęzakiem. Kościół był pusty. Ksiądz klęczał przed ołtarzem i się modlił. Znowu. Jeden z bożych pasterzy lubi zajmować się swoimi młodymi owieczkami, a drugi woli rozmawiać z Szefem – mruknął w duchu Biegler.

Chrząknął głośno. Ślęzak odwrócił się i uśmiechnął.

– Pan do mnie?

– Tak. Chciałem z księdzem porozmawiać.

– No to zapraszam do mojego gabinetu.

Do budynku przeszli oszklonym pasażem. Mark usiadł w fotelu, obok na stoliku leżał rozłożony album ze zdjęciami. Zauważył na nich Beatę Tomczyk w towarzystwie swoich dzieci oraz szatyna ze sporym brzuszkiem i zakolami wdzierającymi się we włosy. Syn podobny był do matki, nie do ojca. Natomiast córka ani do ojca, ani do matki.

– Widzę, że oglądał ksiądz zdjęcia? – zauważył retorycznie.

– Tak. To mój dawny uczeń z rodziną.

– Rozpoznaję Beatę Tomczyk. Ten mężczyzna obok to jej mąż?

– Tak. Paweł. Taki młody człowiek, a już go nie ma między nami – westchnął głośno ksiądz. – Słucham, panie Marku. Co nowego od wczoraj się wydarzyło, że znowu mnie pan odwiedza?

– Czy zna pan Zbigniewa Tomczyka?

Ślęzak zmarszczył brwi i westchnął.

– Tak, znam.

– Dlaczego mi ksiądz o tym nie powiedział?

– A pytał pan?

– No, rzeczywiście nie. – Podrapał się po głowie. – Jakiego charakteru była to znajomość?

– Wspominałem już panu o człowieku, który wpuścił mnie w te wszystkie kłopoty. Był nim właśnie Zbigniew Tomczyk. To przez niego usunięto mnie z zarządu Fundacji.

Dopiero teraz Mark przypomniał sobie, że faktycznie Ślęzak mu o tym mówił.

– Gdzie go ksiądz poznał?

– Był moim dawnym uczniem, bratem Pawła. Jednak bliski kontakt utrzymywałem tylko z Pawłem. Można powiedzieć, że się zaprzyjaźniłem z jego rodziną: żoną i synem. Na którymś z przyjęć był również Zbigniew. Jakiś czas później przyszedł do mnie, by porozmawiać. Pamiętam, że zaprosił mnie na wernisaż, który urządzał w swojej galerii.

– Dalej ma tę galerię?

– Nie, podobno przynosiła same straty. Zaczęliśmy się spotykać towarzysko. Zrobił na mnie bardzo dobre wrażenie. Wiedziałem, że to majętny człowiek, z dużą kulturą osobistą, pasjonat i mecenas sztuki. Kiedyś przyszedł z ofertą kupna bardzo dobrego przedsiębiorstwa po okazjonalnej cenie. Była to fabryka makaronu w jednej z małopolskich wsi. Podszedł mnie psychologicznie. Opowiadał, jaka to okazja, ile można zrobić dla uczniów Fundacji i dla miejscowych ludzi, bo na tej wsi ogromne bezrobocie. Kiedy zaproponował mi spółkę, wydawało mi się, że złapałem Pana Boga za nogi. Firma jego matki miała wnieść do spółki kamienicę w centrum Krakowa, a jego znajomy z Anglii część potrzebnych pieniędzy na wykup fabryki. Fundacja miała wyłożyć pieniądze na modernizację. Kupiliśmy tę fabrykę. Przyznaję, że zbyt pochopnie, ale za zgodą prowincjała i zarządu Zgromadzenia. Adwokat Tomczyka tak podstępnie sformułował umowę, którą podpisaliśmy, że nie tylko zapłaciliśmy dwa razy tyle, ile kamienica była warta, lecz także dodatkowo pół miliona kary za niedopełnienie niewykonalnych obwarowań, które umieszczono w umowie. Zaraz później wyszła na jaw kryminalna przeszłość Tomczyka – że interesuje się nim prokurator, że siedział w więzieniu. Nie chciałem, by dowiedział się o tym prowincjał. Ja i zespół oddanych mi ludzi próbowaliśmy to wyprostować i pozbyć się tak niewygodnego wspólnika, żeby nazwisko Tomczyka nigdzie nie figurowało w dokumentach. Wykupiliśmy udziały Anglika, który, jak się okazało, w ogóle nie istniał, ponieważ krył się za nim Tomczyk. Musieliśmy podwójnie zapłacić, bo tak sformułowana była umowa. – Westchnął. – Cóż, okazuje się, że nie można ufać nawet własnemu prawnikowi.

– Co to za prawnik... – Mark pokręcił głową z dezaprobatą.

– Reasumując, spółka z Tomczykiem kosztowała mnie bardzo dużo. Całą moją ponadczterdziestoletnią pracę. Straciłem Fundację, dobre imię i szacunek. Starałem się naprawić straty finansowe. Poczyniliśmy kroki, by fabryka wyszła z impasu. I naprawdę zaczęło się dziać dużo dobrego. Moi pracownicy znaleźli potężnych odbiorców na nasz towar w kraju i za granicą. Zaczęliśmy współpracować z Carrefourem bez płacenia horrendalnych opłat półkowych, mimo to nie pozwolono mi działać, a fabrykę po jakimś czasie sprzedano, i to dużo taniej, niż wynosiła jej wartość rynkowa.

Ksiądz zamilkł. Otworzył usta, jakby chciał coś jeszcze powiedzieć, ale zrezygnował. Mark wyczuł jego wahanie, jednak nie doczekał się kontynuacji.

– To wszystko, co ma mi ksiądz do powiedzenia?

– Tak.

– Czy ksiądz wiedział, że Tomczyk prowadził interesy z prowincjałem? Że był u niego w dniu śmierci?

– Słucham?!

Mina Ślęzaka mówiła więcej niż słowa.

– Jak to? To niemożliwe! Przecież Zbigniew Tomczyk był głównym powodem, że mnie odsunięto od zarządzania Fundacją. Przez cały czas mi mówiono, że musimy dbać o dobre imię Zgromadzenia! Że znajomość z Tomczykiem to czarna plama na naszym wizerunku!

– Niestety, prowincjał był w dobrych stosunkach ze Zbigniewem Tomczykiem... – nie dokończył, bo Ślęzak osunął się na fotel.

Mark wyjechał z Osieka dopiero dwie godziny później, kiedy lekarz z pogotowia stwierdził, że ze Ślęzakiem jest już dobrze.

Zadzwonił do Tomczyka.

– Muszę z panem natychmiast porozmawiać – warknął mu do słuchawki. – Spotkamy się albo w pana firmie, albo w domu, albo w komisariacie – zablefował. Przecież Tomczyk nie wie, że Mark nie jest z policji.

Pomogło. Umówił się w jego domu. GPS pokierował Marka pod podany adres.

Mieszkanie Tomczyka znajdowało się w eleganckiej kamienicy przy ulicy Zybikiewicza. A w środku było jeszcze bardziej elegancko. Skóra, antyki i na ścianach drogie obrazy. Ten, kto meblował i urządzał mieszkanie, znał się dobrze na tej robocie. Drogie antyki suto inkrustowane hebanem, ze stojącymi na blatach komód drogocennymi precjozami, dębowe parkiety ułożone w skomplikowany wzór i nakryte perskimi dywanami, a na ścianach oleje Kossaka i Malczewskiego. Żadne podróbki, same arcydzieła sztuki meblarskiej i zdobniczej.

Gospodarz chyba lubił impresjonistów, bo w salonie Mark zauważył trzy oleje namalowane tą techniką. Wszystkie obrazy z pewnością nie były kopiami, niepotrzebne były gwarancje gospodarza, bo Mark interesował się trochę sztuką i rozpoznał sygnatury mistrzów. Na honorowym miejscu wisiał obraz przedstawiający jeźdźca na czarnym koniu. Chociaż Mark wychował się w Wiedniu, znał polskich malarzy, dlatego bez trudu rozpoznał w malowidle dzieło Wojciecha Kossaka, bardzo cenionego przez Polaków malarza. Zauważył, że Polacy mają sentyment do Kossaków, Orłowski również ostatnio nabył jakiś ich obraz.

Facet ma bardzo wyrafinowany gust – pomyślał, omiatając spojrzeniem wnętrze. Drogo, stylowo i ze smakiem.

– Słucham, czego pan ode mnie chce? – Tomczyk nie zaproponował Markowi kawy ani herbaty.
– Czy mogę wcześniej usiąść?
– Proszę.
Tomczyk – ubrany w markowe dżinsy i granatowy, również markowy pulower, przystojny, pachnący dobrą wodą kolońską – wyglądał jak typowy człowiek sukcesu w pieleszach domowych. Mężczyzna kogoś Markowi przypominał, tylko nie wiedział kogo. Miał w oczach i rysach twarzy coś znajomego. Mark zmarszczył brwi, wytężył umysł, ale mu to nic nie pomogło, więc zrezygnował z dedukowania.
– Jednak okazuje się, że nie mieszka pan w hotelu – zauważył drwiąco.
– Dziś właśnie skończono remont mojego mieszkania. Proszę przejść do rzeczy, bo nie mam czasu. Muszę zarabiać pieniądze, żeby państwo polskie mogło z moich podatków zapłacić wam, policjantom z budżetówki, comiesięczną pensję.
Mark roześmiał się szyderczo.
– Widzę, że ma pan poczucie humoru, panie Tomczyk. Gdybyśmy my, z budżetówki, mieli liczyć na pana podatki, to dawno umarlibyśmy z głodu. Kiedy ostatnio zapłacił pan jakiś podatek?
– Cóż, Polak zarabia w tym kraju tylko wtedy, gdy okrada państwo szybciej, niż ono jego okrada. Codziennie płacę podatek, kupując chleb, wędlinę, tankując samochód czy opłacając prąd i gaz. Podatek VAT jest wszędzie.
– No to ja też utrzymuję nas – budżetówkę. Proszę mi powiedzieć, kiedy i jak poznał pan prowincjała Nasiadkę. Tylko bez kłamstw, bo tracę do pana cierpliwość. Gówno mnie obchodzą pańskie machlojki i oszustwa, ale chcę złapać mordercę. Nie interesuje mnie, kogo pan ostatnio okradł, ale muszę wiedzieć wszystko, co łączyło pana z Nasiadką, inaczej zrobimy z pana mordercę i tym samym oddamy państwu i społeczeństwu dużą przysługę.
– Nie uda się to ani panu, ani panu koledze. Jestem niewinny.
– Ma pan alibi? No bo my mamy świadków, którzy widzieli, jak pan wychodził z mieszkania prowincjała przez drzwi tarasowe. Mamy również odciski pańskich palców i materiał genetyczny do porównania. – Zablefował. – Wiele osób chciałoby pana ujrzeć za kratkami, a widzieć pana tam jako mordercę to dla wielu z nich marzenie większe niż spędzenie nocy z Angeliną Jolie. Kiedy i gdzie poznał pan Nasiadkę?

Tomczyk patrzył na Bieglera, jakby analizował nie tylko sens, lecz także budowę gramatyczną wypowiedzianych zdań.

– Pięć lat temu, u biskupa Wesołowskiego.

– Skąd pan znał Wesołowskiego?

– Sprzedałem mu Wyczółkowskiego, a później Kossaka. Dobrze jest znać odpowiednich ludzi, dlatego kontynuowałem tę znajomość.

– Z kim pan wcześniej prowadził interesy: z Nasiadką czy Ślęzakiem? – Słowo „interesy" wypowiedział z przekąsem.

– Z Nasiadką. Dobrze nam się ze sobą współpracowało. To był człowiek z otwartą głową, nie tak ograniczony mentalnie jak Ślęzak.

– Czy to Nasiadka podsunął panu Ślęzaka?

– Tak. Poprosił mnie, żebym umoczył Ślęzaka. Chciał się go pozbyć z Fundacji.

– Dlaczego?

Tomczyk wzruszył ramionami.

– Nie wiem. Chyba nie widział w nim biznesmena. Jak pan myśli, kto zbudował potęgę Kościoła? Ludzie typu Nasiadki czy Ślęzaka? Na pewno pan słyszał o aferze dotyczącej funduszy Banku Watykańskiego. Jak pan uważa: dlaczego zamordowano papieża Jana Pawła Pierwszego? Odpowiem panu: bo się nie nadawał do tego, by przewodzić tak wielkiej firmie jak Kościół katolicki. Bo był taki jak Ślęzak! Do prowadzenia tak dużej instytucji trzeba mieć odpowiednie predyspozycje. Owszem, tacy księża idealiści jak Ślęzak też są potrzebni, żeby ocieplić wizerunek Kościoła. Ale to nie oni zbudowali jego potęgę. To zrobili ludzie pokroju Rodriga Borgii i kardynała Richelieu, a nie tacy jak Albino Luciani, papież Jan Paweł Pierwszy. To właśnie ich zasługa, że ta najpotężniejsza instytucja na świecie wytrzymała aż dwa tysiące lat. Papież Franciszek też się nie nadaje. Zobaczy pan, pozbędą się go szybko. Albo znowu otrują, jak wielu innych papieży wcześniej, albo zmuszą do abdykacji. To...

– Wracajmy do tematu – przerwał jego wywody Biegler. – Dlaczego Nasiadka chciał pozbyć się Ślęzaka?

– Już mówiłem: nie wiem. I niech mi pan da wreszcie spokój. To nie ja zabiłem Edwarda. Rozumieliśmy się z nim. Zarobiliśmy razem kupę forsy. Muszę panu powiedzieć, że bardzo mi nie na rękę, że go zabito. Gdybym dorwał tego skurwysyna, który to zrobił, sam bym go udusił gołymi rękami, bo przez niego straciłem dużo pieniędzy. Oddałem Edwardowi przysługę, dzięki mnie mógł pozbyć się niewygodnej osoby. W interesach tak już jest. Czasami warto iść komuś na rękę, bo to się opłaca. Przysługa za przysługę. Prezent za prezent.

Wtedy Marka olśniło, kogo mu przypomina Zbigniew Tomczyk. Karolinę, córeczkę Beaty. O cholera, ta mała to chyba jego córka! Ale numer! No, no, Beatko, nieźle. Przyprawiać rogi mężowi z jego bratem?! Hm, niezła perwersja. Ale swoją drogą, co za skurwiel z tego Tomczyka. Dlaczego nie pomógł finansowo Beacie po śmierci jej męża? Zostawił ją samą na łasce losu. Może nie każdy pragnie być ojcem, ale jak się już zrobiło dziecko, to trzeba na nie łożyć. Chyba że Tomczyk nie jest świadom swego ojcostwa... Wątpliwe – jest ponoć inteligentnym człowiekiem, na pewno zauważył podobieństwo.

Mark Biegler poczuł jeszcze większą niechęć do Tomczyka.

– Zabił go któryś z tych księżuli – ciągnął Tomczyk. – Nie mówiłem tego panu, ale teraz powiem. Niech tam, trzeba pomagać wymiarowi sprawiedliwości. Kiedy byłem u niego, zadzwonił jakiś Wiatr. Edward nie chciał go przyjąć, bo nam się fajnie gadało. Oprócz tego był już nieźle wstawiony, a wiadomo, że nie wypada pokazywać się w takim stanie swoim podwładnym, ale w końcu się zgodził na jego wizytę.

– Skąd pan wie, że był to ksiądz?

– Bo Edward powiedział: „Wiatr, to już dawno zamknięty rozdział". Ale tamten coś jeszcze gadał i wtedy Edward dodał: „No to niech ksiądz przyjdzie do mnie". Przeprosił mnie i przełożył nasze spotkanie na następny dzień. W życiu bym nie pomyślał, że widzę go po raz ostatni.

– Nie powiedział nic więcej? Kto to jest ten Wiatr i dlaczego chce się z nim spotkać?

– Nie. Tylko bąknął: „Kurwa, przeszłość nie może się ode mnie odczepić".

– I nic więcej?

– Już panu mówiłem, że to wszystko, co powiedział.

– Nie domyśla się pan, co to za przeszłość?

– Skąd mam wiedzieć. Nie spowiadał mi się. I znając Edwarda, chyba nikomu się nie spowiadał.

Mark wyszedł z mieszkania Tomczyka podniecony nowymi informacjami. Wiatr. Nowa postać na horyzoncie. Może to on jest mordercą? Musi zaraz zadzwonić do Biedy.

Myślami powędrował do Beaty Tomczyk. Pokręcił głową z dezaprobatą. Mieć romans z bratem swojego męża?! Prawdę mówiąc, nie spodziewał się tego po niej... Nigdy by się tego nie spodziewał.

Rozdział 18

Beata

W moim małżeństwie układało się całkiem dobrze. Paweł był dla mnie bardzo czuły i opiekuńczy. Miałam wrażenie, że straciłam nerkę, ale zyskałam coś więcej – szacunek wszystkich w rodzinie. Relacje między mną a Aldoną naprawiły się i stałyśmy się teraz dla siebie prawdziwymi siostrami. Mój mąż natomiast wręcz mnie uwielbiał. Chyba coś mu się naprawiło w jego narządach płciowych, bo coraz częściej chciał się ze mną kochać. Nie chcąc go urazić, udawałam w łóżku radość i satysfakcję... i ochoczo rozchylałam swoje uda.

Nadal jednak odwlekałam moment zakończenia romansu z jego bratem.

Niestety mój okres również się odwlekał. Z przerażeniem stwierdziłam, że odwlókł się już o dwa tygodnie! Od czasu rozstania z Arturem nie brałam tabletek antykoncepcyjnych. Na początku małżeństwa planowałam drugą ciążę, bo chciałam urodzić Pawłowi jego własne dziecko. Gdy związałam się ze Zbyszkiem, przez krótki czas zażywałam tabletki, ale zauważyłam, że się po nich źle czuję i zaczynam tyć, dlatego je odstawiłam. O niedopuszczenie do prokreacji miał za zadanie zadbać Zbyszek, dlatego zawsze nosił przy sobie prezerwatywy. Nie wiem, jak to się mogło stać. Może jego kondomy były również przeterminowane o kilkanaście lat jak ten groszek konserwowy?

Wystraszona kupiłam w aptece test i nasikałam tam, gdzie kazano. Czekając na wynik, nie przypuszczałam, że czas może się tak wlec. To były najdłuższe minuty w moim dotychczasowym życiu.

I niestety jedne z najgorszych. Widząc na płytce testowej dwie kreski, wpadłam w czarny dół paniki. Co mam teraz zrobić, do cholery?! Podrzucić, niczym kukułka, mojemu mężowi jeszcze jedno dziecko?! Czy związać się na poważne z jego bratem?! Kiedy pomyślałam o skandalu, jaki by temu towarzyszył, oblewały mnie siódme poty.

A jeszcze większe, gdy wyobraziłam sobie ból i cierpienie Pawła. On na to nie zasłużył.

I co by mój syn o mnie pomyślał?! Moi rodzice, babcia, Aldona?!

Przeżywałam w samotności swój następny życiowy dylemat, odkładając moment rozmowy ze Zbyszkiem na później. Kiedy po upływie miesiąca zaczął dopominać się spotkania, a pięć kolejnych testów potwierdziło diagnozę pierwszego, musiałam podjąć decyzję.

Kiedy szłam na randkę, nadal nie byłam zdecydowana. Nie oszukujmy się, wciąż w jakiś sposób zależało mi na Zbyszku. Romans z nim był dla mnie tym, czym dla alkoholiczki alkoholowy deser – urozmaicający moje małżeńskie menu, ale niewskazany, zakazany, za to bardzo smaczny. Na wspomnienie drogocennych obrazów wiszących na odrapanych ścianach uśmiechałam się mimowolnie, a gdy pomyślałam, co potrafił zdziałać swoimi rękami, ustami i… swoim „parzydełkiem", moje ciało znowu reagowało podnieceniem i wołało: „Jeszcze!". Oczywiście rozum i rozsądek robiły mi szybko zimny prysznic, sprowadzając mnie brutalnie na ziemię, ale gdzieś tam w zakamarkach duszy pozostało pragnienie zachowania *status quo*. Wiedziałam jednak, że tak dalej być nie może.

Weszłam do klatki schodowej. Przywitał mnie zapach wilgoci, pleśni i starości charakterystyczny dla wszystkich krakowskich kamienic. Chociaż budynek był wyremontowany i zmodernizowany, duchy Przybyszewskiego i Wyspiańskiego odcisnęły tam wszędzie swój galicyjski ślad.

Naciskając guzik dzwonka, wyjęłam ze szpary w drzwiach druczek z wezwaniem komorniczym.

Wtedy podjęłam decyzję.

Wpuścił mnie do środka i usiłował pocałować, ale mu się wyrwałam. Kątem oka ujrzałam karton z piętnastoletnim groszkiem konserwowym. Nadal go nie wyrzucił!

Moja decyzja została uprawomocniona.

Weszłam do kuchni, by przynieść krzesło. Stać nad nim nie miałam ochoty, a jeszcze mniejszą ochotę usiąść na łóżku.

– Jestem w ciąży – powiedziałam, mimo wszystko ciekawa jego reakcji.

– O kurwa! – Westchnął, siadając na łóżku, nadal jedynym miejscu w pokoju, gdzie można było spocząć.

Spojrzał na mnie spod zmarszczonych brwi.

– Musisz usunąć tę ciążę.

Jednak łajdak i drań do kwadratu – pomyślałam.

– Nie możesz narażać swojego życia, przecież masz tylko jedną nerkę.

Łajdak i drań, ale bez kwadratu... Ciekawe, czy rzeczywiście się martwi, czy chce złagodzić wydźwięk swoich poprzednich słów – przeleciało mi przez głowę.

Prawdę mówiąc, nigdy dotychczas nie rozważałam ewentualnej skrobanki ani problemu mojej jedynej, samotnej nerki.

– Ta ciąża może cię zabić! Nie dopuszczę do tego. Jesteś dla mnie bardzo ważna. Co tak się dziwnie patrzysz? Ja też mam uczucia.

– Wiem, od czasu do czasu czujesz głód.

Nie uśmiechnął się. Nadal był bardzo poważny.

– Dobrze. Popytam się specjalistów. Jeśli wypowiedzą się, że to w miarę bezpieczne, to zobaczymy. Zostawisz Pawła. Tak w ogóle to już od pewnego czasu się nad tym wszystkim zastanawiałem. Zamieszkamy razem. Jeśli będziesz chciała, mogę się nawet z tobą ożenić...

– Gdzie będzie spać dziecko? W kartonie po groszku konserwowym? Przykryjemy go tymi starymi gazetami? A bawić się będzie pustymi małpkami po smirnoffie? – odezwałam się wreszcie.

Podniósł głowę i dopiero teraz uważnie mi się przyjrzał. Wzruszył ramionami.

– Nie miałem czasu tego wyrzucić.

– A zamiast książeczek na dobranoc będę mu czytać wezwania komornicze i zarzuty prokuratorskie?

– O co ci chodzi?

– Przecież nie powiedziałam ci, że to ty jesteś sprawcą ciąży.

– A co, ten dupek Paweł? On jest bezpłodny! Wszyscy o tym wiedzą. W młodości chorował na świnkę. Myślisz, że on nie wie, że nie jest ojcem Michała? Cały czas wiedział. Skończył studia medyczne, chyba zna się trochę na grupach krwi, nie sądzisz? Nigdy nie uwierzę, że nagle jego plemniki zrobiły się na starość sprawniejsze.

O Boże, Paweł cały czas wiedział, że nie jest ojcem Michała! Serce zaczęło mi bić jak oszalałe.

I nigdy ani mnie, ani jemu nie dał tego odczuć!

Dopiero teraz dotarło do mnie, jaką jestem parszywą szmatą. Wstałam z krzesła.

– Myślisz, że jesteś jedynym facetem, z którym się pieprzę? A więc się bardzo mylisz – wysyczałam. Nagle znienawidziłam i siebie, i jego. – Jak myślisz, dlaczego nie chciałam spotykać się z tobą częściej? Bo mój grafik schadzek był dość napięty. Znajdowało się w nim miejsce tylko na jeden dzień bzykanka z tobą. – Uśmiechnęłam się lodowato. – Zapewniam cię, że plemniki, które mnie zapłodniły, były sprawne, zdrowe i młode.

Poderwał się z łóżka i uderzył mnie w twarz.

Wzięłam torebkę, odwróciłam się i wyszłam.

– Pożałujesz tego! Zniszczę cię! Bardzo tego pożałujesz! – Zawołał do moich pleców.

Z wielkim trzaskiem zamknęłam za sobą pewne drzwi w moim życiu. Postanowiłam rozpocząć nowy rozdział, w którym będzie miejsce jedynie na uczciwość, prawdomówność, miłość i prawdziwą przyjaźń.

Paweł na wieść o ciąży umiarkowanie się ucieszył. Chyba rzeczywiście nie wierzył w skuteczność swoich plemników. Oprócz tego obawiał się o moją nerkę. Lekarze odradzali mi donoszenie ciąży i proponowali zabieg. Ryzyko było duże. Jednak mając ciągle Michała przed oczami, ani przez chwilę nie pomyślałam o skrobance. Zabiłabym własne dziecko! Takie jak Michał. Chyba nie byłam dobrą matką, ale bardzo kochałam swojego syna…

Wszystko dobrze się skończyło. Urodziłam przez cesarskie cięcie śliczną dziewczynkę. Bardzo podobną do swojej babci. I z grupą krwi taką jak Paweł. I jego brat.

Paweł uwierzył w swoje ojcostwo.

A ja starałam się naprawić wszystkie krzywdy, jakie mu wyrządziłam. Naprawdę bardzo się starałam. Byłam dobra, potulna, czuła i zawsze gotowa iść z nim do łóżka. Nie myślałam już o kochanku. Ani o tym byłym, ani o żadnym potencjalnym. Udawałam szalony orgazm i ogromne szczęście.

Naprawdę byłam szczęśliwa… może nie ogromnie, ale umiarkowanie. Cóż, niektórzy nie widzą małego szczęścia, bo ciągle rozglądają się za dużym, dlatego postanowiłam to zmienić. Miałam przecież wspaniałego syna, śliczną i uroczą córeczkę, bardzo dobrego męża i żadnych problemów finansowych. Cóż więcej można chcieć od życia?!

Opiekowałam się Karolinką, pilnowałam, żeby Michał dobrze się uczył, prowadziłam dom i swoją księgarnię. Wszystko układało się super.

Zbyszek na szczęście nie bywał w naszym domu. Czasami z Tarnowa przyjeżdżała teściowa, bo nawet ona uwierzyła w ojcostwo Pawła. Względem Michała zawsze miała chłodny stosunek, ale małą była oczarowana, tym bardziej że wszyscy mówili, że jest podobna do babci.

Rok później, pewnej czerwcowej soboty nieoczekiwanie przyszedł do naszego domu Zbyszek. Chyba moje hormony już stępiały, bo oprócz złości i niechęci nic do niego nie poczułam. Przyniósł wódkę dla Pawła, najnowszą grę „Wiedźmin" dla Michała, a dla Karolinki śliczną Barbie. Tylko dla mnie nic nie kupił. Wręczając lalkę, spojrzał na małą, a później na mnie, ale niczego z jego wzroku nie mogłam wyczytać.

– Ta lalka nie jest odpowiednią zabawką do jej wieku – burknęłam.

– Taak? Przepraszam, ale nie znam się na zabawkach ani dzieciach.

Paweł bardzo ucieszył się z wizyty brata. Zrobił grilla, postawił wódkę na stół i ciągle chwalił się swoimi dziećmi. A ja wędrowałam co chwilę do kuchni lub pokoju córeczki, żeby nie siedzieć razem z nimi przy stole.

W pewnym momencie, gdy Paweł poszedł do toalety, Zbyszek spojrzał na mnie i zapytał:

– Nie zmieniłaś zdania?

– Nie.

– Zastanów się. Daję ci ostatnią szansę. Chcę, żebyś do mnie wróciła. Może być tak, jak było dotychczas. Raz w miesiącu.

Roześmiałam mu się szyderczo w twarz. Chyba źle zrobiłam. Mogłam to rozegrać inaczej. Mądrzej, rozsądniej. Później bardzo tego żałowałam.

Nie rzucił żadną groźbą, tylko spojrzał na mnie w taki sposób, że się go naprawdę wystraszyłam.

Następny rok upłynął spokojnie. Karolina rosła jak na drożdżach, zaczęła już mówić, ale wciąż miała problemy z wypróżnianiem.

Opanowała sztukę sikania do nocnika, lecz z kupą ciągle były kłopoty. Spowodowane było to prawdopodobnie zaparciami przez nadmiar słodyczy w jej diecie, które uwielbiała i w żaden sposób nie można było ich jej ograniczyć. Tak marudziła, tak prosiła, że zawsze któryś z domowników ustąpił i dał jej upragnioną czekoladkę. Zakładałam jej nadal pieluchę, by uniknąć przykrych niespodzianek. Pewnego dnia wybraliśmy się do znajomych. Nie założyłam jej pieluchy, bo już wypróżniła się w domu. Po jakimś czasie podeszła do mnie.

– Mamusiu, chodźmy do domu.

– Dlaczego, kochanie, przecież dopiero przyszliśmy – powiedziałam.

– Musis załozyć mi pampelsa, bo chce mi się lobić kupe – wyseplenila po dziecinnemu.

Wszyscy parsknęli śmiechem.

– Taka duża dziewczynka i nie umie załatwić się na nocniku? – zauważył gospodarz.

Karolina wzięła sobie do serca jego słowa i kiedy wróciliśmy do domu (musieliśmy, bo się uparła), załatwiła się jak duża dziewczynka w łazience, siadając na nakładkę założoną na sedes. Od tego czasu już tak robiła.

Moja córeczka podbiła serca wszystkich w rodzinie, Michała, moich rodziców, nawet mojej siostry i brata, których stała się ulubienicą. Paweł był wręcz zauroczony małą, stał się jej niewolnikiem. Spełniał każdy jej kaprys i widzimisię, otrzymywała wszystko to, czego zażądała. Nigdy nie wrócił z pracy bez prezentu.

Jego przychodnia stomatologiczna bardzo dobrze prosperowała, ale z myślą o dzieciach chciał powiększyć nasz majątek. Nadarzyła mu się okazja kupna szpitala po bardzo atrakcyjnej cenie. Nie mając odpowiedniej kwoty, wszedł w spółkę z jakimś Anglikiem. Nie wtrącałam się w jego plany biznesowe, bo był dużo lepszym biznesmenem niż ja. Moja księgarenka ledwo zipała, chociaż do niej nie dokładałam, ale również nie zarabiałam. To Paweł dbał o nasze finanse. Dlatego bez szemrania podpisywałam papiery, które mi podsuwał, bo ufałam w jego przedsiębiorczość i zmysł do interesów. Wkrótce okazało się, że zrobiłam wielki błąd.

Od pewnego czasu zauważyłam zmianę w zachowaniu męża. Stał się drażliwy, często wpadał w przygnębienie i coraz chętniej sięgał po alkohol. Dotychczas nigdy tak się nie zachowywał. Kiedy go zapytałam o przyczynę, nie odpowiadał, unikając mojego spojrzenia.

Bałam się, że nabrał wątpliwości co do swojego ojcostwa względem Karoliny. Czując się winną, starałam się schodzić mu z drogi. Do domu wracał coraz później i często podpity.

Pewnego dnia w ogóle nie wrócił.

O jego śmierci dowiedziałam się rano. W progu zjawił się policjant. Już z jego twarzy wyczytałam, że stało się coś złego. Na pewno zatrzymali go za jazdę po pijanemu, pomyślałam, odpędzając gorsze myśli.

- Pani Beata Tomczyk?

- Tak.

- Żona Pawła Tomczyka?

- Tak.

Policjant uciekł oczami w bok.

- Mam dla pani złą wiadomość. Pani mąż miał wypadek.

- O Boże, w którym jest szpitalu? Czy to coś poważnego?

Cisza. Spojrzał wreszcie na mnie.

- Niestety, pani mąż nie żyje.

Następne godziny i dni przeżyłam jak w malignie. Przyjechali moi rodzice, Aldona, Darek. Zajęli się wszystkim. Dziećmi i pogrzebem. I mną.

Z Tarnowa przyjechała matka Pawła, przywiózł ją Zbyszek. Popłakała trochę, ponarzekała i na szczęście sobie poszła.

Zbyszek prawie w ogóle się nie odzywał. Widać było, że jest przybity. Bądź co bądź był jego bratem. Nie rozmawialiśmy ze sobą.

Z trudem przetrwałam pogrzeb. Środki uspokajające stępiły trochę mój ból, ale również mnie otępiły. Słuchałam mszy koncelebrowanej przez Ślęzaka i jego pochwalnych słów pod adresem Pawła. Później szłam w kondukcie i przyjmowałam kondolencje, nie potrafiąc składnie na nie odpowiedzieć, tylko kiwałam głową. Pojechałam ze wszystkimi na stypę, siedziałam przy stole, gapiąc się bezmyślnie w pełny talerz. Nie dałam rady przełknąć ani kęsa.

Michał zniósł to wszystko bardzo dzielnie, dużo dzielniej ode mnie. Wiedziałam, że bardzo przeżywa śmierć ojca, jednak potrafił się opanować. Nie wiem, czy było to dobre; może lepiej, żeby się wypłakał, wyszlochał...?

Karolina była zdezorientowana, nie wiedziała za bardzo, co się dzieje. Dla dwuipółletniego dziecka śmierć jest czymś niemożliwym do zrozumienia. Nie płakała, nie histeryzowała, zafascynowana wydarzeniami i całą ceremonią pogrzebu, rozglądała się wokół, biegała koło trumny, chcąc zobaczyć tatusia. Wieczorem zapytała, kiedy tatuś wreszcie wróci z tego nieba i przyniesie jej prezent.

Cały tydzień zajęta byłam tylko swoim bólem. Dopiero śmierć Pawła spowodowała, że zrozumiałam, jaką byłam szczęściarą, będąc żoną tak wspaniałego człowieka, i jaką krzywdę mu wyrządziłam. I jak wielką poniosłam stratę...

Dwa tygodnie później przyjechał do naszego domu Zbyszek. Oprócz mnie nikogo nie było, bo Karolinę zabrali do siebie moi rodzice, a Michał był w szkole.

Nie chciałam go wpuścić do środka, ale dopóty stał pod furtką, dopóki tego nie zrobiłam.

– Po co przyszedłeś? Czego chcesz? – zapytałam zimno.

– Ciebie.

Roześmiałam się drwiąco.

– Ale masz tupet! Jak śmiesz przychodzić z czymś takim dwa tygodnie po śmierci swojego brata?!

– Chciałem to zrobić przed komornikiem – odparł spokojnie.

– Jakim komornikiem?

– Paweł zginął, będąc bankrutem. Stracił dom, przychodnię i wszystkie pieniądze, które miał na koncie.

– To niemożliwe – wyszeptałam.

– Możliwe. Wziął duży kredyt pod zastaw waszego majątku. Przecież podpisywałaś dokumenty. Jego wspólnik z Londynu zmył się z forsą i zostawił go z tym gównem.

Patrzyłam na niego oszołomiona, nadal nic nie rozumiejąc.

– To niemożliwe – powtórzyłam jak papuga.

– Mogę spłacić dług Pawła. To zależy od ciebie. Oczywiście, rozumiem złożoność sytuacji, dlatego mogę ci dać dwa miesiące na żałobę. Noo, powiedzmy: pół roku. Ale później znowu będziesz ze mną. Gdy minie rok, weźmiemy ślub. Dzieci potrzebują ojca.

– Coo takiego?! Precz z mojego domu! – Dopiero w tym momencie wszystko zrozumiałam. – Boże, to twoja sprawka – wyszeptałam.

– Nie wiem, o czym mówisz. Przemyśl to. Jutro zadzwonię.

Nagle ogarnęła mnie furia. Rzuciłam się na niego jak ratlerek na lwa. Okładałam go rękami, gdzie popadło, wrzeszcząc jak opętana.

– Ty draniu! Ty skurwielu! Zabiłeś go! Własnego brata. Nienawidzę cię! Wolałabym jeść liście z drzew i popijać deszczówką, niż iść z tobą do łóżka. Brzydzę się tobą. Brzydzę się sobą, że kiedyś pozwalałam ci się dotykać. Nie spotkałam w życiu takiego potwora jak ty.

Bez trudu obezwładnił mnie, lekceważąco się przy tym uśmiechając.

- Pozwalałaś mi się dotykać? Prosiłaś, żebym to robił! Żebym cię rżnął! Kwiliłaś, leżąc pode mną. Wiłaś się, żebrząc o jeszcze! - odepchnął mnie. - Daję ci dzisiejszą noc do namysłu. Jeśli nie zadzwonisz rano do dziesiątej, po południu przychodzi komornik. Tu nic już do ciebie nie należy. Ani dom, ani samochód, ani nawet ten telewizor. Wszystko będzie zajęte. Pomyśl, co jest gorsze: żyć w biedzie czy się rżnąć ze mną. Nie zapominaj, że mogę ci zabrać Karolinę.

Plunęłam mu w twarz. Spokojnie starł ślinę rękawem marynarki i lodowato się uśmiechnął.

- Pamiętaj, czekam do godziny dziesiątej.

Odwrócił się na pięcie i wyszedł.

Rozdział 19

Mark wszedł do budynku Zgromadzenia i skierował się ku portierni. Miejsce zajmowane przez furtiana dziś było puste. Zza jego pleców dobiegł kobiecy głos.

- Panie Marku, furtian musiał na chwilę opuścić swój posterunek. Teraz my go zastępujemy.

Odwrócił się. W otwartych drzwiach pokoju socjalnego ujrzał trzy kobiece sylwetki siedzące za stołem. Kucharka, sprzątaczka i główna księgowa. Młodszej księgowej nie dopuszczono do tego grona - przemknęło mu przez głowę. Te trzy paniusie chyba rzeczywiście się przyjaźniły pomimo różnic w wykształceniu i statusie społecznym. Musiał jednak przyznać, że Zofia Trzaska, chociaż była tylko sprzątaczką i nie potrafiła nawet mówić poprawną polszczyzną, miała wrodzoną inteligencję, co widoczne było w jej błyskotliwych odpowiedziach i swoistym poczuciu humoru.

- Co trzy głowy do pilnowania to nie jedno. Nie bez powodu Cerber mioł trzy głowy - powiedziała Zofia.

- Witam panie! Znowu ten sam skład. A gdzie pani Arleta?

– Przecież ktoś musi pracować! – odparła kucharka. – Wypije pan z nami kawkę?

– Z przyjemnością – odparł Mark, obdarzając kobiety uśmiechem. – A ciasto też dostanę?

– Możemy panu odstąpić troche placka z makiem, bo nom nie wolno go jeść, tak jak i miodownika – powiedziała, wskazując na talerz z makowcem.

– Bardzo lubię makowiec – uśmiechnął się do kobiety. Dziś sprzątaczka nie miała tak jak zwykle chustki na głowie, co nadawało jej twarzy całkiem innego wyglądu. Mocno szpakowate włosy spięła z tyłu głowy w kucyk. W młodości musiała być niebrzydką kobietą.

– Co tym razem pana do nas sprowadza? Ma pan już jakiegoś podejrzanego? – zapytała księgowa.

– Ciągle go szukam. Może panie mi pomogą go znaleźć? Czy któryś z księży nazywa się Wiatr?

Księgowa zmarszczyła czoło i podniosła wzrok do góry, robiąc minę pod tytułem: myślę intensywnie.

– Nie, tutaj nie ma nikogo takiego – odparła zdecydowanie.

– A w całym Zgromadzeniu?

– Też chyba nie ma.

– A wśród kleryków?

– Nie spotkałam się z takim nazwiskiem.

– Czy ma pani listę wszystkich księży? Gdzie mogę znaleźć tego Wiatra?

– Najlepi w polu – wtrąciła sprzątaczka.

Mark spojrzał na nią zdziwiony.

– Szukoj wiatru w polu – powiedziała. Widząc jego minę, dodała: – Wiadomo od razu, że pan niewychowany u nos, w Polsce. Tak sie mówi: szukoj wiatru w polu. Tak sobie zażartowałam.

– Aha. – Znowu zwrócił się do księgowej: – Może ksiądz ekonom albo superior będą wiedzieli?

– Jak pan mi nie dowierza, to niech pan ich zapyta, ale nie ma ich w Krakowie.

– A furtian będzie wiedział?

– Kto jak kto, ale on na pewno będzie wiedział. On, jak sam Pan Bóg, wie wszystko o wszystkich.

– Kiedy wróci?

– Za dwie godziny.

Szkoda, nie będzie przecież pił kawy dwie godziny. Nie uśmiechało mu się również gadać z tymi kobietami aż tak długo, dlatego po kilkunastu minutach się pożegnał.

Postanowił jechać do Osieka. Ślęzak zna na pewno wszystkich księży, powinien pomóc.

Tym razem Ślęzak nie modlił się, tylko był w swoim mieszkaniu. Nie zaprosił jednak Bieglera do środka, wolał zejść do gabinetu.

Niestety on również nie znał żadnego księdza o nazwisku Wiatr.

– Może to ktoś z lat młodości prowincjała? – zastanawiał się Mark. – Czy Nasiadka był księdza studentem?

– Nie. Ja wykładam na Papieskiej Akademii Teologicznej w Krakowie, a on ukończył Prawo Kanoniczne na KUL-u.

– Czy od razu wstąpił do Zgromadzenia Księży Katechetów?

– Nie. Początkowo był księdzem diecezjalnym. Ale bardzo krótko.

– Co to znaczy „ksiądz diecezjalny"? Ksiądz Piotr kiedyś tłumaczył mi różnicę, ale proszę mi przypomnieć.

– To ksiądz działający w parafii podległej biskupowi. Nasiadka był wikariuszem. Czynił posługę kapłańską w jednej z krakowskich parafii, ale po kilku miesiącach przeniósł się do nas.

– Nie wie ksiądz, jaka to była parafia?

– Nie wiem, ale w Krakowie.

– A gdzie można to sprawdzić?

– W jego dokumentach. Proszę jechać na ulicę Kalwaryjską, tam będą wiedzieć.

– Właśnie stamtąd wracam – westchnął Mark. – Nie ma tam ani ekonoma, ani superiora.

– Księgowa też powinna wiedzieć, zajmuje się sprawami personalnymi Zgromadzenia.

– Na pewno nie zna ksiądz nikogo o nazwisku Wiatr? Może jakiegoś kleryka?

– Na pewno nie, mam dobrą pamięć do nazwisk. A dlaczego pan pyta o tego Wiatra?

– Podobno prowincjał spotkał się tuż przed śmiercią z kimś o tym nazwisku, prawdopodobnie księdzem.

Mark wyszedł z gabinetu Ślęzaka i wyjął telefon, by zadzwonić do Biedy. Może policji uda się znaleźć tego Wiatra. Komisarz odebrał telefon od razu. Wysłuchał tego, co Mark ma mu do powiedzenia na temat wizyty w mieszkaniu Zbigniewa Tomczyka, i obiecał odszukać tajemniczego Wiatra.

Biegler włożył telefon do kieszeni i ruszył ponownie do Krakowa. Z pewną niechęcią wrócił na ulicę Kalwaryjską. Na szczęście „babska trójca święta" skończyła pić kawę i rozeszła się do swoich obowiązków. Do obowiązków powrócił również furtian, bo siedział w portierni nachylony nad smartfonem. Mark rzucił mu tylko „dzień dobry" i poszedł do księgowości. W pokoju przy swoich biurkach siedziały obie księgowe, każda zatopiona w swoim komputerze.

– To znowu ja – powiedział Mark do starszej z nich. – Czy mogłaby pani sprawdzić, z której parafii prowincjał przyszedł do Zgromadzenia? A najlepiej, gdyby pani prześledziła całą jego karierę kapłańską. Chodzi mi o miejsca, gdzie działał.

– Sprawami personalnymi zajmuje się Arleta. – Odparła Kajdowa i zwróciła się urzędowym tonem do młodszej koleżanki: – Pani Arleto, proszę sprawdzić w archiwum to, o co pytał pan Biegler.

Biedna ta Arleta – pomyślał Mark. Trudno pracować, gdy się jest otoczonym nieprzychylnymi sobie osobami.

– Już to zrobię. Przeniosłam wszystkie dane osobowe z kartoteki pracowniczej do komputera. Zaraz zobaczymy. To była jakaś parafia w Krowodrzy. O, już mam. – Uśmiechnęła się do komputera. – Prowincjał Edward Nasiadka odebrał święcenia kapłańskie 15 stycznia 1986 roku. Od 1 lipca tegoż roku do 31 grudnia 1986 roku był wikarym w Parafii Rzymskokatolickiej Miłosierdzia Pańskiego na ulicy Krowoderskiej. Pierwszego marca wstąpił do Zgromadzenia Księży Katechetów.

– Dziękuję. Proszę mi wydrukować wszystkie dane prowincjała i miejsca jego posługi i przesłać mailowo na ten adres – powiedział Mark, wyciągając z portfela wizytówkę. – Spieszy mi się, żegnam obie panie. A pani bardzo dziękuję. – Uśmiechnął się do Arlety.

Kiedy wychodził z pokoju, oczy jego spoczęły na drzwiach pokoju socjalnego. Od pewnego czasu, konkretnie od momentu dzisiejszej rozmowy z „babską trójcą święta", jakaś niesforna myśl plątała mu się po zakamarkach mózgu. Coś, co miało związek z tymi kobietami, co nie pasowało mu i dręczyło go jak swędzące miejsce. Jednak za żadne skarby nie mógł dojść, co to takiego.

– Panie Marku, co się pan tak spieszy? – zagadnął go furtian.

– Muszę wreszcie znaleźć mordercę, stąd ten pośpiech – odparł z uśmiechem. Nagle zatrzymał się i podszedł do portierni. – Panie Wojciechu, czy zna pan jakiegoś Wiatra?

Portier wysunął brodę do przodu, podrapał się po głowie i po chwili zadumy pokręcił nią.

– Nie. Nie znam żadnego Wiatra. A co?

– Nic takiego. Do widzenia – pożegnał się i ruszył ku wyjściu.

Nagle stanął. Cholera, ostatnio coś ciężko myślę. Wziął telefon i znowu zadzwonił do Biedy.

– Panie Ryszardzie, proszę sprawdzić, z jakiego numeru dzwoniono do prowincjała w dniu morderstwa między dwudziestą pierwszą a dwudziestą drugą. Sprawdźcie i komórkę, i telefon stacjonarny.

– Sprawdzaliśmy. Nikt do niego nie dzwonił.

– To niemożliwe. Czyżby Tomczyk kłamał? – zamyślił się Mark. Nagle klepnął się dłonią w głowę. – Ile telefonów komórkowych znaleźliście w mieszkaniu Nasiadki?

– Jeden.

– Nie wydaje się panu dziwne, że miał tylko jeden telefon? Oprócz służbowego musiał mieć jeszcze jeden, prywatny.

– Ma pan rację. Ktoś musiał go schować.

– I nawet wiem kto. Na razie kończę. Zadzwonię do pana później.

Ponownie wszedł do budynku Zgromadzenia.

– Panie Zakała, gdzie jest telefon Nasiadki? Nie ten, który wzięła policja, tylko ten prywatny.

– Nie widziałem żadnego telefonu – odparł zdziwiony furtian. – Ale rzeczywiście prowincjał miał dwa telefony. I dwa laptopy.

– Gdy pomagał pan ekonomowi sprzątać mieszkanie prowincjała, na pewno nie było tam telefonu?

– Nie.

– Kiedy wróci do Krakowa ksiądz ekonom?

– Pojutrze. Pojechali z superiorem do Rzymu, do generała.

Mark zmarszczył brwi, obserwując bacznie portiera.

– Panie Zakała, wiem, że nie powiedział mi pan wszystkiego. Ktoś był u prowincjała po dwudziestej pierwszej. Proszę nie kłamać, policja i tak dojdzie do tego, a pan może mieć nieprzyjemności z powodu utrudniania śledztwa. Mam układ z policją. W pewien sposób współpracujemy ze sobą. Dlatego ostatni raz pana pytam: kto był u prowincjała.

Portier westchnął głośno.

– Dobrze, powiem. Nie chciałem narobić mu kłopotów, bo go lubię, ale trudno. Wracając na portiernię po rozmowie z Arletą, widziałem go, jak wychodził z mieszkania prowincjała. To był ksiądz

Piotr. Dyrektor szkoły w Osieku. Ale to niemożliwe, żeby to on go zabił. To taki porządny człowiek i dobry ksiądz…

Mark wyszedł z budynku Zgromadzenia. Cholera, nigdy by nie podejrzewał Szydłowskiego. Akurat ten ksiądz wzbudzał w nim wyjątkową sympatię. Nie chciał zbyt pochopnie rzucać na niego podejrzenia, dlatego wstrzymał się z poinformowaniem o tym Biedy. Musi wcześniej pogadać z księdzem Szydłowskim. Zadzwonił do Osieka. Księdza Piotra nie było w ośrodku. Wyjechał na trzy dni z uczniami na wycieczkę w góry. Ślęzak też gdzieś wybył, nie było więc sensu jechać do Osieka. Mark jednak musiał coś zrobić. Siedział w fotelu samochodu jak na rozżarzonych węglach. Musi dowiedzieć się czegoś więcej na temat Szydłowskiego.

Jedna osoba mogła mu w tym pomóc. Beata Tomczyk.

Rozdział 20

Beata

Okazało się, że Zbyszek Tomczyk nie lubi rzucać słów na wiatr. Tak jak obiecał, po południu w moim domu zjawił się komornik. Zajął wszystko, nie tylko budynek, lecz także to, co się w nim znajdowało. Dług w postaci trzech milionów to nie bagatelka. Przychodnia również poszła pod młotek. Matka jako fundatorka chciała odzyskać chociaż część wyłożonych na przychodnię pieniędzy, a ja nie zamierzałam walczyć z teściową. Zablokowano nawet nasze skromne konto z dziesięcioma tysiącami złotych.

Nie miałam nic. Ani majątku, ani pieniędzy, ani pracy. Paweł nie zabezpieczył mnie na wypadek swojej śmierci, dlatego nie mogłam liczyć na żadną polisę – zresztą i tak siadłby na niej bank. Musiałam zakończyć zabawę w bizneswoman, bo księgarnia na pewno by nie utrzymała naszej rodziny, jedynie dalej generowałaby koszty, tym bardziej że właścicielka lokalu ostatnio podwyższyła czynsz. Na szczęście wszystkie płatności regulowałam na bieżąco, nie miałam więc żadnych zadłużeń.

Nie wiedziałam, co robić. Po raz pierwszy zmierzyłam się z trudem prawdziwego życia. Dopiero teraz stałam się dorosła. Dotychczas wszystkie przyziemne problemy związane z egzystencją materialną rozwiązywali moi rodzice, a później mąż. Nigdy nie musiałam się martwić, jak zapłacić rachunek za gaz i prąd ani za co ugotować obiad. Nie wiedziałam, co to znaczy nie mieć pieniędzy i jak ciężko je zdobyć.

Komornik dał mi miesiąc na wyprowadzenie się z domu, bo znalazł się dobry kupiec. Kupiec ulitował się nade mną i podarował mi dodatkowy miesiąc.

Udało mi się dostać odstępne za moją księgarenkę; niewiele, bo tylko piętnaście tysięcy, ale zawsze to coś. Pieniądze leżały sobie teraz na koncie i czekały, aż przejemy gotówkę, która została mi po opłaceniu pogrzebu i stypy.

Intensywnie zaczęłam szukać pracy. Niestety wcale nie było o nią łatwo. Chociaż zarejestrowałam się w pośrednictwie na ulicy Wąwozowej, nie było dla mnie żadnej oferty. Nie miałam konkretnego zawodu, bo dyplom Uniwersytetu Ekonomicznego bez praktyki zawodowej w ogóle się nie liczył. Zbliżałam się do czterdziestki, a tak naprawdę nic nie umiałam robić. Jedyne, co mi oferowano, to pracę ekspedientki w sklepach spożywczych za minimalną płacę. Czy można utrzymać siebie i dwójkę dzieci za niecałe tysiąc trzysta złotych, gdy się nie ma nawet mieszkania? Raczej nie.

Pani Ala, która zajmowała się kiedyś u nas porządkami, znalazła mi dwa domy do sprzątania. Wolałam to robić, niż osiem godzin stać za ladą lub siedzieć na kasie. Miałam te same pieniądze za cztery godziny pracy, a nie za osiem. Jednak moja pracodawczyni nie była ze mnie zbyt zadowolona. Chociaż była moją rówieśniczką, już pełniła funkcję dyrektora „od czegoś tam" w dobrze prosperującej spółce państwowej. Zarabiała miesięcznie dwadzieścia tysięcy złotych, mogła więc utrzymywać bezrobotnego męża. Mąż swojej bogatej żony miał za zadanie siedzieć w domu i zajmować się ich pięcioletnim dzieckiem. Niestety szybko zauważył, że ich nowa sprzątaczka ma niezłe cycki, bo zaczął się do mnie przystawiać. Ku mojemu nieszczęściu zauważyła to również jego żona i natychmiast zrezygnowała z moich usług.

Musiałam na nowo rozpocząć poszukiwanie jakiejś pracy, ponieważ ze sprzątania jednego domku nie dałabym rady utrzymać rodziny. Zbliżała się data naszej eksmisji. Nie wiedziałam, co dalej robić. To, co zarobiłam, nie wystarczyłoby mi nawet na wynajęcie mieszkania, a co dopiero na inne wydatki.

Nieoczekiwanie z pomocą przyszła mi babcia. Ze względu na stan zdrowia od dwóch lat mieszkała z moimi rodzicami w ich olkuskim blokowisku. Jej dom stał pusty, bo nie chciała go sprzedać. Teraz dojrzała do tej decyzji. Akurat znalazł się chętny, może nie tyle na dom, ile na działkę, i zaoferował kupno. Błyskawicznie dokonano transakcji i babcia stała się bogatsza o sto osiemdziesiąt tysięcy złotych. Nie na długo, bo dzień później przyjechała z moimi rodzicami, by wręczyć mi całą gotówkę.

– Babciu, nie mogę tego przyjąć. To twoje pieniądze.

– Przestań gadać głupstwa. Zresztą to decyzja nie tylko moja, ale wszystkich. I twojej mamy, i Aldony, i Darka. – Dla babci zdanie ojca się nie liczyło. – Im się nieźle powodzi, twoja mama i ojciec też mają na chleb, a ty i twoje dzieci nie macie gdzie mieszkać. Kup sobie mieszkanie.

Jeszcze trochę się krygowałam, jednak duma dumą, ale rzeczywiście moje dzieci muszą gdzieś mieszkać. Zaczęłam szukać odpowiedniego dla mnie lokum.

Akurat w tej branży ofert było dużo, ale ja miałam wyjątkowe wymagania: musiało być trzypokojowe, mieścić się niedaleko od śródmieścia i co najważniejsze – musiało być tanie. Po wielu „oględzinach" udało mi się znaleźć mieszkanko najbardziej zbliżone do założeń. Składało się tylko z dwóch pokoi, ale była możliwość przeniesienia zabudowy kuchennej do dużego pokoju. Właściciele mieli nawet już załatwione na to pozwolenie od spółdzielni, bo zamierzali to zrobić, ale wpadła im większa gotówka i zmienili plany. Nie zastanawiając się długo, kupiłam te czterdzieści trzy metry kwadratowe (razem z loggią) i przystąpiłam do remontu. Wyżebrałam u nowych właścicieli mojego domu jeszcze dodatkowy miesiąc zwłoki na wyprowadzkę.

Szybko zrobiłam remont naszego nowego mieszkanka. Do niektórych robót zatrudniłam budowlańców, ale malowanie, tapetowanie i przeróbkę mebli zostawiłam sobie i Michałowi, bo nie starczyło mi pieniędzy. Wspólnie wyremontowaliśmy stare regały i komódki wystawione do wywiezienia przez śmieciarzy. Ale nie dotyczyło to mebli tapicerowanych. Świadomość, że jakiś obślimaczony pijak mógł spać na kanapie, na której teraz położy się moje dziecko, nie pozwalała mi korzystać z używanych tapczanów i sof. Dobrze, że z tego samego założenia wychodzili nowi właściciele naszego domu, bo nawet nie musiałam ich zbyt długo przekonywać, żeby pozwolili nam wziąć łóżka dzieci i mały wypoczynek z pokoju gościnnego. Ten z salonu, skórzany, był za duży do naszego mieszkanka.

Dzieci, przede wszystkim Karolina, na początku trochę się krzywiły na przeprowadzkę, bo poprzednie ich pokoje były dwa razy większe od obecnych, ale szybko zaakceptowały zaistniałą sytuację. Michał pomógł mi udobruchać małą, malując na jednej ze ścian w jej pokoju Królewnę Śnieżkę. W różowej sukience, z diademem na głowie i złotym berłem w dłoni, otoczona srebrnymi gwiazdkami była największą ozdobą pokoiku. Karolinie tak bardzo spodobało się malowidło, że już nie tęskniła za swoim dawnym pokojem.

Michałowi najbardziej przeszkadzało, że będę spać w pomieszczeniu, gdzie jest kuchenka gazowa. Bał się o moje bezpieczeństwo. Ja się nie bałam. Od momentu, gdy podpisałam umowę kupna mieszkania, już niczego się nie bałam. Wreszcie uwierzyłam, że damy sobie radę. Mając własny dach nad głową, potrafię utrzymać moje dzieci - powtarzałam sobie, kładąc się do łóżka. Czynsz i opłaty eksploatacyjne nie były zbyt duże, a na chleb zawsze jakoś zarobię. Nieważne, jak wielki i wspaniały jest dom, ważne, ile w nim szczęścia i miłości - powtarzałam sobie i dzieciom.

Znalazłam dwa następne domy wymagające stałego cotygodniowego sprzątania, a których właścicielki nie miały ochoty tego robić (tak jak ja kiedyś). Akurat sztukę sprzątania udało mi się szybko opanować. Potrafiłam umyć okno w ciągu kwadransa, a w niecałą godzinę wyszorować całą łazienkę i kuchnię. Co za ironia losu - we własnym domu nigdy dotąd nie sprzątałam, a teraz robiłam to zarobkowo.

Któregoś dnia dostałam namiar na nowy dom, na ulicy Modrzewiowej. Umówiona byłam na sprzątanie na godzinę dziewiątą. Nie miałam samochodu, musiałam jechać tam autobusem, dlatego zaraz po odprowadzeniu Karolinki do przedszkola poszłam na przystanek, objuczona ścierkami, szczotkami i środkami do mycia. Dom był świeżo wybudowany, bardzo okazały i elegancki. Nikt tam jeszcze nie mieszkał. Miałam posprzątać po malarzach; umyć okna i podłogi oraz wyszorować kafelki. Oferta była kusząca, bo miałam dostać za to aż tysiąc pięćset złotych. Gdybym się dobrze uwinęła, zajęłoby mi to najwyżej tydzień.

Do środka wpuścił mnie jakiś budowlaniec, mówiąc, że szef przyjdzie po południu. Przebrałam się w wygodne legginsy i podkoszulek i wzięłam się ochoczo do roboty. Po kilku godzinach usłyszałam zgrzyt klucza w drzwiach. Chwilę później pojawił się właściciel domu. Zbyszek Tomczyk we własnej osobie.

Stanął naprzeciwko mnie z ironicznym uśmieszkiem na twarzy.

Oniemiałam. Tego się nie spodziewałam.

– Szczęść Boże – powiedział drwiąco. – Jak wam idzie praca, Marysiu?

Chwilę stałam nieruchomo, spocona i nieświeża, ale moment później zaczęłam zbierać w pośpiechu swoje rzeczy.

– Gdzie się, Marysiu, wybierasz, robota jeszcze nieskończona.

Nawet się nie przebierałam, tylko wrzuciłam do reklamówki swoje szczotki i ścierki.

– Tylko nie zapomnij jakiejś szmaty. Przecież miotła i ścierka to twoje narzędzia pracy – powiedział, nadal uśmiechając się kpiąco.

Bez słowa ruszyłam ku drzwiom. Złapał mnie za ramiona.

– Moja oferta nadal jest aktualna. Ten dom wybudowałem dla ciebie i twoich dzieci.

Strzepnęłam z siebie jego dłonie.

– Moja odpowiedź również nadal jest aktualna – wysyczałam. Miałam ochotę rzucić mu na odchodnym soczystą wiąchę przekleństw i plunąć w twarz, ale udało mi się opanować. Spojrzałam tylko na niego w taki sposób, że gdyby wzrok miał jakąś moc, Zbyszek leżałby już martwy. – Nie musisz mi płacić za tych pięć godzin tu przepracowanych. Taki mały prezent od sprzątaczki Marysi.

Wyszłam, trzaskając głośno drzwiami.

Nigdy nie wstydziłam się mojego sprzątania. Uważałam to zajęcie za pracę jak każda inna, a mój dyplom i dawny status pani doktorowej traktowałam jak odgromnik wszelakich kompleksów i zahamowań. Trochę dziwiło to niektórych ludzi, na przykład moją mamę i koleżankę ze studiów.

– Boże, co ten Paweł ci narobił, musisz sprzątać jak jakaś analfabetka – biadoliła mama. – Taki wstyd. Dobrze, że to Kraków, że tam jest się anonimowym, a nie Olkusz. Tu wszyscy by o tym rozprawiali.

– Mamo, wstyd to kraść i dupy dawać za pieniądze – wzruszyłam ramionami. – Dlatego właśnie chciałam mieszkanie kupić w Krakowie, a nie przenosić się do Olkusza, jak mi radziłaś.

– Podziwiam cię, ja bym nie mogła sprzątać u ludzi, którzy mają niższe wykształcenie ode mnie, a jedynie większe pieniądze – mówiła moja koleżanka, która również była w podobnej sytuacji jak ja. Jej mąż, kapitan żeglugi wielkiej, znalazł sobie młodszą kochankę, a ją i dzieci pozostawił samym sobie. Cóż z tego, że miała dyplom UJ, ale nie mogła znaleźć pracy. Pomimo że zrobiła później studia podyplomowe wyceny nieruchomości, nadal klepała biedę, bo nie miała zleceń.

– Moje kompleksy zniszczyłyby mnie całkowicie. Zazdroszczę ci, że nie masz żadnych kompleksów – westchnęła.

Rzeczywiście ich nie miałam. Nigdy nie czułam się zakompleksiona pod żadnym względem. Ani urody (chociaż się sobie nie podobałam), ani inteligencji (chociaż do erudytek nigdy się nie zaliczałam), ani teraz, gdy stałam się biedna jak mysz kościelna. Znosiłam zamianę miejsc w drabinie społecznej wyjątkowo dobrze, a nawet byłam z tego w pewien sposób zadowolona. Może to wstrętne z mojej strony, ale lubiłam, gdy ludzie mi współczuli, że mój mąż nie zabezpieczył mnie finansowo. Fakt ten odzierał trochę Pawła z nimbu wspaniałości i szlachetności. Gdyby wciąż widniał w oczach innych (i moich) jako chodzący ideał, trudniej byłoby mi dalej żyć z tym bagażem łajdactw i podłości, jakie mu zafundowałam. Tak naprawdę ciężar gatunkowy mojej wiarołomności, moich zdrad i oszustw dotarł do mnie dopiero niedawno. Przez całe lata bagatelizowałam moje szachrajstwa, owszem, w jakiś sposób czułam się winną, ale mimo to nie przestawałam go krzywdzić. Chociaż robiłam rachunek sumienia, zawsze udawało mi się go zbilansować. Według mojego bilansu zło i dobro, które czyniłam, jakoś się równoważyło. Swój fałsz i hipokryzję zrozumiałam dopiero po zerwaniu ze Zbyszkiem, a po śmierci Pawła jeszcze bardziej mi się to uwypukliło. Dlatego każda skaza na obliczu nieżyjącego męża była przeze mnie mile widziana. Wiem, że to podłe z mojej strony, ale w tych zapiskach postanowiłam pisać samą prawdę i tylko prawdę…

Pewnego dnia zadzwonił do mnie Ślęzak. W czasie tych kilkunastu miesięcy, które minęły od śmierci Pawła, zdarzało mi się rozmawiać z nim telefonicznie, ale nigdy go do siebie nie zapraszałam. Nawet miałam zamiar zwrócić się do niego o pomoc w znalezieniu jakiejś pracy, ale gdy usłyszałam, że współpracuje ze Zbyszkiem, szybko z tego zrezygnowałam.

- Co u was słychać? - zagadał.

- Wszystko w porządku - odparłam jak zwykle, bo nie lubiłam narzekać.

- Przechodziłem koło twojej księgarni i powiedziano mi, że już jej nie prowadzisz. Dlaczego?

- Bo Polacy nie lubią kupować książek.

- No to co teraz robisz, żeby utrzymać się przy życiu?

- Nie piję, nie palę, nie używam - palnęłam bez zastanowienia, po chwili dodałam: - Sprzątam.

- Jak to sprzątasz?

- Zwyczajnie. Niektórzy ludzie nie lubią sami sprzątać, dlatego płacą innym, żeby to robili za nich.

- Naprawdę?

- Tak. Trzeba z czegoś żyć.

- Przecież skończyłaś akademię ekonomiczną?

- Tak. Teraz to uniwersytet, nie akademia - bąknęłam.

- Hm, dawno się nie widzieliśmy. Mogę do was wpaść?

- Proszę bardzo. A zna ksiądz nasz nowy adres?

- Nie wiedziałem, że mieszkacie teraz gdzie indziej. Hm, dlaczego się przeprowadziliście? Twój szwagier mówił, że całkiem dobrze sobie radzisz...

- Bo to prawda. - Zabrzmiało to trochę chłodno, dlatego dodałam łagodniej: - Porozmawiamy, gdy ksiądz przyjdzie do nas. - Mówiłam w liczbie mnogiej, bo mimo że Pawła już nie było między nami, nadal była nas trójka.

Ślęzak przyszedł dwa dni później. Przygotowałam się dobrze do tej wizyty. Wysprzątałam mieszkanie, ugotowałam kurczaka po syczuańsku i upiekłam sernik z brzoskwiniami. Schludnie się również ubrałam w granatowe dżinsy i białą bluzkę koszulową, i lekko się podmalowałam. Minął już rok, mogłam więc zrzucić z siebie żałobną czerń.

Ślęzak rozglądał się zdziwiony po mieszkanku.

- Ładnie tu, ale chyba wam trochę ciasno - bąknął.

- Z trzystu czterdziestu metrów kwadratowych przenieść się na czterdzieści trzy metry razem z loggią to rzeczywiście trochę ciasno. Ale już się przyzwyczailiśmy.

– Dlaczego nic mi nie mówiłaś o swoich kłopotach? Co się stało? Paweł nie zabezpieczył cię finansowo?

– Zbankrutował.

– A przychodnia?

– Teraz jest w rękach mojego szwagra.

– Jak to? I Zbyszek nic ci nie pomaga? Ani teściowa?

Wzruszyłam ramionami. Czy miałam mu powiedzieć prawdę, dlaczego Teresa Tomczyk odcięła się ode mnie i moich dzieci? Pamiętam spotkanie z nią, gdy przejmowała przychodnię, bo to ona figurowała oficjalnie jako nowa właścicielka, a nie Zbyszek. Chciałam wziąć trochę rzeczy z gabinetów, by je spieniężyć, ale mi zabroniła.

– Mamo, zostaliśmy bez grosza. Może wezmę coś ze sprzętu? Coś, czego nie potrzebujecie już w przychodni?

– Wszystko jest nam potrzebne. I proszę nie nazywać mnie mamą. Zdradzałaś mojego syna przez całe wasze małżeństwo. Nie tylko złapałaś go na cudze dziecko i nie tylko przyprawiłaś mu rogi, lecz także podrzuciłaś mu następnego bękarta. Twoje bachory nie są moimi wnukami i nie mam zamiaru na nie łożyć.

Tereska, jesteś w błędzie, jeden z tych bachorów jest twoją wnuczką. Ale niestety nie mogłam powiedzieć tego na głos. Zresztą dobrze się stało, że odcięłam się całkowicie od Tomczyków. Nie chciałam mieć nic wspólnego z tą rodziną.

Z teściową spotkałam się jeszcze tylko raz, gdy odwoziłam ją z kliniki na ulicy Kopernika do Tarnowa. Przez całą drogę prawie nie rozmawiałyśmy, tylko na początku bąknęła:

– Dziękuję ci, że mnie odebrałaś. Zbysiu jest za granicą, musiał nagle wyjechać w interesach.

– Wiedząc, że pani ma wyjść lada dzień ze szpitala, a nie jest w stanie sama dotrzeć do domu? – bąknęłam ironicznie.

– Nie martw się, zapłacę ci za benzynę.

– Nie martwię się, bo musi mi pani zapłacić. Mogłam za darmo wysprzątać Zbysiowi pół domu po malarzach, ale na więcej szczodrości nie mogę sobie pozwolić, tym bardziej że musiałam pożyczyć ten samochód od sąsiada.

Zawiozłam ją, skasowałam za benzynę i pomogłam wejść do mieszkania. Na tym koniec naszych kontaktów.

Przestałam myśleć o swojej byłej teściowej i wróciłam do rzeczywistości i Ślęzaka.

Ksiądz ledwo zdążył ściągnąć kurtkę, gdy z pokoju wyszła Karolina.

– Mas dla mnie jakiś plezent? – zapytała po swojemu.

– Całkiem zapomniałem – powiedział ze skruchą. – Obiecuję, że przyniosę ci następnym razem. Nie pogniewasz się na mnie?

– Tym razem ci wybacę.

– Karolina, tyle razy ci mówiłam, że to bardzo brzydko upominać się o prezenty. – Zrobiłam groźną minę.

– Ale oni wsyscy zapominają! To bzydko psychodzić do dziecka i nie psynosić mu plezentu. – Mała miała już ponad trzy latka, ale nadal sepleniła.

Od tego czasu kiedy ksiądz Ślęzak przychodził do nas, zawsze przynosił jakiś drobny upominek i dla Karoliny, i dla Michała, i dla mnie.

Po zjedzeniu kolacji i trzech sporych kawałków sernika ksiądz ponownie wrócił do kwestii mojej pracy.

– Nie wiedziałem, że macie problemy finansowe. Czy mógłbym jakoś pomóc?

– Nie wiem. Szukam pracy. – Wzruszyłam ramionami.

– A byłaś w pośrednictwie?

– Oczywiście, że byłam. Ale nic dla mnie nie mają, tylko pracę ekspedientki za najniższą krajową.

– Przecież masz ukończone studia...

– Teraz co druga osoba ma ukończone studia. Nigdy nie pracowałam w biurze i nie znam angielskiego, tylko francuski i rosyjski. A wszyscy chcą pracownika ze znajomością angielskiego.

– Ale chyba coś tam umiesz zrobić w biurze?

Tak, kawę – pomyślałam. Na głos jednak powiedziałam coś innego:

– Oczywiście, ale nawet jeśli nie będę czegoś wiedzieć, to szybko się nauczę.

– Popytam tu i ówdzie. U nas w Osieku na razie nikogo nie potrzebujemy, oprócz tego musiałabyś dojeżdżać, a nie masz samochodu.

– Auta nie są teraz drogie, gdy będzie taka potrzeba, to je kupię.

Nazajutrz w południe zadzwonił Ślęzak.

– Chcesz pracować w księgowości?

– Tak – ucieszyłam się. I przestraszyłam. Przecież nie miałam żadnego pojęcia o księgowości!

– No to zgłoś się w poniedziałek na ulicę Kalwaryjską do budynku Zgromadzenia Księży Katechetów.

Nareszcie dostałam pracę! Nie sprzątanie, tylko prawdziwą, wymarzoną posadę za biurkiem. Miałam teraz pracować za pomocą komputera i drukarki, a nie mopa i ścierki. Byłam przeszczęśliwa. Po moich niepowodzeniach w pośrednictwie pracy etat urzędniczki, kiedyś przeze mnie wyśmiewany, stał się teraz marzeniem na miarę kariery filmowej. I oto ja również dołączyłam do szacownego grona biurw w garsonkach, siedzących dumnie przed komputerem i wymachujących plikiem dokumentów.

Moją szefową i mentorką została Janina Kajda, już w macicy swojej matki zaprogramowana na księgową. Sucha, oschła, w okularkach i z kalkulatorem zamiast serca. Stara panna, bez mężczyzny, bez dzieci, której ulubioną lekturą była najnowsza nowelizacja ustawy o VAT. Chociaż u księży pracowała niedawno, na księgowości zjadła zęby (dlatego musiała wprawić sobie sztuczne górne jedynki i dwójki…). Przyjęła mnie chłodno, a powinna się cieszyć, bo miałam ją odciążyć od księgowych męczarni. I miałam zostać jej osobistym biurowym popychadłem, którego dotychczas nie miała. Niestety jej mina wskazywała, że wolałaby nadal być jedyną królową w swym jednoosobowym księgowym królestwie i nie mieć żadnych poddanych całujących ją usłużnie w ręce poplamione tuszem biurowym.

Siedziałam cichutko za biurkiem jak myszka pod miotłą i bez szemrania wykonywałam wszystkie jej polecenia. Na początku mojej kariery biurowej do moich obowiązków należało chodzenie na pocztę, komunikowanie się z kościelnym, kucharką i sprzątaczką w sprawie zakupów potrzebnych im artykułów oraz przyjmowanie telefonów i faksów. Później doszło odpisywanie na listy darczyńców i prośby o następne finansowe wsparcie. Po miesiącu terminowania moja szefowa dopuściła mnie do tajników wiedzy księgowej. Pokazała, jak wklepywać do programu Symfonia faktury zakupów i sprzedaży. Zapoznała mnie z planem kont, żebym mogła prawidłowo zaksięgować daną pozycję.

Uważnie słuchałam, co mówi, z radością chłonęłam wszystkie uzyskane od niej informacje, ucząc się pilnie, jak zostać dobrą księgową. Po dwóch miesiącach moja szefowa po raz pierwszy się do mnie uśmiechnęła, a po trzech zaprosiła do pokoju socjalnego na wspólne wypicie kawy i konsumpcję ciastka tortowego w towarzystwie jej i pani kucharki. Było to z jej strony duże wyróżnienie. Dotychczas robiły to tylko we dwie. Dowiedziałam się, że się przyjaźnią i spotykają nie tylko w pracy.

Polubiłam obie kobiety. Miło mi się z nimi rozmawiało, niestety te przerwy na kawę były jedynymi przyjemnościami dostępnymi w Zgromadzeniu Księży Katechetów. Atmosfera była tam przygnębiająca, jakby zasmucanie się i umartwianie należało do obowiązków każdego pracownika. Księża snuli się cicho po korytarzach budynku niczym czarne zjawy w nawiedzonym zamczysku. Nikt się nie roześmiał ani nie odezwał głośno. Nawet pani Janina, gdy siadała za biurkiem, stawała się na nowo rasową księgową, zanurzoną w morzu podatków i zobowiązań, gdzie jedynym istotnym problemem jest „winien" czy „ma", a cały świat dzieli się na konta credit i debet.

Ponury klimat relacji i układów personalnych narzucił prawdopodobnie szef wszystkich szefów, ksiądz nad księżmi, prowincjał Zgromadzenia, jego świątobliwość Edward Nasiadka.

Kiedy tylko go zobaczyłam, od razu poczułam do niego antypatię. Do innych księży miałam stosunek obojętny, ani nie czułam do nich sympatii, ani niechęci. Nigdy nie należałam do osób zginających się wpół w ukłonach na widok księdza, a słowo „czcigodny", jakim tytułowano w listach większość naszych księży, tylko mnie śmieszyło i irytowało. Uważałam, że kto jak kto, ale „wielebny ksiądz prowincjał" na pewno na taki tytuł nie zasługiwał. Nieraz zalatywał od niego zapach strawionego alkoholu, a czasami nawet świeżo spożytego – zdarzało się to również, gdy szedł odprawiać mszę.

Wiedziałam, że nie stroni od kobiet. Kiedy był obok mnie, ciągle czułam jego obleśne spojrzenia zawieszone na moich piersiach i pośladkach. Mimo że nigdy nie czynił mi żadnych dwuznacznych propozycji, wiedziałam, o co mu biega. Kobieta zawsze wyczuwa erotyczne zainteresowanie mężczyzny. Nawet gdy jest nim ksiądz. Odkąd zaczęłam pracować, często pojawiał się w księgowości, chociaż wcześniej prawie nigdy tu nie zaglądał, tylko wzywał księgową do swojego gabinetu (tak mówiła pani Janina). Teraz nie było dnia, żeby pod byle pretekstem nie przyszedł do naszego pokoju. Czasami, gdy byliśmy sami, ocierał się o mnie albo ni stąd, ni zowąd dotknął moich ramion lub poklepał po plecach (jednak nie w pośladki!).

Mimo że do pracy przychodziłam w spodniach i szerokich bluzkach, bez makijażu i z ulizanymi włosami, nadal mu się podobałam. Zauważyła to nawet Kajda.

Wiedziałam, że wcześniej czy później dojdzie do rozstrzygającego momentu. Zależało mi na tej pracy, ale nie miałam zamiaru wchodzić w jakieś erotyczne męsko-damskie układy z szefem – tym bardziej że szefem był ksiądz!

Coraz częściej myślałam, żeby poprosić Ślęzaka o przeniesienie mnie do Fundacji. Odważyłam się to zrobić po wizycie w Osieku, gdzie ksiądz zaprosił mnie i dzieci na festyn organizowany z okazji Dnia Dziecka. Pierwszy raz byłam w tym ośrodku. Gdy zobaczyłam, jak tam ślicznie i jaka miła panuje atmosfera, zebrałam się na odwagę i zagadnęłam:

– Czy ksiądz nie ma jakiegoś wakatu u siebie w Fundacji?

– Przecież masz dobrą posadę w Zgromadzeniu w Krakowie? Nie podoba ci się tam?

– Podoba… Ale tutaj jest tak przyjemnie. Taka domowa atmosfera…

– Przecież musiałabyś dojeżdżać dwadzieścia pięć kilometrów.

– No to bym dojeżdżała – odparłam z zapałem.

– Zobaczymy, czy będę mógł coś zrobić w tej sprawie.

Mógł. Tydzień później zadzwonił z informacją, że od następnego miesiąca mają wolny etat w kadrach, więc jeśli chcę, mogę zacząć tam pracować.

Ucieszyłam się ogromnie. Natomiast Janina Kajda była z tego powodu trochę mniej zadowolona, ale widząc moją radość, życzyła mi wszystkiego dobrego. Pani Agata z kuchni również przyłączyła się do tych życzeń. Z resztą współpracowników byłam na dystans, dlatego w ogóle nie zauważyli mojego odejścia. Jedynie prowincjał, widząc mnie na korytarzu, mruknął:

– Przykro mi, że ucieka pani od nas, pani Beato. Czy rzeczywiście tak źle było pani u nas?

– Ależ skąd! – zaprzeczyłam gwałtownie, w duszy rumieniąc się za swą hipokryzję. – Ale ksiądz Ślęzak jest dla mnie jak wujek. Był katechetą mojego męża, dlatego wolałabym pracować u niego.

– No to życzę pani wszystkiego dobrego na nowej drodze zawodowej. – Podał mi rękę na pożegnanie.

A ja odetchnęłam z ulgą.

W tym samym dniu kupiłam samochód – opla astrę. Chociaż był w wieku mojego syna, okazał się bardzo dobrym nabytkiem. Mimo mocno skorodowanej karoserii jego stan techniczny był wyjątkowo dobry. Do dziś ani razu mnie nie zawiódł, dlatego nie wymieniłam go na nowszy model.

Zakochałam się w Osieku i Fundacji „Nasze Dzieci". Może nie było tutaj finansowych kokosów, ale wynagradzała to panująca atmosfera. Czułam się tu jak w domu, wśród bliskich. Nie było intryg tak charakterystycznych dla układów pracowniczych w innych firmach, relacje były przyjacielskie, wręcz rodzinne. Wszyscy uśmiechnięci, zadowoleni, radośni... Nikt nie patrzył na nikogo spode łba, nie zazdrościł ani nie donosił do szefostwa. I co najważniejsze: każdy czuł się tu bezpiecznie, nie bojąc się wyrzucenia z pracy. Wszystkie uroczystości, takie jak imieniny i urodziny, świętowano wspólnie przy obowiązkowym cieście, filiżance kawy, a nawet kieliszku wina. Były składki na prezenty i kwiaty, wspólne wycieczki i imprezy. Najfajniejsza była Wigilia. Taka prawdziwa, z dwunastoma daniami, łamaniem opłatkiem i składaniem sobie życzeń.

Pracownicy i księża tworzyli jedną wielką rodzinę. Pracując tu, zmieniłam zdanie na temat duchownych. Doceniłam ich pracę i zaangażowanie. Oni naprawdę wierzyli. Wierzyli w Boga i w jego przesłanie. Wierzyli w swoją pracę bożych pasterzy i potrzebę pomagania bliźnim. A przede wszystkim dzieciom. Polubiłam tych księży – z większością z nich przeszłam na ty. Polubiłam Osiek, polubiłam swoje biurko i to, co tam robię. Rano przyjeżdżałam do pracy z przyjemnością, bo wiedziałam, że jestem małym trybikiem w wielkim dziele. Świadomość, że uczestniczę w czymś, co ma świetlisty i doniosły cel, sprawiała mi dużą satysfakcję.

Przeniosłam również Michała do tutejszego liceum. Zmiana szkoły przeważnie wiąże się ze stresem, ale u Michała tego nie zauważyłam. Tak jak i ja, szybko się tu zaaklimatyzował. Teraz razem przyjeżdżaliśmy i razem wracaliśmy, chyba że miał jakieś zajęcia pozaszkolne. Dyrekcja i tutejsi nauczyciele dbali nie tylko o dobre przygotowanie młodzieży do matury, lecz także chcieli rozbudzić w nich różnorakie zainteresowania. Były kółka teatralne, alpinistyczne, informatyczne, taneczne i literackie. Zorganizowano też Koło Młodego Chemika, Lingwisty oraz zajęcia sportowe i treningi walk wschodnich. Każdy uczeń mógł rozwijać swoje hobby, jeśli tylko miał na to ochotę.

Liceum cieszyło się bardzo dobrą opinią i zajmowało jedną z czołowych pozycji w rankingu szkół średnich. Zdawalność matur wynosiła prawie sto procent. Spowodowane to było niską liczebnością klas (dwadzieścia pięć osób) i selektywnym doborem grona pedagogicznego. Nauczyciel tam pracujący musiał mieć nie tylko bardzo dobre przygotowanie merytoryczne, lecz także wysokie morale i powołanie pedagogiczne.

Szkoła wysyłała część swoich wychowanków za granicę w ramach wymiany międzynarodowej, by uczniowie mogli poznać życie w innych krajach i nauczyć się języka. Roczny pobyt w domu swojego zagranicznego rówieśnika wymagał jednak rewanżu w postaci przygarnięcia przez polską rodzinę na rok młodego obcokrajowca.

Oprócz uczniów przyjeżdżali do Fundacji również studenci, by nauczyć się języka polskiego. Byłam pełna podziwu dla jednego młodego Niemca, który potrafił opanować nasz trudny język w ciągu zaledwie roku, i wyjeżdżając, mówił perfekcyjnie po polsku. Kiedy na przyjęciu z okazji czterdziestolecia kapłaństwa księdza Ślęzaka chłopak wygłosił przemówienie, trudno było uwierzyć, że nie jest Polakiem, tylko Niemcem.

Pracując w Fundacji, widziałam, ile dobrego czynią księża, jak pomagają ubogiej młodzieży na starcie w dorosłe życie. Przyjeżdżały tu dzieciaki z całego kraju, bo pierwszeństwo w naborze miała młodzież z biednych i często patologicznych rodzin. Ksiądz Ślęzak chciał dać im szansę na poprawę swojego losu. Często się zdarzało, że ubierał dzieciaka od stóp do głów, zwalniał ze wszystkich opłat i nawet fundował stypendium, żeby uczeń miał kieszonkowe. Prezes starał się wspomagać również ubogich absolwentów szkoły, by mogli dalej studiować. Proponował im stancję i możliwość zatrudnienia. W tym właśnie celu kupił fabrykę makaronów, co niestety skończyło się dla niego biznesową klęską i życiową katastrofą.

Wychowankowie, opuszczając szkołę, nie zapominali o swoim protektorze, często odwiedzali stare mury i wspomagali Fundację datkami. Kiedy dowiedziano się o usunięciu Ślęzaka, utworzono specjalną stronę internetową jemu poświęconą i wysłano apel do zarządu Zgromadzenia z poparciem dla prezesa, podkreślając jego zasługi.

Również mieszkańcy wsi napisali list do prowincjała z prośbą o przywrócenie Ślęzaka na dawne stanowisko. Ludzie z Osieka lubili i szanowali księdza, bo im też starał się pomagać. Dla każdego potrzebującego znalazła się w stołówce zupa i kromka chleba. Bezpłatnie! Pomagał również ubogim osieczanom w inny sposób. Kupował węgiel na zimę, rozdawał ubrania przysłane w paczkach z zagranicy i wspomagał finansowo niektórych emerytów. O tym wszystkim napisano w liście do prowincjała. Nic to jednak nie dało, bo prowincjał był nieugięty.

Kiedy zaczęłam pracę w Osieku, nikt nie przypuszczał, co się wkrótce wydarzy. Wszyscy pracownicy lubili księdza prezesa, księża chyba również, chociaż był w stosunku do nich trochę apodyktyczny i narzucał swoją wolę. Wiedziałam jednak, że podporządkowanie się przełożonemu to podstawowa zasada wpajana wszystkim klerykom w seminariach, dlatego nikt z nich się nie buntował i każdy bez szemrania wykonywał polecenia.

Nareszcie znalazłam swoje miejsce na „zarobkowej ziemi". Moje życie się unormowało i wpadło w kierat, może trochę nudnej i monotonnej codzienności, ale za to przepełnionej spokojem i bezpieczeństwem finansowym. Nie bałam się już rachunku za prąd ani pustej lodówki, wiedziałam, że mam zapewnioną stabilizację życiową. Moim jedynym pragnieniem było dobrze wychować swoje dzieci, zapewnić im odpowiednie wykształcenie i zawód oraz wpoić takie wartości życiowe, żeby stali się porządnymi ludźmi. Tylko tego teraz chciałam. Nie zamierzałam układać sobie na nowo życia osobistego. Nie miałam w planach żadnego nowego męża ani kochanka. Teraz całym moim światem stały się moje dzieci. Michał i Karolina.

Rutyna dnia codziennego powodowała, że zacierały mi się dni tygodnia. Wszystkie były takie same oprócz sobót i niedziel. Wstawałam rano, zawoziłam Karolinę do przedszkola, a później z Michałem jechaliśmy do Osieka. Nie gotowałam obiadów, bo stołowaliśmy się poza domem – Karolinka w przedszkolu, a my na szkolnej stołówce. Zaoszczędziłam przez to dużo pieniędzy i czasu. Jedzenie w Fundacji było bardzo smaczne i tanie, ponieważ pracownicy mieli sporą zniżkę. Nawet śniadanie jedliśmy poza domem. Jedynie na kolację przyrządzałam coś na gorąco. Wieczory w naszym domu spędzaliśmy, grając w gry planszowe lub oglądając telewizję.

Ale w weekendy było inaczej. Zawsze w sobotę i w niedzielę starałam się przygotować dla nas coś ekstra. I nie tylko pod względem kulinarnym. Wyciągałam ich na wycieczki i do kina. Albo jechaliśmy do Olkusza, by odwiedzić moich rodziców. Czasami szliśmy na obiad gdzieś na mieście. Karolina była jeszcze w tym wieku, gdy przepada się za jedzeniem z McDonalda, Michał już z tego wyrósł, a ja nadal nie cierpiałam słodkich bułek z podejrzanym mięsem i liściem zwiędniętego zielska. Ale nie umieliśmy odmówić naszej małej szantażystce, dlatego tam również zaglądaliśmy.

Chociaż niezbyt łatwo było wyżyć z jednej mojej pensji, na nasze weekendowe wypady zorganizowałam specjalny fundusz: raz w tygodniu po powrocie z pracy chodziłam sprzątać do pewnej rodziny. Z wszystkich moich „domków do sprzątania" zrezygnowałam oprócz właśnie tego jednego mieszkania. Nie było tam dużo do pracy, bo trzeba było ogarnąć tylko dwa pokoje, kuchnię i łazienkę, zrobić zakupy i coś wyprasować. Zajmowało mi to cztery godziny, a płacono mi osiemdziesiąt złotych. Dlatego bez wyrzutów sumienia mogłam wydać te dodatkowe pieniądze na nasze małe przyjemności.

Byłam szczęśliwa. I dumna z siebie, że potrafię utrzymać moje dzieci. Dopiero teraz, będąc wdową i samotną matką, poczułam się dojrzałą kobietą i wartościowym człowiekiem. Wcześniej byłam jedynie rozpieszczoną, samolubną mentalną smarkulą z roszczeniami, która nie licząc się z innymi, bezczelnie wyciągała rękę po coraz więcej.

Nie spotkałam już Zbyszka. Raz widziałam go przez okno, jak szedł do biura Ślęzaka, ale później zawsze wyręczał się głuchoniemym. Nigdy nie poruszałam z księdzem tematu swojego szwagra, ale bałam się, czy ten łajdak znowu mi nie zaszkodzi. To Ślęzak pierwszy zaczął o nim rozmowę. Pewnego dnia zawołał mnie do swojego gabinetu.

– Beato, czy wiesz, że Zbyszek siedział w więzieniu?

– Nie – skłamałam mało przekonująco.

– Co o nim powiesz? Jaki to człowiek?

– Drań, łajdak i oszust – wypaliłam. – Słyszałam, że oszukał wiele osób na duże pieniądze.

– Dlaczego mi o tym nie powiedziałaś?

– Przecież ksiądz mnie o to nie pytał. – Wzruszyłam ramionami. – To przez niego Paweł zbankrutował.

– Nie wiedziałem. Powinnaś mnie przed nim ostrzec.

– Skąd mogłam wiedzieć, że ksiądz wszedł z nim do spółki? Oprócz tego bałam się, że ksiądz mi nie uwierzy... A co się stało? Czy są jakieś problemy? – Zaniepokoiłam się.

– Nie, tylko tak się pytam. – Jednak jego mina mówiła coś innego niż słowa.

W Osieku zaczęły krążyć plotki, że Ślęzak ma kłopoty. Przez fabrykę makaronów. Sam jednak nigdy na ten temat ze mną nie rozmawiał. Gdy czasami odwiedzał nas w domu, nie poruszał spraw związanych z Fundacją, ja również do tego nie nawiązywałam. Ale zauważyłam, że robi się coraz bardziej smutny i zagubiony. Trzeba było kilka razy zadawać mu to samo pytanie, żeby uzyskać odpowiedź, bo był nieobecny duchem. Wiedziałam, że prowincjał przyjeżdżał kilkakrotnie do Osieka. Podobno słychać było wtedy podniesione głosy dochodzące zza drzwi gabinetu księdza.

Pewnego dnia wszystkich nas sparaliżowała wiadomość, że Ślęzak został odsunięty od zarządzania Fundacją. Wieść obiegła lotem błyskawicy cały Osiek, wpędzając w panikę ludzi bliżej związanych z prezesem. Wiadomo przecież, że zawsze w takich sytuacjach sypią się także inne głowy. Ja również się wystraszyłam, bo chociaż nie zajmowałam wysokiego stanowiska, ale należałam do „ludzi Ślęzaka".

W Fundacji „Nasze Dzieci" nastał nowy dyrektor – Marian Bielecki. I zaczęła się czystka. Zwolniono dyrektora administracyjnego, dotychczasową księgową i młodego informatyka, bo był jej synem. Zerwano umowy z firmami współpracującymi z Fundacją, zrezygnowano nawet z architekta (mimo że był bardzo dobry i tani), ponieważ był znajomym Ślęzaka. Teraz czekałam, kiedy i mnie zwolnią.

Ale nie zwolnili. Chyba tylko dlatego, że byłam samotną matką wychowującą dwójkę dzieci. Przecież czegoś takiego księżom nie wypadało zrobić! Księża muszą dbać o swój wizerunek.

Wraz z przyjściem nowego dyrektora nastały również zmiany. Główne motto nowej władzy brzmiało: „Fundacja ma problemy finansowe, trzeba więc zacisnąć pasa". Pracownicy nie mieli już zniżek na żywienie się w stołówce, a niedługo później w ogóle nie mogli z niej korzystać. Wstrzymano też darmowe zupy dla ludzi z zewnątrz. Nie kupowano już węgla starym babciom ani nie dawano im pieniędzy. Głośna stała się sprawa Kaśki Mazgaj, trochę opóźnionej w rozwoju trzydziestolatki, żony pijaka dzieciorоba, który zdążył już jej zrobić pięcioro dzieci. Kobieta dotychczas pomagała ogrodnikowi w Fundacji, grabiła liście i plewiła chwasty, bo ksiądz Ślęzak chciał ją przyuczyć do jakiejś pracy. Płacił symbolicznie, ale dawał jej żywność i kupował węgiel, ponieważ zarobione pieniądze mąż zabierał jej na wódkę. Bielecki zaraz ją zwolnił, a gdy przyszła z prośbą o opał na zimę, wręczył jej święty obrazek i kazał przyjść mężowi do spowiedzi.

Kiedy tylko pierwszy raz ujrzałam Bieleckiego, od razu poczułam do niego niechęć. I to nie jedynie ze względu na Ślęzaka. Nowy dyrektor reprezentował cechy typowe dla przedstawicieli młodego kleru wyszydzanego w internecie. Młody, ambitny, bez skrupułów i cienia empatii. Traktujący bycie księdzem nie jak posługę kapłańską, ale jak zawód taki jak każdy inny.

W stosunku do pracowników zachowywał chłodny dystans. Nie zagadał, nie uśmiechnął się, tylko bąknął „szczęść Boże" i przechodził dalej. Wzbudzał w pracownikach uczucia przeznaczone dla surowego szefa, a nie dla duszpasterza: respekt podszyty strachem. Rodzinna atmosfera panująca kiedyś w Fundacji rozwiała się z szybkością tornada. Wszyscy drżeliśmy z obawy, by nie podpaść dyrektorowi i nie zostać wyrzuconym. Skończyły się koleżeńskie rozmowy i spotkania przy kawie. Zasznurowaliśmy sobie usta z obawy, że niepożądane słowa mogą dotrzeć do jego uszu. Każdy z nas szedł teraz do pracy z duszą na ramieniu, ponieważ ciągle przebąkiwano o cięciach kosztów i redukcji etatów. Zwolniono portierów, bo bardziej opłacało się wynająć firmę ochroniarską. Pozbyto się również sprzątaczki, bo ekipa sprzątająca z zewnątrz była tańsza. Wszyscy zwolnieni ludzie byli mieszkańcami Osieka. Nie było sentymentów. Księdza dyrektora nie interesowało, gdzie znajdzie pracę mężczyzna po pięćdziesiątce albo kobiecina, która umie tylko sprzątać. Jedyne, co do niego przemawiało, to ekonomia.

Oczywiście wszystkie drastyczne zmiany były spowodowane kryzysem finansowym, za które odpowiedzialny był Bolesław Ślęzak! Na każdym kroku i przy każdej okazji ciągle to podkreślano. Pracowników zwolniono przez Ślęzaka, nie było obiadów na stołówce przez Ślęzaka, obcięto stypendia ubogim dzieciom przez Ślęzaka. Ksiądz Ślęzak był winny wszystkiemu! Również temu, że fabryka makaronu źle prosperowała i trzeba było ją sprzedać za pół ceny, w dodatku w ratach. I to komu? Bratu księdza Bieleckiego! Bo podobno nikt inny nie chciał jej kupić. Ale klienta, który dawał dwa razy więcej pieniędzy i płacił gotówką, szybko przepędzono. Dlaczego? Bo przyprowadził go Ślęzak.

Chociaż przez cały czas powtarzano, że trzeba zacisnąć pasa, pieniądze na remont biur i gabinetów jakoś się znalazły, mimo że obiekt miał zaledwie trzynaście lat. Wymieniono terakotę na podłogach we wszystkich pomieszczeniach, zakupiono skórzane meble wypoczynkowe do pokoju telewizyjnego, nowe dywany i plazmę na pół ściany, ponieważ księża „ślubowali ubóstwo, ale nie dziadostwo", jak wyraził się kiedyś ksiądz Bielecki

Cały zarząd traktował księdza Ślęzaka jak *persona non grata*. Wszyscy pracownicy to zauważyli. Wyrazy lekceważenia i braku szacunku nowi księża okazywali mu na każdym kroku. Tekst: „Ksiądz Ślęzak nie ma tu już nic do powiedzenia" padał bardzo często z ust Bieleckiego i nowych księży z zarządu. Ignorowano go, pomijano jego osobę w uroczystościach kościelnych i szkolnych.

Oprócz Ślęzaka pozbyto się również dawnych księży, odsyłając ich na inne placówki - sorry, do innych domów parafialnych. Ale jego samego nie mieli odwagi i sumienia wysłać gdzie indziej – przecież to on wybudował ten ośrodek, dlatego nadal tu mieszkał i miał własny gabinet.

Oprócz dyrektora Fundacji zmieniono również dyrektora liceum. Nie poznaliśmy go jeszcze, bo były wakacje, miał przyjechać do Osieka dopiero pod koniec sierpnia.

Serce mi się krajało, gdy patrzyłam na księdza prezesa – nadal tak go nazywaliśmy, ku oburzeniu Bieleckiego. Snuł się po korytarzach ośrodka smutny i przybity. Całkiem się załamał. Nie tylko opuściła go cała energia, lecz także wpadł w depresję. Nie miał ochoty rozmawiać nawet ze mną. Chciałam mu pomóc, ale nie wiedziałam jak. Pomimo moich wielokrotnych zaproszeń zawsze odmawiał.

Wakacje spędził ze swoją protektorką Ingrid Schulz. Natomiast ja z dziećmi pojechałam nad polskie morze, do Świnoujścia. Koleżanka miała tam mieszkanie, pamiątkę po byłym mężu, kapitanie żeglugi wielkiej. Warunki mieszkaniowe były takie sobie, ale wynagradzały je bliskość morza, dobre powietrze i miłe towarzystwo.

Pod koniec sierpnia, zaraz po naszym powrocie z wakacji, rozchorowała się Karolina. Musiałam wziąć opiekę nad nią, bo rodzice wyjechali do Rimini. Ta angina Karoliny wyjątkowo była mi nie na rękę. Teraz w Fundacji krzywo patrzono na matki chorych dzieci – tym bardziej że tą matką była dobra znajoma Ślęzaka. Ale nie miałam wyjścia, musiałam zostać z córeczką w domu.

Tymczasem rozpoczął się rok szkolny. Michał był już w drugiej klasie licealnej. Bałam się, czy nowy dyrektor szkoły nie uweźmie się na mojego syna, bo Michał napisał petycję do prowincjała w sprawie

Ślęzaka i starego dyrektora liceum odesłanego na Białoruś. Księdza Jacka uczniowie bardzo lubili, ja również miałam przyjemność poznać go bliżej na wycieczkach zorganizowanych w dawnych dobrych czasach do Rzymu i Paryża. Połowę kosztów pokryła wtedy pracownikom Fundacja, a mnie drugą połowę dopłacił Ślęzak. Michał również był z nami w ramach nagrody za wysokie oceny w szkole.

Ku mojemu zdziwieniu i trochę niezadowoleniu (bo według mnie było to okazanie nielojalności wobec księdza Jacka) Michał bardzo dobrze wypowiadał się o nowym dyrektorze szkoły, księdzu Piotrze. Po powrocie z zajęć z zachwytem na twarzy rozprawiał o lekcji informatyki prowadzonej przez księdza i mszy, którą celebrował. Najbardziej zdziwiło mnie to drugie, ponieważ Michał nie cierpiał chodzić na msze! A musiał to robić w każdy czwartek, tak jak wszyscy uczniowie liceum w Osieku. Teraz jednak z zapałem opowiadał o kazaniu nowego dyrektora, o jego pomysłach i planach związanych ze szkołą.

Nie tylko Michał i uczniowie zachwycali się nowym księdzem, moja koleżanka z pracy, sąsiadka z drugiego biurka, również była nim zachwycona, ale trochę z innych powodów...

– Ale ciacho z tego księdza Piotra! Wygląda jak model z reklamy Calvina Kleina. Jeszcze przystojniejszy od Bieleckiego. I dużo sympatyczniejszy! Naprawdę szkoda, żeby tacy faceci jak on nosili sutannę. To takie marnotrawstwo, gdy tyle jest na świecie samotnych kobiet – westchnęła, bo od trzech lat była rozwódką. – Widziałam go na basenie. Z taką sylwetką powinien startować w wyborach mistera roku. Ma zajebisty kaloryfer! I w ogóle wszystko ma zajebiste. Twarz, oczy, włosy. Jakby przyjechał z Hollywood. Bardzo, ale to baaardzo przystojny. Puściłabym się z nim, nawet gdybym miała później całą wieczność być podgrzewana na piekielnym grillu. – Znowu westchnęła. – Niestety on nie reaguje na żadne nasze kobiece wdzięki.

– To może z niego pedał? – Wzruszyłam ramionami. Po jej słowach trochę się wystraszyłam zachwytem Michała wobec tego księdza. Tyle się słyszało o niemoralnym prowadzeniu się kleru, o pedofilach i homoseksualistach wśród duchowieństwa.

– Chyba nie. Po prostu porządny ksiądz. W każdym razie sprawia takie wrażenie.

Ja w przeciwieństwie do Lidki i mojego syna z góry byłam źle nastawiona do nowego dyrektora szkoły... tak jak do wszystkich, którzy zajęli miejsce starej ekipy. Wiedziałam, że poczucie lojalności nie pozwoli mi go polubić.

– Chyba zaraz go poznasz – powiedziała Lidka, patrząc przez okno. – Prawdopodobnie idzie do nas.

Po chwili drzwi się uchyliły. Podniosłam oczy, by się dobrze przyjrzeć wchodzącemu. Spojrzałam... i zamarłam.

W drzwiach stał Artur.

Rozdział 21

Ostry dzwonek domofonu przerwał Beacie czytanie swoich zapisków. Z niechęcią zamknęła laptopa. Cholera, znowu ten Biegler. Czego tym razem od niej chce? Każda jego wizyta budziła w niej niepokój. Za każdym razem musiała wkładać dużo wysiłku, żeby wyglądać i zachowywać się naturalnie.

– Dzień dobry. – Uśmiechnął się do niej, wręczając jej małą paczuszkę. – Kupiłem ciastka do kawy, którą mnie pani poczęstuje. W każdym razie mam taką nadzieję... A gdzie Karolina? Dla niej też coś mam – powiedział, rozglądając się po mieszkanku.

– Widzę, że pan również boi się ataków jej pretensji i niezadowolenia? – Odpowiedziała mu uśmiechem, odbierając torbę z zabawką. – Przepraszam za nią, ona jest naprawdę niemożliwa.

– Ależ skąd! Jest przeurocza. Nie ma jej?

– Mama jej koleżanki z przedszkola wzięła obie dziewczynki do Bagateli na bajkę o Kopciuszku. Wrócą za dwie godziny.

– Szkoda.

Mark usiadł w fotelu i obserwował, jak Beata się krząta między szafkami kuchennymi. Lubił na nią patrzeć, miała dużo kobiecego wdzięku. Musiał przyznać w duchu, że generalnie Polki są ładniejsze i o wiele bardziej interesujące od Austriaczek.

Dlatego pokochał i poślubił Polkę.

Beata postawiła na stoliku paterę z wypakowanymi ciastkami i poszła po filiżanki z kawą.

– Co słychać nowego, panie Marku? – zapytała, rozstawiając talerzyki deserowe i widelczyki. – Jak posuwa się śledztwo?
– Mamy nowy trop, ale nie wiem, czy księża ze Zgromadzenia będą zadowoleni.
– Dlaczego?
– Bo najchętniej widzieliby na ławie oskarżonych kogoś z zewnątrz. Nie księdza.
– Taak? Macie już jakiegoś konkretnego podejrzanego?
– Podejrzanym może być każdy, kto miał jakiś związek z prowincjałem. – Uśmiechnął się. – Nawet pani i ksiądz Ślęzak.
– Cholera, nie mam dobrego alibi. – Również się uśmiechnęła.
– A dzieci? Nie była pani w domu?
– Akurat gdy zginął prowincjał, robiłam zakupy w Galerii Kazimierz. Ta wuzetka jest pyszna.
– Jeszcze lepszy jest czarny las – odparł Mark, wsadzając do ust spory kawałek ciasta. – Palce lizać.
Przez chwilę pałaszowali przysmaki w milczeniu.
– A gdzie syn? Nigdy nie miałem przyjemności z nim rozmawiać.
– Ma dużo zajęć pozalekcyjnych. Albo trening, albo jakieś kółko. Ale dziś w ogóle nie będzie go w domu, bo pojechał na tydzień na wycieczkę.
– Razem z księdzem Szydłowskim?
– Tak.
Znowu zamilkli.
– Pani Beato, przyszedłem właśnie w jego sprawie. Chciałbym dowiedzieć się czegoś o Szydłowskim.
– Dlaczego akurat do mnie pan z tym przyszedł? – Wzruszyła ramionami, starając się okazać obojętność.
– Bo nie mam z kim o nim pogadać. Nie ma Ślęzaka ani ekonoma, ani superiora.
– Słabo go znam. Sprawia sympatyczne wrażenie.
– Wiem. Ale często ci z wyglądem baranka okazują się wilkiem w baraniej skórze. Nie wie pani, czy wiązało go coś z prowincjałem? Jakaś większa zażyłość?
– Nie wiem.
– Czy mówi coś pani nazwisko Wiatr?
Beata zmarszczyła czoło, myśląc intensywnie.
– Nie. A co?

– Prowincjał tuż przed śmiercią miał spotkać się z kimś o nazwisku Wiatr, a spotkał się z Szydłowskim – odparł. Po chwili dodał: – Cholera, nie pomyślałem o tym. Przecież Szydłowski mógł zmienić nazwisko. Trzeba to sprawdzić – powiedział, bardziej do siebie niż do niej. – Czy słyszała pani coś o tym?

– Nie. A skąd pan wie, że ksiądz Piotr był u prowincjała?

– Widziano go.

– Wątpię, czy ksiądz Piotr mógłby kogoś zabić. – Wzruszyła ramionami.

– Był ostatnią osobą, z którą spotkał się prowincjał. Podobno było słychać podniesione głosy dochodzące z pokoju. A potem wyszedł bardzo wzburzony.

– To dlaczego ksiądz Szydłowski się nie przyznał, że był wtedy u prowincjała, jeśli i tak wiedział, że go tam widziano?

– Właśnie nie wiedział o tym. Nie było nikogo na portierni, gdy tam wchodził i wychodził.

– To kto go widział? Może ktoś specjalnie chce wrobić księdza?

– Nie. Ta osoba powiedziała mi o tym dopiero wtedy, gdy ją przycisnąłem do muru.

– Kto to taki?

– Nie mogę tego pani powiedzieć. Ale jest to ktoś, kto na pewno nie chciałby mu zaszkodzić. – Spojrzał na Beatę. – Naprawdę nie dowiem się od pani niczego o Szydłowskim?

– Jest dobrym dyrektorem i nauczycielem. Uczniowie za nim przepadają. Michał jest nim zachwycony. Nawet zaczął chodzić do kościoła, odkąd ksiądz Szydłowski jest w Osieku, a wcześniej zawsze się przed tym migał. Początkowo byłam do Szydłowskiego trochę uprzedzona, bo zastąpił poprzedniego dyrektora szkoły, którego bardzo lubiłam. Ale widząc, jakim jest dobrym pedagogiem, zmieniłam o nim zdanie.

– Furtian z Kalwaryjskiej też wyrażał się o nim bardzo dobrze. Niestety nigdy nie wiadomo, co siedzi w człowieku. W afekcie można dopuścić się najgorszych rzeczy.

Beata czuła na sobie świdrujący wzrok Bieglera. Musi się opanować, wziąć w garść.

– Może rzeczywiście w każdym z nas siedzi potencjalny morderca? – Wzruszyła ramionami. – Chyba każdy człowiek w stanie wzburzenia lub zagrożenia potrafi zabić…

Mark wyszedł dopiero po godzinie. Beata długo nie mogła dojść do siebie. Siedziała w fotelu, niezdolna się poruszyć. Czuła się słaba i zmęczona, jakby pokonała maraton. Wizyta Bieglera wyssała z niej wszystkie siły. Tomczyk bardzo dużo wysiłku włożyła, żeby zachowywać się normalnie. Teraz jej organizm odpoczywał, ale umysł pracował. I to bardzo intensywnie. Myśli biegały chaotycznie po głowie, obijając się rozpaczliwie o ścianki czaszki, by znaleźć jakieś rozwiązanie. Ale nie znalazły. Co ma teraz zrobić? Jak postąpić? Co wybrać? Mniejsze czy większe zło? I co jest tym mniejszym złem?

Kiedy zadzwonił dzwonek obwieszczający powrót córki, już wiedziała, jak ma się zachować. Podjęła decyzję.

– Karolinko, nie rozbieraj się, jedziemy do babci do Olkusza.

Mark zsunął się z Marty. Płuca i serce rywalizowały ze sobą, które z nich mają szybciej pracować. Chwilę leżał nieruchomo, głośno łapiąc powietrze, by odpocząć po tym najprzyjemniejszym ze wszystkich wysiłków. Seks z Martą jak zwykle był wspaniały. Często się zastanawiał, czy dlatego jest mu tak dobrze z nią w łóżku, bo ją kocha, czy kocha ją dlatego, że jest mu z nią tak dobrze. Chyba to pierwsze…

Marta dziś szła do pracy dopiero na godzinę jedenastą, dlatego mogli pozwolić sobie na poranny numerek. Kiedy rozpoczynała zajęcia o godzinie ósmej, nie było o tym mowy, ponieważ oboje należeli do kategorii „ludzie sowy", którzy lubili nocne życie.

– Pójdziemy dziś do kina? – zapytała Marta.

– Szczerze mówiąc, nie mam teraz do tego głowy. Czuję, że jesteśmy na dobrym tropie.

– Byłeś wczoraj u Beaty Tomczyk?

– Tak.

– Co u niej? Nadal ci się podoba? – zapytała, starając się nadać głosowi obojętne brzmienie.

Mark spojrzał na nią uważnie.

– Czyżbyś była zazdrosna, *mein Schatz*?

Marta tylko wzruszyła ramionami, nic nie odparła.

– O co ci chodzi? Przecież spotykam się z nią służbowo.

– Ale wiem, że ci się podoba. – Zamknęła oczy. – Boję się, czy mi się nie zrewanżujesz – powiedziała cicho.

Mark gniewnie zmarszczył brwi.

– Mówiłem ci, żebyśmy do tego nie wracali.

– Czuję, że nadal masz żal do mnie o to, co się stało... O Davida... Chociaż mówiłeś, że mi wybaczyłeś, ale wiem, że to nieprawda...

Mark milczał. A Marta mówiła dalej:

– Teraz ciągle szukam u ciebie oznak, czy już przyszła ta pora, czy już pojawiła się ta kobieta, przy której pomocy wyrównasz nasze rachunki...

– Przestań gadać głupstwa. Nie należę do ludzi pragnących za wszelką cenę odwetu. Nie mam zamiaru ci się rewanżować! Mieliśmy o tym zapomnieć, do cholery! – W jego głosie zabrzmiały nutki zniecierpliwienia i rozdrażnienia.

– Boję się, że cię stracę... Gdybyśmy mieli dziecko, byłoby inaczej, bo ono cementuje związek. Ale...

– Do cholery, nie psuj nam poranku! – Dość ostro to zabrzmiało, dlatego uśmiechnął się do niej i łagodniej dodał: – *Mein Schatz*, doktor Wojtyś mówił nam, żebyśmy się na razie z tym wstrzymali. Przecież minęło dopiero półtora roku, kiedy to się stało. Zaczniemy starać się o dziecko za jakiś czas. Kiedy zajdzie taka potrzeba, spróbujemy *in vitro*. Teraz twój organizm musi się zregenerować. Pamiętaj, co powiedział nam doktor, że kiedy bardzo pragnie się ciąży, może powstać blokada psychiczna rzutująca na układ somatyczny. Potwierdza to Robert. Jego pierwsza żona zaszła w ciążę dopiero wtedy, gdy sobie to odpuściła. A teraz zbieraj się do pracy, bo minęła już dziesiąta.

Marta, słysząc, która jest już godzina, energicznie ściągnęła z siebie kołdrę.

– Już po dziesiątej?! O holender! Spóźnić się do pracy na godzinę jedenastą to mała przesada.

Szybko wyskoczyła z łóżka i skierowała się do łazienki. Wyszła po kilku minutach już uczesana i podmalowana. Z szafy wyciągnęła niebieskie dżinsy i szafirowy golf.

– Nie mam czasu na strojenie się – stwierdziła, nakładając na szyję elegancki wisior. Spojrzała w lustro szafy. – Muszę spiąć włosy, bo w tym golfie wyglądam, jakbym nie miała szyi. – Co oczywiście było nieprawdą.

Mark z pobłażaniem obserwował żonę. Jak zwykle wyglądała rewelacyjnie. Jak ona to robi, że w pięć minut ze ślicznej dziewczyny przeistacza się w prawdziwą piękność.

– Mark, zrób sobie sam śniadanie, bo się spieszę.

– Hm, powiedz mi, *mein Schatz*, kiedy to ty mi robisz śniadanie?
– W sobotę, czasami w niedzielę. Pa, lecę. Przyjdę później, bo idę dziś do kościoła. Zamówiłam mszę za rodziców.

Marta i Renata Orłowska, w przeciwieństwie do swoich mężów, często odwiedzały mury świątyni. Prawie w każdy niedzielny poranek, kiedy reszta rodziny smacznie chrapała, one udawały się do ulubionego kościółka, by uczestniczyć w mszy świętej. Początkowo towarzyszyła im również Iza, ale ostatnio zaczęła się buntować. Argumentem przewodnim była chęć wyspania się, bo tylko w sobotę i niedzielę mogła to zrobić, ponieważ w pozostałe dni tygodnia wstawała przed siódmą, by zdążyć na ósmą do szkoły.

Mark i Robert trochę z pobłażaniem patrzyli na religijne zaangażowanie swoich żon, ale nigdy nie pozwalali sobie wygłaszać drwiących komentarzy, tak jak to robili znajomi ateiści. Chociaż obaj byli agnostykami, nie do końca przekonanymi co do istnienia sił wyższych, wychodzili z założenia, że trzeba uszanować uczucia religijne innych. Dlatego nigdy nie wyśmiewali obrządków kościelnych ani nie podważali dogmatów wiary, posiłkując się naukowymi dowodami obalającymi istnienie Boga. Uważali, że jeśli ktoś pragnie religii w swoim życiu, szukając w niej oparcia, i czuje się przez to szczęśliwszy, nie wolno mu w tym przeszkadzać. Wychodzili z założenia: po co zabierać człowiekowi Boga, jeśli on Go potrzebuje… A niektórzy ludzie bardziej Go potrzebują niż inni.

Mark czasami wręcz im tego zazdrościł. Tej ich ślepej ufności i wiary w zasadność nawet największego doświadczonego nieszczęścia i umiejętności pogodzenia się z planem Bożym. Tej bezwarunkowej wiary w boską miłość i opatrzność oraz nadziei na drugie lepsze życie.

Tak, Mark im tego zazdrościł, bo niestety on nie potrafił takiej wiary z siebie wykrzesać. Ale jego żona nie miała tego problemu. Potrzebowała Boga, wierzyła w Jego istnienie i dzięki swojej religijności była szczęśliwa.

Odkąd Mark poznał Ślęzaka i Szydłowskiego (bo nadal nie zmienił o nim dobrego zdania), przekonał się jeszcze bardziej co do potrzeby istnienia instytucji księdza. Prawdziwego księdza. Księdza z powołania. Duchowego przywódcy przeprowadzającego człowieka przez meandry życia. Wyznaczającego słuszne kierunki życiowego marszu. Duchownego będącego moralnym kompasem dla osobników zagubionych i mało stabilnych psychicznie. Przewodnika dla młodzieży wkraczającej w dorosłość, potrzebującej moralnych wzorców i autorytetów. Dla emerytów w jesieni życia, z niepokojem czekających na to, co nieuniknione. Dla śmiertelnie chorych, potrzebujących wsparcia w tych bardzo trudnych chwilach...

Tak, im Bóg był potrzebny. I ksiądz jako swoisty psychoterapeuta również. Im tak, ale nie Markowi Bieglerowi... W każdym razie nie był potrzebny mu teraz. Ale może i on kiedyś dołączy do bożej owczarni...

Niestety księża pokroju Nasiadki czy Wesołowskiego niszczyli mozolną pracę takich duchownych jak Ślęzak i Szydłowski. Wcale nie dziwił się konfratrom, że bali się rozgłosu związanego ze śmiercią prowincjała. Skandal rzuciłby cień również na to, co dobre. Ludzie widzą przeważnie tylko złe uczynki, tych dobrych raczej nie dostrzegają.

Mark wślizgnął się głębiej w pościel. Nie miał ochoty opuścić jeszcze łóżka. Dobrze mu tu było. Widok zza okna nie zachęcał do wyjścia z domu. Poranne woale mgły zdążyły już zamienić się w deszcz. Ale Biegler musi jechać do Osieka. No i czeka na niego rozpoczęty artykuł dla Berty. Nie chciało mu się ani nigdzie jechać, ani pisać. Jeszcze trochę poleniuchuję – pomyślał, naciągając kołdrę na gołe ramiona. Niestety po chwili jego komórka zawołała śpiewnie. Spojrzał na wyświetlacz: Bieda.

– Mark Biegler. Słucham, panie Ryszardzie.

– Panie Marku, musimy natychmiast się gdzieś spotkać. To nie rozmowa na telefon.

Niecałe pół godziny później Mark, bez parasola i śniadania, wsiadł w swoje audi i pojechał do Bonarki, gdzie umówił się z komisarzem. Nie lubił kawiarenek w centrach handlowych, ale w taką pogodę, jaka dziś panowała w Krakowie, pasowała mu propozycja Biedy, gdy wybrał to miejsce na spotkanie. Czasami podziemne garaże są idealnym rozwiązaniem, na przykład dla ludzi nienoszących parasoli. Wjechał windą na odpowiednie piętro i skierował się ku kawiarni.

Z daleka zauważył komisarza. Mężczyzna nawet nie odpowiedział na jego powitanie, tylko od razu zawołał:

– Prowincjała zabiła Beata Tomczyk!

– Co takiego?! – Mark klapnął na stołek jak przebita opona u starego poloneza. – To niemożliwe! Bzdura!

– Sama zgłosiła się dziś rano w komisariacie. Zna szczegóły, o których nie powinna wiedzieć. Oprócz tego ten odcisk, który znaleźliśmy na drzwiach od garderoby, należał do niej.

– Sam pan mówił, że odcisk był niekompletny. Co to za szczegóły, których nie powinna znać?

– Wie, że na stoliku stały butelki po winie. I co najważniejsze: wiedziała, że prowincjał został uduszony pończochą. Skąd mogła o tym wiedzieć? Chyba że pan jej to powiedział?

– Nie, na pewno nic jej nie powiedziałem o pończosze. – Mark zmarszczył brwi, jakby mogło mu to pomóc w myśleniu. – Kurwa, to ona powiedziała mi o butelkach wina. Myślałem, że dowiedziała się o tym od Ślęzaka lub księży. Ale nikt z nich nie mógł tego wiedzieć, jedynie ekonom, furtian i Arleta Kumięga. A oni na sto procent nikomu o tym nie powiedzieli. – Potarł dłonią czoło. – Ale to bez sensu, po co miałaby go zabijać?

– Była jego kochanką. Nie wiedziała o Kumiędze. Kiedy się dowiedziała, że nie jest jedyną kobietą w życiu Nasiadki, to wpadła w szał. Weszła do niego przez drzwi tarasowe, bo miała klucze do furtki w ogrodzeniu. Podobno zaczęli się kłócić. Ujrzała w szufladzie pończochę innej kobiety i wtedy bardzo się zdenerwowała. Nasiadka był mocno pijany, co ją jeszcze bardziej wkurwiło. Kiedy ostentacyjnie usiadł przed komputerem, ignorując ją, ze złości chwyciła pończochę i zaczęła go dusić. – Komisarz wzruszył ramionami. – To się trzyma kupy.

Musieli przerwać rozmowę, bo do stolika podeszła kelnerka. Złożyli zamówienie. Mark zamówił tylko kawę, bo przeszła mu ochota na śniadanie.

– Panie Ryśku, nie mogę w to uwierzyć. – Mark kręcił głową. – Kilka razy z nią rozmawiałem, owszem, była trochę spięta, ale myślałem, że deprymuje ją moje towarzystwo. W życiu bym nie powiedział, że ona może być morderczynią... Była taka autentyczna, gdy wyrażała się z pogardą i lekceważeniem o prowincjale.

– Jeśli wiedziała, że ją zdradzał z inną, to mogła nim gardzić i go lekceważyć – mruknął komisarz.

– Czy mógłbym z nią porozmawiać?

– Na razie nie ma o tym mowy. O naszej umowie prokurator oficjalnie nic nie wie. Oprócz tego bardzo mu na rękę ta sytuacja. Cieszy się jak piątoklasista z szóstki z klasówki, że mamy mordercę i że to nikt z księży.

– Wczoraj byłem u niej. Nie mieści mi się to w głowie. Może kogoś chroni...?

– Podobno ma dwójkę dzieci. Która matka pójdzie do więzienia siedzieć za darmo? Chyba odezwało się w niej sumienie, dlatego postanowiła się przyznać.

– Sprawdziliście, czy Szydłowski nie zmienił nazwiska? Może kiedyś nazywał się Wiatr? Byliście już w tej parafii, gdzie Nasiadka był wikarym?

– Nie zdążyliśmy.

– To trzeba tam iść i popytać.

– Prokurator się nie zgodził. Jest przeszczęśliwy, że mamy mordercę, który sam się przyznał do winy.

Beata usiadła na stołku i rozejrzała się po celi. Nie najgorzej. Trochę inaczej to sobie wyobrażała, inaczej niż przedstawiają w amerykańskich filmach. Stolik i taboret, metalowe łóżko z dwoma kocami i prześcieradłami – wszystkie sprzęty przymocowane do podłogi. Obok umywalka i klozet. I niewielkie okno z kratą. Na razie zatrzymano ją w areszcie, nie wiadomo, jak wygląda cela w normalnym zakładzie karnym. Teraz przydzielono jej jedynkę, ale jak będzie po wyroku? Czy morderczynie siedzą z innymi morderczyniami? Czy są odizolowane jako osoby niebezpieczne?

Aldona na pewno już przeczytała jej maila. Wczoraj Beata nie miała odwagi powiedzieć mamie prawdy, dlaczego przywiozła Karolinę. Postanowiła zrobić to za pośrednictwem siostry. Wirtualnie, nie patrząc nikomu w oczy. Wzdrygnęła się na myśl o reakcji rodziców, gdy się dowiedzą, że ich córka jest morderczynią. O reakcji dzieci nie miała siły na razie rozmyślać...

Rodzice i Aldona na pewno dobrze wychowają jej dzieci. Michał jest już prawie dorosły, ukształtowany psychicznie i mentalnie. Aldona zaadoptuje swoją siostrzenicę, bo ma wpojone poczucie obowiązku. I wdzięczności. Nadal się poczuwa do zapłaty za uratowane życie... Uważa, że za darowaną nerkę trzeba zapłacić – cóż, na tym świecie nie ma nic za darmo.

Spojrzała na plastikową miskę i sztućce. Ile lat będzie musiała z nich korzystać? Dwadzieścia pięć?

Gdy wyjdzie z więzienia, będzie miała sześćdziesiąt pięć lat, tyle, ile ma teraz jej mama. Karolinka stanie się już dorosłą kobietą, a Michał skończy już dawno czterdziestkę.

Czy jej kiedyś wybaczą?...

Potrząsnęła energicznie głową, jakby chciała przepędzić ponure myśli. Przymknęła oczy i przeniosła się do dnia, gdy po dwudziestu latach ujrzała ponownie Artura.

Rozdział 22

Beata

W pierwszych latach mojego małżeństwa „duch" Artura był obecny przy mnie cały czas. Na wzór Ani z Zielonego Wzgórza, która miała swojego wyimaginowanego przyjaciela, ja również go miałam. Rozmawiałam z nim, zwierzałam mu się i się go radziłam. Przestałam z nim rozmawiać z chwilą, gdy zostałam kochanką Zbyszka. Nie mogłam znieść jego dezaprobaty.

Tak, „duch" Artura potępił mnie i mój romans.

Chyba rzeczywiście było coś nie tak z moją głową...

Kiedy zerwałam z kochankiem, ponownie zaczęłam rozmyślać o Arturze, ale już z nim nie rozmawiałam jak przedtem, tylko zastanawiałam się, co teraz robi, jak wygląda i czy go kiedyś jeszcze spotkam. Nie miałam o nim żadnych informacji. Wiedziałam, że sprzedano olkuskie mieszkanie jego babci, tak jak pani Haliny w Krakowie. Nikt z dawnych sąsiadów nie wiedział, co się dzieje z Szydłowskimi.

Zawsze we Wszystkich Świętych, gdy odwiedzałam olkuski cmentarz, szłam też na grób pani Zofii, ponieważ liczyłam, że spotkam tam Artura. Mogiłę odwiedzałam sama, dzieci zostawiałam z rodzicami, bo nie chciałam mieć świadków naszej ewentualnej rozmowy. Niestety przez te wszystkie lata nigdy na niego nie wpadłam, raz tylko spotkałam tam jego matkę. Pani Halina, widząc mnie przy grobie swojej matki, przeszła dalej, by ze mną nie rozmawiać. Tylko na krótką chwilę nasze oczy nawiązały kontakt, ale w jej wzroku było tyle nienawiści i pogardy, że nie odważyłam się na rozmowę.

Kiedy ujrzałam go ponownie, dwadzieścia lat po naszym ostatnim spotkaniu, myślałam, że mam omam wzrokowy. Zmienił się. Nie był już przystojnym młodzieńcem, przede mną stał przystojny mężczyzna. Nie wyglądał na czterdzieści lat. Nadal zachował smukłą sylwetkę i bujne brązowe włosy, modnie obcięte sprawną ręką fryzjera. Rzeczywiście Lidka miała rację: było z niego niesamowite ciacho.

Zgłupiałam. Patrzyłam na niego, szczypiąc się w udo, czy to nie sen. Jego również na moment zamurowało, zaraz jednak przywołał na twarz dyżurny uśmiech. Podszedł do mojego biurka i wyciągnął rękę.

– Szczęść Boże. My się jeszcze nie znamy. Jestem ksiądz Piotr Szydłowski.

– Beata Tomczyk – bąknęłam, chociaż miałam zamiar zawołać głośno: witaj, Arturze!

Odwrócił się do Lidki.

– Pani Lidko, mam prośbę, proszę mi wydrukować listę wszystkich nauczycieli, z adresami i numerami komórek. – Spojrzał na zegarek. – Muszę lecieć, zaraz zaczynam lekcję.

Uśmiechnął się i wyszedł.

– Czy nie miałam racji, mówiąc, że z niego niezłe ciacho?! – zawołała Lidka. – Kiedy patrzę na niego, mam ochotę napisać do papieża petycję o zniesienie celibatu.

Nic nie odpowiedziałam, pochłonięta uciszaniem mojego serca, bo nadal biło jak oszalałe.

– Co ci jest? – zainteresowała się koleżanka. – Jesteś bardzo blada.

– Chyba zaraziłam się od Karoliny.

Wbiłam wzrok w ekran komputera, by odnotować w programie kadrowym Symfonia nieobecności pracowników, przepracowane godziny i dni wolne od pracy. Udawałam osobę zapracowaną i bardzo zaabsorbowaną swoim zajęciem, nie mogłam jednak wpisać żadnych danych, bo myślami byłam ciągle przy Arturze.

On chyba również o mnie myślał, ponieważ dwie godziny później dostałam SMS-a: Czy możesz się ze mną dziś spotkać? Podaj gdzie i kiedy. Podpisano: „Artur”.

Miałam ochotę napisać: O godzinie dwudziestej, w twojej sypialni. Napisałam jednak: „O dwudziestej, w restauracji Ariel, ul. Szeroka przy placu Żydowskim". Plac nazywa się teraz Nowy, ale stara nazwa wciąż jest w obiegu. A restauracja prowadzi tradycyjną kuchnię żydowską.

Po powrocie z pracy zaczęłam przygotowania do randki. Randki – bo tak traktowałam nasze spotkanie. Umyłam i ułożyłam włosy, zrobiłam dokładny makijaż i manicure. Założyłam moją najlepszą sukienkę – kaszmirową w kolorze szafiru, podkreślającym barwę moich oczu. Nie była wyzywająca, tuż nad kolana, z niewielkim dekoltem w łódkę i rękawkami za łokieć, ale była uszyta tak, by podkreślić wszystkie atuty kobiecego ciała. Oblekała moją figurę jak szafirowa cienka folia, zmysłowo obrysowując linię piersi, talii i bioder. Wszystko było ukryte, jednak suknia rozpalała męską wyobraźnię, dając jej duże pole do popisu. Sukienka była pamiątką po dobrych czasach. Była bardzo szykowna i elegancka, swym klasycznym krojem nawiązywała do epoki Jacqueline Kennedy, kiedy ta nie była jeszcze panią Onassis. Kupił mi ją Paweł w sklepie firmowym Diora. Bardzo podobałam się w niej zarówno mojemu mężowi, jak i kochankowi.

Może byłemu narzeczonemu, a obecnemu księdzu, również się w niej spodobam? Zawsze lubił klasykę…

Z boku pod dekoltem wpięłam srebrną broszkę w kształcie litery B, a do uszu włożyłam małe kolczyki z cyrkoniami. Zarówno broszkę zdobioną brylancikami, jak i kolczyki od kompletu, które wcześniej zakładałam do tej sukienki, sprzedałam zaraz po śmierci Pawła, by opłacić zaległe rachunki za prąd i gaz.

– Mamo, czy idziesz na randkę? – zapytał Michał.

Trochę się zmieszałam.

– Ależ skąd! Mamy spotkanie z ludźmi z naszego roku ze studiów. Chciałabym dobrze się prezentować.

– Mamo, wyglądasz rewelacyjnie. Ale do tego dekoltu upnij włosy w kok, pokaż szyję i kark.

Przejrzałam się w lustrze. Rzeczywiście mój syn ma rację! Spięłam włosy.

Wyglądałam teraz elegancko, trochę niedostępnie, bardzo nobliwie i ciut staroświecko. Ale z wyrafinowaną zmysłowością. Jak żona amerykańskiego pastora.

Skropiłam się resztką drogich perfum od Chanel, które mi zostały po latach świetności. Granatowe lakierki na niebotycznych obcasach i identyczna kopertówka dopełniły stroju. Zamówiłam taksówkę, bo gdy się było tak ubraną, nie wypadało wsiadać w poobijane auto. Oprócz tego był mi bardzo dziś potrzebny kieliszek alkoholu.

Kiedy weszłam do restauracji, Artur już tam czekał na mnie, siedząc przy stoliku. Na mój widok wstał. Pierwsze, co zauważyłam, to to, że nie miał założonej koloratki. I że wyglądał zabójczo w popielatcj tweedowej marynarce i czarnych spodniach. Nie miał krawatu, kołnierzyk czarnej koszuli był rozpięty. Kolory księży - pomyślałam - aż prosiła się tu biel koloratki.

- Cześć, Artur.

- Witaj, Beato - powiedział, grzecznie się uśmiechając.

Usiadłam, starając się opanować drżenie rąk.

- Widzę po wyborze restauracji, że nie straciłaś poczucia humoru - zauważył, patrząc na mnie z pobłażliwością.

- Chyba wam, księżom, nie zabraniają jeść koszernych potraw?

- Oczywiście, że nie. Nic się nie zmieniłaś. No może trochę wydoroślałaś. - Uśmiech nie schodził mu z ust, ale był troszkę wymuszony i sztuczny.

- Ty też się wiele nie zmieniłeś. Tylko jeszcze bardziej wyprzystojniałeś.

- Akurat to nie ma żadnego znaczenie dla księdza - mruknął. - Co zamawiamy? Jem to co ty.

Wybrałam zupę berdyczowską i przysmak Racheli, a na deser sernik pascha. Nie znałam tych potraw, ale brzmiały bardzo żydowsko. Zrezygnowałam z wina na rzecz wódki becherovki - raz się żyje, najwyżej się upiję! Artur nie zamówił dla siebie alkoholu, tylko cappuccino i wodę mineralną.

Kiedy kelnerka zostawiła nas samych, pierwsza zaczęłam rozmowę.

- Widzę, że nie założyłeś koloratki.

- Przyszedłem tu jako Artur, a nie jako ksiądz Piotr. - Mówiąc to, nie spuścił oczu, jak się spodziewałam.

- Tak? No to przywitam cię jako Artura, a nie księdza Piotra. - Nie myśląc długo, poderwałam się z krzesła i pocałowałam go w usta, wsuwając między jego wargi swój język. Zgłupiał. Chyba się tego nie spodziewał, bo dopiero po chwili oprzytomniał. Poczerwieniał i gwałtownie odsunął moją twarz od siebie.

– Zwariowałaś?! – warknął gniewnie.

– Ależ skąd! Cały czas miałam ochotę to zrobić – powiedziałam, uśmiechając się zaczepnie. – Przecież sam powiedziałeś, że przyszedłeś tu jako Artur.

– Ale nie zapominaj, że nadal jestem księdzem.

– Nie zapominam. Inaczej już bym na tobie siedziała. – Przesłałam mu uśmiech łobuziaka z czwartej A.

Zmarszczył brwi.

– Myliłem się, jednak nie wydoroślałaś – mruknął. – Michał Tomczyk to twój syn?

Moje serce na chwilę zamarło.

– Tak – powiedziałam ochrypłym głosem. I twój, dodałam w myślach.

– Fajny chłopak. Podobny do ciebie. Słyszałem, że owdowiałaś? Przykro mi.

– Mnie też przykro, ale już doszłam do siebie. – Wzruszyłam ramionami.

Na moment oboje zamilkliśmy.

– Dlaczego zmieniłeś imię na Piotr?

– Bo Artur to celtyckie imię oznaczające silnego niedźwiedzia. Wolałem w swoim nowym życiu obrać jako swojego patrona Piotra. „Petrus" znaczy skała, kamień... – Jakby zawahał się na moment. – Oprócz tego miałem w dzieciństwie przyjaciela, który nosił to imię. Też był ministrantem.

– Czy również został księdzem?

– Nie. Nie żyje.

– Na co umarł?

– Nie umarł, zginął. – Powiedział to takim tonem, że nie kontynuowałam tematu.

– Co słychać u twojej mamy? Nadal mieszka w Stanach?

– Nie. Po śmierci męża wróciła do Polski.

– Mieszka w Krakowie?

– Tak. Początkowo przeniosła się do Słupska, bo tam ma siostrę. Ale od kiedy jestem w Krakowie, mama również tu wróciła.

– Spotkałam ją kiedyś na cmentarzu, udawała, że mnie nie zna. – Zabrzmiało to trochę oskarżycielsko. – Nienawidzi mnie, zresztą zawsze mnie nienawidziła.

– To nieprawda. Nie ma powodu cię nienawidzić.

– Naprawdę? Przeze mnie nie ma wnuków – powiedziałam z trudem. – Też mam syna i na pewno nie byłabym szczęśliwa, gdyby został księdzem.

– Chyba nie myślisz, że zostałem księdzem przez ciebie?! Nie pochlebiaj sobie.

– No, nareszcie wyczułam w twoim głosie jakieś emocje. Opieprz mnie! Nakrzycz na mnie. Powiedz, co o mnie myślisz.

Wzruszył ramionami.

– Beato, minęło dwadzieścia lat. To, co było między nami, nie ma teraz już żadnego znaczenia. Byliśmy dziećmi, teraz jesteśmy dorośli.

– Wcale nie byliśmy dziećmi! I nie zachowywaliśmy się jak dzieci. Odkąd to seks jest dla dzieci? Czy dzieci pieprzą się jak dwa króliki, tak jak my to robiliśmy?

– Dawno już o tym zapomniałem. To było w dawnym życiu.

– Zapomniałeś? A ja nie. Żadna wielka miłość nie umiera do końca. Możemy strzelać do niej z pistoletu lub zamykać w najciemniejszych zakamarkach naszych serc, ale ona jest sprytniejsza, wie, jak przeżyć. To słowa Jonathana Carrolla. Bardzo prawdziwe. – Spojrzałam w jego oczy z natężeniem. – Nigdy o tobie nie zapomniałam. Ciągle o tobie myślałam. Również wtedy, gdy byłam w łóżku z mężem, i nawet wtedy, gdy przyprawiałam mu rogi.

Zacisnął szczęki i zmrużył oczy.

– Nie obchodzą mnie ani twoje małżeństwo, ani twoi kochankowie, nie musisz więc o nich opowiadać.

– Nie kochankowie, tylko kochanek. Był tylko jeden. Miałam w swoim życiu trzech mężczyzn, ale jedynie ciebie kochałam.

– Guzik mnie to obchodzi – warknął.

– Nareszcie odezwał się w tobie mężczyzna. Złościsz się jak normalny człowiek, a nie święty.

Nie skomentował moich słów, tylko wypił łyk mineralnej.

– A ile ty miałeś kobiet? Podobno sześćdziesiąt procent księży nie przestrzega celibatu.

– Skąd masz takie dane? Kto prowadzi taką statystykę? – burknął lekceważąco.

– Kiedyś przeczytałam artykuł poświęcony księżom. Nie wyglądasz na zapyziałego klechę, który wyciera kolanami kurze w kościele. Ubierasz się elegancko, ładnie pachniesz, no i masz superfryzurę. – Uśmiechnęłam się.

– Moja dawna uczennica trenuje na moich włosach.
– Jaka jest w łóżku?
Nie odpowiedział, ale przesłał mi takie spojrzenie, że się trochę zawstydziłam.
– Przepraszam. Często, zanim coś powiem, powinnam wcześniej sprawdzić, czy mój język jest podłączony do mózgu. – Uśmiechnęłam się przepraszająco. Ale zaraz dodałam: – Jednak nie uwierzę, że sutanna zrobiła z ciebie eunucha czy impotenta.
Zmarszczył brwi złowrogo.
– No tak, ty jak zwykle sprowadzasz wszystko do jednego! Na świat patrzysz przez pryzmat swojej waginy – burknął ze złością.
Parsknęłam śmiechem.
– Waginy? Artur, tutaj przydałoby się jakieś bardziej soczyste określenie. Oburzaj się, ile chcesz, ale nie wierzę, żebyś nie miał kobiet. Mimo że chodzisz w sukience, dalej jesteś mężczyzną. Nadal musisz mieć potrzeby jak każdy mężczyzna. Kapłaństwo nie mogło zabić twojej męskości.
– Dla ciebie męskość sprowadza się jedynie do wymachiwania kutasem w łóżku – prychnął zirytowany.
Uśmiechnęłam się szeroko.
– Nareszcie! Nareszcie zachowujesz się jak normalny człowiek. Powtórz jeszcze raz to zakazane słowo.
– Przepraszam, uniosłem się. Nikt nigdy nie potrafił wyprowadzić mnie z równowagi tak jak ty.
– Arturku, powiedz jeszcze raz to słowo. Proszę. – Przesłałam mu śliczny uśmiech. – To ewenement, wiekopomna chwila. Nigdy nie usłyszałam z twoich ust przekleństwa. Nawet gdy byłeś jeszcze mężczyzną, a nie księdzem.
Nic nie powiedział, tylko żuchwa latała mu niebezpiecznie.
– Powiedz mi, czy w życiu oprócz dzisiejszego dnia użyłeś kiedyś jakiegoś przekleństwa?
Już się opanował.
– Tak. Czasami przeklinam.
– Jakie to przekleństwa?
– Motyla noga. Niech to gwint ściśnie. Psia kość – powiedział poważnie.
Parsknęłam śmiechem.
– Z ust Bieleckiego słyszałam inne przekleństwa. Cóż, „kuwa" nawet bez „r" w środku kojarzy się jednoznacznie.

– Zwróciłem mu uwagę, już tak nie mówi.
– Długo się znacie?
– Długo.
– Przyjaźnicie się?
– Tak.

W tym momencie zajechała nasza kolacja. Przez chwilę tylko jedliśmy, przeżuwaliśmy i delektowaliśmy się potrawami.

– Chciałem się z tobą spotkać, by cię poprosić, byś nie opowiadała w Fundacji o nas – powiedział, łapiąc się nerwowo za lewe ucho.

Chociaż spodziewałam się tego, trochę mnie to zabolało.

– O tym, że ty również byłeś kiedyś mężczyzną? – odparłam cierpko.

– Tak, że ja również kiedyś byłem mężczyzną. – Jego słowa ociekały sarkazmem i złością.

– Wstydzisz się tego?
– Może...
– A ja myślałam, że chcesz ze mną porozmawiać o dawnych czasach. Powspominać... – Nagle zachciało mi się płakać.

– Nie mamy czego wspominać, Beato. To wszystko minęło. Już o wszystkim zapomniałem – powiedział chłodno.

Spojrzałam na niego uważnie. Pokręciłam głową.

– Nie, nie zapomniałeś. Nie wierzę, żebyś mógł nas zapomnieć. To, co nas łączyło, było...

– Ale się skończyło – powiedział wyjątkowo ostro. – Nie chcę żadnych spoufaleń, żadnych osobistych rozmów. Chcę zachować dystans. Żebyśmy byli w oczach pracowników tylko księdzem Piotrem i panią Beatą Tomczyk. Po co...

– Dobrze. – Teraz ja mu przerwałam. – Jak sobie ksiądz życzy.
– Zrozum, ta sytuacja jest dla mnie niezręczna.
– Dobrze. Czy ksiądz pozwoli, że jeszcze wypiję w księdza towarzystwie już zamówioną wódkę?

Zrobiło mi się przykro. Nie spodziewałam się nagłego wybuchu nowej namiętności ale... ale liczyłam na przyjaźń.

Po chwili powiedziałam to Arturowi.

Spojrzał mi w oczy.

– Między nami nie może być przyjaźni, Beato – odparł ze smutkiem. – Jestem księdzem, a ksiądz nie może przyjaźnić się z kobietą. Z kobietą taką jak ty.

– To znaczy jaką?

Nie odpowiedział mi dosłownie na pytanie, tylko pokręcił głową.

– Zresztą nie tylko ksiądz. Żaden mężczyzna nie potrafi być dla ciebie jedynie przyjacielem. To po prostu niemożliwe.

Spuściłam nisko głowę, by nie zauważył łez. Potrząsnęłam energicznie głową.

– Jak sobie życzysz, Arturze. Będę przy ludziach tytułować cię księdzem, ale dla mnie na zawsze pozostaniesz Arturem. Nie księdzem Piotrem.

Ponowne pojawienie się Artura w moim życiu zmieniło dotychczasową codzienność. Szare, podobne do siebie dni nagle nabrały kolorytu. Moje myśli nie krążyły już wokół problemu, co ugotować dzieciom na kolację, ale co założyć na siebie do pracy. Pracując u księży, najpierw na Kalwaryjską, a później w Osieku, nie przywiązywałam dużej wagi do swojego wyglądu. Nie miałam dla kogo się stroić. W Osieku było niewielu mężczyzn oprócz księży, a ich zawsze traktowałam jak istoty aseksualne. Oprócz konserwatora, portierów i kilku pracowników technicznych pracowało tam również paru nauczycieli, ale wszyscy byli albo żonaci, albo za młodzi, albo nieciekawi. Idąc do pracy, przeważnie zakładałam dżinsy, jakąś bluzkę koszulową i wygodne buty. Rzadko również się malowałam – nie musiałam, bo oprawę oczu nadal mam ciemną – najwyżej pociągnęłam kredką usta i przypudrowałam nos, by się nie świecił.

Odkąd ujrzałam Artura, zrobiłam rewolucję w swoim wyglądzie. Po przejrzeniu garderoby i zawartości kosmetyczki stwierdziłam, że muszę zrobić zakupy. Zaopatrzyłam się w nowe, przecenione, ale ładne ciuszki i kupiłam potrzebne kosmetyki. Może Artur rzeczywiście o mnie zapomniał, ale moja głowa w tym, żebym mu znowu o sobie przypomniała.

Sama nie wiem, na co liczyłam. Chyba nie na romans, bardziej na uwagę. Chciałam, żeby dostrzegł moją obecność, żeby czasami o mnie pomyślał... tak jak ja o nim myślałam. Bo myślałam codziennie. I to ciągle. W pracy – siedząc przed komputerem, w domu – sprzątając swoje mieszkanie i w łóżku – czekając na sen. I wbrew samej sobie zaczynałam się znowu w nim zakochiwać.

Wszyscy zauważyli moją metamorfozę. Z zapracowanej matki i wdowy przeistoczyłam się w powabną kobietę eksponującą swą urodę i kobiecość. Nie tylko koleżanki to dostrzegły, lecz także Bielecki. Wcześniej nigdy nie zwracał na mnie uwagi, ale teraz zaczął inaczej na mnie patrzeć. Nie wiem, czy należał do tych statystycznych sześćdziesięciu procent księży nieprzestrzegających celibatu, czy do drugiej grupy, którzy zachowują czystość cielesną - wydaje mi się, że raczej do tej pierwszej. Oczywiście był za sprytny, by szukać kochanki wśród swoich pracownic, ale jest przecież tyle innych kobiet na świecie...

Na szczęście nikt w Osieku nie domyślił się, dla kogo tak się stroiłam, podejrzewano, że dla Kuby, nowego wuefisty. Kuba był dwa lata młodszy ode mnie, tuż po rozwodzie. Wyglądał jak udana krzyżówka buldoga z Dariuszem Michalczewskim. Miał jego posturę, zawsze świeżo wygoloną twarz i głowę błyszczącą w świetle sufitowej lampy jak wypolerowana kula bilardowa. Ubrany był zawsze w świeży podkoszulek, sprawiający wrażenie, że za chwilę popęka w szwach od naporu mięśni. Nie był w moim typie, nie lubię mięśniaków, ale mógł się podobać kobietom.

W każdym razie podobał się Lidce. Lidka była bezdzietną rozwódką, siedem lat młodszą ode mnie. Teoretycznie była lepszym obiektem do poderwania niż ja. Kuba jednak miał trochę spaczony gust, bo wszystko wskazywało, że preferuje starsze dzieciate wdowy. Codziennie przychodził do naszego pokoju na kawę. Traktował nas, mnie i Lidkę, na pozór tak samo, jak koleżanki z pracy, ale to mnie zaproponował kolację na mieście. Odmówiłam, obracając jego propozycję w żart, dlatego nie poczuł się obrażony i nadal do nas przychodził. Ale Lidce nigdy nie zaproponował kolacji.

Tymczasem ja robiłam wszystko, żeby ksiądz Piotr mógł codziennie popatrzeć na mnie choć przez chwilkę. Było to dość trudne, ponieważ nigdy nie zaglądał do naszego pokoju, tak jak kiedyś robił to dawny dyrektor szkoły, ksiądz Jacek, czy inni księża. Nie spotykaliśmy się na stołówce, bo odebrano pracownikom obiady, ani na korytarzu, ponieważ rzadko bywał w tej części budynku. Ja jednak ciągle dbałam o to, by zawsze miał świadomość mojej obecności. Albo szłam pod byle pretekstem do pokoju nauczycielskiego (a gdy go tam nie było, to do jego gabinetu), albo wpadałam do refektarza, gdy księża jedli obiad, bo miałam sprawę do kucharki, albo przychodziłam na mszę, którą celebrował.

Na szczęście nikogo nie zdziwiło moje nagłe zainteresowanie aspektami wiary, bo inne pracownice również tam chodziły. Kościół, który dawniej trudno było zapełnić uczniami w czwartkowe poranki, gdy była obowiązkowa msza, teraz pękał w szwach. Uczniowie uwielbiali jego kazania. Różniły się bardzo od kazań innych księży, bardziej przypominały dowcipny monodram niż tradycyjną ewangelię. Nie było tu patosu, napuszonych sloganów ani pustych słów o miłości do Boga – ksiądz Piotr był piewcą miłości do człowieka. Jego apel do młodzieży o uczciwość, poczucie obowiązku, tolerancję i poszanowanie nadrzędnych wartości moralnych, wyrażony prostymi słowami, docierał do młodych serc lepiej niż kazania biskupów i innych ważnych dostojników kościelnych.

Jego powiedzonka często powtarzano sobie na przerwach. Do ulubionych należały: „Kto myśli, że jest chrześcijaninem tylko dlatego, że chodzi do kościoła, myli się. Nie stajemy się przecież samochodami, idąc do garażu". Michał często je cytował, żeby podrażnić się z moją babcią.

Oprócz tradycyjnych pieśni kościelnych śpiewanych przez chór uczniowski wprowadzono również muzykę gospel i gitarowy akompaniament, przez co nabożeństwa nabrały oryginalności i radosnego wydźwięku, upodabniając się do mszy czarnoskórych amerykańskich baptystów. Po takim nabożeństwie młody człowiek opuszczał mury kościoła pełen otuchy, optymizmu i chęci do życia. I do nauki.

Mnie również udzielał się ten młodzieńczy entuzjazm. Po mszy zasiadałam za biurkiem wypełniona radosną energią. Szczęśliwa, że żyję, zadowolona z tego, co mam, optymistycznie patrząca w jutro. Musiałam przyznać, że Artur był naprawdę wspaniałym duszpasterzem, doskonałym katechetą i pedagogiem. Miał charyzmę nienarzuconą kapłańskimi ornatami, lecz zdobytą dzięki swojej osobowości i cechom charakteru.

Chociaż doceniałam bardzo Artura jako kaznodzieję, tym bardziej żałowałam swojego młodzieńczego postępku, bo wiedziałam, że mógłby być – w innym życiu – również wspaniałym mężem i ojcem… gdybym tego nie zepsuła.

Pewnego dnia zaskoczył mnie maksymalnie, gdy zajechał na parking w Osieku dużym motorem. Był to kultowy amerykański model harleya-davidsona. Prawdę mówiąc, ostatnią rzeczą, o którą bym go posądziła, było zamiłowanie do motocykli. Wiedziałam, że w młodości lubił sport, ale nigdy nie przypuszczałabym, że polubi jazdę motorem. Zawsze taki układny, zrównoważony i odpowiedzialny – w żadnym razie nie pasował mi do wizerunku postrzelonego amatora szybkiej, niebezpiecznej jazdy. Dla mnie motocyklista śmigający po szosach na swym ryczącym jednośladowcu niczym złowieszczy jeździec apokalipsy był uosobieniem młodego, zbuntowanego i niezbyt sympatycznego faceta. Zarośniętego, niedomytego i całego wytatuowanego. I przede wszystkim groźnego i niebezpiecznego dla społeczeństwa. Oczywiście wiedziałam, że to tylko stereotyp zakodowany gdzieś w podświadomości przez amerykańskie filmy, że są też normalni miłośnicy dwóch kółek, ale ani Artur, ani tym bardziej ksiądz Piotr nie pasowali mi do tej kategorii. Kategorii nieodpowiedzialnych „dawców nerek". Kto to widział, żeby ksiądz szalał na motorze?! W Polsce?! W Osieku?! Przecież to nie Ameryka, gdzie nic nie szokuje! Jak mu na to pozwalają konfratrzy! Co to za przykład dla młodzieży!

Ale musiałam przyznać, że jego nowe oblicze bardzo mnie zaintrygowało. W kasku i skórzanej kurtce był taki męęęski. Taki sexy… że gdy patrzyłam na niego, od razu w moim żołądku wylęgało się całe stado motyli.

Z dnia na dzień byłam w Arturze coraz bardziej zakochana. Musiałam go codziennie widywać. Chociaż przez moment. To było silniejsze ode mnie. On natomiast unikał mnie jak diabeł święconej wody. Czasami, gdy mnie ujrzał idącą w jego stronę, specjalnie zmieniał kierunek, by się ze mną nie zetknąć.

Kiedy się dowiedziałam, że zawsze rano między siódmą a ósmą pływa w basenie, wykupiłam miesięczny karnet. Żeby dobrze zaprezentować się w dwuczęściowym kostiumie kąpielowym, wzięłam kilka seansów w solarium i zrobiłam sobie tatuaż maskujący bliznę po wyciętej nerce i cesarce. Szramy nie były odrażające, bo ładnie mi zszyto rany, ale opasająca mnie gałązka orchidei prezentowała się dużo ładniej niż nawet najlepiej wykonany chirurgiczny szew. Niestety tylko raz spotkaliśmy się na basenie. Gdy ujrzał mnie wchodzącą do wody, od razu opuścił basen. Na widok jego sylwetki zaparło mi dech – Mister Universum nie miał lepszego od niego kaloryfera! Nie był tak silnie umięśniony jak Kuba – wuefista, miał posturę raczej greckiego efeba niż atlety, przez co sprawiał wrażenie wysokiego i smukłego sportowca. Gdy ujrzałam jego tors, od razu posmutniałam. Ktoś, kto spędza tyle czasu na budowaniu swojej muskulatury, na pewno nie robi tego bez powodu. Na sto procent musiał mieć kochankę! To dla niej ćwiczył na siłowni. A jeśli tak bardzo się starał, musiała być młoda i bardzo zgrabna – wydedukowałam.

Więcej już nie widziałam Artura na basenie, bo zmienił godziny pływania. Teraz pływał tylko późnym wieczorem. Kiedy byłam daleko. Kiedy robiłam kolację swoim dzieciom.

W pewien czwartek wybrałam się jak zwykle na mszę, gdy nieoczekiwanie zauważyłam go wychodzącego z kościoła. Nie zniknął mi swoim zwyczajem z pola widzenia, tylko szedł prosto na mnie. Zatrzymał się.

– Już obejrzałem dziś twoją nową sukienkę. Ładnie w niej wyglądasz. Nie musisz więc się fatygować i iść na mszę – powiedział z uśmiechem.

Nawet się nie zarumieniłam, tylko odpowiedziałam mu uśmiechem.

– Ksiądz się myli, to nie dla księdza nałożyłam tę sukienkę. W Fundacji pracują również inni mężczyźni, nie tylko księża.

– To dla Jakuba tak się stroisz? Podobno ciągle przesiaduje w waszym pokoju.

– Może…

– Tak dla informacji: dziś mszę poprowadzi ksiądz Ślęzak, nie ja.

Chyba ujrzał rozczarowanie na mojej twarzy, bo się uśmiechnął pod nosem.

– Tak? To fajnie – odparłam, wzruszając ramionami i weszłam na stopnie prowadzące do kościoła.

Usiadłam w ławce… i przez następne pięćdziesiąt minut wynudziłam się jak mops.

Minął wrzesień, październik i nastał najmniej przeze mnie lubiany miesiąc – listopad. Nie lubiłam tego miesiąca jeszcze z jednego powodu oprócz słoty i smutnych Wszystkich Świętych: ósmego listopada obchodził imieniny i urodziny Paweł. Kiedy żył, nawet lubiłam ten dzień, bo wystawne przyjęcia, jakie organizowaliśmy dla przyjaciół, rozjaśniały trochę jesienną szarugę. Przeważnie z tej okazji organizowaliśmy co najmniej dwie imprezy – jedną dla znajomych, drugą dla rodziny. Na tym drugim przyjęciu zawsze obecny był Ślęzak. Po śmierci Pawła Michał ustanowił ósmy listopada Dniem Pamięci Ojca. Obchodziliśmy to święto (na razie tylko raz) w kameralnym gronie, tylko nasza trójka i ksiądz Bolesław. Zrobiłam na tę okazję wystawną kolację, upiekłam nawet tort (ale bez świeczek). Ślęzak odmówił modlitwę za duszę zmarłego, a później wspominaliśmy Pawła, oglądaliśmy zdjęcia i filmy rodzinne. Szczerze mówiąc, uważałam to za pewne dziwactwo ze strony syna, ale przecież nie mogłam mu tego odmówić. Karolina również czekała na ten dzień z niecierpliwością… ale ze względu na tort, który piekłam tylko kilka razy w roku. Tym razem ósmy listopada wypadał w niedzielę, dlatego postanowiłam zaprosić Ślęzaka również na obiad, nie tylko na kolację.

Kilka dni przed ósmym, podczas naszej jazdy do Osieka, Michał nieoczekiwanie mnie zapytał:

– Mamo, czy możemy na „Dzień Taty" zaprosić też księdza Piotra?

Zamurowało mnie. Zbladłam, czułam, jak odpływa ze mnie krew. Zrobienie czegoś takiego to czysta perwersja!

– Michałku, nie wiem, czy to dobry pomysł. – Starałam się nadać mojemu głosowi naturalne brzmienie. – Wątpię, czy ksiądz Piotr będzie miał na to ochotę. Nie znamy się dobrze, oprócz tego nie zapominaj, że on należy do obozu Bieleckiego. Postawimy jego i księdza Bolesława w niezręcznej sytuacji.

– Ksiądz Piotr się zgodził. Ślęzak również nie ma nic przeciwko temu, bo zapytałem go o to wczoraj.

Zgłupiałam. Nie spodziewałam się, że Artur wyrazi zgodę na odwiedziny w moim domu. I do tego z takiej okazji. Coś podobnego! – nie pasowało mi to do Artura, biorąc pod uwagę całokształt jego zachowań w stosunku do mnie w ciągu ostatnich dwóch miesięcy.

– Dobrze, jeśli sobie tego życzysz, synku – bąknęłam. – Ale skąd taki pomysł?

– Często rozmawiamy z księdzem Piotrem na różne tematy. Lubię go. Mamy ze sobą dużo wspólnego. – Na szczęście nie wiedział, jak dużo! – Mamy podobne zainteresowania i poglądy na wiele spraw.

Boże, mam nadzieję, że nie będziesz chciał iść na teologię tak jak on? – zaniepokoiłam się w duchu.

– Mam jeszcze jedną prośbę. Poznałem fajną dziewczynę. – Odetchnęłam z ulgą. – Czy ją też mógłbym zaprosić?

– Oczywiście! Kto to taki? Z waszej klasy?

– Nie, z mat-fizu. – Michał chodził do klasy o profilu biologiczno-chemicznym, ponieważ wybierał się na medycynę.

– Tak? Gdzie idzie na studia?

– Na informatykę. Poznałem ją na fakultetach z informatyki, które prowadzi ksiądz Piotr. Jest bardzo zdolna.

– I oczywiście ładna?

– Tak. Sam się dziwię, jak taka ładna dziewczyna znalazła się w mat-fizie. Ona dopiero w tym roku przeniosła się do nas. Ksiądz

Piotr ją tu ściągnął. - Na chwilę zamilkł. - W wakacje zginęli jej rodzice.

- O Boże! Oboje?

- Tak. Też w wypadku samochodowym, jak tata.

- To ta długowłosa szatynka z drugiej A, ta, która mieszka w internacie? Ma chyba na imię Monika?

- Tak.

- Rzeczywiście bardzo ładna. Czy ma jeszcze kogoś bliskiego? Dziadków, rodzeństwo?

- Ma tylko dziadków, była jedynaczką.

- Skąd ona jest?

- Ze Słupska. Ksiądz Piotr ma tam ciotkę, która powiedziała mu o sytuacji Moniki.

- Nie wolała zostać przy dziadkach?

- Dziadkowie są starzy i biedni. Ksiądz Piotr ufundował jej stypendium. Przeznaczył dla niej swoje mensile, które dostaje od Zgromadzenia.

Przejęta losem Moniki zapomniałam na chwilę o Arturze. Biedna dziewczyna: stracić w jednym dniu oboje rodziców to straszna trauma. To chyba dlatego Michał się nią zainteresował, bo oboje stracili kogoś bliskiego. Mój syn cechował się wyjątkową wrażliwością. Dostał to w pakiecie z DNA sprezentowanym mu przez swojego biologicznego ojca.

Nadeszła sobota. Wystrojona i bardzo podenerwowana oczekiwałam gości. Natomiast w piekarniku czekała na nich zapiekanka ziemniaczana, a w lodówce tort.

Przyjechali punktualnie. Jednym autem Ślęzak, a drugim Artur z dziewczyną - widziałam przez okno, jak wychodzą z samochodu. Na moment w mojej głowie pojawiła się bardzo brzydka myśl: czy czasami Artur nie pomaga dziewczynie z niezbyt czystych pobudek? Ale zaraz zawstydziłam się moich chorych podejrzeń. To wszystko przez te głupie kryminały, które ostatnio czytałam. Sami zboczeńcy i zbrodniarze. Postanowiłam przerzucić się na innego typu lekturę.

Wpuściłam gości do środka. Artur podał mi rękę.

- Dziękuję za zaproszenie.

- Miło nam, że ksiądz nas odwiedził - odparłam. - Synowi bardzo zależało na księdza obecności.

– Przyniosłem drobne upominki – powiedział, wręczając wino i paczki zapakowane w kolorowy papier.

Karolina dostała najnowszą lalkę Barbie, Michał książkę *Jak przetrwać w ekstremalnych warunkach*, a ja *Kobiety, które rządziły światem*.

Artur rozglądał się z zainteresowaniem po wnętrzu.

– Ładnie tu.

– Trochę ciasno, ale już się przyzwyczailiśmy.

– Ja wolę ten mój pokój niż tamten w naszym starym domu – wtrąciła Karolina. – Tam nie było księżniczki na ścianie. Chcesz ją zobaczyć? – Nie czekała na odpowiedź, tylko złapała Artura za rękę i poprowadziła do swojej sypialni.

– Ta księżniczka to chyba ty, Karolino? – zapytał.

– Nie. Ja mam przecież czarne włosy, a nie żółte.

– Ale jesteś do niej bardzo podobna, tylko dużo ładniejsza – stwierdził z powagą Artur.

– Naprawdę? Wiesz, lubię cię. Chcesz zobaczyć moje zabawki?

– Karolina, później. Teraz jemy obiad, bo zapiekanka wystygnie – wtrąciłam.

Moja córka westchnęła głośno.

– Trudno, jedzenie jest ważniejsze.

Posadziłam gości przy stole. Monika usiadła obok Michała, ja między jednym a drugim księdzem. Wolałam trzymać rękę na pulsie, gdyby doszło do jakiejś słownej konfrontacji.

– Postanowiłam zrobić dziś potrawę bardzo popularną w moich rodzinnych stronach. W powiecie olkuskim i również na Śląsku. Żadna chińszczyzna ani „włoszczyzna", ale zapiekanka ziemniaczana. Ziemniaki kroi się w plastry i przekłada boczkiem i kiełbasą. Troszkę smalcu i mnóstwo cebuli. No i przyprawy. Marchewka i burak mają za zadanie pokolorować potrawę. Normalnie taka zapiekanka powinna być pieczona w żeliwnym kociołku na ognisku, ale w warunkach domowych również jest dobra. Najlepiej smakuje, gdy popija się ją kefirem. Kefir jest w dzbanku – plotłam, by przy stole nie panowała cisza.

– Znam tę potrawę – odparł Artur. – Moja mama pochodziła z Olkusza. Kiedy przyjeżdżałem do babci, często w pobliskim lasku piekliśmy ziemniaki w kotle na ognisku. Siedzieliśmy na kocu, graliśmy na gitarze, czekając, aż się upieką ziemniaki. Ale nie piliśmy kefiru, tylko coś mocniejszego.

– To ksiądz w młodości chyba nie był takim chodzącym ideałem, jeśli pił alkohol? – bąknęłam.

– Cóż, błędy młodości. Któż ich nie popełnia.

Nie za bardzo spodobało mi się to, co usłyszałam.

– Czy inne błędy oprócz alkoholu również ksiądz popełniał?

Trochę zwlekał z odpowiedzią.

– Czy ja wiem, czy to były błędy? Z alkoholem też nie przesadzałem. Koledzy śmiali się ze mnie, nazywając mnie ministrantem. Byłem nudnym towarzyszem imprez. A pani, pani Beato? Z panią chyba nikt się nie nudził?

– Nie dopuściłabym do tego. Moja maksyma brzmiała: lepiej zrobić coś i potem żałować, niż żałować, że się tego nie zrobiło.

– Tak właśnie myślałem. Życie jest wtedy chyba ciekawsze.

– Lepiej, żeby młodzież tego nie słuchała – mruknęłam. – Michał, ta maksyma jest autorstwa Nietzschego, a dobry chrześcijanin nie powinien go cytować. – W tym momencie przypomniałam sobie motor Artura. – Ale coś mi się tu nie zgadza z obrazem młodego księdza Piotra. Mam na myśli zamiłowanie księdza do jazdy na motorze. Przecież to niebezpieczne. Skąd ta słabość do motocykli? Rzadko widuje się księdza na motorze.

– Cóż, my też chcemy mieć jakąś przyjemność w życiu. Przecież tylu rzeczy sobie odmawiamy. Motor to moja pasja. Nie widzę w tym nic złego. Zawsze jeżdżę ostrożnie, nigdy nie przekraczam dozwolonej szybkości.

– Mimo wszystko to pasja trochę dziwna jak dla księdza. Co na to pana matka? Ja bym w życiu nie pozwoliła mojemu synowi kupić motoru.

– Potrafiłem przekonać mamę. Zrozumiała mnie. Oprócz tego jestem uparty, gdy sobie coś postanowię, to trudno mi to wybić z głowy. Musiałem jej jednak obiecać, że po każdej mojej przejażdżce motorem zadzwonię do niej, by ją uspokoić. Dlatego zawsze do niej dzwonię, gdy zajadę na miejsce.

– Nawet gdy nie wie, że ksiądz jeździł motorem?

– Tak. Bo ja zawsze dotrzymuję słowa. Już taki jestem.

Wiedziałam, że te słowa były skierowane do mnie i zrozumiałam ich przekaz. Trochę się zmieszałam, dlatego szybko zmieniłam temat i zwróciłam się do Ślęzaka.

– Czy księdzu smakuje zapiekanka?

– Tak. Przecież już nieraz ją jadłem u ciebie.

– Rzeczywiście. A wina ksiądz się napije? – zapytałam.

– Może ksiądz zostawić samochód i wrócić do Osieka z nami – zaproponował Artur.

– Księże Bolesławie, nie chcę pić sama, proszę mi potowarzyszyć – wtrąciłam, widząc wahanie Ślęzaka. Widziałam, że ma ochotę się napić.

Kiedy sprzątnęłam talerze po zapiekance, na stół wjechał tort – upieczony przeze mnie, a udekorowany przez Michała. Wśród kropek i gwiazdek z kremu widniał napis: „Tato, kochamy cię!". Zarówno napis, jak i całe to święto, zalatywały patosem, ale był to pomysł mojego syna, więc się nie wtrącałam.

– Kto chce kawę, a kto herbatę? Niestety kawa z kawiarki, nie z ekspresu. Zepsuł się. – Była to nieprawda, bo sprzedałam go, by kupić dzieciom buty i kurtki na zimę. Nie zrobiłam dobrego interesu, ponieważ kupiliśmy go za 5300, a sprzedałam za 500 złotych. – Ubiję do niej mleko.

Wszyscy chcieli kawę, oczywiście Karolina również – zrobiłam dla niej jak zwykle w takich okolicznościach kawę zbożową podaną w porcelanowych filiżankach.

Ślęzak odmówił modlitwę w intencji Pawła, potem wszyscy zmówiliśmy pacierz.

– Znalazłem stare zdjęcia klasowe, Paweł też na nich jest – powiedział Ślęzak, wyjmując z kieszeni kopertę.

Zdjęcia zaczęły krążyć wzdłuż stołu. Popatrzyłam na swojego męża siedzącego w ławce szkolnej. Szczupły, z sympatyczną twarzą i ujmującym uśmiechem. Obok niego siedział jego brat. Już wtedy zapowiadał się na zabijakę i dziwkarza – przeleciało mi przez myśl, gdy patrzyłam na przystojnego młodzieńca z tarczą szkolną na mundurku.

Po chwili Karolina przyniosła stertę albumów i rozstawiła je przed Arturem. To jego sobie dziś upatrzyła. Ślęzak, mimo że też obdarował ją prezentem, zszedł na drugi plan. Bez ceregieli wdrapała się na kolana Artura i powiedziała:

– Pokażę ci, jak wyglądałam, gdy byłam malutka. – Otworzyła album. – Tu jestem jeszcze w brzuchu u mamy. – Pokazała mnie w zaawansowanej ciąży. – A to zaraz po tym, gdy się urodziłam. Tu kąpie mnie tata.

Przeleciała cały album i otworzyła następny.

– To jest album mojego brata.

– Karolinko, nie zadręczaj oglądaniem starych zdjęć księdza Ar... – w ostatniej chwili się ugryzłam w język – księdza Piotra – dokończyłam.

– Bardzo lubię oglądać zdjęcia – przerwał mi Artur. – Karolino, pokaż mi wszystkie.

Z niepokojem patrzyłam na twarz mojego byłego narzeczonego, gdy oglądał mnie w ciąży z Michałem, karmiącą go, przewijającą mu pieluchy. Miał minę jak pokerzysta rozdający karty, nic nie można było z niej wyczytać. Dopiero przy następnym albumie na chwilę się zapomniał i przestał kontrolować.

– Tutaj są ułożone zdjęcia moje i Michasia, i mamusi, i tatusia, kiedy byli w tym samym wieku, co my. Ja tu jestem na niewielu zdjęciach, bo mam mało lat – powiedziała. – Michaś jest podobny do mamy, a ja do babci Tomczykowej, ale ona już do nas nie przyjeżdża, bo jest stara i chora.

I nie traktuje was jak swoich wnucząt – dopowiedziałam w myślach.

Kiedy Artur zobaczył moje licealne zdjęcie, coś drgnęło w jego twarzy. Podniósł na mnie oczy. Nasze spojrzenia się skrzyżowały. Nie wytrzymałam jego niemego wyrzutu, pierwsza uciekłam oczami w bok. Jego wzrok pełen skargi i tłumionego bólu mówił więcej niż usta. Dopiero teraz zrozumiałam, ile zadałam mu cierpienia. Wcale mnie nie zapomniał. Nadal byłam cierniem uwierającym go w zakamarkach serca. Może mnie już nie kochał, ale wciąż o mnie pamiętał...

Zaraz jednak wziął się w garść.

– Nic się pani nie zmieniła. Jedynie fryzura jest inna. Przez tych dwadzieścia lat urosły pani tylko włosy – powiedział, starając się nadać głosowi lekki ton.

– Lustro mówi co innego – odparłam, uśmiechając się głupawo. – Na zdjęciach nie ma tych zmarszczek, które mam teraz wokół oczu. – Zabrzmiało to trochę kokieteryjnie, bo akurat jeszcze nie miałam żadnych zmarszczek.

Nie zaprzeczał, nie przekomarzał się, jak to bywa w tego typu rozmowach.

Na szczęście Karolinie znudziło się oglądanie zdjęć i wzięła Artura do swojego pokoju, by teraz go zanudzać oglądaniem jej zabawek.

Szczęśliwa, że uwolniono mnie na chwilę od obecności mojego byłego kochanka, a obecnego księdza, wzięłam się ochoczo do zmywania naczyń, ponieważ zmywarki w tym mieszkaniu jeszcze się nie dorobiłam.

***

Szczęk kluczy otwierających drzwi do celi wyrwał Beatę ze wspomnień.

Strażniczka przyniosła kolację. Pierwszą kolację w jej nowym życiu. Więziennym życiu.

Rozdział 23

Mark zasunął zamek w dżinsach. Odetchnął głęboko. Przygarnął Martę do siebie i pocałował.

– Chodź do mnie, *mein Schatz*. Jesteś niesamowita – wyszeptał w jej włosy.

– Cieszę się, że tak uważasz.

Ostatnio jego żona bardzo się starała, żeby ich życie seksualne kwitło jak podczas miodowego miesiąca. Przeważnie inicjatywa należała do niej. Dziś też. Ledwo wrócili do mieszkania po kolacji u Orłowskich, a ona od razu zabrała się za niego. Znał przyczynę tej jej nadgorliwości. Swoim zachowaniem chciała wynagrodzić mu miesiące, gdy unikała z nim seksu. No i swoją niewierność... Oprócz tego była trochę zazdrosna o Beatę Tomczyk. Albo raczej o uwagę, jaką Mark jej poświęcał.

Nie powiedział Marcie ani Orłowskim, że Beata przebywa w areszcie. Sam nie wiedział, dlaczego milczał. Dotychczas wtajemniczał żonę we wszystko, ale sprawa zabójstwa Nasiadki, którą teraz się zajmował, nie była omawiana ani przy stole u Orłowskich, ani w ich małżeńskim łóżku.

Nie mógł uwierzyć, że to Beata zabiła prowincjała. Nie pasowała mu do profilu mordercy. Owszem, można zabić w afekcie, można zabić z nienawiści, nawet z miłości, ale nie dostrzegł u Tomczyk aż tak ekstremalnych emocji. Gdy mówiła o Nasiadce, widział jedynie obojętność zabarwioną pogardą. Gdyby to zabito Zbigniewa Tomczyka, nie miałby takich wątpliwości. Ona go naprawdę nienawidziła.

Jego rozmyślania przerwał dzwonek komórki. Spojrzał na wyświetlacz. Numer nieznany. Odebrał.

– Muszę z panem pogadać. – Zdziwiony Mark rozpoznał głos należący do Tomczyka. Czyżby wywołał go swoimi myślami? – Natychmiast.

– Czy pan wie, która godzina?

– To ważne, wiem, kto zabił Nasiadkę. I dlaczego.

– Dobrze, ale nie chcę spotkać się z panem w kawiarni, tylko u pana w domu. – Mark uważał, że człowiek inaczej zachowuje się w domowych pieleszach, a inaczej w restauracji.

– Dobrze.

– Będę do godziny. Znam pana adres.

Odłożył telefon.

– Kto to dzwonił? – zapytała Marta. – Któryś z księży?

– Nie. Szwagier Beaty Tomczyk.

– Czy nie możesz spotkać się z nim jutro?

– Nalegał, żeby to było dziś. Podobno zna mordercę.

Panienka z GPS skierowała go pod wklepany adres. Z trudem znalazł miejsce do zaparkowania. W życiu nie chciałby mieszkać w krakowskim Śródmieściu, cóż z tego, że blisko do rynku, ale przecież nie ma potrzeby bywać tam często. Oprócz fajnych kawiarenek, sympatycznych gołębi, wystrojonych koni zaprzężonych do bryczek i nieśmiertelnego hejnału z wieży kościoła Mariackiego nie ma nic takiego, co mogłoby przyciągać tam człowieka codziennie. Wystarczy raz na jakiś czas.

Wszedł do secesyjnej kamienicy, świeżo wyremontowanej, ale nadal zalatującej późnym Matejką, wczesnym Wyspiańskim i całą plejadą Kossaków.

Nacisnął guzik dzwonka. Po chwili w drzwiach ukazał się Zbigniew Tomczyk. W ręce miał szklankę whisky, natomiast w sobie co najmniej butelkę owego trunku – świadczył o tym mętny wzrok i mamrocząca mowa.

– Jest pan nareszcie – powiedział na powitanie. – Pomoże mi pan uporać się z następną flaszką „nalewki na myszach"? Hm, widzę po minie, że pan nie oglądał *Misia* Barei. Whisky.

– Nie, dziękuję. Przyjechałem samochodem – odparł Mark, rozglądając się po wnętrzu. Był tutaj już wcześniej, ale jako esteta lubił patrzeć na ładne rzeczy. – Przyjemnie tu u pana.

– To dla niej urządziłem to mieszkanie. A gdyby pan widział, jaki dom wystawiłem jej na Modrzewiowej!... Ale ona niestety woli gnieść się w baraku na Capówku, gdzie mieszka sam świerzb blokowy. – Machnął ręką. – Ale kto zrozumie baby.

– Słucham. O czym chciał mi pan powiedzieć, co nie mogłoby poczekać do jutra? – zapytał sucho Mark.

Tomczyk wychylił całą zawartość szklanki i napełnił nową porcją, nie dodając wody ani lodu.

– To nie Beata zabiła Edwarda. To ten pierdolony księżulo! Ona osłania tego skurwysyna.

– O kim pan mówi?

– Jak to o kim?! O tym jebanym Szydłowskim!

– Beata była kochanką Piotra Szydłowskiego?! – Mark z zaskoczenia aż osunął się na fotel.

– Była i jest. Nie wiedział pan o tym? No to co z pana za policjant. – Lekceważąco wzruszył ramionami. – Znali się już od dawna, od liceum. To on jest ojcem jej syna.

O kurwa! Tego się Mark nie spodziewał. Z tej Beaty Tomczyk jest niezły numer.

– Skąd pan wie?

– Paweł mi powiedział. Był bezpłodny, bo w pierwszej klasie liceum zachorował na świnkę. Kiedy się żenił z Beatą, uwierzył w cud. Przez jakiś czas myślał, że jego plemniki nagle zrobiły się jurne, ale zaraz przejrzał na oczy. Nie przeszkadzało mu to jednak. Traktował chłopaka jak swojego syna. Zakochał się w Beacie, podobno od pierwszego wejrzenia. Spotkali się na jakimś weselu. Przyszedł z jej siostrą. Beata była wtedy narzeczoną Szydłowskiego. Smarkateria! Ona miała dziewiętnaście lat, on niewiele więcej, ale byli już zaręczeni! Śmiechu warte. Ale Beatka nie należy do kobiet zbyt wiernych facetowi. Już po tygodniu nieobecności narzeczonego zaczęła ją swędzieć cipka. Kiedy się okazało, że jest w ciąży, nie była pewna, kto jest ojcem, i wybrała tego, który bardziej jej pasował finansowo.

– Czy Szydłowski wie, że ma syna? – Ciekawość popchnęła Marka do zadania tego pytania.

– Nie wiem. W każdym razie Michał nie wie o nim. Ale nie sądzę, żeby powiedziała Szydłowskiemu.

– Dlaczego pan uważa, że to Szydłowski zabił prowincjała? Myśli pan, że zrobił to z zazdrości? Czy Beata też była kochanką Nasiadki?
– Kochanką Edwarda? – zdziwił się Tomczyk. – Ależ skąd!
– To dlaczego miałby go zabić?
Tomczyk przez chwilę nie odpowiadał. Wychylił resztę whisky.
– Facet jest jak niemowlę. Jak mu źle albo jest niezadowolony, trzeba mu dać cycka lub butelkę. Niestety nie mam dostępu do mojego ulubionego cycka, muszę więc zadowolić się tym drugim – powiedział bełkotliwie, napełniając szklankę nową porcją alkoholu. – Kiedy się dowiedziałem, że są kochankami, kazałem Edwardowi odesłać Szydłowskiego z Krakowa. Jak najdalej. Zakomunikował mu telefonicznie, że wysyła go na misję na Białoruś. Podobno Szydłowski był bardzo wzburzony, nie chciał się zgodzić. Ale Edward nie zmienił zdania.
– I tylko z tego powodu Szydłowski miałby zabić prowincjała?! Nie wierzę. Jeśli tak bardzo chciał być z Beatą, to mógł odejść ze Zgromadzenia.
– I co by wtedy robił? Łatwiej przecież wyklepać pacierz, pokropić wodą i przeżegnać się, niż iść do normalnej roboty. Gdy ktoś zakosztuje wygodnego życia, szybko z niego nie zrezygnuje. Przecież czarni nie muszą się o nic martwić, bo wszystko mają podane na tacy. Wszystko im się kupuje, łącznie z benzyną do auta. Nawet papierosy i wódkę. Edward mi mówił. Mają życie jak w Madrycie. Myśli pan, że łatwo im później z tego zrezygnować? Który z nich odchodzi? Można takich policzyć na palcach jednej ręki. Ale po co mają odchodzić, przecież celibat obowiązuje ich tylko na papierze. Edward mi mówił, że coraz mniej jest chętnych do założenia sutanny. Brakuje księży, dlatego patrzy się przez palce na ich baby. Gorzej, gdy ksiądz okaże się pedziem lub pedofilem. Wtedy odsyłają takiego delikwenta cichaczem na inną parafię. Ale kochanka kobieta to małe przewinienie. Przecież oni wszyscy, gdy są w sile wieku, mają kogoś. Nie da się walczyć z prawami natury. Na starość, gdy im już nie staje, to wyspowiadają się kumplowi ze starych grzechów i znowu będą niewinni jak baranki wielkanocne. Dalej mogą wciskać wiernym bajeczki o potrzebie życia w czystości. Może i jest kilku takich, którzy przestrzegają szóstego przykazania, ale to naprawdę garstka.
Mark nic nie mówił, tylko słuchał w myśl zasady, że słowa pijanych to myśli trzeźwych. Słuchał, mimo że go w środku zalewała

krew. Nie lubił takich uogólnień. Tym bardziej z ust kogoś takiego jak Zbigniew Tomczyk.

Tymczasem Tomczyk zrobił sobie następnego drinka, ale tym razem wrzucił do szklanki trzy kostki lodu.

– Ciepła whisky jest do dupy – stwierdził, grzechocząc lodem w szklance. Nagle zamilkł i zapatrzył się w jakiś punkt na ścianie. – Swoją drogą, musiał ją nieźle dmuchać, jeśli wzięła winę na siebie. Nie widzę innego wytłumaczenia. Przecież ten sknera nie dawał jej ani grosza. Widział pan samochód, jakim jeździ Beata? A jakim on jeździ?! Nigdy bym nie dopuścił, żeby moja kobieta musiała wsiadać do takiego strupa. Ale klechy już takie są. Wziąć jak najwięcej, a dać jak najmniej. Lepiej się opłaca dobrze przelizać babę, niż kupować jej prezenty. – Westchnął. – Nigdy bym się nie spodziewał po Beacie takiej głupoty. Zawsze patrzyła racjonalnie na życie. Świadczy o tym sam fakt, że wybrała na męża i ojca swojego dziecka Pawła, a nie tego wymuskanego cieniasa. Widział pan, jak on wygląda?! Jak model z żurnala dla pedziów. Wystrojony, wypachniony. Pierdolony klecha. To przez niego Beata mnie nie chce. W końcu by do mnie wróciła. Wiem. Chociaż mówiła coś innego. – Znowu się zamyślił. – A było tak fajnie... Gdy ją pierwszy raz zobaczyłem, nie zwróciłem na nią uwagi. Była wtedy w ciąży. Później to bym nawet odpuścił Pawłowi. – Powiedział bez ładu i składu. – Wie pan, że mój brat był dla mnie najbliższą mi osobą? Rozumieliśmy się. W młodości byliśmy nierozłączni. Nawet został rok w szkole, żebyśmy byli w tej samej klasie. On był tym lepszym bratem, który to wyciąga drugiego z kłopotów. Chociaż robiłem mu małe świństwa, zawsze mi wybaczał. Ja też go lubiłem. Chyba nawet kochałem... Jeśli podkładałem mu świnię, to tylko dlatego, że byłem zazdrosny. Lepiej się uczył, chociaż ja byłem zdolniejszy i inteligentniejszy. Ale on był pilny i solidny. I odpowiedzialny. Chyba dlatego był pupilkiem ojca. Natomiast matka bardziej kochała mnie. Starała się to ukryć, ale i tak wszyscy o tym wiedzieli. Miałem to w nosie. Ją też. Zostawiła nas, gdy mieliśmy jedenaście i dwanaście lat. Myślała, że pieniądze wszystko załatwią. Gówno. To ojciec nas wychował. Na nim mi zależało... ale on wolał Pawła. Zazdrościłem Pawłowi tej jego miłości. A później wszystkiego innego. Nie mogłem pogodzić się ze świadomością, że on ma lepiej. Kiedy się ożeniłem z bogatą i ładną Angielką, a on z biedną dziewuszką z Olkusza i dodatkowo z przychówkiem, było wszystko okej. Ale gdy moje małżeństwo się rozpadło i zobaczyłem, że Paweł jest szczęśliwy, znowu poczułem zazdrość. Zaciągnąłem Beatę do łóżka, żeby mu ten szczęśliwy uśmieszek zmyć z twarzy. Oczywiście nie powiedziałbym mu, że żona przyprawia mu ze mną rogi, ale wystarczyła mi sama tego świadomość. Na początku traktowałem Beatę właśnie jak ten pstryczek wymierzony Pawłowi w nos, ale później zaczęło mi na niej zależeć. Baby jednak są całkiem zakręcone. Kiedy mi na niej nie zależało, to ona szalała za mną, ale jak mnie zaczęło na niej zależeć, to nagle jej przeszło.

Wstał z fotela i podszedł do barku, by ponownie napełnić szklankę trunkiem. Był już bardzo pijany, chwiejnym krokiem ledwie trafił do fotela. Znowu zapatrzył się w ścianę, jakby tam dojrzał Beatę.

– Boże, co to za kobieta! Co za temperament! Niesamowita... W łóżku i w ogóle. Nikogo takiego nie znałem. Zakochałem się w niej. Nie zdradzałem jej, chociaż miałem czasami jaja spuchnięte jak piłki tenisowe. Ale nie chciałem innej kobiety. Wolałem czekać na nią cały miesiąc, bo spotykaliśmy się tylko raz w miesiącu. A potem pędziłem na randkę jak napalony buhaj do jałówki, spragniony, stęskniony... – Na chwilę przymknął oczy. – Zapragnąłem mieć ją tylko dla siebie. Chciałem się z nią nawet ożenić, chociaż małżeństwo nie jest dla mnie. Ale mnie nie chciała, mimo że to ja przyprawiłem ją o ciążę. Kłamała, że to nie moje, ale przecież wystarczy spojrzeć na małą i wszystko wiadomo. Tylko ktoś tak naiwny jak mój brat mógł uwierzyć w swoje ojcostwo. I wtedy nagle poczułem do niego nienawiść... – Westchnął. – Musiałem odzyskać Beatę. Wiedziałem, że lubi pieniądze, przecież tylko dlatego wybrała Pawła, a nie tego wymoczka Szydłowskiego... No i doprowadziłem Pawła do bankructwa... Ale nie chciałem jego śmierci. Naprawdę. Chciałem tylko Beatę... – Zamknął oczy na chwilę. – Cały swój majątek zapisałem w testamencie jej dzieciom, przecież nie mam komu tego zostawić. Oprócz tego utworzyłem im fundusz powierniczy. Potraktowałem je po równo. Chociaż Michał to nie nasza krew, ale Paweł traktował go jak syna. Beata nic o tym nie wie. Nie zgodziłaby się. Ale gdy dzieci skończą dwadzieścia jeden lat, będą mogły same zadecydować. Pieniądze nie śmierdzą, *pecunia non olet*. Podobno powiedział tak rzymski cesarz Wespazjan, kiedy opodatkował toalety publiczne. Jednak niektórzy historycy mówią, że to powiedzenie wzięło się od podatku nałożonego dla garbarzy, którzy gromadzili mocz do garbowania skóry – powiedział trochę bez sensu. Był coraz bardziej pijany. – Nie chciałem jego śmierci, ale wkurwił mnie, dlatego powiedziałem mu, że Karolina jest moja... Nie wiedział o mnie i Beacie. Dlatego się wtedy upił... Ale ja naprawdę nie chciałem jego śmieci. – Słowa przechodziły w bełkot. Po chwili zasnął.

Mark, wzburzony nowinkami, cicho wyszedł z mieszkania Tomczyka.

Kiedy rano się obudził, Marty nie było już w łóżku. Wstał z ociąganiem. Za oknami było nieciekawie. Szaroburo i deszczowo. Temperatura spadła poniżej dziesięciu stopni. Wziął szybki prysznic i umył zęby. Nie miał dziś ochoty na poranne pompki. Energia całkiem go opuściła. Spowodowane to było również wczorajszą rozmową z Tomczykiem. Dziwne, ale czuł się w pewien sposób rozczarowany i oszukany. Sympatia, którą darzył Beatę, nagle gdzieś się ulotniła. Szydłowski również go mocno rozczarował. Może rzeczywiście któreś z nich jest mordercą?

Powinien zadzwonić do Biedy, ale odkładał to na później. Tymczasem zrobił sobie śniadanie. W zlewie stały puste naczynia po śniadaniu Marty. Westchnął. Cóż by się jej stało, gdyby włożyła talerz od razu do zmywarki – burknął pod nosem.

Nie zdążył zjeść przygotowanej kanapki, bo zadzwoniła jego komórka. Komisarz Bieda.

– Panie Marku, musimy się zobaczyć.

– To proszę wpaść do mnie. Jestem sam, żona w pracy.

Kilkanaście minut później Ryszard Bieda stał w drzwiach mieszkania Bieglerów.

– Mamy następnego mordercę. Szydłowski zgłosił się dziś do nas i zakomunikował, że zabił prowincjała. Prokurator chodzi wkurwiony jak cholera.

– Szydłowski przyznał się do morderstwa?! – czoło Marka przecięła bruzda zdziwienia.

– Ostatnio mordercy rozmnażają się jak muchomory sromotnikowe po deszczu. Kurwa mać, urządzili sobie casting na mordercę! Prokurator wściekły, bo miał taką fajną morderczynię, a tu nagle ksiądz też chce być mordercą.

– Co mówi Szydłowski? Dlaczego miał niby zabić Nasiadkę?

– Mówi, że go zabił, bo się pokłócili, ale nie chce powiedzieć dlaczego. Nikt nie wierzy w jego gadanie. Kłamie na sto procent. Na przykład nic nie wie o pończoszе, mówi, że udusił go kablem od myszki. Prokurator powiedział, że owszem, zamknie go, ale za utrudnianie śledztwa.

– Nic nie wspomina o Beacie Tomczyk?

– Nie. A dlaczego miałby wspominać?

– Byli kochankami. I chyba nadal nimi są.

– No to teraz wiadomo, dlaczego Szydłowski kłamie. Osłania ją.

– Chyba tak. – Mark zamyślił się na chwilę. – Może ona też kłamie, żeby jego chronić? Może trzeba przyjrzeć się innym osobom? Panie Ryśku, jedźmy we dwójkę do parafii, gdzie Nasiadka był wikarym.

– Prokurator mi zabronił.

– No to jedźmy półprywatnie.

– Dobrze. Jakby co, jest pan aspirantem, okej?

Zaraz zebrali się i pojechali samochodem Marka. Niestety na plebanii był młody wikariusz, który nic nie wiedział na temat Edwarda Nasiadki. Ale odszukał w starej kronice parafialnej adnotację na temat pobytu Nasiadki w probostwie.

– Kto był wtedy proboszczem? – zapytał Mark. – Może jeszcze żyje?

– Proboszczem był ksiądz Kazimierz Wesołowski, ten sam, który został później biskupem. Nasza parafia jest dumna, że biskup się stąd wywodził – powiedział wikary.

Mark zmarszczył brwi ze zdziwienia. Spojrzał na również zaskoczonego komisarza. No to już wiadomo, skąd znali się Wesołowski i Nasiadka.

– Niestety jego eminencja już nie żyje. Zginął w wypadku samochodowym. – Wikary westchnął rozdzierająco, jakby stracił co najmniej ojca. – Może więcej powie panom kościelny. On jest w naszej parafii już prawie czterdzieści lat.

– Gdzie możemy go zastać?

– Powinien być teraz w zakrystii, bo za chwilę będzie msza.

Biegler i Bieda szybko skierowali się w stronę kościoła, by zdążyć przed mszą. Na szczęście kościelny znalazł dla nich chwilkę. Był to człowiek grubo po sześćdziesiątce. Szczupły, niewysoki, z resztką siwych włosów nad karkiem.

– Oczywiście, że znam prowincjała Nasiadkę. Chociaż był u nas krótko, ale pamięta się księży, którzy zaszli wysoko. Ksiądz Nasiadka i wielebny ksiądz biskup Wesołowski przysłużyli się naszej parafii, rozsławiając ją, bo przecież tu zaczynali swoją kapłańską posługę – powiedział nabożnie.

To raczej parafia im się przysłużyła – pomyślał Mark.

– Czy prowincjał Nasiadka bywał tutaj później? – zapytał.

– Był raz z biskupem Wesołowskim.

– Czy pamięta pan, jak to było z księdzem Nasiadką? Dlaczego tak szybko odszedł z parafii? Przecież ksiądz Wesołowski jeszcze parę lat był tu proboszczem?

– Nie wiem dlaczego. Może przejął się śmiercią tego ministranta?

– Jakiego ministranta? – zaciekawił się Mark.

– Piotrka Wiatrowskiego. Zginął tu w kościele.

– Jak to zginął?! – zapytali chórem Mark i Bieda.

– To było tuż przed mszą. Poślizgnął się na schodach. Proboszcz i ksiądz Nasiadka udzielali mu pomocy, ale nic to nie dało – westchnął. – Pamiętam go dobrze. Tak jak i jego kolegów. Może on też by został księdzem jak tamci dwaj?

– O kim pan mówi?

– O jego kolegach, też ministrantach. Lubiłem ich, dobre były z nich chłopaki. Przeważnie wszyscy ministranci są grzeczni i dobrze wychowani, ale ta trójka była wyjątkowa. No i dwóch zostało księżmi, tylko biedny Wiatr nie dożył tego. Tak go przezywali: Wiatr. Tamci dwaj też mieli przezwiska. Biały i Igła.

– Jak się nazywali? – zapytał Mark z natężeniem.

– Marian Bielecki i Artur Szydłowski. Te ich przezwiska były od ich nazwisk. Raz zapytałem Artura, dlaczego nazywają go Igła, a nie Szydło. To odpowiedział, że koledzy stwierdzili, że nie wygląda na szydło, bardziej przypomina igłę. – Uśmiechnął się na to wspomnienie. – Ale Artur na święceniach przyjął imię Piotr.

Mark i Bieda spojrzeli w milczeniu na siebie.

No nareszcie trafiliśmy na dobry trop – pomyśleli jeden i drugi...

Beata przykryła się prześcieradłem i dwoma kocami. Miała nadzieję, że te koce były wcześniej wyprane.

Pierwsza jej noc w nowym miejscu. W nowym życiu. Podobno trzeba zapamiętać sen na nowym miejscu, bo zawsze się sprawdza. Ale cóż może się wydarzyć teraz ciekawego? Przecież każdy dzień będzie podobny do poprzedniego. A może nie? Na filmach, w których akcja dzieje się w więzieniu, zdarzają się różne sytuacje. Można zostać pobitą przez współwięźniarkę, zgwałconą przez klawisza albo nawet zabitą. Jednak wszystkie te filmy były amerykańskie. Może w polskich więzieniach jest inaczej? Szkoda, że nie oglądała filmu

Barbary Sass *Krzyk* z Dorotą Stalińską ani filmu *Nadzór*. Tam chyba było coś o więzieniu. Filmy zrealizowano w latach osiemdziesiątych, kiedy była jeszcze dzieckiem, a później nigdy nie pociągała ją taka tematyka. Brr, więzienie! – na samą myśl otrzepywało ją. Przecież nigdy by się nie utożsamiała z bohaterką, która ma przeszłość kryminalną. Nie miała nic wspólnego z kimś takim! A szkoda, może dowiedziałaby się czegoś ciekawego.

Przewróciła się na drugi bok. Nie mogła zasnąć. Myśli znowu poszybowały do Artura.

Rozdział 24

Beata

Od „Dnia Taty" Artur, widząc mnie w Fundacji, już nie uciekał gdzie pieprz rośnie. Ale nadal nie kwapił się do rozmowy. Mówił „szczęść Boże" i przechodził dalej. Nawet gdy nie było nikogo w pobliżu, nie zamieniał ze mną choćby kilku grzecznościowych słów. Ja również nie próbowałam wszczynać z nim konwersacji. Trudno – nie chce mnie znać. Coś we mnie jednak aż krzyczało z żalu i rozczarowania. Przecież kiedyś byliśmy dla siebie najbliższymi przyjaciółmi! Kochaliśmy się! A on zachowywał się jak całkiem obcy człowiek...

Myślałam, że jego wizyta w moim mieszkaniu coś zmieni. Że powróci przyjaźń. Chociaż przyjaźń... bo na miłość przestałam już liczyć.

Wszystko zmieniło się w środę dwudziestego trzeciego grudnia.

Również w tym roku zorganizowano dla pracowników wigilię. Po pracy, o godzinie szesnastej zaproszono nas na stołówkę, gdzie czekał ładnie przybrany ogromny stół, a na nim potrawy przygotowane przez kucharki. Wszyscy, którzy byli w tym dniu na terenie Fundacji, znaleźli się w jadalni szkolnej. Nie było wielu nauczycieli, bo zajęcia lekcyjne skończyły się dzień wcześniej, księża też nie byli w komplecie, ponieważ część już wyjechała na święta do swoich rodzin. Z księży zostali tylko Bielecki, Ślęzak i Artur, ale i oni planowali wyjechać zaraz po kolacji.

Wigilia, mimo starań, nie była taka jak za czasów Ślęzaka: atmosfera trochę przytłaczająca, a potraw mniej niż przedtem.

Tym razem obowiązki gospodarza pełnił Bielecki. To on wygłosił krótką mowę i przeczytał fragment Biblii. Przed spożyciem darów bożych nastąpiło tradycyjne łamanie się opłatkiem. Wszyscy do wszystkich podchodzili i składali sobie świąteczne życzenia. Nawet Bielecki ze Ślęzakiem.

Ja również łamałam się opłatkiem, także z księżmi. Kiedy przyszła kolej na Artura, myślałam, że serce wyskoczy mi z klatki piersiowej, biło mi tak mocno. Po raz pierwszy od dawna byłam tak blisko niego. Tuż, tuż. Czułam zapach jego wody kolońskiej, jego oddechu i jego ciała rozgrzanego emocjami. Pachniał tak cudownie, tak swojsko i nostalgicznie...

Nasze oczy się spotkały. I nagle wyczytałam w nich to, czego jego usta nie wypowiedziały. Tęsknotę, miłość, żar. I pożądanie. Moje oczy odpowiedziały identycznie. Staliśmy nieruchomo, zatopieni w spojrzeniu, wzrokiem wyznając swoje uczucia... Aż zaczęło być to trochę niewłaściwe.

Pierwsza otrząsnęłam się z miłosnego oszołomienia.

– Wszystkiego najlepszego – wydukałam. – Wesołych świąt.

Przybliżyłam swoją twarz do jego i lekko musnęłam go w policzek. Nie zastanawiając się, powiedziałam szeptem:

– Przyjdę dziś do ciebie.

Powiekami i lekkim skinięciem głowy wyraził znak zgody.

Usiedliśmy na swoich krzesłach i zaczęliśmy spożywać to, co upichciły kucharki. Siedziałam jak na szpilkach, chciałam, żeby jak najszybciej skończyła się wigilia. Na szczęście Bieleckiemu i Ślęzakowi również się spieszyło, dlatego już po godzinie zaczęto opuszczać stołówkę.

Chwilę później jedynymi osobami, które pozostały na terenie ośrodka, byli ksiądz Szydłowski i portier. I ja – bo nagle przypomniałam sobie, że mam mnóstwo zaległości i muszę pozostać w biurze. Profilaktycznie uprzedziłam portiera, żeby z nikim mnie nie łączył, ponieważ jestem bardzo zajęta. Zadzwoniłam do dzieci, że wrócę późno, więc muszą sami zrobić sobie kolację. Wiedziałam, że Michał zaopiekuje się siostrą, bo nieraz już to robił.

Odświeżyłam się trochę w łazience, żałując w duchu, że dawno nie odwiedzałam solarium i nie założyłam na siebie jakiejś frymuśnej bielizny. Poprawiłam makijaż i fryzurę, spryskałam się perfumami, które noszę w torebce. Gdy upewniłam się jeszcze raz, że na terenie obiektu nie ma nikogo oprócz portiera, udałam się na pierwsze piętro, gdzie znajdowały się mieszkania księży. W swoim biurze zostawiłam dla niepoznaki światło, znak, że nadal pracuję.

Chwilę stałam pod drzwiami z bijącym jak młot pneumatyczny sercem, spięta i trochę przerażona. Przerażona tym, co za moment miało nastąpić, i przerażona moralnymi wyrzutami. Nie mam mentalności skażonej syndromem moherowego beretu i choć uważam się za katoliczkę, nie jestem zbyt religijna. Nie chodzę do kościoła w każdą niedzielę ani nie klepię co wieczór zdrowasiek, ale chociaż mam mnóstwo wątpliwości dotyczących dogmatów wiary narzuconych przez namiestników Piotrowych w Rzymie, czuję się stuprocentową chrześcijanką. Dlatego świadomość, że wkrótce popełnię grzech o ciężarze gatunkowym dużo większym niż opuszczenie niedzielnej mszy, przyprawiała mnie o trwogę. Przecież zamierzałam kochać się z księdzem! A uwieść księdza to coś więcej, niż zjeść w Wielki Piątek kotleta schabowego.

Zastukałam. Po chwili drzwi się uchyliły. Stał w nich Artur. Artur, nie ksiądz Piotr!

Miał na sobie jedynie szlafrok i bokserki.

Nie było już więc odwrotu.

Bez słów zamknął drzwi i przygarnął mnie do siebie.

I... nie miałam już więcej obiekcji. Znowu był tylko on i ja. Artur i Beata. Dwoje dzieciaków zakochanych w sobie do szaleństwa.

Zaniósł mnie do sypialni. Ściągał ze mnie ubranie z niecierpliwością dziecka rozpakowującego prezent urodzinowy. Ja nie miałam z niego wiele do ściągania. Rzuciliśmy się na łóżko. Widziałam, że jest podniecony, ale nie przypuszczałam, że aż tak bardzo.

– Poczekaj chwilę – wyszeptał, drżącymi dłońmi wyjmując z kieszeni szlafroka paczuszkę z prezerwatywą.

– Daj, ja to zrobię.

Nie zdążyłam nawet dobrze jej założyć, gdy nagle eksplodował.

– Przepraszam – wyszeptał zawstydzony, głośno łapiąc powietrze. – Zaraz ci to wynagrodzę.

Po chwili już był gotowy.

A potem znowu i znowu. Nawet zaczęłam się zastanawiać, skąd w nim tyle wigoru i energii.

Za każdym razem było cudownie. Tak jak dwadzieścia lat temu. Mało rozmawialiśmy, jakby słowa nam przeszkadzały... jakby były zbyteczne.

Ja również byłam spragniona mężczyzny, nie uprawiałam seksu ponad dwa lata. A nie kochałam się od lat dwudziestu... Bo to, co teraz działo się w łóżku, nie było zwykłym stosunkiem seksualnym. To było misterium miłości. Celebracja kochania. Cielesny przekaz: kocham cię... Wielbię cię... Ubóstwiam cię. Każdy pocałunek, każda pieszczota były miłosnym wyznaniem. Bezsłownym poematem o miłości. Erotykiem napisanym sercem.

Miałam w swym życiu trzech mężczyzn. Uprawiałam seks z mężem, którego lubiłam, ale nie pożądałam, i kochankiem, którego nie lubiłam, ale pożądałam. Teraz było inaczej. Teraz miłość i namiętność szły razem w parze. Dlatego było tak cudownie.

Jakiś czas później Artur wstał z łóżka.

– Idę do łazienki zapalić – powiedział.

– Przedtem nie paliłeś. Od kiedy palisz?

– Od września. Odkąd znowu cię ujrzałem – powiedział z leciutkim uśmiechem, ale zabrzmiało to trochę smutno.

Wyszedł z pokoju, nie zarzucając nic na siebie. Miałam teraz sposobność przyjrzeć mu się dokładnie. Wyglądał jak grecki bóg. Wysoki, smukły, pięknie zbudowany. Ze wspaniałą muskulaturą i fajnym kaloryferkiem na brzuchu.

Nieźle musiał się napracować, żeby tak wyglądało jego ciało – pomyślałam. Nagle ogarnęła mnie dziwna, nieuzasadniona zazdrość. Ze złością spojrzałam na atlas – przyrząd wielofunkcyjny do ćwiczeń – zajmujący pół sypialni. To na nim spędzał godziny, żeby jego sylwetka była taka doskonała.

Okryłam się ręcznikiem i poszłam za Arturem do łazienki. Siedział na brzegu wanny i palił papierosa. Na mój widok się uśmiechnął.

– Dlaczego okręcasz się ręcznikiem? – powiedział, wyciągając ręce, by mnie z niego oswobodzić.

Odsunęłam się gwałtownie od niego.

– Mowy nie ma! Nie będę eksponować swojego cellulitu przy kimś tak zbudowanym jak ty. – Zmrużyłam oczy złowieszczo. – Dla której kobiety tyle potu zostawiłeś na atlasie? Dla tej fryzjerki? Ile ich było po mnie? – zapytałam zaczepnie.

Odpowiedział pytaniem.

– A ilu ty miałaś kochanków oprócz męża?

– Tylko jednego. Mówiłam ci.

– A po śmierci męża?

– Żadnego. Nie miałam czasu, miałam ważniejsze sprawy na głowie. Nie zagaduj, powiedz mi, z kimś się jeszcze kochałeś.

– Z żadną. Jestem przecież księdzem.

– Nie wierzę. Całkiem dobrze ci idzie w tych sprawach. Musiałeś mieć kobietę, dla której wypracowałeś taką muskulaturę.

Uśmiechnął się leciutko.

– Wejdź na atlas i poćwicz na nim godzinę, będziesz miała wtedy odpowiedź.

– Nie rozumiem. – Zmarszczyłam brwi.

– Co tu jest do rozumienia. – Wzruszył ramionami. – Czy po intensywnym aerobiku miałaś kiedyś ochotę na seks? Wysiłek fizyczny jest najlepszym sposobem na pozbycie się apetytu na kobiety. Lepszym od bromu.

Patrzyłam na niego szeroko otwartymi oczami z niedowierzania.

– Jak to? Ćwiczyłeś po to, by nie uprawiać seksu?

– Tak. Przecież jestem księdzem.

– Chcesz mi powiedzieć, że przez tych dwadzieścia lat nie miałeś żadnej kobiety?! – zapytałam oszołomiona.

– Dlaczego tak cię to dziwi? Przecież jestem księdzem.

Nagle parsknęłam śmiechem.

– Rzeczywiście nie powinno mnie to dziwić. Przecież to cały Artur! Nic się nie zmieniłeś, zawsze tak poważnie traktowałeś swoje zasady. Zawsze nieugięty, zawsze biorący na serio wszystkie nakazy i zakazy. Mogę się założyć, że nigdy nie przekroczyłeś dozwolonej szybkości, jadąc samochodem – powiedziałam, kręcąc głową.

Zmarszczył brwi. Złapał się znajomym ruchem za ucho.

– Prawo, zakazy i nakazy są po to, żeby je stosować. Niestety człowiek jest wolny jak ptak w klatce. Może poruszać się tylko w pewnych granicach. Żeby społeczeństwo dobrze funkcjonowało, trzeba przestrzegać obowiązujących norm, inaczej zapanują anarchia i chaos.

Przytuliłam się do niego i pocałowałam w policzek.

– Arturku, jesteś taki kochany. Nie zapominaj, że te wszystkie normy, zakazy i nakazy wymyślają ludzie. I to wcale nie lepsi od nas. Kiedyś legalne było niewolnictwo, obozy koncentracyjne i apartheid. Kiedyś te zbrodnie zostały zatwierdzone przez ówczesne rządy. Były nakazem prawnym, którego musieli przestrzegać obywatele. Ja nigdy nie traktowałam prawa jako wyznacznika norm etycznych. – Uśmiechnęłam się. – Wiesz, co to jest włoski strajk? Polega na tym, że strajkujący stosują się do wszystkich obowiązujących przepisów. I dlatego na dłuższą skalę państwo przestaje normalnie funkcjonować. Panują chaos i bezład. Niestety ustawodawstwo i jurysdykcje prawie wszystkich krajów na świecie nie są przystosowane do realiów życia, a Polska w tym przoduje. Tak bzdurnego prawa, jakie u nas obowiązuje, nie da się w pełni przestrzegać. Trzeba je czasami naginać do istniejącej rzeczywistości. Myślący człowiek wie, co jest dobre, a co złe, państwo nie jest mu do tego potrzebne. Ja również uważam się za osobę myślącą. Wycięli mi przecież nerkę, a nie mózg. – Uśmiechnęłam się łobuzersko i żeby trochę załagodzić wydźwięk ostatnich moich słów, dodałam: – Nic się nie martw, ja nadrabiam statystykę. Łamię zasady za siebie i za ciebie. Wykąpmy się.

Odkręciłam kurek z wodą.

– Wiesz, tym motorem zburzyłeś trochę swój dotychczasowy wizerunek. Gdy pierwszy raz ujrzałam cię na motorze, nie mogłam uwierzyć własnym oczom. Zaskoczyłeś mnie maksymalnie. On tak nie pasuje do ciebie, do twojej osobowości. Do tego Artura, którego znałam. – Pokręciła głową. – Wiesz, że gdy na nim siedzisz, wyglądasz bardzo sexy? Tak cholernie męsko…

– Przyznam ci się, że to przez ciebie pokochałem motor. – Wyczytałam w jego oczach pewną nostalgię. – Po święceniach, kiedy zostałem księdzem, chciałem znaleźć sobie jakąś pasję. Robić coś typowo męskiego, dla równowagi z sutanną. Chciałem, mimo wyrzeczenia się swej seksualności, nadal czuć się mężczyzną. Początkowo myślałem o lataniu, ale mama stwierdziła, że mimo wszystko na motorze jest bezpieczniej niż w przestworzach. – Uśmiechnął się leciutko. – Po naszej rozmowie w tej restauracji na placu Żydowskim ciągle dźwięczały mi w uszach twoje słowa zarzucające mi brak męskości. „Kiedy byłeś jeszcze mężczyzną"… bardzo mnie to ubodło. Dlatego wyciągnąłem z garażu harleya. Początkowo, ze względu na uczniów, nie miałem zamiaru pokazywać się w Osieku na motorze, ale próżność i urażona duma zwyciężyły. Chciałem ci pokazać, że mimo noszenia sukienki... jak to wy, świeccy, mówicie o sutannie (gdy to powiedział, jego słowa były zabarwione sarkazmem), nadal pozostała we mnie męska słabość do pewnych przyjemności typowych dla naszej płci.

Nagle złapał się za płatek ucha. Bardzo mnie to rozczuliło.

– Nadal łapiesz się za ucho, gdy jesteś podenerwowany. Kocham ten twój tik. – Uśmiechnęłam się ciepło.

– Wydawało mi się, że się już tego oduczyłem – mruknął. – To przez ciebie. Tylko przy tobie nie potrafię zapanować nad swoimi odruchami.

Ściągnął ze mnie ręcznik.

– Nie zasłaniaj się, masz piękne ciało – szepnął. Nagle zmarszczył brwi, gdy ujrzał bliznę. – Dlaczego zrobiłaś tatuaż? Po co ukrywać dowód swojego człowieczeństwa? Komu przeszkadzała ta blizna? Mężowi czy kochankowi?

Wzruszyła ramionami.

– Zrobiłam to dwa miesiące temu.

– Dlaczego? Ta blizna to najpiękniejsza ozdoba twojego ciała. Pamiątka, że ofiarowałaś komuś życie – szepnął, całując mnie w miejsce osłonięte tatuażem.

– Nie zrobiłam nic wielkiego. Przecież to moja siostra. Skąd wiedziałeś o nerce?

– Od sąsiadki babci. Gdy przyjeżdżam na groby, to lubię z nią pogadać. A ona wie wszystko. Zna twoją babcię. Twoja rodzina jest z ciebie bardzo dumna.

– Rzeczywiście mają z kogo być dumni – prychnęłam lekceważąco. Spojrzałam na Artura. – Jestem złym człowiekiem. Skrzywdziłam wiele osób... – Mówiąc to, przepraszałam go oczami. – Ale siebie też, bo zrezygnowałam z kogoś tak wspaniałego jak ty. Wyrzuciłam do kosza na śmieci twoją miłość, coś, co miałam najcenniejszego...

Na moment w łazience zapanowało milczenie. Zrobiło się smutno i ciężko. I czułam się trochę skrępowana.

– Wchodzimy do wanny. Wykąpiemy się w dwójkę – oznajmiłam, żeby rozładować sytuację.

Wykąpaliśmy się... jeśli to, co się tam działo, można nazwać kąpielą. Było to raczej preludium do miłości... miłości fizycznej.

Znowu było cudownie. Czułam się jak w niebie... Chyba to niezbyt fortunne porównanie, świętemu Piotrowi na pewno by się nie spodobało, co wyprawiałam z jednym z jego rycerzy.

Ale ja nie kochałam się z księdzem Piotrem, tylko z moim Arturem. Moją Wielką Miłością...

Czas mijał, robiło się późno, w domu czekały na mnie dzieci, a ja ciągle ociągałam się z powrotem. Bo tu był Artur...

Podświadomie się bałam, że to jedyny wieczór, gdy jesteśmy razem. Że wraz z opuszczeniem jego mieszkania skończy się nasz romans.

Niestety wkrótce moje obawy okazały się niebezpodstawne.

– Nie jesteś złym człowiekiem – powiedział ni stąd, ni zowąd. – Widać tak musiało się stać, że nie jesteśmy razem. Może to i lepiej?...

Nagle moje serce zaczęło walić głośno jak dzwon na wieży kościelnej.

– Co chcesz przez to powiedzieć?

– Każde z nas poszło swoją drogą. I ja, i ty mamy swoje życie. Za późno, żeby to zmieniać.

W środku aż zabulgotało we mnie ze złości.

– A więc to tak: traktujesz to, co zaszło teraz między nami, jak incydent?! Przygoda na jeden wieczór. – Wybuchłam gniewem. – Jutro pójdziesz ze spuszczoną głową do spowiedzi, wyspowiadasz się ze swego grzechu i znowu staniesz się grzecznym chłopczykiem. Niewinnym dziecięciem Bożym. Dlatego dziś pieprzyłeś mnie z częstotliwością najaranego królika, bo wiedziałeś, że za chwilę wykopiesz mnie ze swego życia. To skurwysyństwo z twojej strony. Z premedytacją rozkochujesz mnie w sobie, dajesz nadzieję, chociaż z góry zakładasz, że to będzie tylko mały, nieważny epizodzik w twoim świątobliwym życiu. Coś, czego będziesz się później wstydził i żałował. Jesteś świnią! Wielebną świnią!

Artur milczał, tylko na moment wygiął usta w leciutkim uśmiechu.

– Nic się nie zmieniłaś. – Cicho westchnął. – Zrozum, jestem księdzem. Składałem śluby kapłańskie. Zobowiązałem się żyć samotnie, żyć w czystości cielesnej.

– Przestań pieprzyć jak ksiądz! Wasza patetyczna nawiedzona retoryka nie przemawia do mnie. Dla mnie jesteś Arturem, żadnym księdzem Piotrem. Kochałam się również z Arturem. Mów do mnie językiem Artura.

– Wtedy też ci nie odpowiadał mój sposób mówienia. Przeszkadzało ci, że nie przeklinam, że mówię i zachowuję się jak ministrant. Widocznie zawsze było to moje powołanie. Być księdzem. – Smutno się uśmiechnął.

– Nie. Twoim powołaniem było być ze mną. Moim również było być z tobą. Ale to spieprzyłam. Kochałam cię zawsze, od kiedy cię pierwszy raz ujrzałam. Kochałam cię wtedy, gdy ślubowałam przed ołtarzem miłość innemu, a nawet wtedy, gdy rżnęłam się ze swoim kochankiem. Nigdy cię nie zapomniałam, nigdy nie przestałam kochać… – Spod powiek wydostały mi się łzy i zaczęły płynąć po policzkach. – Wiem, że zniszczyłam nas. Naszą miłość. Dlatego nie mów, że jestem dobrym człowiekiem.

– Nie powiedziałem, że jesteś dobrym człowiekiem, tylko że nie jesteś złym. – W jego oczach zaigrał cień uśmiechu. – Nie płacz. Nie masz powodu do łez. Doskonale sobie radziłaś beze mnie. Jesteś wspaniałą matką i zaradną kobietą. Nie potrzebujesz mnie.

– Nawet nie wiesz, jak bardzo cię potrzebuję – szepnęłam. – Nie wymagam od ciebie, żebyś opuścił kapłaństwo, wystarczy mi, gdy będziemy spotykać się od czasu do czasu. Zresztą nie musimy spać ze sobą, mogę z tego zrezygnować. Wystarczy, że będziesz moim przyjacielem. Czuję się taka samotna…

– Sama wiesz, że to niemożliwe, żebyśmy byli tylko przyjaciółmi. Nie z tobą. Ostatnio kilka razy w nocy musiałem brać zimny prysznic, bo ciągle myślałem o tobie. A myśląc o tobie, grzeszyłem myślami. Przepraszam, znowu mówię jak ksiądz. Ciągle miałem erekcję.

– Artur, jesteś inteligentnym człowiekiem, wykształconym, oczytanym. Pomyśl: przecież my, ludzie, dostaliśmy popęd seksualny od natury. Od Boga… Gdyby Bóg nie chciał, żeby mężczyzna czuł pociąg fizyczny do kobiety, zrobiłby nas obojnakami. Celibat jest wbrew naturze! Po co katować się i rezygnować z tego, co jest takie ludzkie. W Biblii nic nie ma o celibacie. Święty Piotr, namiestnik Chrystusowy, był żonaty. Celibat narzucono obligatoryjnie dopiero na Soborze Trydenckim w 1563 roku. A tak naprawdę to istotny zapis datuje się dopiero w kodeksie w 1917 roku. – Ostatnio dużo czytałam na temat celibatu.

– Mylisz się. Już w XI wieku papież Grzegorz XVII usankcjonował celibat w ramach reformy gregoriańskiej. Zgodnie z nią małżeństwa zawierane przez księży były nieważne. A papież Innocenty III na początku XIII wieku uznał celibat za prawo obowiązujące w kościele.

– I co z tego?! Przecież nawet papieże nie stosowali celibatu w praktyce. Chociaż się nie żenili, ale mieli całe tabuny kochanek i dzieci. Nie tylko Rodrigo Borgia, lecz także inni papieże. Wstrzymywanie się od seksu to wbrew naturze! To nienormalne!

– Świadomie wybrałem taką drogę. Nikt mi tego nie narzucał.

– Ale rzadko który ksiądz przestrzega celibatu! Sześćdziesiąt procent księży polskich nie stosuje go w swoim życiu... No tak, ale Kościół katolicki uwielbia hipokryzję! – Prychnęłam lekceważąco. – Kościoły protestanckie i anglikańskie nie tylko nie uznają celibatu, lecz także go potępiają. Uważają, że ktoś, kto nie umie zająć się swoją rodziną, nie będzie umiał zająć się również kościołem. Tylko zwierzchnicy Kościoła rzymskokatolickiego wolą fałsz, faryzeizm i obłudę. Właśnie dlatego na Zachodzie uważa się katolików za zakłamanych kołtunów. Celibat powoduje, że deprecjonuje się rolę kobiety albo się ją za bardzo idealizuje. Przez wykluczenie kobiet ze swojego życia księża tacy jak wasz prowincjał kompensacyjnie dążą do zaszczytów, bogactwa i uznania. Twoi kumple, przepraszam: konfratrzy, nie mają poczucia rzeczywistości ani znajomości codziennego życia wiernych. Wywyższają się nad nami, rozbudowują teorię grzechu, wywołując obsesję antyseksualną. Wyczytałam, że właśnie to tłumienie popędu seksualnego prowadzi księży do nadmiernego zainteresowania sprawami seksu u wiernych i wywołuje szereg zachowań zastępczych, takich jak homoseksualizm czy pedofilia. Podobno dwadzieścia dwa procent księży ujawnia orientację homoseksualną, osiemdziesiąt procent się masturbuje, a u dwóch procent rozpoznano pedofilię.

– Skąd masz takie dane? Z internetu oczywiście. – Jego głos zabarwiony był oziębłością.

– Czytałam raport *Seksualności Polaków* Lwa Starowicza.

– Myślałem, że on jest już dawno na emeryturze.

– Napisał to w 2002 roku. Ale wątpię, czy coś się zmieniło. Jeżeli już, to gwarantuję, że nie na lepsze. Jeśli polski katolicki ksiądz przed kamerami telewizyjnymi, i to w Rzymie, broni swoich praw do homoseksualnej miłości, to już wkrótce zwierzchnicy kościelni opamiętają się i zniosą celibat.

– Nie mnie o tym decydować. A tym bardziej nie tobie. Składając przysięgę celibatu, księża Zgromadzenia składają również przyrzeczenie wstrzemięźliwości seksualnej.

– Czy wiesz, że taka wstrzemięźliwość seksualna jest bardzo niezdrowa dla organizmu? Grozi rakiem prostaty. Zapytaj urologa. – Uśmiechnęłam się ironicznie i dodałam: – A może twoi zwierzchnicy niechętnym okiem patrzą na wizytę księdza u urologa? Przecież musi się przed nim obnażyć i pozwolić mu na badanie.

– Nie zaprzątaj sobie swojej pięknej główki moją prostatą – powiedział oschle. – To moja prostata i moja sprawa.

– Ale ja cię kocham! I zależy mi, żebyś miał zdrową prostatę. I wszystko inne też.

Nic nie odpowiedział, jego oczy powędrowały na niewidoczny punkt na ścianie.

Nie wiedziałam, czym mogę go jeszcze przekonać, dlatego sięgnęłam po ostatni argument.

– Twoi zwierzchnicy nie stosują wstrzemięźliwości seksualnej. Wiem, że prowincjał ma kochankę. Nie wierzę również, żeby Bielecki jej nie miał.

– Ale to ich sprawa. Ja żyję według moich zasad i mojego sumienia. Człowiek szlachetny wymaga od siebie, prostak od innych.

Poderwałam się z łóżka i zaczęłam szybko się ubierać.

– Beato... – Usłyszałam zza pleców.

– Wiem, co chcesz powiedzieć – przerwałam mu. – Nie martw się, nikomu o nas nie powiem. Zapomnę, co się tu dziś wydarzyło.

– Nie to chciałem powiedzieć. Zrozum, że odpowiada mi takie życie... Odnalazłem swoją drogę. Misję. Sens mojego istnienia. Robię dużo dobrego. Udało mi się uratować niejedną zabłąkaną istotę. Zobacz mój profil na Facebooku. Ci młodzi ludzie mnie potrzebują. A ja ich. Naprawdę lubię robić to, co robię. Jestem szczęśliwy...

Nic nie powiedziałam, tylko głośno trzasnęłam drzwiami.

Tegoroczne święta minęły mi w atmosferze przygnębienia i smutku. Spędziłam je z rodzicami w Olkuszu. Na kolację wigilijną przyszli Aldona i Darek razem ze swoimi rodzinami. Przy stole było ciasno, z trudem zmieściło się czternaście osób. Wszystkie potrawy przygotowała mama z babcią, pomogła jej w tym trochę Aldona. Ja nie ruszyłam nawet palcem. Byłam zbyt obolała psychicznie, by zajmować się dreptaniem przy kolacji. Również przy jej konsumpcji nie wykazałam entuzjazmu. Na wigilijne przysmaki nie miałam większej ochoty niż kot na śliwkę. Podziobałam trochę widelcem po talerzu i odstawiałam na bok.

Pomimo ciasnoty nie wróciłam z dziećmi do Krakowa, tylko jeszcze przez trzy dni zostałam w mieszkaniu rodziców. Dzieciaki spały na łóżkach zajmowanych kiedyś przeze mnie i Aldonę, a ja na rozkładanej polówce. Dawny pokój Darka stał się teraz sypialnią babci.

Rodzina od razu zauważyła moje przygnębienie. Tłumaczyłam się migreną i zmęczeniem. Do domu wróciliśmy dopiero dwudziestego siódmego w niedzielę.

W poniedziałek w Fundacji było pusto, przyszli jedynie pracownicy administracyjni; nauczyciele nadal mieli przerwę świąteczną. Również nie wszyscy księża powrócili od swoich rodzin. W każdym razie księdza Piotra jeszcze nie było. Siedziałam osowiała za biurkiem i wklepywałam do komputera potrzebne parametry.

Po powrocie do domu, kiedy dzieci poszły do łóżek, otworzyłam swój laptop i zalogowałam się na Facebooku. Weszłam na profil księdza Piotra Szydłowskiego. Ujrzałam uśmiechniętego Artura w granatowej koszuli i dżinsach. I w koloratce. Miał niezłe grono znajomych, bo aż 5896 osób. Zauważyłam setki życzeń świątecznych i noworocznych, i to w różnych językach. Po angielsku, włosku i francusku. Niemieckie komentarze również się zdarzały. Nieźle, prawdziwy z niego poliglota. Oprócz tych języków znał też rosyjski. Zajrzałam do grona jego znajomych. Przeważała młodzież obu płci, ale było również trochę starszych ludzi. No tak, gdyby ci wszyscy jego znajomi dowiedzieli się, że ich duchowy guru ma kochankę jak każdy inny śmiertelnik, na pewno poczuliby rozczarowanie.

Z hukiem zamknęłam laptopa.

Nazajutrz nadal nie zauważyłam Artura na terenie ośrodka. Wcale bym się nie zdziwiła, gdyby przeniósł się gdzie indziej, żeby nie mieć mnie ciągle przed oczami. Mnie, Beaty Tomczyk – dowodu na swą słabość. I swą seksualność.

Dlatego tym bardziej się zdumiałam, kiedy dostałam od niego SMS-a. „Przyjedź jutro do Huty na osiedle Kazimierzowskie, blok 38, mieszkanie 56. Godzina 18. Czekam tam na Ciebie".

Serce zaczęło podskakiwać mi ze szczęścia. Artur jutro będzie na mnie czekał! Jutro znowu go zobaczę!

Nagle świat zrobił się kolorowy. Za oknami zniknęła szarość i zimowa plucha. Poczułam się, jakby ktoś napompował mnie radością i energią. Aż zainteresowało to Lidkę.

– Co to za SMS? Od kogo? Wyglądasz tak, jakbyś wygrała milion w totolotka. Albo jakby ci się oświadczył sam George Clooney.

– Taki stary dziad? Żartujesz?

– Stary, ale nadal cholernie przystojny.

– Nie w moim typie. Za bardzo kojarzy mi się z moim byłym facetem – mruknęłam. Rzeczywiście Zbyszek go trochę przypominał, dlatego nie lubiłam tego aktora.

– A kto jest w twoim typie? Może ksiądz Szydłowski?

Zamarłam ze strachu. Zaraz się jednak opanowałam.

– Chyba żartujesz?! Nie gustuję w księżach – prychnęłam lekceważąco. Mam nadzieję, że wyglądało to wiarygodnie. – Za bardzo wymuskany jak na mój gust – dodałam.

– Wcale nie wymuskany. Po prostu zadbany. Według ciebie powinien śmierdzieć potem, mieć brodę i ubierać się jak drwal?

– Nie, ale za bardzo pachnie mi kadzidłem i mirrą.

– Przyglądałam mu się podczas wigilii. Jest taki przystojny... A jak pachnie! Kiedy mi składał życzenia świąteczne, nie mogłam się go nawąchać. Ta jego woda kolońska jest obłędna. Szkoda, że jest księdzem – westchnęła ostentacyjnie. – Uważam, że tacy przystojni mężczyźni nie powinni być dopuszczani do święceń. Przez nich parafianki mają grzeszne myśli.

– Weź się lepiej za Kubę. On też ładnie pachnie.

– Ale ty mu się bardziej podobasz.

– Wydaje ci się.

– Wcale nie. Naprawdę nie wiem, co ci faceci widzą w tobie. – Nie zabrzmiało to jak żart.

– Wiesz, że ja też nie wiem?

Dopiero teraz Lidka się uśmiechnęła.

Nie mogłam doczekać się jutrzejszego wieczoru. Do spotkania przygotowywałam się jak nigdy wcześniej przed żadną randką. Chociaż nie wiedziałam, po co Artur kazał mi przyjść, wolałam nie być zaskoczoną tak jak w wigilię w Osieku. Specjalnie poszłam do solarium, żeby opalić moje blade ciało, do kosmetyczki, by mi zrobiła manicure, i do sklepu bieliźniarskiego, by zakupić seksowną bieliznę.

Wystrojona, wymalowana, wszędzie świeżo wydepilowana pojechałam na osiedle Kazimierzowskie. Michał miał nakazane zająć się siostrą i przejąć moje obowiązki matki, bo nie wiadomo było, o której wrócę do domu. Mój syn domyślił się, że idę na randkę. I nie miał nic przeciwko temu. Nawet się cieszył.

– Mamo, najwyższy czas, żebyś zaczęła się z kimś umawiać – powiedział.

– Umówiłam się z koleżankami, nie z facetem – skłamałam.

– Nie wierzę ci. Naprawdę nie mam nic przeciwko temu. Nie musisz kłamać.

Niestety musiałam kłamać. Gdyby wiedział, z kim umówiła się jego matka, biedactwo przeżyłby szok.

Nacisnęłam dzwonek domofonu. Wpuszczono mnie. Rozpoznałam głos Artura. Wsiadłam do windy, bo mieszkanie znajdowało się na ósmym piętrze. Blok budowany w latach gomułkowskich miał układ lokali wzorowany na zabudowie hotelowej. Nie było klatek schodowych, tylko długi korytarz, a z niego wejścia do poszczególnych mikroskopijnych mieszkań, ze ślepą kuchnią i pokojem przechodnim.

Nie musiałam dzwonić, bo w drzwiach stał już Artur.

Ledwie zamknął za mną drzwi, zaraz porwał mnie w ramiona.

– To nieprawda, że jestem szczęśliwy. Może tak było, ale przedtem, do czasu, gdy nie pojawiłaś się znowu w moim życiu. Teraz nic nie robię, tylko myślę o tobie. Całe święta rozmyślałem o tym, co mówiłaś. Nie wiem, co mam dalej robić. Nie mogę ci niczego obiecać. Nie wiem, czy potrafię zrezygnować z kapłaństwa. Nie wiem również, czy umiałbym żyć jak normalni ludzie. Czy nadaję się do tego. Czy potrafię być zwykłym człowiekiem. Ale chcę spróbować. Przejść próbę i wtedy zadecydować, co dalej. Gdybym podjął decyzję zbyt szybko, a nie byłaby właściwa, mogłoby ucierpieć wiele osób. Nie tylko ja i ty, lecz także nasi bliscy…

– Dobrze. Zgadzam się na wszystko. – Przerwałam mu. – A teraz mnie pocałuj.

Zaczęłam nowe życie. Życie kochanki księdza.

Nie! Nazywając tak nasz związek, obrażałam Artura i naszą miłość. Może z boku tak by to wyglądało dla innych, ale w moich oczach nie był to typowy zakazany romans. Dla mnie te spotkania były cotygodniową celebracją naszego uczucia. Hołdem składanym bóstwom miłości idealnej, gdzie zbliżenie seksualne jest jedynie formą przekazu. Miłosne performance.

W mieszkaniu na osiedlu Kazimierzowskim uwiliśmy sobie małe przytulne gniazdko, nasze małe sanktuarium, świątynię naszej miłości, gdzie raz w tygodniu składaliśmy ofiarę z pożądania i namiętności, by w ten sposób wielbić naszą miłość. Wiem, że brzmi to absurdalnie patetycznie, jak wyznanie nawiedzonej, egzaltowanej nimfomanki, ale w moim odczuciu nie były to zwykłe erotyczne schadzki. Nie! Na pewno – nie.

Mieszkanko było umeblowane starymi meblami, dlatego żeby nadać mu przytulności, zawiesiłam zasłony, przyniosłam kilka kwiatów doniczkowych i bibelotów. Podłogę przykryliśmy włochatym dywanem kupionym przez Artura, a ściany przyozdobiliśmy naszymi fotkami z lat młodości, oprawionymi w ramki. Kompozycja zdjęć przysłaniała całą ścianę, tworząc ciekawą galerię. Ja i on idziemy na studniówkę, ja i on leżymy na plaży, spacerujemy, trzymając się za ręce, obejmujemy się, całujemy... Z wszystkich fotografii patrzyła na widza para zakochanych po uszy młodych ludzi. Te zdjęcia aż krzyczały: oni się kochają! Były dowodem na wielkość naszego uczucia i usprawiedliwieniem tego, co teraz robiliśmy w tym pokoju. Ktoś, kto by popatrzył na fotki i na nas teraz w łóżku, nie mógłby nas potępiać. Na pewno ulitowałby się nad naszą grzeszną, zakazaną miłością...

Pierwszą wspólną noc spędziliśmy w wieczór sylwestrowy. Karolina była u dziadków w Olkuszu, a Michał na zimowisku ze swoją dziewczyną.

Wystroiłam się sylwestrowo w wydekoltowaną wieczorową sukienkę. Upięłam wysoko włosy, na szyję założyłam elegancką kolię, a w uszy włożyłam kolczyki od kompletu.

Chociaż miałam własne klucze, nacisnęłam dzwonek u drzwi. Otworzył mi Artur. Na jego widok parsknęłam śmiechem. Miał na sobie szlafrok i bokserki, a na szyi zawiązaną wieczorową muchę.

Chwilę później ja również miałam na sobie jedynie kolię i kolczyki.

Był to mój najpiękniejszy sylwester w życiu. Nawet lepszy od tych sprzed dwudziestu lat, które wspólnie spędziliśmy z Arturem. Teraz byłam świadoma swojego szczęścia, wtedy nie umiałam tego szczęścia docenić.

Całą noc nie wychodziliśmy z łóżka. Nawet kolację, którą dla mnie przygotował, tam zjedliśmy. Oczywiście był szampan, życzenia, sztuczne ognie... i dużo seksu.

Płynęły dni, tygodnie i miesiące. Mój kalendarz był teraz odliczany od jednego spotkania z Arturem do następnego. Spotykaliśmy się tylko raz w tygodniu. Nie chcieliśmy narażać się na niebezpieczeństwo wykrycia naszego związku. Oprócz tego każde z nas miało swoje obowiązki. Ja pracę i dzieci, a on szkołę i kościół.

Chociaż na dzień naszych spotkań najbardziej pasowałby mi piątek (bo początek weekendu i mogłabym wywozić Karolinę do Olkusza), ze względu na jego uczucia religijne związane z tym szczególnym dla księży dniem wybrałam czwartek. Nie wypadało, żeby w dniu, w którym pościł, jednocześnie oddawał się cielesnej rozpuście. O naszych randkach mówiłam: nasze wieczory czwartkowe. Michał i Karolina wiedzieli, że w tym dniu ich mama ma wychodne i muszą sami się sobą zająć. Czas od godziny siedemnastej do dwudziestej drugiej zarezerwowany był dla Artura. Zawsze czekały na mnie kwiaty, kolacja przy świecach (przyrządzona przez niego) i... wygodne łóżko.

Czekałam na każdy czwartek z wielką niecierpliwością. Zrywałam kartki z kalendarza, licząc jak żołnierz przed przepustką dni dzielące mnie do spotkania z nim. W pozostałe dni Artur również był przy mnie. Towarzyszył mi w postaci astralnej, ciągle siedząc w mojej głowie. Na terenie Fundacji nigdy ze sobą nie rozmawialiśmy, nawet jak nikt nas nie widział. Jedynie „szczęść Boże" i uśmiech. I nic więcej. Tam, w Osieku, był księdzem Piotrem, natomiast w wynajętym mieszkaniu Arturem. Moim Arturem.

Ale musieliśmy się codziennie widzieć, chociaż przez moment. Często zaglądał do naszego pokoju pod jakimś pretekstem albo ja szłam do szkoły lub po prostu wpadaliśmy na siebie na chodniku. Dochodziło nawet do tego, że wysyłał mi SMS-a: „Muszę popatrzeć na ciebie. Idź w stronę internatu".

Szybko kasowałam wiadomość i wychodziłam, żeby na chwilę go zobaczyć. Chociaż tylko przechodziliśmy obok siebie, oprócz standardowego powitania nie mówiąc ani słowa, bardzo potrzebowaliśmy tych kilku drogocennych dla nas sekund. Bez tego momentu dzień wydawał nam się okradziony z czegoś ważnego. Wiem, że z boku nasze zachowanie może śmieszyć. Wydawać się infantylne i bez sensu. Ale mentalnie znowu mieliśmy po dziewiętnaście lat! Wróciliśmy do etapu młodzieńczego zauroczenia. Znowu kochaliśmy się opętańczo jak świeżo upieczeni maturzyści.

Chociaż w ciągu dnia nie rozmawialiśmy bezpośrednio, codziennie wieczorem spotykaliśmy się na Skype. Zamykałam się w łazience lub czekałam, aż dzieci zasną, by otworzyć swojego laptopa i ujrzeć na ekranie twarz mojego ukochanego. Nasze rozmowy przypominały konwersację męża i żony, którzy są rozdzieleni odległością i zagranicznym kontraktem. Mąż pracujący w Anglii i żona wychowująca w Polsce dzieci.

Opowiadałam mu, co Karolina znowu nabroiła w przedszkolu, co ugotowałam na kolację i o co pokłóciłam się z sąsiadką. Artur żył naszym życiem. Wiedział o nas wszystko na bieżąco.

I pokochał moje dzieci. Zaocznie.

W szkole mógł prowadzić pogawędki z Michałem, dlatego miał możliwość poznać go bliżej, ale Karolinę znał tylko z moich opowieści. Czasami pstrykałam zdjęcia moim dzieciom i mu wysyłałam, bo o to prosił.

– Jeśli nie mogę być z wami, to chcę chociaż na was popatrzeć. Ale rób zdjęcia tak, żebyś i ty na nich była – mówił. – Karolinka chyba trochę schudła od czasu mojej wizyty u was? Może powinnaś iść z nią do lekarza?

– Schudła, bo urosła. Nic jej nie jest.

– Kupiłem czujnik. Niedobrze, że śpisz obok kuchenki gazowej. Boję się, żeby nie doszło do jakiegoś nieszczęścia.

– Nie masz podstaw się bać, złego diabli nie biorą.

– Przecież już ustaliliśmy, że nie jesteś złym człowiekiem.

– Wiem: złym nie, ale dobrym również nie. – Przesłałam mu do kamery uśmiech i całusa.

– Czy będzie miał kto założyć ten czujnik?

– Zrobi to Michał.

Właśnie tak wyglądały przeważnie nasze rozmowy. Gdy obgadaliśmy moją rodzinkę, nadchodził czas na miłosne wyznania. Jak bardzo się kochamy, jak bardzo tęsknimy za sobą i z jaką niecierpliwością czekamy na czwartek.

Któregoś dnia znalazłam na półce w bibliotece publicznej powieść *Ptaki ciernistych krzewów*. Nie oglądałam serialu, bo gdy go emitowano w telewizji, byłam za młoda. Chociaż widziałam tam pewną analogię do mojego związku z Arturem, nie spodobała mi się jednak ta książka: ani jej fabuła, ani zakończenie. Mój Artur nie był taki jak Ralph de Bricassart. Nie zżerała go ambicja i nie był karierowiczem. Nasza historia była całkiem inna niż księdza Ralpha i Meggie. I na pewno będzie miała szczęśliwe zakończenie.

Szczerze mówiąc, pasował mi taki układ, jaki był między mną a Arturem. Dla mnie ten stan mógłby trwać zawsze. Bałam się zmian w moim życiu. Bałam się skandalu, jaki by wybuchnął, reakcji rodziny i znajomych. Ale najbardziej bałam się reakcji Michała. Gdyby dowiedział się prawdy o nas, dużo ucierpiałby w jego oczach nasz wizerunek: mój i księdza Piotra. A gdyby się dowiedział, kto jest jego prawdziwym ojcem, mogłabym stracić mojego syna na zawsze.

Chociaż mnie odpowiadała ta nasza moralna schizofrenia, Artur był zbyt uczciwy i prostolinijny, by ciągnąć to w nieskończoność. Przewidywałam, że kiedyś podejmie decyzję, ale nadal nie wiedziałam jaką.

Kochał mnie, ale również kochał być księdzem. Od czasu naszego pierwszego zbliżenia zaprzestał wszystkich obowiązków kapłańskich. Nie koncelebrował mszy w kościele, nie spowiadał, nie dawał ani nie przyjmował komunii. Bielecki zwolnił go na jakiś czas z tych posług, ale wiadomo było, że jego cierpliwość wkrótce się skończy. Nie rozumiał obiekcji Artura, chociaż ten mu się przyznał, że ma kobietę, nie wchodząc przy tym w szczegóły. Nie wiem, jak wyglądała ich rozmowa, ale wiem, że mieli inne podejście do tych spraw. Prawdopodobnie Bieleckiemu nie przeszkadzało, że ksiądz Piotr nie zachowuje wstrzemięźliwości seksualnej, natomiast bardzo mu przeszkadzało, że zaniedbuje swoje obowiązki kościelne.

Rzadko rozmawialiśmy z Arturem na temat księży i Zgromadzenia. Był to temat tabu, bo przeważnie nasza rozmowa kończyła się wtedy kłótnią.

– Myślisz, że Bielecki nie ma kobiety? Albo prowincjał? Nawet wiem, kto jest jego kochanką – powiedziałam kiedyś. – I obaj nie widzą żadnych przeszkód, żeby odprawiać mszę. – Powiedziałam to, bo się bałam, że właśnie z tego powodu Artur może mnie porzucić.

– I co z tego? Każdy postępuje według własnego sumienia.

– Nasiadka nie tylko ma kochanki, lecz także poważny problem alkoholowy. Nieraz na własne oczy widziałam, jak odprawiał mszę mocno wstawiony. Oprócz tego ma mnóstwo innych wad. A został prowincjałem.

– Czy każdy polityk jest wzorem cnót? Czy rzeczywiście ci, którzy nami rządzą, są najlepsi wśród nas? Solą ziemi? A mimo to my, Polacy, jesteśmy wspaniałym narodem.

– To niezbyt trafne porównanie. U nas w Polsce panuje demokracja. Są różne opcje polityczne, różne partie. A wśród kleru nie ma za grosz demokracji. Ślepo podporządkowujecie się swoim zwierzchnikom tylko dlatego, że ponoć natchnął ich Duch Święty. Czy rzeczywiście prowincjała natchnął Duch Święty, kiedy w nikczemny sposób wyrzucił z Fundacji Ślęzaka?

– Widać były powody, że go usunięto. Decyzję podjęła Rada Zgromadzenia, nie sam prowincjał – odparł sucho.

– Bo nakazał radzie to zrobić! Wszyscy ślepo go słuchają.

– Ksiądz Ślęzak naraził Zgromadzenie na duże straty finansowe. Źle zarządzał Fundacją. Oprócz tego był już w wieku emerytalnym.

– To dlaczego sprzedano bratu Bieleckiego fabrykę makaronu za bezcen, i to na raty? Otwórz w końcu oczy!

– To nasza sprawa, nikt z zewnątrz nie ma prawa krytykować zarządu. – Jego słowa zabrzmiały tak zimno, jakby przed chwilą wyszły nie z jego ust, tylko z zamrażarki.

– Mylisz się. Fundacja ma status organizacji pożytku publicznego.

– To ty się mylisz. Kiedyś miała, teraz nie ma.

Wstał gwałtownie z łóżka i zaczął się ubierać. Wystraszyłam się.

– Przepraszam, Arturku. Nie powinnam się wtrącać w wasze sprawy.

– Zgadzam się z tobą. – Nie przestał się ubierać.

Również wyskoczyłam z łóżka. Przytuliłam się do niego i rozpłakałam.

– Przepraszam cię, już nigdy nie będę krytykować żadnych księży.

Spojrzał na mnie i westchnął.

– Zrozum, że Zgromadzenie to teraz moja rodzina. Tobie też by się nie podobało, gdyby ktoś krytykował twoje dzieci czy rodziców.

Artur wiele razy proponował mi wsparcie finansowe. Dostał w spadku od jednej z parafianek dom w Krowodrzy, który teraz wynajmował jakiejś firmie zagranicznej. Miał też mieszkanie kupione przez matkę – je również oddał w najem. Księża w Zgromadzeniu nie mogli mieć oficjalnie żadnego własnego majątku materialnego, chyba że mieli na to pozwolenie od przełożonego, ale po ich śmierci wszystko przechodziło na Zgromadzenie. Artur dostał takie pozwolenie od samego generała.

Kiedyś zaproponował, że kupi mi inny samochód.

- Mam trochę odłożonych pieniędzy, możemy coś kupić. Albo weź auto na raty i ja będę je spłacał. To bez sensu, żebyś jeździła takim gratem.

- Moje autko chociaż stare, ale jare. Nigdy mnie nie zawiodło.

Odrzuciłam również jego propozycję wspierania mnie comiesięczną pieniężną wpłatą na moje konto.

- Nie chcę żadnych pieniędzy. Wystarczają mi te, które sama zarabiam - powiedziałam mu kiedyś. - Gdy żył mój mąż, byliśmy zamożni. Mieliśmy piękny dom i spore konto bankowe, ale zawsze czułam pewien dyskomfort, że to jego pieniądze, a nie moje. Teraz nareszcie wiem, że to, co mam, zawdzięczam sobie. Jestem dumna, że potrafię utrzymać siebie i swoje dzieci. Wystarczy, że płacisz za wynajem naszego mieszkanka. Lepiej bym się czuła, gdybym ja też dokładała się do czynszu, ale moje dzieci mogłyby to odczuć finansowo.

- Myślisz, że wziąłbym od ciebie jakieś pieniądze? - prychnął Artur. - Za dom mam pięć tysięcy złotych, a za mieszkanie półtora tysiąca. Naprawdę mogę ci pomóc. Kiedyś wszystko przejdzie na Zgromadzenie, ale na razie jest moje.

Słysząc jego słowa, zadrżałam. Nie chodziło mi o pieniądze, nic od niego nie chciałam. Mogłabym nawet go przygarnąć, żebyśmy we czwórkę mieszkali w moim małym mieszkaniu na Kozłówce. Ale to, że zamierzał swój majątek oddać Zgromadzeniu, znaczyło, że ma zamiar nadal być księdzem. I zrezygnować ze mnie.

Nie skomentowałam jednak jego słów, tylko powiedziałam:

- Masz komu pomagać, mnie nie musisz. - Mówiąc to, starałam się, by moje słowa zabrzmiały naturalnie, bez emocji.

Wtedy dotarło do mnie, że Artur tak łatwo nie zrezygnuje z kapłaństwa.

Nasz romans trwał w najlepsze. Chociaż w roku szkolnym spotykaliśmy się tylko raz w tygodniu, podczas wakacji postanowiliśmy podarować sobie trochę luksusu i spędzić ze sobą więcej czasu. W sierpniu miałam lecieć do Chorwacji, gdzie wykupiłam wczasy dla siebie i dzieci. Dostałam nawet na ten cel dofinansowanie z Fundacji, Artur załatwił je u Bieleckiego. On w tym czasie miał wyjechać z matką do Rimini. Natomiast w lipcu wysłałam Karolinę do moich rodziców, a Michała na obóz, dlatego mieliśmy dla siebie do dyspozycji całe dwa tygodnie. Ponieważ Artur był nauczycielem, miał dwa miesiące wakacji, mnie natomiast sumienie nie pozwalało tracić drogocennych dni urlopu na czas spędzony nie z dziećmi. Chodziłam do pracy, ale zaraz potem jechałam prosto na osiedle Kazimierzowskie, gdzie mój ukochany witał mnie obiadem. Nie wracałam na noc do swojego mieszkania, zjawiałam się tam tylko co jakiś czas, żeby podlać kwiatki i dać pokarm rybkom. Sąsiadkom powiedziałam, że zajmuję się obłożnie chorą matką koleżanki, by mogła jechać na urlop.

Te dwa tygodnie z Arturem były cudowne. Dzięki temu miałam przedsmak tego, jak wyglądałoby nasze wspólne życie. I stwierdziłam, że… CUDOWNIE!!!

W czasach młodości też uwielbiałam spędzać z nim czas, ale nie umiałam w pełni docenić tych chwil. Młody człowiek patrzy na świat innymi oczami niż dorosły. Wiem, że to truizm. Rzecz oczywista, że inaczej postrzega się życie i ludzi, kiedy się jest młodym, niż mając prawie czterdziestkę. Ale z nami było trochę inaczej – egzaltacja i intensywność naszego uczucia, tak charakterystyczne dla młodej duszy, plus dojrzałość otrzymana wraz z życiowym bagażem spowodowały, że w pełni uświadamialiśmy sobie istotę tego, co nas teraz łączyło. Każdą cząstką siebie czuliśmy tę radość bycia ze sobą, ten nadzwyczajny dar, jaki otrzymaliśmy ponownie od losu.

Czasami wystarczało nam samo przebywanie razem, świadomość, że mamy siebie, że możemy dotknąć się nawzajem, popatrzeć w swoje oczy, uśmiechnąć się do siebie… I od razu czuliśmy ciepły powiew zbliżającego się szczęścia, które zaraz wypełniało nasze dusze i ciała. Napełnieni radością i błogim zadowoleniem cieszyliśmy się każdą chwilą, delektowaliśmy każdą minutą spędzoną wspólnie. Nie musieliśmy ze sobą rozmawiać. Potrafiliśmy siedzieć długo obok siebie w milczeniu, przytuleni, wsłuchani w swoje oddechy. Boże, oprócz nas tylko Ty wiesz, jak było nam dobrze ze sobą…

Wakacje zbliżały się ku końcowi. Ja i moja rodzinka wróciliśmy z Medulina opaleni i wypoczęci, i bardzo stęsknieni – Karolina za swoimi rybkami w akwarium, Michał za dziewczyną czekającą na niego w Osieku, a ja za moim ukochanym.

Po ponad dwóch tygodniach rozłąki rzuciliśmy się na siebie jak kot na walerianę. Wtedy pomyślałam, że mam pewne szanse zdobyć Artura na zawsze. Bo widziałam, że on również tęsknił... że również był spragniony...

Wiele osób na pewno potępiłoby nasz związek. Ale gdyby zajrzeli w nasze serca i dusze, łaskawszym okiem spojrzeliby na naszą miłość. Na pewno by nas zrozumieli...

– Wiesz, Artur, wcale nie uważam, że grzeszę, kochając się z tobą. W naszej miłości nie ma nic brudnego – szepnęłam, leżąc obok niego. – Owszem, grzeszyłam, zdradzając męża z kochankiem. Powiem więcej: grzeszyłam nawet, gdy szłam do łóżka z własnym mężem, ponieważ nie czułam do niego miłości. Ale seks z człowiekiem, którego się kocha tak bardzo jak ja ciebie, nie może być grzechem.

Nic nie odpowiedział, tylko gładził delikatnie moje włosy rozrzucone na poduszce.

Nie powiedział, że też mnie kocha. Nie musiał. Wiedziałam o tym. Mówiły to jego oczy, dotyk jego dłoni, drobne gesty, mówiła czułość, jaką mi okazywał... Czułam jego miłość. Otulał mnie nią jak ciepłym kocykiem.

Kiedy pewnego razu wracałam od Artura, przed moim blokiem czekał na mnie Zbyszek Tomczyk. O mało co nie krzyknęłam ze strachu, gdy ujrzałam, jak wynurza się z cienia i zagradza mi drogę,

– Przestraszyłeś mnie. Co tu robisz? – zapytałam wrogo.

– Czekam na ciebie – powiedział dziwnym głosem. – Coś późno wracasz do domu.

– Nie twoja sprawa – spojrzałam na niego zimno. – Myślałam, że siedzisz w więzieniu.

– Cóż, pomyłki się zdarzają. Liczę na odszkodowanie. Temida musi mi zapłacić za swój błąd.

– Czego chcesz ode mnie?

– Tego co zwykle: żebyś do mnie wróciła. Karolina potrzebuje ojca.

Parsknęłam mu drwiąco w twarz.

– Rzeczywiście mieć takiego ojca jak ty to prawdziwe szczęście! Kto jak kto, ale ty to masz wyjątkowy dar wychowawczy. Na pewno zdobyłbyś tytuł ojca roku. Jeśli chcesz być ojcem, to postaraj się o dziecko.

– Już nim jestem. Mogę ci odebrać małą, gdy będę chciał.
– To spróbuj – powiedziałam kpiąco.
– Możemy zrobić badania DNA, które potwierdzą moje ojcostwo.
– Przestań gadać bzdury. Już ci powiedziałam, że nie jesteś jej ojcem. – Ruszyłam ku klatce schodowej.
Chwycił mnie za ramię.
– Poczekaj. Nie skończyłem.
– A ja już dawno z tobą skończyłam. Jeśli mnie nie puścisz, zacznę wzywać pomocy. Chyba nie chcesz mieć następnej sprawy karnej?
– Beata, jeśli myślisz, że tak łatwo się poddam, to jesteś w błędzie.
– Chyba oszalałeś, jeśli uważasz, że będziemy jeszcze kiedyś razem – wysyczałam. – Nigdy. Powtarzam: nigdy!
W tym momencie nadszedł sąsiad z czwartego piętra i razem z nim weszłam do klatki.
Spotkanie ze Zbyszkiem pozostawiło we mnie pewien niesmak i poczucie nieuzasadnionego lęku. Bałam się. Podświadomie wiedziałam, że to nie koniec, że wkrótce zaczną się kłopoty. Nigdy dotąd mnie nie nachodził ani nie groził, dlatego teraz czułam, że wydarzy się coś złego.
Niestety moje przeczucia nie były bezpodstawne. Już niebawem miałam się o tym przekonać.
Kilka dni później Artur wysłał mi SMS-a, żebym przyszła wieczorem do naszego wynajętego mieszkania. Nie był to czwartek, dlatego wiedziałam, że stało się coś złego.
Kiedy weszłam do mieszkania, Artur siedział w fotelu i pił drinka.
– Co się stało? – zapytałam przestraszona.
– Prowincjał dowiedział się o nas. Wysyła mnie na Białoruś.
– O Boże! – Klapnęłam na fotel naprzeciwko niego. Strach ścisnął mi gardło. Wiedziałam, że Artur jeszcze nie jest gotowy do podjęcia decyzji. Że jest jeszcze za wcześnie stawiać go przed murem. – Co zrobimy?... Co zrobisz? – zapytałam cicho.
Nie odpowiedział. Potarł czoło lewą dłonią. Unikał mojego spojrzenia.
– Nie wiem...
– Pójdę do prowincjała. Porozmawiam z nim – powiedziałam ochrypłym głosem. – Mam na niego haka.
– Nie. Nie pozwalam. Ja to muszę załatwić. Ja z nim porozmawiam.
– Ale mogę na niego wpłynąć. Wiem, że ma kochankę. Postraszę go...

– Nie – przerwał mi stanowczo. – To sprawa między nim a mną. Beata, proszę, zostaw to, nie wtrącaj się. Ja to załatwię.

Nie posłuchałam. Następnego wieczoru, kiedy położyłam Karolinę do snu, powiedziałam do Michała, że jadę do Tesco zrobić zakupy.

Nie pojechałam jednak do marketu, tylko na Kalwaryjską. Musiałam porozmawiać z Edwardem Nasiadką.

Rozdział 25

Mark na widok Biedy zbliżającego się do stolika odsunął od ust filiżankę z kawą.

– Co tak długo, panie Rysiu? Czekam na pana prawie pół godziny. Już zaczynam zapuszczać korzenie.

– To przez te pierdolone korki! Myślałem, że poza szczytem łatwiej poruszać się po Krakowie, ale niestety się myliłem – powiedział, siadając przy stoliku.

Kelnerka zjawiła się momentalnie, jakby wyrosła spod podłogi.

Zamówił mineralną, Mark również.

– Nie mogę już patrzeć na kawę. Dziś wypiłem chyba z dziesięć – mruknął komisarz.

– I czego się pan dowiedział ciekawego? Przejrzał pan protokół ze śmierci Wesołowskiego? Znalazł pan tam coś, co mogłoby nas zainteresować? Może jego śmierć ma jakiś związek ze śmiercią Nasiadki?

– Wątpliwe. Wesołowski miał zawał. Nikt mu nie pomógł umrzeć. Spowodowany przez niego wypadek samochodowy był skutkiem zawału.

– Kiedy on umarł?

– Drugiego marca w środę o godzinie osiemnastej czterdzieści pięć. Minutę później jego auto wjechało w drzewo. Tak powiedział bezpośredni świadek zdarzenia. Akurat patrzył na zegarek. Ale sprawdziłem rozmowy komórkowe biskupa, tak jak mi pan zasugerował. Ostatnia rozmowa, jaką przeprowadził, odbyła się o godzinie osiemnastej czterdzieści trzy.

– Ooo... Wygląda, jakby ta rozmowa była przyczyną zawału... – Mark zamyślił się na chwilkę. – Z kim rozmawiał? Może z Nasiadką?

– Nie, przecież od niego wracał. Sprawdziłem numer, niestety telefon rozmówcy był na kartę. Ale całkiem możliwe, że usłyszał coś, co go bardzo zdenerwowało i spowodowało zawał.

– Czy wyniuchał pan coś w sprawie śmierci tego ministranta, Wiatra?

– Nie zdążyłem, przecież to się wydarzyło trzydzieści lat temu.

– Panie Ryśku, czuję pod skórą, że śmierć Nasiadki ma coś wspólnego z tym ministrantem. Tomczyk, słuchając rozmowy Nasiadki, mógł źle zinterpretować jego słowa. „Wiatr to zamknięty rozdział". Więc ten ktoś, o którym mówił Tomczyk, musiał w rozmowie z Nasiadką wspomnieć tę sprawę. Szukaliśmy Wiatra, a tymczasem tylko o nim rozmawiano. Prawdopodobnie tym kimś był Szydłowski. Przesłuchał go pan?

– Tak, ale nabrał wody w usta, nie chce nic mówić. Nic nie wie o śmierci Wiatra. Nie pamięta dobrze tamtej sytuacji sprzed trzydziestu lat, bo był dzieckiem, i na pewno nie rozmawiał przez telefon z prowincjałem o Wiatrze. Podtrzymuje swoje zeznania, że zabił Nasiadkę, bo się pokłócili. Nie chciał powiedzieć, o co była ta kłótnia. Nie chce adwokata. Nic nie chce. Kiedy prokurator zapytał go o pończochę, zrobił dziwną minę, ale nie zmienił zeznań. Podtrzymuje, że udusił go kablem od komputera. Prokurator będzie musiał go chyba wypuścić. Dostał telefon od kogoś wysoko postawionego, że ksiądz Szydłowski przechodzi załamanie nerwowe i dlatego mówi takie bzdury. Najbardziej pasuje nam na mordercę Beata Tomczyk. Wie o rzeczach, które może wiedzieć tylko morderca. No i te jej odciski palców...

Mark pokręcił głową.

– Nie wydaje mi się, że to Tomczykowa. Może tam była i widziała martwego Nasiadkę, ale wątpię, czy to ona zabiła. W kontekście tego, czego się dowiedzieliśmy ostatnio od kościelnego, to wszystko musi mieć związek z tym ministrantem. I ta rozmowa telefoniczna Wesołowskiego tuż przed śmiercią! – Nagle Mark zmarszczył brwi. – O cholera! Telefon i laptop Nasiadki! Zapomniałem o nich. Jeśli nie znaleźliście go w jego mieszkaniu, to znaczy, że go schowano. Zrobił to albo ekonom, albo morderca.

Biegler gwałtownie poruszył się na krześle.

– Jadę na Kalwaryjską zapytać ekonoma o telefon i laptopa Nasiadki. Niech pan koniecznie rozpracuje śmierć tego Wiatrowskiego. Potem do pana zadzwonię i dam znać, czego się dowiedziałem.

Niecałą godzinę później Mark znalazł się w budynku Zgromadzenia. Na portierni znowu siedział Zakała.

– Panie Wojciechu, znowu pan tu siedzi, a nie zmiennik? – zagadał do furtiana.

– Zmiennik nie wrócił jeszcze z wakacji. A ten z nocnej zmiany woli nocki, a nie dniówki.

– Czy ekonom już wrócił?

– Tak, jest u siebie.

Mark skierował się w stronę biura ekonoma, gdy nagle otworzyły się drzwi pokoju socjalnego i ujrzał w nich Agatę Kutaj. Kucharka na jego widok uśmiechnęła się szeroko, odsłaniając przerwę w uzębieniu po brakującej górnej piątce.

– Panie Marku, pan znowu u nas. Miałam wracać do siebie do kuchni, ale w tym układzie nie mogę zrezygnować z przyjemności przebywania przez chwilę w pańskim towarzystwie. Zapraszamy na kawę.

Mark miał odmówić, ale widząc na stole talerz z sernikiem, zmienił zdanie.

– Dzień dobry paniom. Widzę, że nawet obecność księdza ekonoma nie zmieniła waszych zwyczajów. Znowu kawa i ciasto.

– Ci księża są niegroźni. Bałyśmy się tylko prowincjała.

– Z tego wniosek, że jego śmierć była wam na rękę – zażartował, patrząc namiętnie na kawałki sernika. – O Boże, jeśli to ciasto tak smakuje, jak wygląda, to sam bym zabił dla takiej ambrozji w ustach. – Zaraz jednak się zreflektował, że jego żarty były nie na miejscu. – Przepraszam za moje durne wstawki. Ze śmierci nie powinno się żartować.

– Napije się pan kawy? – zapytała Janina Kajda.

– Za kawę dziękuję, ale poproszę o filiżankę herbaty – powiedział, rzucając okiem na album ze zdjęciami, który trzymała w rękach Zofia Trzaska. – Co panie oglądają? Zdjęcia rodzinne?

– Patrzymy, jak Janinka trzymo byka za jaja – odparła sprzątaczka.

– Co takiego?

– Janinka pokazuje nom zdjęcia z Ameryki. Podobno, jak się dotknie jonder byka z Wall Street, bedzie się bogatym – powiedziała, poprawnie wymawiając nazwę ulicy, co nie omieszkał zauważyć Mark.

– To prawda, u mnie to podziałało – stwierdził Mark.

– Pan też łapoł byka za jojka? – zapytała ze śmiechem Trzaskowa.

– Oczywiście. Łapałem i głaskałem. Być w Nowym Jorku i nie widzieć Statui Wolności ani Charging Bull to tak, jak być w Krakowie i nie widzieć Sukiennic i kościoła Mariackiego. Cały posąg ma kolor brązowy, bo jest z brązu, ale moszna byka od tego głaskania błyszczy, jakby była ze złota. Nie wiedziałem, że pani Janina była w Nowym Jorku?

– Ja też tam byłam i też głaskałam, ale niestety, jak byłam biedna, tak nadal jestem – westchnęła wesoło kucharka.

– Nie narzekoj, Agatko, niczego ci nie brakuje. Mosz co jeść, na głowę tyż ci deszcz nie leje, no i jesteś zdrowo. Jesteś więc bogato.

– Masz rację, Zosiu. Zresztą obiecałaś mi, że pojedziemy tam we trójkę i nauczysz nas, jak się głaszcze byka, żeby mu się podobało i żeby zrobił nas bogatymi - odparła kucharka, śmiejąc się głośno.

– To jest jakaś specjalna technika głaskania jąder byka? – zapytał ze śmiechem Mark.

– No pewnie. Byk jak każdy chłop lubi głaskanie, ale głaskanie głaskaniu nierówne – zauważyła sprzątaczka. – Co, nie mom racji, panie Marku? Przecież pan powinien o tym wiedzieć najlepi.

– Ma pani rację, pani Zofio. Głaskanie głaskaniu nierówne.

Lubił towarzystwo tych starszych kobiet. Były takie wesołe i sympatyczne. I pełne życia. Dwuznaczność ich powiedzonek przy ich siwych skroniach wcale nie raziła wulgarnością, jedynie nadawała kobietom pewnej rubaszności.

Musiał jednak się z nimi pożegnać, by ekonom mu nie uciekł z budynku. Wstał z krzesła.

– Co pan nas tak szybko opuszcza? – zapytała kucharka.

– Muszę porozmawiać z ekonomem.

– A jak tam śledztwo? – wtrąciła księgowa. – Złapał pan już tego mordercę?

– Jeszcze nie, ale jestem na dobrej drodze. Nareszcie coś się ruszyło w sprawie.

– Ale opowie nam pan, gdy już będzie po wszystkim? – zapytała księgowa.

– Oczywiście. Za te wspaniałe ciasta, którymi mnie panie częstują, muszę się przecież jakoś zrewanżować – powiedział na odchodnym.

Ekonom Zygmunt Pałasz nie opuścił budynku, nadal był u siebie w biurze i segregował papiery.

– Dzień dobry – powiedział Mark.

– Niech będzie pochwalony Jezus Chrystus – odparł mu chłodno ekonom, nie przerywając swej pracy.

– Czy mógłby mi ksiądz poświęcić trochę czasu?

– Nie za bardzo. Jestem zajęty. Zresztą pan nie jest już nam potrzebny. Policja ma już mordercę.

– Księdza Szydłowskiego? – zapytał trochę kpiąco Mark.

Ekonom nareszcie podniósł głowę znad papierów.

– Nie. Beatę Tomczyk. Ksiądz Szydłowski ma nawrót załamania nerwowego. Kilka razy już to przechodził. Od lat leczył się psychiatrycznie.

Mark nadstawił uszu.

– Tak? Nie wiedziałem.

– Nie musiał pan wiedzieć. Już w dzieciństwie przebywał w szpitalu psychiatrycznym, a później znowu miał załamanie i chciał popełnić samobójstwo, ale nasz Pan był łaskawy i nie wziął go do siebie.

– Kiedy próbował popełnić samobójstwo?

– To nieważne. Nasz adwokat zajął się jego sprawą. Ksiądz już opuścił areszt, jest teraz na obserwacji psychiatrycznej. Dlatego rezygnujemy z pańskich usług. To był od początku głupi pomysł, niestety tak jak wszystkie pomysły Bolesława Ślęzaka. Zgodziliśmy się, bo się uparł, ale teraz nie ma już potrzeby pana fatygować. Policja ma morderczynię.

– Beata Tomczyk nie zabiła prowincjała. Policja też tak uważa i niebawem ją wypuszczą – odparł Mark chłodno. – Co pan zrobił z komórką i laptopem prowincjała? – Bez ceregieli zostawił tytuł ksiądz i przeszedł na „pan".

– Nie wiem, o czym pan mówi.

– A ja uważam, że pan dobrze wie, o czym mówię. Jeśli wyczyściliście wszystkie zapisy, będziecie mieli poważne problemy. Policja już się do was wybiera.

– Skąd pan wie?

Mark w odpowiedzi wzruszył ramionami.

– Dla waszego dobra byłoby lepiej, żebyście sami odnaleźli mordercę. Po co policja ma was zacząć znowu nachodzić? Mogą zainteresować się tym media i sprawa zabójstwa stanie się głośna. – Mark straszył ekonoma. Widząc jego wahanie, dodał: – Czy pan myśli, że policja odpuści? Owszem, mają nakazane nie robić szumu wobec tej sprawy, ale nie nękają was, ponieważ wiedzą, że dochodzenie trwa. Przyznam się panu, że współpracuje ze mną pewien komisarz, nieoficjalnie oddelegowany przez prokuratora do tej sprawy, ale gdy nie będzie widocznych efektów ani woli współpracy z waszej strony, zaczną tu do was przychodzić. A wtedy nie wiadomo, czy da się to dalej ukryć przed mediami. Macie szczęście, że teraz w rządzie zasiada partia wam przychylna, która nie chce skandalu, bo gdyby to się stało w innym czasie, media dawno by was ukrzyżowały. – Mark zrobił przerwę. – Gdzie jest komórka i laptop prowincjała?

Ekonom chwilę milczał, ale zaraz wstał i bez słowa wyszedł z pokoju. Mark został sam. Miał ochotę przejrzeć papiery, które leżały na biurku, ale dobre maniery zwyciężyły nad ciekawością detektywa. Po kilku minutach wrócił ekonom, trzymając w ręku futerał z laptopem i komórkę.

– Prowincjał nie chciał aparatu dwusystemowego, na dwie karty. Wolał mieć, oprócz telefonu z ekranem dotykowym, drugi aparat starego typu, bo one się rzadko kiedy psują i bateria trzyma dłużej – wyjaśnił Pałasz. – Sprawdzałem, nic tam nie ma ciekawego.

– Usunął pan coś?

– Nie. Wolałem tego nie robić, na wypadek gdyby policja zażądała zwrotu – mruknął ksiądz. – Wbrew temu, co pan myśli, nam też zależy na złapaniu mordercy. I jesteśmy święcie przekonani, że to nikt z nas.

– Kiedy Szydłowski był leczony psychiatrycznie?

– W dzieciństwie, a później w młodości. To nie ma żadnego związku z morderstwem księdza prowincjała.

Mark wziął laptop i telefon.

– Przejrzę to w domu. Ja również nic nie usunę.

Laptopa i telefon przejrzał nie Biegler, tylko informatyk policyjny, jednak nie znalazł nic na temat Wiatra. Większość wiadomości i maili była już wykasowana. W koszu znajdowało się kilka maili do biskupa Wesołowskiego, ale nie było w nich nic, co dotyczyłoby sprawy. Tylko jedna wiadomość trochę ich zastanowiła. Był to mail z 20 lutego wysłany przez Wesołowskiego: „Martwię się zaistniałą ostatnio sytuacją. Czy przy sprawie Bolka nie wyjdzie na wierzch coś, co mogłoby i mnie skompromitować. Nie wiem, czy nie mają czegoś na mnie. Obiecano mi zniszczyć wszystkie kompromitujące mnie dowody. Przyjadę do Krakowa 2 marca, to pogadamy".

Nasiadka mu odpisał: „Nie ma sensu martwić się na zapas. Wszystko będzie dobrze, Kaziu. Mam nadzieję, że moje nazwisko nigdzie się nie pojawiło? Zresztą porozmawiamy, gdy przyjedziesz do mnie. Nie ma to jak rozmowa w cztery oczy".

Mark ciągle rozmyślał o mailu Wesołowskiego. Sprawa Bolka? Hm, nie przypuszczał, że Ślęzak był w takich dobrych stosunkach z biskupem. I co mogło być kompromitującego Wesołowskiego w sprawie Ślęzaka i Fundacji? Biegler postanowił zapytać o to Ślęzaka. Dlatego z samego rana wybrał się do Osieka.

Zastał starego księdza znowu modlącego się w kościele. Gdy ten podniósł głowę znad klęcznika i spojrzał na Marka, widać było, że jest czymś przybity. Nawet się nie uśmiechnął, tylko zgarbiony poprowadził gościa do swojego biura.

– Dlaczego ksiądz jest dziś taki przygnębiony? – zapytał Mark.

Ślęzak głośno westchnął.

– Ostatnio nie mam zbyt wielu powodów do radości. Chyba nie znam się na ludziach... Nigdy nie posądzałbym Beaty Tomczyk, że jest zdolna do morderstwa. Przecież znam ją dobrze. Często u nich bywałem. Boże, co teraz będzie z jej dziećmi...

– Według mnie to nie ona zabiła prowincjała.

– To dlaczego miałaby kłamać? Przecież ma dzieci. Jeśli zgłosiła się na policję, musiała zdawać sobie sprawę, że pójdzie do więzienia i nie będzie mogła wychowywać swoich dzieci. Jej córeczka jest jeszcze taka mała... Oprócz tego świadomość, że się ma matkę morderczynię, stanie się traumą i dla małej, i dla Michała. Gdyby Beata nie zabiła, na pewno nie zrobiłaby tego swoim dzieciom. Była dobrą matką. Po śmierci Pawła została bez grosza przy duszy. Nie mając pracy, harowała jako sprzątaczka, chociaż skończyła studia. Nie przyszła prosić o pieniądze, sama zakasała rękawy. To dumna kobieta. I bardzo oddana swoim dzieciom. Według mnie tylko wyrzuty sumienia, że odebrała komuś życie, mogły zmusić ją do tego kroku.

Zamilkł. Mark wahał się, czy powiedzieć Ślęzakowi o romansie Beaty z Szydłowskim. Przecież to ich osobista sprawa.

– Co ksiądz myśli o księdzu Szydłowskim?

– Bardzo słabo go znam, nie był moim studentem. Oprócz tego prawie cały czas był na misjach. Generał go lubi. Po śmierci księdza Nasiadki nawet zaproponował nam jego kandydaturę na funkcję prowincjała. Ale teraz to nieaktualne. Zresztą Szydłowski chyba by się nie zgodził. Odrzucił już kilka różnych propozycji. On nie chce piastować zaszczytnych stanowisk. To typ człowieka, którego misją jest zwykła kapłańska posługa, a nie wspinanie się po szczeblach duchownej kariery. On lubi pracę z młodzieżą. – Zamyślił się na chwilę. – Na początku nie przepadałem za nim, przecież on i Bielecki zajęli nasze miejsca. Ale gdy przyjrzałem się jego pracy z młodzieżą, jego zaangażowaniu, zmieniłem zdanie. W sumie to tylko raz rozmawiałem dłużej z Szydłowskim, gdy syn Beaty zaprosił mnie i jego do ich domu. Po wizycie u nich razem wracaliśmy do Osieka. Stwierdziłem wtedy, że ksiądz Piotr trochę przypomina mi mnie z lat młodości. Pełen zapału i zaangażowania. Ja też kiedyś taki byłem... – ponownie westchnął. – Szkoda, że znowu przeszedł to załamanie nerwowe. Obawiam się, czy będzie mógł dalej pracować z młodzieżą. Nie sądzę, żeby to on zabił. Wydaje mi się, że wziął na siebie odpowiedzialność za śmierć prowincjała ze względu na dzieci Beaty. Bardzo polubił Michała.

Nie tylko Michała. Dużo bardziej niż Michała lubił jego mamę – pomyślał Mark kąśliwie, ale nie powiedział tego na głos.

– Czy ksiądz znał biskupa Wesołowskiego?

– Kazimierza Wesołowskiego? Znałem, ale słabo. Kilka razy spotkaliśmy się na uroczystościach kościelnych. Kilka razy koncelebrował mszę w naszym kościele przy Kalwaryjskiej. Był nawet u nas w Osieku.

– Ale ksiądz nie był z nim zaprzyjaźniony?

– Nie. Wiem jednak, że przyjaźnił się z prowincjałem Nasiadką. Znali się od wielu lat.

– Czy ksiądz albo Fundacja prowadziliście jakieś interesy z biskupem?

– Nie. Mówiłem już, że znałem go bardzo słabo. Ale dlaczego pan pyta?

– Na pewno ksiądz nie był z nim po imieniu?

– Oczywiście, że nie. Nie rozumiem tych pańskich pytań – zniecierpliwił się Ślęzak.

– W jednym z maili do Nasiadki biskup użył słowa „Bolek". Ale to nieważne. Pytam tylko tak na marginesie. –Spojrzał na księdza badawczo. – Uważam, że to nie Beata Tomczyk zabiła prowincjała. Ani Szydłowski. Morderca wciąż jest na wolności. Wiem, że ksiądz nie powiedział mi wszystkiego. Najwyższy czas to zrobić.

O co pokłóciliście się z prowincjałem? To może być ważne do ujęcia mordercy.

Ślęzak przymknął powieki. Milczał. Dopiero po dłuższej chwili spojrzał Bieglerowi w oczy.

– Czy pan wie, co jest dla nas, kapłanów, najważniejsze? Szacunek wiernych. Kiedyś, za komuny, ten szacunek był wręcz nabożny. Przede wszystkim na wsiach i w małych miasteczkach. Ksiądz w oczach parafian był kimś wyjątkowym. Stał na samym szczycie. Wyżej niż urzędnicy państwowi i lekarze. Pamiętam reakcję jednej kobieciny, kiedy chodząc po kolędzie, zapytałem o toaletę. Była tak bardzo zdziwiona faktem, że ksiądz również korzysta z ubikacji jak zwykły śmiertelnik, że mało co się nie roześmiałem, widząc jej minę. Wskazała mi zwykły wychodek na podwórku. Ale rok później mieli już łazienkę. Prawdziwą łazienkę. Sprzedali w tym celu dwie krowy, żeby ksiądz miał gdzie załatwić swoje potrzeby fizjologiczne. Ale nie korzystali z tej łazienki. Była przez cały rok zamknięta. Otwierano ją tylko dla księdza i dla „pana doktora", gdy przyjeżdżał z wizytą lekarską. – Westchnął głęboko. – Wtedy nas, księży, szanowano. Chociaż rządzili komuniści, ksiądz był najważniejszy. Był symbolem starych, dobrych wartości... Teraz tego już nie ma. Zależało mi na tym szacunku. Nie chodzi mi o to, by budowano specjalnie dla mnie łazienkę, ale żeby doceniono moją pracę, moją posługę kapłańską... Wydawało mi się, że zapracowałem na ten szacunek. Stworzyłem dzieło mojego życia, ten ośrodek. Szkołę, internat, kościół. Fundację. To było moje dziecko. Jak każdy rodzic cieszyłem się z niego i byłem dumny. Niestety prowincjał Nasiadka zabrał mi nie tylko Fundację i stanowisko, lecz także – co najważniejsze – szacunek. Bardzo zabolało mnie, że sprzedano za pół ceny, i to na raty, fabrykę makaronu. I to komu ją sprzedano? Bratu Bieleckiego! Do tego wszystkiego nowy właściciel nie płacił tych rat. Nie zapłacił ani jednej! Ale gdy się dowiedziałem, że całkiem mu je umorzono, wstąpił we mnie diabeł. Okradziono moją Fundację! Moje dziecko. Ogarnęła mnie taka złość, taki żal i poczucie krzywdy, że musiałem wygarnąć prowincjałowi w oczy, co o tym wszystkim myślę. Dlatego do niego pojechałem. Pokłóciliśmy się bardzo...

– Umorzono bratu Bieleckiego dług?! – przerwał Ślęzakowi Mark. – Dlaczego?

– Nie wiem. I chyba nigdy tego nie zrozumiem. Przecież przyprowadziłem im kupca na fabrykę, który dawał gotówką dwa razy tyle co Bielecki, a oni go zignorowali!

– Hm, to kwalifikuje się do prokuratory. Przecież Fundacja to nie prywatny folwark jednego księdza. – Mark kręcił głową z niedowierzaniem.

– Właśnie. Tym bardziej że kilka miesięcy wcześniej doniesiono na mnie do policji o niegospodarność. I zrobili to moi konfratrzy. Przez nich mam sprawę sądową.

– Z tego wniosek, że prowincjał musiał mieć jakiś powód, że pozwolił na umorzenie tak wysokiego długu.

Mark opuszczał Osiek lekko wzburzony. Zrezygnował z rozmowy z Bieleckim, którą miał zamiar przeprowadzić. Postanowił się z tym jeszcze wstrzymać. Wcześniej musiał skonsultować się z komisarzem. Zadzwonił do Biedy i umówił się na spotkanie.

Tym razem to komisarz czekał na Marka. Na jego widok się uśmiechnął, pokazując zęby żółte od nikotyny. Mógłby zmienić pastę albo w ogóle rzucić palenie – pomyślał Mark, właściciel garnituru pięknego perłowego uzębienia.

Usiadł naprzeciw policjanta.

– Dowiedzieliście się czegoś o śmierci małego Wiatrowskiego? – zapytał Mark.

– Odgrzebaliśmy tę sprawę, ale w aktach nie ma nic ciekawego. Wypadek. Chłopak poślizgnął się na schodach i upadł nieszczęśliwie, uderzając potylicą w kant marmurowych schodów. Zdarzyło się to tuż przed mszą. Była to wielka tragedia dla rodziny. Chłopak miał na imię Piotrek. Był jedynakiem. Ojciec, Jerzy Wiatrowski, wzięty kardiolog, dostał zawału i umarł, nie zdążył być na pogrzebie. Matka, Grażyna Wiatrowska, próbowała się zabić, łykając całe opakowanie tabletek nasennych, ale ją odratowano i wysłano na leczenie. Długo dochodziła do siebie, ale chyba nigdy nie doszła. Zapowiadała się jako zdolny pracownik naukowy. Przed wypadkiem zrobiła habilitację, ale po tym wszystkim, co ją spotkało, nie dała rady pracować dalej na uczelni. Kilka lat później wyjechała za granicę i ślad się po niej urwał. Jej rodzina nie była duża, bo była jedynaczką, natomiast jej mąż pochodził z Krakowa, ale jego krewni, odkąd wyszła powtórnie za mąż, nie utrzymują z nią kontaktu. – Uśmiechnął się do

Marka. – Ale mam małego newsa. Rozmawiałem jeszcze raz z kościelnym. Okazało się, że drugim ministrantem służącym do mszy miał być Bielecki.

– O! Nareszcie coś mamy. – Mark aż poczerwieniał z emocji. – Wydaje mi się, że Bielecki musiał widzieć wtedy coś w kościele i później szantażował Nasiadkę. To by tłumaczyło jego szybką karierę.

– Nie taką szybką. Przecież Nasiadka był prowincjałem przez parę dobrych lat, a Bielecki został dyrektorem niecałe półtora roku temu.

– Ale wcześniej był za granicą. Kiedy tylko pojawił się w Polsce, zaczęto dobierać się Ślęzakowi do dupy. Sprawdziłem to. Księża nie są skorzy do rozdawania swojego majątku i umarzania długów. Jeśli prowincjał na to pozwolił, musiał być jakiś powód. Najbardziej pasuje mi tu szantaż. Wrobiono Ślęzaka, żeby zwolniło się miejsce dla Bieleckiego. Umorzono dług braciszkowi Bieleckiego, bo ten sobie tego zażyczył.

– Ale po co miałby zabijać prowincjała? Nie zabija się kury znoszącej złote jajka.

– Właśnie tego nie rozumiem. Może Nasiadka się zbuntował, nie spodobało się to Bieleckiemu, który wpadł w szał? – Mark się zamyślił. – Jednak coś mi tu nie pasuje. Mimo to sprawa tego Wiatra ciągle mi się wałęsa po głowie. – Mark nagle zamilkł. Zmarszczył czoło i zaraz potem się uśmiechnął. – Ale z nas durnie, panie Rysiu. Dopiero teraz zrozumiałem maila Wesołowskiego. Już wiem, o co mu chodziło z tym Bolkiem. Pamięta pan sprawę teczek Kiszczaka? Jego żona zawiadomiła IPN o tajnym archiwum chyba w lutym?

Twarz komisarza również się rozjaśniła. Klepnął się w czoło.

– O kurwa! Rzeczywiście! Wesołowski bał się, czy również nie ma tam jego teczki! Skurwysyn musiał współpracować z SB. Może wtedy w kościele to jednak nie był wypadek. Chłopak musiał ich na czymś nakryć, a oni go uciszyli. A bezpieka ukręciła sprawie łeb. O kurwa. – Aż sapnął głośno. – To ma sens. Zaraz powiem moim ludziom, żeby to sprawdzili.

– Panie Ryśku, uważam, że powinniście wypuścić Beatę Tomczyk. To nie ona zabiła. Myślała, że to zrobił Szydłowski i dlatego usiłowała go kryć. A Szydłowski myślał to samo o niej.

– Nie wiem, czy prokurator ją wypuści.

– Jeśli ją wypuścicie, może Szydłowski zacznie wreszcie mówić prawdę.

– Postaram się przekonać prokuratora. – Westchnął. – Ale będzie ciężko. Nie pasuje nam na mordercę żaden ksiądz.
– Może to nie Bielecki zabił, ale intuicja mi mówi, że to ma związek ze sprawą Wiatrowskiego.

Mark zajechał na parking w Osieku i skierował się prosto do gabinetu Bieleckiego. Byli umówieni, dlatego wiedział, że go zastanie. Dyrektor Fundacji siedział za biurkiem i udawał, że ciężko pracuje.
– Dzień dobry – powiedział Mark na przywitanie.
– Szczęść Boże – odparł ksiądz. – Słucham, czego pan sobie życzy ode mnie. Zaznaczam, że nie mam zbyt wiele czasu dla pana.
– Postaram się streszczać. Dlaczego tak późno zaczął pan szantażować prowincjała? – Ruszył z grubej rury.
Bielecki zgłupiał. Widać było po jego minie, że pytanie go zaskoczyło. W pierwszej chwili zbladł, zaraz jednak nabrał rezonu.
– Jak pan śmie tak do mnie mówić?!
– Wiem, że pan go szantażował. Wiem również, co było powodem szantażu. Sprawa Wiatra, nieprawdaż? Tylko zastanawiam się, dlaczego tak późno. Czy dlatego, że był pan za granicą? Czy dlatego pan zabił Nasiadkę, że panu odmówił? Może poszło o to umorzenie długu pańskiego brata za fabrykę makaronu? Chciał cofnąć umorzenie i dlatego pan go zabił? – kontynuował spokojnie.
– O nie! Tego już za wiele! Nie dam się jak Szydłowski wrobić w to morderstwo. Ze mną ten numer wam nie przejdzie. Proszę natychmiast wyjść.
– Mogę wyjść i zaraz zjawi się tu policja. Albo każą przyjść panu do komisariatu na oficjalne przesłuchanie. Ja i komisarz prowadzący dochodzenie współpracujemy ze sobą. Dlaczego pan zabił prowincjała? – Mark specjalnie zadał tak kretyńskie pytanie. Ciekaw był reakcji Bieleckiego.
Bielecki głęboko oddychał, widać było, że jest bardzo zdenerwowany.
– Nie obchodzą mnie wasze machlojki gospodarcze, od tego jest ktoś inny. Mnie interesuje śmierć prowincjała – mówił dalej Mark.
– Nie zabiłem prowincjała. Po wyjściu od niego już go nie widziałem. Mam świadków, pół kościoła księży.
– Czy Wesołowskiego również pan szantażował?

– Nie! – Nagle zauważył, że się wysypał. Poczerwieniał. – Nie szantażowałem nikogo – zabrzmiało to jednak mało przekonująco. – Nic nie wiem o śmierci księdza Nasiadki.

– Co pan widział wtedy, gdy zginął Wiatrowski? Czy oni go zabili? Wesołowski i prowincjał?

– Nie wiem, o czym pan mówi.

– O śmierci pana kolegi, Piotrka Wiatrowskiego, zwanego Wiatrem. Na pana wołano Biały, a na Szydłowskiego Igła. Esbecja zadbała, żeby zatuszowano sprawę, bo Wesołowski był ich agentem. Po oddaniu IPN-owi tajnego archiwum Kiszczaka przez jego pazerną żonę sprawa mogła wyjść ponownie na światło dzienne. To pan dzwonił do Wesołowskiego tuż przed jego śmiercią?

Bielecki wstał nagle z krzesła.

– Przykro mi, muszę pana wyprosić, bo wzywają mnie obowiązki. Nie mam pojęcia, o czym pan mówi. Ale tak do pana wiadomości: nigdy nie dzwoniłem do biskupa Wesołowskiego. Ani dziesięć lat, ani pięć lat przed jego śmiercią, ani kilka minut. Żegnam.

Mark wyszedł z pokoju. Po tej rozmowie nadal nie był pewny, czy Bielecki miał coś wspólnego ze śmiercią Wesołowskiego i Nasiadki. Ale wiedział również na sto procent, że księżulo szantażował prowincjała.

Rozdział 26

Beata niepewnie usiadła na krześle przy stole w sali przesłuchań. Pokój wyglądał inaczej niż ten, w którym ją przesłuchiwano za pierwszym razem na komendzie. Oprócz prostokątnego stołu i trzech krzeseł nie było żadnych innych mebli. Nie było nawet komputera, ale zauważyła zainstalowane kamery i głośniki. Na jednej ze ścian zamocowano duże lustro. Lustro weneckie, takie samo jak w amerykańskich filmach kryminalnych – przeleciało jej przez myśl. Polskich kryminałów nie oglądała. Skuliła się. Nigdy nie przypuszczała, że ona również kiedyś będzie obserwowana przez takie lustro.

Dużo gorzej znosiła całą tę sytuację, niż wcześniej zakładała. Życie już się dla niej skończyło... Najlepiej by było, gdyby zaaplikowano jej zastrzyk z chlorku potasu, taki jak w amerykańskiej komorze śmierci, żeby mogła zasnąć na wieki. Starała się nie myśleć ani o swoich dzieciach, ani o rodzicach, ani o Arturze. Gdyby go tak nie namawiała do rozmowy z prowincjałem, to by do niego nie poszedł i nie doszłoby do tego wszystkiego. To była jej i tylko jej wina. Kiedy nazajutrz po śmierci prowincjała zadzwonił do niej i powiedział, że przez jakiś czas nie mogą się ze sobą widywać ani kontaktować, wiedziała już wszystko. Znała już odpowiedź, kto zabił.

Ale to ona zawiniła. Chociaż nie udusiła Nasiadki, pośrednio również była zabójczynią. Nawet przez moment nie żałowała prowincjała. Był z niego zły ksiądz i zły człowiek. Żal jej było Artura. Znając go, wiedziała, jakie katusze teraz przechodzi...

Mimo to czuła pewien żal do niego o to, że przez cały ten czas ani razu nie próbował się z nią skontaktować. Oczywiście wiedziała, że to mogło być niebezpieczne, gdyby ktoś dowiedział się o ich związku. Dużo bardziej niebezpieczne niż kilka miesięcy temu. Przedtem groziło im najwyżej moralne potępienie... teraz – dwadzieścia pięć lat więzienia. Ale mimo wszystko Artur powinien chociaż do niej zadzwonić...

Poruszyła się niespokojnie na krześle. Kiedy wreszcie przyjdzie jakiś policjant?! Miała dość tego czekania.

Znowu przed oczami stanęła jej postać córeczki. Nie bała się o Michała. Jest już prawie dorosły, da sobie radę. Ma dobre geny. Ale Karolinka jest jeszcze taka mała...

Potrząsnęła głową, by przepędzić nieproszone myśli. Tak bardzo chciałaby, żeby jej mózg mógł nie pracować, żeby zawiesił się jak komputer. Nie myśleć, nie roztrząsać na nowo, nie pamiętać. Uśpić duszę.

Nie skorzystała nawet z przysługującej jej rozmowy telefonicznej. Odmówiła, gdy jej to zaproponowano. Do kogo miałaby dzwonić? Do dzieci? Do rodziców?... Żeby się tłumaczyć? Żeby torturowało ją poczucie wstydu? I winy? Adwokat też nie był jej potrzebny, chociaż przysłano jej obrońcę z urzędu. A do Artura przecież nie mogła zadzwonić, bo w tej sytuacji byłoby to największą głupotą – policja na pewno by się o tym dowiedziała.

Do pokoju weszło dwóch mężczyzn. Jednym z nich był prokurator, a drugim policjant o śmiesznym nazwisku Bieda. W czasie poprzednich przesłuchań prokurator był wobec niej ostry i napastliwy, natomiast ten drugi wydawał się sympatyczny. W każdym razie nie sprawiał wrażenia wrogo nastawionego. Typowy zestaw: dobry i zły policjant. Jak w amerykańskich filmach – przemknęło Beacie przez myśl.

Rozmowę zaczął policjant.

– Wypuściliśmy z aresztu Piotra Szydłowskiego.

O Boże, to Artur też był aresztowany?! Przeraziła się. Pobyt w areszcie, nawet chwilowy, nie będzie dobrze widziany przez księży. Jest przecież nauczycielem i dyrektorem szkoły.

– Jesteśmy przekonani, że to nie on zabił prowincjała – kontynuował komisarz. – Nie musi więc pani go kryć. Uważamy, że również pani go nie zabiła. – Po słowach policjanta prokurator wyprostował się i głośno odchrząknął. Widać nie podobało mu się, co mówi jego kolega. – Wiemy też o waszym romansie, dlatego proszę nic nie ukrywać, tylko powiedzieć prawdę. Opowiedzieć wszystko po kolei.

Beata głośno przełknęła ślinę.

– Poznałam księdza Szydłowskiego w liceum, gdy nie był jeszcze księdzem. Byliśmy parą przez ponad dwa i pół roku. Zaręczyliśmy się. Mieliśmy się pobrać. Ale Artur wyjechał do Stanów...

– Jaki Artur? – przerwał jej prokurator.

– Artur Szydłowski. On wtedy miał tak na imię, dopiero po święceniach zmienił imię na Piotr – powiedziała niepewnie i zamilkła. Perspektywa, że może jeszcze być dobrze, wyjątkowo ją przestraszyła. Teraz się bała, czy swym zeznaniem czegoś nie zepsuje.

– Proszę mówić dalej – powiedział policjant i chcąc dodać jej otuchy, lekko się uśmiechnął.

– No i Artur wyjechał do Stanów, a ja... – zarumieniła się. – A ja wyszłam za mąż. – Spuściła głowę. Po chwili jednak podniosła ją i hardo spojrzała komisarzowi prosto w oczy. – Nie poczekałam na jego powrót. Niecałe dwa miesiące później byłam żoną innego. – Głos jej się załamał. – Kiedy dwadzieścia lat później ponownie ujrzałam Artura, znowu się w nim zakochałam... Tak naprawdę to nigdy nie przestałam go kochać... – Dłonią przetarła oczy. – On nie chciał mnie, bo przecież był księdzem. Bardzo dobrym księdzem. Ale... ja go uwiodłam. To była tylko moja wina, że zostaliśmy kochankami. Przez dwadzieścia lat nie miał żadnej kobiety, ćwiczył godzinami na atlasie, żeby pohamować swoją seksualność... – Nagle zawstydziła się tego, co powiedziała. – Przepraszam. To było niepotrzebne...

Artur jest bardzo uczciwy, ale lubi być księdzem. Kapłaństwo to jego powołanie, jego misja... Dlatego się wahał, czy wybrać mnie, czy kapłaństwo... Kiedy prowincjał dowiedział się o nas, postanowił odesłać go na Białoruś. Wiedziałam, że Artur jeszcze nie jest gotowy podjąć decyzji co do swego dalszego życia, dlatego chciałam iść i porozmawiać z prowincjałem, ale on mi zabronił i powiedział, że sam pójdzie. – Przerwała na chwilę i głęboko zaczerpnęła powietrza. – Ale nie posłuchałam Artura. Późnym wieczorem wybrałam się na Kalwaryjską. Wiedziałam o tajnym przejściu w ogrodzeniu i tym wejściem postanowiłam się tam dostać. Było otwarte. Ktoś musiał już być u prowincjała. – Przerwała na chwilę, by zaczerpnąć powietrza. – Myślałam, że to Arleta, Arleta Kumięga, bo kiedyś widziałam, jak tamtędy do niego szła. Przeszłam przez ogród, weszłam na taras. Drzwi były lekko uchylone, więc zapukałam. Ale nikt mi nie odpowiedział. Weszłam dalej. W dużym pokoju na ławie stały butelki z alkoholem, filiżanka po kawie i talerzyk z resztką ciasta. Zauważyłam też popielniczkę, a w niej pety po papierosach słomkach. Domyśliłam się, że miał wcześniej gościa. Byłam pewna, że to była kobieta. Pomyślałam o Arlecie. – Znowu zrobiła krótką przerwę.

Nerwowo odgarnęła kosmyk włosów. Położyła ręce na kolanach i złożyła je jak do modlitwy. Po chwili zaczęła mówić dalej.

– I wtedy zauważyłam go w drugim pokoju. Siedział przy biurku, tyłem do mnie. W pierwszej chwili myślałam, że śpi. W pokoju śmierdziało alkoholem, dlatego byłam pewna, że się upił i zasnął. Powiedziałam nawet „dobry wieczór", żeby go obudzić. Ale nie odpowiedział. Więc weszłam dalej. Wtedy zauważyłam na jego szyi czarną pończochę... i czerwoną plamę na koloratce i koszuli. Domyśliłam się, że to krew. Wydawało mi się to dziwne, dlaczego jest poplamiony krwią, jeśli został uduszony. Dopiero później stwierdziłam, że go uderzono, bo miał spuchnięty nos. Albo sam się przewrócił po pijaku. Gdy ujrzałam tę pończochę, byłam pewna, że zabiła go Arleta. Ale to nie ona, bo po chwili tam przyszła. Kiedy usłyszałam kroki, schowałam się w garderobie, która sąsiaduje z gabinetem. Gdy Arleta ujrzała prowincjała, chyba też się wystraszyła, bo słyszałam, jak płacze. Potem wyszła. Ja też opuściłam garderobę. I wtedy zauważyłam, że prowincjał nie ma już na szyi pończochy, tylko kabel od komputera. Szybko stamtąd wyszłam. Nic nie dotykałam... Przemknęłam się przez ogród. Nie był oświetlony, jedynie solary oznaczały ścieżkę.

Chyba nikt mnie nie zauważył. Gdy wracałam samochodem, zobaczyłam, jak Arleta rozmawia z furtianem. Trochę się zdziwiłam, bo ją przytulał. Nie przypuszczałam, że jest w zażyłych stosunkach z Zakałą. Nazajutrz zadzwonił Artur i powiedział, że nie możemy się teraz ze sobą kontaktować. Dlatego myślałam, że to on zabił Nasiadkę. Kiedy księża postanowili wynająć detektywa, podsunęłam im pomysł, żeby wynajęli Bieglera. Moja sąsiadka Iwona pracuje u jego teścia. Zaproponowałam, że sama do niego pójdę. Nie chciałam, żeby zajął się sprawą jakiś profesjonalista, wolałam, żeby był to amator. Trochę nie doceniłam pana Marka, bo okazał się wyjątkowo dociekliwy...

– To wszystko, co ma pani do powiedzenia w tej sprawie? – przerwał jej policjant. Chyba nie chciał przy prokuratorze roztrząsać obecności Marka Bieglera w śledztwie.

– Tak. Artur jest tak wspaniałym człowiekiem, że nie mogłam mu tego zrobić po raz drugi. Nie mogłam dopuścić do tego, żeby odpowiadał za moje winy i znowu przeze mnie cierpiał. Przecież to ja sprowokowałam go do tej wizyty u prowincjała. – Z samej jej twarzy, ze sposobu, w jaki mówiła o swym ukochanym, można było wyczytać, jak bardzo go kochała. – Myślałam, że doszło do kłótni i wtedy Artur udusił go w afekcie. Dlatego zeznałam nieprawdę.

Jej zachowanie było tak naturalne, że nie był potrzebny wariograf, by stwierdzić, że nie kłamie. Chyba nawet prokurator jej uwierzył.

– I dlatego, żeby osłonić swojego kochanka, okłamywała pani wymiar sprawiedliwości? – wtrącił się prokurator. – A co z pani dziećmi? Nie pomyślała pani o nich? Że swoim zachowaniem skaże je pani na osierocenie? Czy nie zastanowiła się pani, jaką by przechodzili traumę, żyjąc z etykietką dziecka morderczyni? Co za matka z pani?! – Prokurator kontynuował bezlitośnie. – To, co pani zrobiła, to przestępstwo. Za utrudnianie śledztwa i składanie fałszywych zeznań grozi pozbawienie wolności do lat trzech. Przypilnuję, żeby poniosła pani stosowną karę. Musi pani ponieść konsekwencje swojego zachowania. Proszę zapamiętać, że nie dopuszczę do tego, żeby uszło to pani na sucho – warknął na koniec.

Beata spuściła głowę. Wyglądała na tak zdruzgotaną, że komisarzowi zrobiło się jej żal.

– Zaraz podpisze pani protokół przesłuchania. Proszę bez pozwolenia nie opuszczać Krakowa aż do odwołania.

– Czy mogę jechać do Olkusza po dzieci? Wrócę w tym samym dniu.
– Może pani jechać.

Ryszard Bieda rozglądał się z ciekawością po mieszkaniu Bieglerów, jakby był tu pierwszy raz.
– Niezła chata. Widzę, że media austriackie nieźle płacą swoim dziennikarzom.
– Myli się pan, panie Ryszardzie. Wżeniłem się w to mieszkanie – powiedział z uśmiechem. – Wszystko finansował tutaj ojciec mojej żony.
– Pan doktor Orłowski?
– Tak. Przecież musiał mnie czymś zachęcić, żeby jego córka nie została starą panną – odparł z uśmiechem Mark.
– Kochanie, dziś nie ma już starych panien, są singielki – wtrąciła znad blatu kuchennego Marta. – Robert wiedział, co robi. Warto było zainwestować parę groszy w strych garażu, gdy się miało w perspektywie willę w Wiedniu, pensjonat w Alpach i sieć hoteli porozrzucanych po całym świecie. – Mówiąc to, postawiła na stoliku okolicznościowym tacę z kawą i ciastem.
– *Mein Schatz*, z tymi hotelami to trochę przesadziłaś. – Mark się uśmiechnął, sadzając sobie żonę na kolanach. – Ale gdybym nie miał tych hoteli i stracił wszystkie pieniądze, dalej byś mnie kochała, prawda?
– Oczywiście, że bym cię kochała... Tęskniłabym, ale dalej bym cię kochała.
Bieda parsknął śmiechem. Mark również się uśmiechnął.
– Panie Ryszardzie, muszę przyznać, że najlepsze, co ma Polska, to kobiety. Na całym świecie nie ma takich dziewczyn jak Polki. To najlepszy produkt eksportowy Rzeczypospolitej Polskiej.
– Produkt? Widzę, Mark, że jesteś jeszcze większym męskim szowinistą niż saudyjscy imamowie. Oni ostatnio już doszli do wniosku, że kobiety też są ssakami. Awansowały z kategorii przedmiotu do poziomu owiec, kóz i wielbłądów.
– Ale ty, *mein Schatz*, masz konto bankowe i prawo jazdy, czego kobiety saudyjskie nie mają. Ciesz się, że urodziłaś się w Europie, a nie w Arabii.
– Oczywiście, że się cieszę. Mam wielkie szczęście, że urodziłam się w Europie i wyszłam akurat za ciebie. Najgorzej, gdy kobieta, tak

jak ja, wychodzi za mąż z wielkiej miłości, a potem ten drań okazuje się biedakiem bez grosza przy duszy – powiedziała przy akompaniamencie śmiechu policjanta.

– Uważaj, co mówisz, bo cię zjem. Wyczytałem ostatnio w internecie, że jakiś imam, też z Arabii Saudyjskiej, stwierdził, że mężczyzna w niektórych sytuacjach, na przykład kiedy jest głodny, może zjeść swoją żonę, bo tworzą jedność.

– Ja też o tym czytałam. Ale może ją zjeść tylko wtedy, gdy jest baaardzo głodny i nie ma nic innego do jedzenia. Dlatego, kochanie, tak dbam o to, żeby nasza lodówka zawsze była pełna. À propos jedzenia – muszę panów opuścić, bo wzywają mnie obowiązki kuchenne. Idę do Orłowskich przygotowywać kolację, bo dziś ja mam dyżur. Zje pan z nami, komisarzu?

– Niestety w domu czeka na mnie moja małżonka. Dostała darmowe bilety do opery – westchnął rozdzierająco. – I muszę jej tam towarzyszyć.

Marta zostawiła obu mężczyzn. Dyplomatycznie znalazła pretekst, by mogli porozmawiać bez osób trzecich.

– Panie Ryszardzie, co ostatnio wyniuchaliście? – zapytał Mark.

– Może już dość tego „panowania”? Jestem starszy, więc pierwszy wychodzę z propozycją. Ryszard jestem, może być też Rysiek.

– Mark. – Biegler symbolicznie stuknął się ze swoim gościem szklanką z mineralną. – Dowiedziałeś się czegoś?

– Kumpel mojego ojca był esbekiem, popytał tam i ówdzie. Rzeczywiście Wesołowski był aktywnym agentem SB, natomiast Nasiadka, owszem, podpisał umowę współpracy, jednak jego zleceniodawcy nie mieli z niego zbyt dużego pożytku. Zatuszowano sprawę śmierci małego Wiatrowskiego, ale odbyło się to trochę inaczej, niż zakładaliśmy. Kiedy to się stało, Wesołowski nie był jeszcze ich agentem, dlatego z przyjemnością wykorzystano nadarzającą się okazję. Był już wcześniej obserwowany, wiedzieli o jego skłonnościach homoseksualnych, ale nie chciał iść na współpracę. Po śmierci Popiełuszki nadal potrzebowali wiedzieć, co się dzieje za murami Kościoła. Zwerbowano wielu księży, ale od przybytku głowa nie boli. Przycisnęli go do muru dopiero po tym incydencie. Do końca nie wiadomo, czy był to wypadek, czy morderstwo, bo kryminalni mieli nakazane odpuścić sprawę. Wydaje mi się, że esbecy zaproponowali Wesołowskiemu dwie opcje: albo zrobią z tego zabójstwo pierwszego stopnia, albo załatwią z kryminalnymi, żeby zrobili z tego wypadek i wyciszyli sprawę. Wesołowski wybrał to drugie i poszedł na współpracę. – Bieda pociągnął łyk ze szklanki. – Oczywiście prawdę znała tylko garstka ludzi. Większość snuła różne domysły. Nie wiadomo, co dokładnie wtedy zaszło w kościele. Czy rzeczywiście zabito tego chłopca. Ale Wesołowski okazał się dobrym nabytkiem dla esbecji, później byli z niego bardzo zadowoleni. Nawet gdy upadła komuna, nadal ze sobą współpracowali. Wielu agentów przedostało się do struktur nowych władz. Wspierano siebie nawzajem. Pomogli mu awansować w hierarchii kościelnej i nawet zatuszowano wypadek, kiedy, już jako biskup, potrącił śmiertelnie pewnego dzieciaka i uciekł z miejsca wypadku. Ukarali wtedy zamiast niego jakiegoś nic nieznaczącego księdza, który sam zgłosił się na policję.

– To jednak prawda! Mówił mi o tym Zakała, ale nie chciało mi się wierzyć.

– Samo życie: zawsze to lepiej wygląda, gdy zbrodnię popełni zwykły ksiądz niż dostojnik kościelny w randze biskupa. – Komisarz podrapał się po głowie. – O czym to ja mówiłem? Aha, już wiem. Nasiadka przeszedł do Zgromadzenia Księży Katechetów, bo widać ciążyła mu śmierć tego chłopaka. Wydaje mi się, że musiało się tam coś jeszcze wydarzyć, że tak się tym przejął. Może ten Wiatr nakrył ich, jak się pieprzyli? Albo go molestowano.

– Może. – Mark zmarszczył czoło. – Mamy Szydłowskiego i Bieleckiego. Kto jeszcze mógł nienawidzić Wesołowskiego i Nasiadkę? Pomyślmy.

Mark nagle się wyprostował.

– Chyba już wiem, kto jest mordercą. W każdym razie wiem, gdzie go szukać.

Rozdział 27

Beata weszła do mieszkania. Pierwsze, co zrobiła, to otworzyła okna, by przewietrzyć pokoje. Nawet się nie rozbierając, usiadła ciężko w fotelu.

Jest wolna! Nie ma krat, nie ma więzienia.

Przymknęła powieki. Przez chwilę siedziała bez ruchu, nie myśląc o niczym. Musi zresetować swój mózg, by móc zmierzyć się ze swą rodziną. Spojrzeć im prosto w oczy po tym wszystkim, co zrobiła.

Otworzyła powieki i utkwiła wzrok w niewidocznym punkcie na ścianie, potem jej spojrzenie powędrowało na drzewo stojące przed jej balkonem. Dwa wróbelki siedziały na gałęzi, dziobiąc zielono-brunatne liście topoli i wesoło przy tym ćwierkając.

Poderwała się z fotela, a wraz z nią wystraszone ptaki, i podeszła do drzwi balkonowych, by je zamknąć. Kiedy pozamykała wszystkie okna, weszła do łazienki. Musiała wziąć prysznic, zmyć z siebie zapach więzienia. Po wyjściu z kabiny szybko wysuszyła włosy suszarką, założyła świeżą bieliznę, dżinsy i bluzkę. Nałożyła kurtkę i opuściła mieszkanie.

Siedząc w samochodzie, ponownie wybrała numer do Artura. Znowu bez skutku. Dlaczego on nie odbiera telefonu? Może policjant kłamał, żeby wyciągnąć od niej zeznania? Może Artur nadal siedzi w celi, podejrzany o morderstwo?

Uruchomiła silnik i ruszyła w stronę obwodnicy. Wolała przejechać więcej kilometrów, niż stać w korku. O tej porze wlokłaby się przez Kraków godzinę, żeby wyjechać na trasę do Olkusza. Nie zadzwoniła do domu rodziców, wysłała tylko SMS-a do siostry: „Za godzinę będę w mieszkaniu rodziców. Przyprowadź moje dzieci. Błagam, nie dzwoń, nie mam siły teraz na rozmowę. Na miejscu wszystko Wam wytłumaczę". Moment później dostała od Aldony lakoniczną odpowiedź: „OK".

Jadąc do Olkusza, całą drogę się zastanawiała, co im powie. Na pewno byli przerażeni jej pobytem w więzieniu. Miała nadzieję, że w domu wszystko w porządku. Najbardziej bała się o zdrowie babci. Taki stres dla osiemdziesięciopięcioletniej staruszki może być zabójczy. Nigdy nie darowałaby sobie, gdyby babcia dostała przez nią zawału czy wylewu.

No i dzieci. Słowa prokuratora potępiające jej zachowanie wciąż brzmiały jej w uszach. Czy Michał i Karolina kiedyś jej wybaczą?

Zadzwoniła do drzwi mieszkania rodziców. Otworzyła Aldona, ale nic nie powiedziała, tylko wpuściła ją do środka. Byli prawie wszyscy: rodzice, brat, babcia... Na widok babci, całej i zdrowej, odetchnęła głęboko. Z małego pokoju wybiegła Karolina i rzuciła się jej w objęcia.

– Mamusia! Nareszcie! Dlaczego tak długo cię nie było?! Bałam się, że poszłaś do tatusia, do nieba – zawołała.

Nagle Beata wybuchnęła płaczem. Dopiero teraz tak naprawdę dotarło do niej, co chciała zrobić swoim dzieciom. Ciężar gatunkowy jej poprzednich występków był niczym w porównaniu z tym, jaki los planowała zgotować swojej córeczce i synowi. Nie tylko by ich osierociła, lecz także okaleczyła psychicznie na całe życie...

– Dlaczego płaczesz, mamusiu? – zapytała zdziwiona Karolinka. – Czy przywiozłaś mi jakiś prezent?

Po słowach dziewczynki na mokrych od łez policzkach Beaty pojawił się nikły uśmiech.

– Przepraszam, córeczko, zapomniałam. Ale obiecuję, że zaraz po powrocie do Krakowa pójdziemy do sklepu z zabawkami i coś ładnego wybierzemy.

– Do Smyka, dobrze? Może dostali świeży towar – powiedziała z miną klientki doświadczonej w zakupach.

Beata przetarła dłonią policzki. Spojrzała na Aldonę.

– Gdzie Michał?

– Jest u mnie w domu z chłopakami – odparł Darek. – Grają w jakąś nową grę komputerową.

– Nie chce mnie widzieć – cicho stwierdziła Beata.

Odpowiedzią było milczenie. Dopiero po chwili Aldona przerwała ciszę, zwracając się do Karoliny.

– Karola, pojedziesz z wujkiem do szkoły po swoją kuzynkę? A potem do cukierni na ciastka, dobrze?

Dziewczynka przez chwilę wahała się, czy wybrać towarzystwo mamy, czy kremówkę. Łakomstwo jednak zwyciężyło nad miłością do rodzicielki.

– Dobrze. Ale nigdzie stąd nie pójdziesz, mamusiu? Poczekasz na mnie?

– Poczekam.

– Obiecujesz?

– Obiecuję.

– Przysięgnij.

Beata podniosła prawą dłoń.

– Przysięgam – powiedziała, z trudem opanowując łzy cisnące się do oczu.

Kiedy mąż Aldony wyszedł z dziewczynką z mieszkania, wszyscy w pokoju zwrócili wzrok na twarz Beaty.

Kobieta dopiero teraz usiadła na krześle i spuściła oczy.
Pierwsza odezwała się babcia.
– Czy przywieźli cię policjanci i czekają na ciebie na dole?
– Nie ma policjantów. Wypuścili mnie.
– To zabiłaś tego księdza czy nie? – dociekała babcia.
– Nie. Nie zabiłam go.
– To dlaczego tak powiedziałaś policji?
– Bo... Miałam romans z Arturem.
– Z jakim Arturem? – zapytała zdziwiona babcia.
– Z Szydłowskim. On teraz używa imienia Piotr, bo takie przyjął na święceniach.
– Przecież on jest księdzem! – zawołała oburzona staruszka.
Widać dla babci zamordowanie księdza jest mniejszym przewinieniem niż jego uwiedzenie – pomyślała Beata.
– Ale co to ma wspólnego z tym morderstwem, do którego się przyznałaś? – dopiero teraz po raz pierwszy odezwał się ojciec.
Opowiedziała im wszystko. Jak się spotkali, jak się ponownie w nim zakochała, powiedziała o wynajętym mieszkaniu na Kazimierzowskim i o Nasiadce.
– Nie mogłam dopuścić, żeby Artur znowu przeze mnie cierpiał – zakończyła swą opowieść. – Przepraszam, że nie pomyślałam o was i dzieciach. To znaczy myślałam, ale nie przypuszczałam, że was tak skrzywdzę... Nie wzięłam pod uwagę wszystkich konsekwencji...
– Byliśmy tam, na Montelupich. Nie pozwolili nam widzieć się z tobą. Wiesz, co przechodziliśmy? I co działo się z twoimi dziećmi?! Nie chcieliśmy mówić Karolince, że siedzisz w więzieniu. Myślała, że umarłaś... Też chciała iść za tobą do nieba – powiedziała z wyrzutem matka. – A biedny Michał?!
– Powiedzieliście mu? – zapytała Beata z błyszczącymi od łez oczami.
– Nie musieliśmy mówić. Chyba sam wszystkiego się domyślił albo się od kogoś dowiedział. Nie chciał rozmawiać na twój temat, ale powiedział, że nie wróci do szkoły. Kiedy wdawałaś się w ten romans, nie pomyślałaś, co będzie, gdy się w Osieku o tym dowiedzą?
Beata spuściła głowę.
– Dajcie jej spokój – wstawiła się za nią babcia. – Co teraz zrobisz? Wrócisz tam do pracy? Chyba już wszyscy w Osieku wiedzą o waszym romansie.

– Poszukam jakiejś innej pracy. Najwyżej znowu będę sprzątać. Dam sobie radę.

– Nie wiem, czy Michał będzie chciał z tobą wracać – powiedział ojciec. – Już był w liceum w sprawie zmiany szkoły. Sam poszedł.

– Muszę z nim porozmawiać.

– Powiedział dziś, że nie chce cię widzieć – mruknął Darek.

– Jadę po niego. – Beata poderwała się z krzesła.

Dom brata znajdował się niedaleko bloku rodziców, bo na ulicy Kamyk. Kilka minut później Beata była na miejscu. Wpuściła ją bratowa i zaprowadziła do pokoju syna, gdzie chłopcy grali w gry komputerowe.

Michał nie zareagował na widok matki, tylko dalej miał oczy utkwione w monitorze komputera.

– Michał, wiem, że Wiedźmin jest bardziej interesujący ode mnie, jednak uważam, że mimo wszystko powinieneś mnie wysłuchać – powiedziała, gdy bratowa zawołała swojego syna do kuchni, by zostawić ich samych.

Beata wolała jednak porozmawiać z Michałem całkiem na osobności, w swoim samochodzie.

Kiedy już tam siedzieli, nie włączyła silnika, tylko spojrzała nieśmiało na syna.

– Wiesz już o wszystkim? – zapytała. Nie widząc reakcji, ciągnęła: – Masz prawo się na mnie gniewać, bo postąpiłam okropnie... To znaczy, okropnie w stosunku do was. Bo chociaż nie zabiłam prowincjała, tak zeznałam na policji... Nie wiem, czy mnie zrozumiesz. Zależy to od tego, jak bardzo kochasz swoją dziewczynę... Miłość rządzi się swoimi prawami. Czasami jesteśmy tak zaślepieni uczuciem, że zapominamy o całym świecie... Poznałam księdza Piotra, gdy byłam dokładnie w twoim wieku. Też w klasie maturalnej. Wtedy nosił imię Artur. Zakochaliśmy się w sobie. Byliśmy parą przez ponad dwa i pół roku. Zaręczyliśmy się. Mieliśmy się pobrać... Jednak nie doszło do tego. On wyjechał do Stanów na wakacje, a ja... – zawahała się. – A ja poznałam twojego ojca. Byłam w ciąży – przerwała na chwilę. Nie wiedziała, czy powiedzieć całą prawdę, czy zataić szczegóły. Wybrała to drugie. – Wyszłam za mąż... a Artur wstąpił do seminarium. Ponownie spotkaliśmy się po dwudziestu latach, w Osieku. I znowu się w sobie zakochaliśmy. To moja wina, że znów zostaliśmy kochankami. Artur oprócz mnie nie miał nigdy innej kobiety. Był dobrym księdzem, z powołania, wierzącym w to, co głosił na ambonie. Przeze mnie złamał przyrzeczenie wstrzemięźliwości seksualnej... Stało się to po wigilii pracowniczej... Kilka dni później wynajął mieszkanie na Kazimierzowskim. Spotykaliśmy się raz w tygodniu, w czwartek. – Zaczerpnęła tchu, by mówić dalej. – Artur bardzo lubi być księdzem. Swą posługę kapłańską traktuje jak misję. Dlatego trudno mu było podjąć decyzję, czy być ze mną i zrezygnować z kapłaństwa, czy zrezygnować ze mnie... Ciągle nie był gotowy... Wtedy dowiedział się o nas prowincjał Zgromadzenia, ksiądz Nasiadka, i postanowił wysłać Artura na Białoruś. Nasiadka nie był ani dobrym księdzem, ani porządnym człowiekiem. Wiedziałam, że ma kochankę, i chciałam go tym zaszantażować, ale Artur mi na to nie pozwolił. Powiedział, że sam porozmawia z prowincjałem. Ja jednak tam również poszłam. Nasiadka już nie żył. Myślałam, że zrobił to Artur... Mówię o nim Artur, a nie ksiądz Piotr, bo dla mnie zawsze był i będzie Arturem... Nie księdzem... Uważałam, że to, co się stało, było wyłącznie moją winą, dlatego nie chciałam dopuścić, żeby Artur znowu cierpiał przeze mnie. To dobry, wartościowy człowiek. A tyle mu już bólu sprawiłam... Nie mogłam pozwolić, żeby to się powtórzyło. Idąc na policję, nie zdawałam sobie w pełni sprawy, jakie będą tego dla was konsekwencje. To, że nie pomyślałam, na co was narażam, było z mojej strony nie tylko okrutne, lecz także podłe. Matka musi w swych decyzjach przede wszystkim myśleć o dobru swoich dzieci... Dzieci powinny być zawsze dla niej najważniejsze... A ja kierowałam się miłością do mężczyzny... Nie wiem, czy mi to kiedyś wybaczysz...

Samochód wypełniła cisza. Michał patrzył przez szybę auta, nie reagując na słowa matki.

– Michałku, wiem, że źle zrobiłam. Chcę to naprawić. Zrozumiałam, że jesteście dla mnie najważniejsi. – Spojrzała na syna błagalnie. – Daj mi szansę... Potrzebuję cię. Karolina również cię potrzebuje. Bez ciebie nie damy sobie rady. Proszę, jedź z nami do Krakowa. Błagam.

Znowu cisza. Upłynęło trochę czasu, zanim odpowiedział.

– A co z Szydłowskim?

– Nie wiem. Nie dzwoni, nie odbiera telefonu... – powiedziała cicho.

– Dalej będziesz jego kochanką? – Słowa aż zazgrzytały w jego ustach.

– Gdy mi zabronisz, to zrezygnuję z niego... – odparła po chwili bardzo cicho.

– Nie martw się, niczego nie będę ci zabraniał. – W jego głosie można było wyczuć szyderstwo. – Po co? On sam z ciebie zrezygnuje. Klechy tak robią. Pobawią się jakąś swoją parafianką, a gdy zrobi się zbyt duży szum koło tego, pójdą do innej parafii. Podobno księża na pierwszej parafii zostawiają serce, a na drugiej dziecko. Masz szczęście, i my też, że jesteś już stara i ci to nie grozi. – Spojrzał na matkę lodowato. – Szydłowski cię rzuci. Mogę się założyć, o co tylko chcesz.

– Nienawidzisz go... – zauważyła smutno. – Ale on na to nie zasługuje. To wszystko moja wina...

– Kłamiesz, mówiąc, że jesteśmy dla ciebie najważniejsi. – Zaśmiał się sarkastycznie. – Nadal dla ciebie najważniejszy jest twój kochanek. Widzę to po tym, jak bronisz Szydłowskiego.

Beata spuściła głowę. Tępo patrzyła na dłonie. Na paznokciach nie było już manicure'u, zmyła lakier przed pójściem na komisariat. Teraz obserwowała swoje dłonie, jakby pierwszy raz je widziała.

– Dobrze, wrócę z tobą do Krakowa, ale muszę zmienić szkołę. Nie pojawię się tam za żadne skarby – powiedział oschle.

– Czy w Osieku już wiedzą o mnie i Arturze?

– Przestań nazywać go Arturem! – warknął. – Wszyscy o wszystkim wiedzą. W całym Osieku szumi jak w ulu.

– Jak się dowiedzieli? – zapytała cicho.

– Dziewczyny zauważyły, jakim wzrokiem Szydłowski gapił się na ciebie. Pół szkoły się w nim kochało. Kretynki łaziły na msze, a potem na basen, żeby sobie na niego popatrzeć. Zboczone idiotki! Kilka nawet postanowiło wstąpić do zakonu, ale teraz to chyba im już przeszło. – Uśmiechnął się, jednak uśmiech nie dotarł do oczu. – Sylwia z trzeciej C widziała jego harleya na Kazimierzowskim, bo też tam mieszka. Kiedyś zauważyła, jak wchodzisz do sąsiedniego bloku. A po śmierci prowincjała, gdy zgłosiłaś się na policję, a później zrobił to Szydłowski, wszyscy już wiedzieli, o co biega. Tylko ja nie wiedziałem...

– Michałku, tak mi przykro... Przeze mnie będziesz musiał zmieniać szkołę. I to tuż przed maturą.

– Trzeba było o tym pomyśleć wcześniej. – Przesłał jej wrogie spojrzenie. – Szydłowski jest w Kobierzynie. Księżulkowie się o to postarali. Przecież lepiej zrobić z niego wariata niż mordercę czy lubieżnika. Zawsze wszystkie brudy zamiatają pod dywan. Później wyślą go do jakiejś dziury, przez jakiś czas będzie grzeczny, a potem znowu zacznie rżnąć jakąś swoją owieczkę.

– Nie mów tak. Wiem, że jesteś na niego zły, ale to moja wina, że do tego wszystkiego doszło. To dobry ksiądz i katecheta. Przecież go lubiłeś…

– Ale nie wiedziałem, że dyma moją matkę!

Beata się rozpłakała. Michał głośno przełknął ślinę.

– Przepraszam, mamo – szepnął.

Wieczór minął spokojnie. Kolację zjedli w swoim mieszkaniu na Kozłówku, prawie się nie odzywając do siebie, jedynie Karolina szczebiotała, nieświadoma tego, co zaszło. Później Michał zamknął się w pokoju, a Beata próbowała zadzwonić do Artura. Nadal jednak nie odbierał od niej telefonu.

Zadzwonił rano. Kiedy ujrzała na wyświetlaczu jego numer, odetchnęła głęboko.

– Czy mogłabyś być dziś o osiemnastej na Kazimierzowskim? – zapytał dziwnym tonem. Takim jakimś bezbarwnym, przytłumionym.

– Tak. Dlaczego nie odbierałeś ode mnie telefonu?

– Byłem w szpitalu w Kobierzynie, na obserwacji. Zabrano mi telefon. Czekam na ciebie dziś wieczorem – powiedział i odłożył słuchawkę.

Beata z niecierpliwością patrzyła na zegarek. Czas wlókł jej się niemiłosiernie. Nie poszła do pracy, wzięła zaległy urlop. Podanie wysłała mailem. Rozmawiała też z Lidką. Koleżanka wiedziała o wszystkim, co można było wyczuć w jej głosie, ale tematu jej romansu nie poruszyła.

Beata ugotowała obiad, a później poszła poprosić sąsiadkę, by zajęła się wieczorem Karoliną. Michała nie miała śmiałości o to prosić.

Nie widzieli się z Arturem od dnia śmierci prowincjała. Dlatego starannie przygotowała się do tego spotkania. Wzięła prysznic, umyła włosy i zrobiła świeży makijaż. Założyła obcisłe dżinsy, uwydatniające jej figurę, i szafirową bluzeczkę pod kolor oczu. Jakby od jej wyglądu zależała przyszłość ich związku…

Z bijącym sercem weszła do windy. Chociaż miała klucze, zadzwoniła dzwonkiem. Otworzył jej drzwi.

Kiedy tylko spojrzała na niego, wiedziała już wszystko. Jego szyję, niczym pętla, oblekała biała koloratka. Przychodząc tutaj, nigdy jej nie zakładał. Teraz, nie używając słów, dawał jej wymownie do zrozumienia, że podjął decyzję. Nie pocałował jej również na powitanie, tylko w milczeniu usiadł na krześle.

Nie ułatwiła mu jednak zadania. Klapnęła naprzeciw niego na stołek, również nic nie mówiąc. Zmusiła go swym milczeniem, żeby pierwszy się odezwał.

– Wyjeżdżam na Białoruś. Na razie zamieszkam z mamą, dopóki nie wyjaśni się sprawa morderstwa.

Nadal nic nie mówiła.

– Tak będzie lepiej dla ciebie i dla mnie – powiedział cicho.

Wtedy nie wytrzymała.

– Mów za siebie. Dla ciebie na pewno będzie lepiej, ale nie dla mnie. – Nagle zaśmiała się gorzko. – Michał miał rację. Już ci się znudziłam. No i zrobiło się zbyt głośno, nasz romans wypłynął na wierzch. Trzeba teraz szybko pozamiatać pod dywan wszystkie grzeszki i żyć grzecznie gdzieś daleko, dopóki szum nie przycichnie. – Spojrzała na niego gniewnie. – Czy dokładnie się wyspowiadałeś swoim konfratrom? Dokładnie im opisałeś, co robiliśmy w łóżku? Nie zapomniałeś o czymś? Na pewno z ciekawością wysłuchali, jakie stosowaliśmy pozycje, przecież oni lubią słuchać o takich szczegółach.

Artur dalej nic nie mówił, tylko patrzył w jakiś punkt na ścianie. Beatę jeszcze bardziej to zdenerwowało.

– To może na zakończenie wykonamy jeszcze jakiś pożegnalny numerek? Może na jeźdźca? Przecież to twoja ulubiona pozycja. Albo wymyślę coś innego. Wiesz dobrze, że jestem pełna inwencji. Postaram się, żeby nasz ostatni numerek, zwieńczający ten romansik, był super ekstra, żebyś go długo nie zapomniał – wysyczała.

Przez twarz mężczyzny przeleciał cień, ale on nadal milczał.

Wtedy nagle całym ciałem Beaty wstrząsnęły dreszcze, a z oczu popłynęły strugi łez. Płakała cicho, bezgłośnie. Potem zaczęła mówić, połykając łzy:

– To było niepotrzebne. Niestety nie umiem zachować klasy. Jestem wulgarna jak dziwka z burdelu. To dlatego, że mi tak przykro… tak mi żal naszej miłości. – Chlipała. – Powiedz, dlaczego? Bardziej kochasz sutannę niż mnie? Czy dlatego, że poszłam na policję? Ale ja go nie zabiłam. Myślałam, że ty to zrobiłeś…

Dalej nic nie mówił.

– Dlaczego jesteś dziś taki oschły? Taki obcy? Przecież tak bardzo cię kocham…

Nagle Artur poderwał się z krzesła.
Nie patrząc jej w oczy, powiedział:
– Jak wyjdziesz, zamknij drzwi i wrzuć klucze do skrzynki na listy.
Kiedy był już w drzwiach, nie odwracając się, dodał gardłowo:
– Żegnaj.

Rozdział 28

Mark przeglądał materiały dostarczone mu przez Biedę. Znowu siedzieli w kawiarni.

– Przed aresztowaniem chciałbym porozmawiać z Szydłowskim. Brakuje mi jeszcze odpowiedzi na niektóre pytania – powiedział Mark, pociągając łyk wody mineralnej. – Cholera, chyba na nasze kawiarniane randki będę przyjeżdżał taksówką. Przez to auto żaby mi się w żołądku zalęgną – zacytował powiedzonko Roberta Orłowskiego. – Zamiast napić się piwa, jak Bóg przykazał, ciągle żłopię kawę lub wodę mineralną.

W tym momencie zadzwonił telefon komisarza. Bieda przez chwilę słuchał, by na koniec powiedzieć jedno słowo „kurwa!", i odłożył komórkę.

– Czy coś się stało? – zapytał Mark.

– Tak, kurwa mać. Media już wiedzą. Podobno aż huczy w internecie. Prokurator wkurwiony maksymalnie. Gryzipiórki oskarżają nas o zatajanie informacji i oszukiwanie społeczeństwa. Mogą polecieć głowy. Prokuratura ma obowiązek o wszystkim informować obywateli, a media to oczy i uszy narodu. I usta. Niech to szlag. Pieprzą, że to następny dowód na upadek demokracji w Polsce za rządów PiS-u. Że coś takiego przedtem nie miałoby miejsca. – Bieda aż poczerwieniał. – Jak ja nienawidzę tych hien medialnych. To sama swołocz. Jedyne media, które nie kłamią, to woda, gaz i prąd. Ci dziennikarze nie mają żadnych zasad moralnych. Czekają na newsa jak sęp na padlinę. Obłażą niczym robactwo każdą sensację, by móc przez parę dni żywić się tematem. Gdyby jeszcze przekazywali same fakty, ale oni tak potrafią wszystko przekręcić i wyolbrzymić, że to nijak ma się do prawdy. Przez nich niejeden przestępca nam umknął - mruczał, szukając czegoś w internecie.

- Nie zapominaj, że ja też należę do tych hien medialnych.

- Ale ty jesteś austriacką hieną, nie polską. Jeśli tutaj u nas nic nie piszesz, to jakby cię nie było - burknął policjant. - Zobacz, co te skurwysyny napisały.

Mark przeczytał nagłówek. „Skandal w jednym z krakowskich zakonów. Zazdrosny o kochankę ksiądz zabił drugiego księdza?"

- To nie zakon, tylko zgromadzenie, a to duża różnica - powiedział Mark, jakby to było w tym wszystkim najważniejsze. - Co za szmatławiec. - Biegler kręcił głową, przeglądając dalej artykuł.

- Nie mamy dużo czasu. Prokurator jutro wieczorem ma przeprowadzić konferencję prasową - westchnął Bieda. - Dobrze by było, żebyśmy mieli już mordercę.

- OK. Zrobisz to jutro, zaraz po mojej rozmowie z Szydłowskim.

Beata była sama w domu. Karolina w przedszkolu, a Michał poszedł do nowego liceum w sprawie zmiany szkoły. „Czwórka" nie należała już do czołowych krakowskich szkół, ale znajdowała się blisko ich osiedla. Beatę niepokoiły trochę krążące plotki, że na terenie szkoły handluje się narkotykami. Michał wyśmiał ją, gdy mu o tym powiedziała.

- Gdybym chciał zdobyć narkotyki, mógłbym to zrobić już w Osieku - powiedział, wzruszając ramionami.

Beata nie wierzyła, żeby w Osieku któryś z uczniów handlował narkotykami. Ale wierzyła w mądrość swojego syna. Przecież nikt nie będzie go zmuszał do ich zażywania.

Wyjęła z szafki ryż. Na opakowaniu jednej z przypraw Kamisa znalazła przepis na „zielone chilli", potrawę, którą łatwo i szybko się przygotowuje. Wszystkie produkty miała w domu, nawet mleczko kokosowe i dymkę. Pierwszy raz jadła to danie w wynajętym mieszkaniu na Kazimierzowskim. Artur je dla niej przygotował na kolację.

Teraz wszystko jej się kojarzyło z kochankiem.

Usiadła na krześle. Oparła łokcie o blat stołu, a twarz ukryła w dłoniach.

Dlaczego ją porzucił? Dlaczego przestał ją kochać? Bo chyba przestał... wskazywało na to jego przedwczorajsze zachowanie.

Czy to te trzy tygodnie, kiedy się nie widzieli, pozwoliły mu o niej zapomnieć? A może skalało ją w jego oczach to, że była kilka dni w więzieniu? W areszcie, nie w więzieniu – poprawiła się w myślach. Potraktował ją wczoraj jak trędowatą. Nie przytulił, nie pocałował... Nawet na pożegnanie...

Od dwóch dni plątała się po mieszkaniu jak cień człowieka. Wykonywała tylko te czynności, które były konieczne: gotowała, sprzątała i wyprawiała Karolinę do przedszkola. Ale wszystko to robiła automatycznie. Nawet córeczka, zawsze zaabsorbowana swoimi sprawami, zauważyła apatyczne zachowanie matki.

– Mamusiu, dlaczego jesteś taka smutna?

– Nie jestem smutna, kochanie. Tylko tak ci się wydaje. Jestem po prostu zmęczona.

– Wcale nie. Nie możesz być zmęczona, bo nic nie robisz, siedzisz tylko albo przy stole, albo w fotelu. Nawet nie piszesz już nic w laptopie tak jak przedtem.

– Bo odpoczywam, by nabrać znowu sił – odparła Beata.

Mała dała jej wreszcie spokój i poszła do swojego pokoju przebierać Barbie w nową sukienkę, żeby pasowała do stroju Kena. Natomiast Michał w ogóle z nią nie rozmawiał. Zamykał się u siebie i albo się uczył, albo gadał na Skypie z Moniką. Raz tylko po kolacji, widząc smutną minę matki, burknął:

– Mówiłem ci, że tak będzie? Oni wszyscy są tacy sami.

Beata nie odezwała się wtedy.

Teraz siedząc przy stole, reasumowała zniszczenia, których dokonał w jej życiu romans z księdzem. Straciła pracę, straciła szacunek syna i przyjaźń Ślęzaka. I wszystkie dobre wspomnienia związane z Arturem. Zdobyła niechlubną sławę kochanki księdza i złamane serce.

Pięknie.

Otrząsnęła się, jakby chciała zrzucić z siebie przygnębienie i żal. I ból. Ile razy pomyślała o Arturze, czuła, jakby ktoś wbijał jej w serce zardzewiały gwóźdź. Oczywiście czasami brała pod uwagę możliwość rozstania. Wiedziała przecież, jak ważne dla niego jest kapłaństwo, ale myślała, że rozstaną się w bardziej romantyczny sposób. Będą czułości, piękne słowa o wiecznej miłości i zapewnienia, że nigdy o sobie nie zapomną... Tymczasem jej ukochany potraktował ją jak zużyty i niepotrzebny już przedmiot. Jak parę starych, wykoślawionych adidasów! Bez sentymentów wyrzucił do kosza na śmieci.

Znowu żałość zapukała do jej duszy. Łzy bólu i rozczarowania wydostały się spod powiek i zaczęły tworzyć na jej policzkach wilgotne ścieżki.

Dość tego. Musi wziąć się w garść. Ma przecież dzieci. Tylko one się liczą. Karolinka, dzięki swej dziecięcej niewinności, nadal kocha swoją matkę ladacznicę, a Michał może kiedyś jej wybaczy...

Zerwała się z krzesła i wyjęła z lodówki filet z kurczaka. Zaczęła kroić mięso na małe kawałki. Musiała jednak przerwać, bo w tym momencie zadzwoniła jej komórka. Spojrzała na wyświetlacz. Monika, dziewczyna Michała. Razem z nim miała iść do „Czwórki". Chociaż Beata nigdy do niej nie dzwoniła, jej numer widniał na liście kontaktów.

Nie wiadomo, dlaczego Beata nieoczekiwanie poczuła niepokój. Odebrała telefon. Kiedy dotarło do niej znaczenie słów Moniki, nagle pokój zaczął wirować jej przed oczami. Osunęła się na stołek, by nie upaść.

– Boże, nie rób mi tego – wyszeptała. – Błagam, tylko nie to...

Rozdział 29

Mark zajechał na teren obiektu. Zaparkował i wszedł na pierwsze piętro, gdzie znajdowało się mieszkanie Szydłowskiego. Umówił się z nim telefonicznie. Zastukał w drzwi. Chwilę później był w środku. W pokoju panował rozgardiasz, charakterystyczny dla przeprowadzki. Wszędzie stały pudła kartonowe, częściowo już zapełnione książkami, bibelotami i innymi rzeczami. W oczy rzucił mu się stojący w mniejszym pokoju wielofunkcyjny atlas do ćwiczeń. Taki sam stał w siłowni Orłowskiego.

– Pan gdzieś wyjeżdża? – zdziwił się Mark, patrząc na kartony.

– Tak. Na razie zamieszkam u matki, a gdy policja mi pozwoli, wyjadę na Białoruś – odparł. W jego głosie wyczuwało się przygnębienie. Twarz miał zmęczoną, a oczy podkrążone z niewyspania. – Napije się pan czegoś? Kawy, herbaty? Nie zaproponuję piwa ani drinka, bo prawdopodobnie przyjechał pan samochodem.

– Ma pan ten soczek marchewkowy, którym mnie pan kiedyś poczęstował?

– Niestety nie.

– To poproszę herbatę, bez cytryny. A zresztą nie; tylko mineralną, gazowaną.

Kiedy usiedli w fotelach, Mark spojrzał znad szklanki na księdza. Chociaż wiedział, że to nie jego sprawa, musiał zapytać go o Tomczyk.

– A co z Beatą?

Ksiądz nie odpowiedział od razu, jakby się zastanawiał, czy nie zignorować pytania.

– Czy kiedyś kochał pan kobietę? Ale taką prawdziwą miłością? Bezwarunkową? – Odpowiedział mu pytaniem. Jednak nie czekał na odpowiedź, tylko ciągnął: – Poznaliśmy się dwadzieścia lat temu, w szkole średniej. W klasie maturalnej. Mieliśmy prawie po tyle lat co teraz jej syn. Ja byłem rok starszy od Beaty, bo ze względu na chorobę miałem opóźnienie w nauce. – Przechylił szklankę z wodą i wypił łyk mineralnej. – Gdy tylko ją ujrzałem, od razu się w niej zakochałem. Miłość od pierwszego wejrzenia... – Mówiąc to, leciutko się uśmiechnął. – Wyglądała jak młodziutka Audrey Hepburn. Krótko ścięte włosy i te wielkie niebieskie oczy. Hepburn miała chyba piwne?... Ktoś powiedział: prawdziwe kobiety nie są idealne, idealne kobiety nie są prawdziwe... Beata zawsze była niesamowita... Odważna, zdecydowana, nieuznająca kompromisów. I tak bardzo żądna życia. Czerpiąca z niego jak najwięcej – rozmarzył się. – Ja natomiast zawsze byłem układny, zrównoważony. Niczym się niewyróżniający, nielubiący się wychylać z szeregu. Jeden z trybików w maszynie. Natomiast ona była zawsze widoczna. Inna od reszty dziewczyn. Całkiem straciłem dla niej głowę – westchnął. – Dziwne, ale zawsze się bałem, że ktoś mi ją ukradnie. Dlatego zaraz po maturze się zaręczyliśmy. To był mój pomysł. Tak jakbym pierścionkiem zaręczynowym mógł zakuć ją przy sobie niczym kajdankami. To było głupie. Cóż, miłości nie da się kupić, ale można za nią drogo zapłacić... – Zaśmiał się niewesoło. – Mama chciała, żebym pojechał z nią do Stanów, bo wyszła tam za mąż. Byłem jedynakiem, nieślubnym dzieckiem. Chciała mieć mnie trochę dłużej przy sobie. Pojechałem, chociaż nie podobało się to Beacie. – Przerwał na chwilę. – A po miesiącu dostałem od niej list, że wychodzi za mąż... Poczułem się tak, jakbym dostał obuchem po głowie. Gdy tylko przyszedłem do siebie, spakowałem się i pojechałem na lotnisko. Nie było bezpośredniego lotu, leciałem z przesiadkami. Najpierw do Londynu, później do Paryża i do Pyrzowic. Przyjechałem w sobotę. Myślałem, że zdążę przed jej ślubem. Że wpadnę do kościoła tak jak na filmie *Absolwent*, chwycę za rękę i porwę ją sprzed ołtarza. – Uśmiechnął się smutno. – Niestety ślub nie był w Olkuszu, tylko w Krakowie... Nie zdążyłem... Pojechałem do mieszkania jej rodziców. Zastałem tam jej siostrę. Cała rodzina pojechała na ślub oprócz niej. Nie pojechała, bo nie chciała patrzeć, jak jej siostra wychodzi za mąż za jej chłopaka... Spotkałem go raz, gdy byłem z Beatą na jakimś ich rodzinnym weselu. – Przymknął oczy na chwilę. – Nie wiem, jak dotarłem do Krakowa, do domu... Beata twierdzi, że ludzie wierzący w Boga, religijni, są niestabilni emocjonalnie. Możliwe, że tak jest. Nie potrafiłem pogodzić się z utratą Beaty. Nie chciałem żyć bez niej... Skoczyłem z trzeciego piętra.

Nagle przerwał, wstał i podszedł do łazienki, by po chwili wrócić z paczką papierosów. Były to słomki mentolowe.

– Zapali pan?

Mark wziął papierosa.

– Palę od niedawna. Nie smakują mi papierosy, dlatego kupuję mentolowe. Jak kobieta. – Znowu się uśmiechnął. Spojrzał na Marka. – Pan jako ateista jest emocjonalnie zrównoważony?

– Nie jestem ateistą, raczej agnostykiem – odparł Mark. – Chociaż nie zauważyłem u siebie żadnych zaburzeń emocjonalnych, nie wiem, czy można o mnie powiedzieć: „zrównoważony".

– Agnostyk... Ja wierzę. Zawsze wierzyłem. Ale moja wiara umocniła się jeszcze bardziej właśnie wtedy, po tej próbie samobójczej. – Utkwił spojrzenie w oczach Bieglera. – Byłem w stanie śmierci klinicznej. Widziałem czarny tunel, światło na jego końcu. Ale w przeciwieństwie do relacji innych ludzi, którzy to przeszli, nie zadano mi pytania, czy chcę zostać na ziemi, czy nie. Usłyszałem za to głos. Bardzo wyraźny, jakby mechaniczny. Wiedziałem, że to głos Stwórcy... Ten głos powiedział do mnie: „Zostań tutaj. Jesteś mi tu potrzebny"... Dla pana prawdopodobnie byłaby to jedynie halucynacja. Tak? Hm, kiedy mówisz do Boga, ludzie mówią, że jesteś religijny, a kiedy Bóg przemawia do ciebie, to jesteś chory psychicznie. – Zaśmiał się.

Mark wzruszył ramionami.

– Moja teściowa podczas cesarki też słyszała taki głos. Podobno chciała zaraz po przebudzeniu z narkozy nawracać wszystkie pielęgniarki.

Szydłowski uśmiechnął się jakby z pobłażaniem.

– Nie byłem w narkozie... Nie było potrzeby robić mi operacji. Skoczyłem z trzeciego piętra i nic mi się nie stało. Jak pan to wytłumaczy?

– Czasami słyszy się o takich „cudownych" wypadkach. Stewardessa spadająca z samolotu, dziecko wypadające z siódmego piętra... Zdarzają się takie przypadki. Prawdopodobnie trawnik zamortyzował upadek.

– Ale ja upadłem na beton, nie na trawę. Lekarze nie mogli w to uwierzyć. Nic nie złamałem, nie miałem krwotoku wewnętrznego. Jedynie, co mi się stało, to kilka otarć i zadrapań. Drobne rany powierzchowne, które zagoiły mi się już po kilku dniach. Oprócz tego. – Mówiąc to, podciągnął lewy rękaw koszuli.

Zdarł plaster przyklejony tuż pod łokciem. Ukazała się niewielka rana o wielkości dwóch pięciozłotówek, tylko o owalnym kształcie, przypominająca niegroźne otarcie.

– Teraz, kiedy byłem w szpitalu, pielęgniarka mi to zakleiła. Ja nie używam plastra. Przez tych dwadzieścia lat nigdy mi się to jeszcze nie zakaziło.

– Chce mi pan powiedzieć, że ma pan to od dwudziestu lat?! – zapytał niedowierzająco Mark. – Nie wierzę.

Ksiądz znowu się uśmiechnął.

– Nikt nie zmusza pana do wiary.

– Naprawdę nigdy się to panu nie zagoiło?

– Owszem, robi się strupek, ale gdy odpadnie, pojawia się znowu świeże otarcie. Rzadko komu to pokazuję. Wie o tym moja matka, konfratrzy i nikt więcej. Nawet Beacie nie powiedziałem prawdy, chociaż się interesowała, dlaczego zawsze uderzam się w to samo miejsce. Pokazywanie tego, chwalenie się tym wydaje mi się trochę jarmarczne.

– Podobno niektórym osobom bardzo wierzącym robią się stygmaty. Wiele zjawisk cielesnych ma też swój aspekt psychiczny. Duchowy. – Biegler się zawahał. – To dlatego pan z niej zrezygnował? Ona musi pana bardzo kochać... Gotowa była poświęcić dobro własnych dzieci dla pana.

– Właśnie… Taka miłość nie jest dobra. Jest destrukcyjna. – Przymknął na chwilę powieki i westchnął. – Poszedłem do prowincjała z nastawieniem, by przekonać go, żeby zostawił mnie w Krakowie. Ale kiedy ujrzałem go pijanego, o wyglądzie menela spod budki z piwem, podjąłem decyzję, że nie będę o nic go prosił. Postanowiłem opuścić Zgromadzenie. I wtedy zaczął szydzić z Beaty. Ubliżał jej, nazwał ją dziwką. – Zawahał się na moment, ale kontynuował: – Powiedział, że ojcem jej córki jest jej szwagier, brat jej męża… Wtedy się zdenerwowałem i uderzyłem go w nos. Chociaż w ostatniej chwili pohamowałem siłę ciosu, z nosa poleciała mu krew. – Zamilkł. Zakrył twarz dłońmi. Dopiero po dłuższej chwili podniósł oczy na Bieglera. – Nie zabiłem go. Ale miałem ochotę to zrobić. Złapać jego szyję i dusić, aż przestanie oddychać. Gdy patrzyłem na niego, ciągle miałem przed oczami tę jego szyję i moje ręce na niej… Nawet gdy od niego wyszedłem… Gdyby nie ten kabel, to później myślałbym, że ja to zrobiłem… Prawdę mówiąc, byłem w takim stanie emocjonalnym, że nie pamiętam dokładnie, co się potem wydarzyło… Ciągle dźwięczały mi w uszach jego słowa dotyczące Beaty. Nie powiedziała mi, że jej kochankiem był jej szwagier… i że to on jest ojcem Karoliny… – Znowu przez chwilę milczał. – Wystraszyłem się siebie… Nigdy nie należałem do osób agresywnych, ale po tym zajściu stwierdziłem, że w pewnych okolicznościach mógłbym zabić… Dla Beaty… Przez Beatę… Dlatego uważam, że taka miłość, jaka nas łączy, jest destrukcyjna. Nie jest dobrze aż tak bardzo kogoś kochać…

Mark miał trochę inne zdanie na ten temat. Uważał, że Szydłowski przesadza, że na siłę szuka pretekstu do rozstania. I co dziwne, za moment usłyszał to samo z ust księdza.

– Może to tylko pretekst? Może zwyczajnie boję się nowego życia? Normalnego życia w normalnym świecie? W którym trzeba martwić się o rodzinę, o to, jak ją utrzymać, jak zapewnić jej byt? Może chodzi o tę odpowiedzialność za kogoś innego? Mam na myśli nie tylko pieniądze, lecz także odpowiedzialność moralną za drugiego człowieka. Nie wiem, czy bym temu podołał. My, księża, znamy życie jakby zza szyby, owszem, uczestniczymy w nim, ale jako bierni świadkowie. Co innego zmierzyć się z problemami swojego ucznia, a co innego własnego dziecka… Chyba jestem za stary, żeby się teraz tego uczyć. Rodzinę zakłada się w wieku dwudziestu kilku lat, a nie po czterdziestce.

Zamilkł. Spojrzał badawczo na Marka.

– Ale chyba nie po to przyszedł pan do mnie, żeby rozprawiać o moich sprawach osobistych? Słucham pana, panie Marku.

Mark odchrząknął.

– Co pan wie na temat śmierci Piotra Wiatrowskiego? Tylko proszę powiedzieć prawdę. To bardzo ważne. Tamta sprawa ma ścisły związek ze śmiercią prowincjała.

Czoło Szydłowskiego przecięła zmarszczka zdziwienia.

– Cóż to morderstwo może mieć wspólnego ze śmiercią Wiatra?! Przecież minęło od tego czasu trzydzieści lat?!

– Bielecki prawdopodobnie widział, jak zginął wasz kolega. Wtedy w kościele zaszło coś ważnego, coś, czym mógł później szantażować Nasiadkę. Może Nasiadka przyczynił się do śmierci Wiatra albo go molestował.

– Myślicie, że Marian zabił prowincjała?! To bzdura. On niczego nie widział w tamtym kościele. Nie było go tam… Ja tam wtedy byłem.

Mark aż otworzył usta ze zdziwienia.

– Chociaż nie miałem asystować przy ołtarzu, bo dyżur przypadał na Wiatra i Białego, to znaczy Mariana Bieleckiego, również tam przyszedłem. Lubiłem przebywać w kościele. Chyba już od dzieciństwa wiedziałem, że będzie to moja przyszłość. – Cień uśmiechu przeleciał po jego twarzy. – Ukryłem się w konfesjonale. Wyobrażałem sobie, że jestem spowiednikiem i słucham spowiedzi. Nie wolno mi było tego robić, dlatego przyszedłem dużo wcześniej i ukryłem się w zaciemnionej części kościoła. Widziałem, jak Wiatr wchodzi do zakrystii i po chwili wybiega, a za nim wikariusz i proboszcz. Pamiętam, że proboszcz zawołał: „Zatrzymaj się, chłopcze!", a do wikarego: „Łap go! On nie może stąd teraz wyjść!" – Szydłowski westchnął głęboko. – Wtedy Piotrek poślizgnął się i przewrócił. Nachylili się nad nim. Usłyszałem słowa Nasiadki: „On chyba nie żyje". – Szydłowski zamilkł. Głośno przełknął ślinę. – I wtedy proboszcz powiedział: „Dzięki Bogu. Mamy szczęście. Gdyby powiedział o nas, bylibyśmy zniszczeni".

Szydłowski przymknął oczy na chwilę.

– Do tego czasu dźwięczą mi te słowa w uszach… Nie wiedzieli, że tam byłem, udało mi się wymknąć z konfesjonału niepostrzeżenie. To, co widziałem i usłyszałem, odbiło się na mojej psychice. Przeszedłem załamanie nerwowe… nawet przez jakiś czas przebywałem w szpitalu psychiatrycznym. W tym samym co teraz, w Kobierzynie.

Każdemu mieszkańcowi Krakowa lub okolic nazwa Kobierzyn ma wyraziste konotacje ze słowem „wariat". Dlatego wolałem się tym faktem nie chwalić. Jestem zdrowy, nic mi nie dolega ani nie dolegało, ale nasz adwokat wolał asekuracyjnie wysłać mnie tam na jakiś czas - zaśmiał się. - Wtedy, trzydzieści lat temu, bardzo pomógł mi otrząsnąć się z tamtej traumy ksiądz Tischner. Czy mówi panu coś to nazwisko? - Widząc potaknięcie głową, kontynuował: - Spotkałem księdza, gdy byłem w siódmej klasie. Stał się moim mentorem i przywódcą duchowym. Tylko dzięki niemu nie odrzuciłem Ewangelii, a nawet stałem się jednym z tych, którzy ją głoszą. Ksiądz Tischner był bardzo mądrym człowiekiem i wspaniałym duszpasterzem. Kimś wyjątkowym. Jestem szczęściarzem, że nasze drogi się kiedyś przecięły i miałem zaszczyt go spotkać.

- To skąd Bielecki się dowiedział, co się wtedy stało w kościele? - przerwał mu Mark.

- Dowiedział się ode mnie. Niewielu osobom o tym mówiłem. Oprócz księdza Tischnera wiedzieli o tym generał i moja mama. Ale półtora roku temu, gdy spotkałem Mariana w Rzymie, trochę przesadziłem z alkoholem i... i mu o tym opowiedziałem. - Powiedział to z pewnym zawstydzeniem.

W tym momencie zadzwoniła komórka księdza. Szydłowski spojrzał na wyświetlacz i jakby się zawahał, czy odebrać. Jednak wstał i wyszedł do sąsiedniego pokoju.

- Witaj. Słucham cię - doleciało do uszu Marka, gdy Szydłowski zamykał drzwi.

Po chwili wrócił z pokoju bardzo blady.

- Przepraszam pana, ale muszę jechać do szpitala. Syn Beaty jest w stanie krytycznym. Dostał nożem w brzuch.

Rozdział 30

Beata nerwowo chodziła po korytarzu. Nie mogła patrzeć na Monikę. To stało się przez tę smarkulę! Nie wierzyła w jej historię. Na pewno ci dranie ją zaczepili, a Michał im się postawił, a wtedy wyciągnęli nóż.

Siebie też obwiniała. Nie powinna pozwolić jechać mu samemu do liceum. Gdyby wtedy była z nim, nie doszłoby do tego nieszczęścia.

Nie pojechała, bo rozczulała się nad sobą, że porzucił ją kochanek! Kochanek ksiądz! Była wyrodną matką, egoistką zapatrzoną tylko w siebie. Idąc do łóżka z księdzem, nie pomyślała, na co naraża syna. Nawet przez chwilę nie zastanawiała się nad konsekwencjami odkrycia ich romansu. Nie pomyślała o skandalu, który odbije się również na jej dzieciach. To wszystko stało się przez tę chorą miłość!

Nie miała prawa romansować z księdzem. Uwiodła duchownego i teraz Bóg się na niej mści. Ale gdyby Stwórca był sprawiedliwy, ukarałby ją w inny sposób, a nie krzywdził niewinnego chłopca. To ona powinna leżeć tu, na szpitalnym łóżku, i walczyć o życie, a nie jej dziecko. Ten wspaniały chłopak, który w niczym nie zawinił... nic złego nigdy nie zrobił... Który zawsze był dobry, uczciwy, empatyczny i wrażliwy. To było okrutne ze strony Boga, że posługuje się tym niewinnym młodym człowiekiem, wchodzącym dopiero w dorosłe życie, żeby ją ukarać. To niesprawiedliwe, przecież to ona zgrzeszyła, nie Michał!

Nieoczekiwanie przypomniała sobie powieść *Ptaki ciernistych krzewów*. Trwoga przeszyła ją jak sztylet. Przeraziła się swoich poprzednich myśli oskarżających Boga. Nie wolno jej poddawać ocenie Bożych zamysłów. Jej buta może jeszcze bardziej zdenerwować Stwórcę.

Panie, wybacz mi moje bluźniercze słowa – zawołała bezgłośnie – przemawiały przeze mnie rozpacz i matczyny ból.

– Boże, błagam, oszczędź moje dziecko – wyszeptała cicho. – Ulituj się nad nim. Okaż bożą sprawiedliwość i ukaż mnie w inny sposób. Wiem, że zawiniłam. Chciałam wykraść ci kogoś, kto należał do ciebie, kogo namaściłeś na pasterza swojego stada. Sięgnęłam po zakazany owoc... Masz prawo mnie ukarać, ale błagam, zrób to w inny sposób. Nie zabieraj do siebie mojego dziecka. Pozwól mu żyć...

Osunęła się na krzesło i z twarzą schowaną w dłonie zaszlochała.

Pół godziny później w oszklonych drzwiach szpitalnych ujrzała Artura. Biegł ku niej. Objął ją i przytulił do siebie.

– Beatko, wszystko będzie dobrze. Bóg ulituje się nad tobą i twoim synem.

Zdenerwowały ją jego słowa. Nie „twoim", tylko „naszym" – miała ochotę krzyknąć. Ale nie zrobiła tego, jedynie odsunęła się od niego.

– Michał potrzebuje krwi. Nie mają wystarczająco dużo w banku krwi w Krakowie, trzeba przywieźć ją z Warszawy. To może długo potrwać. Liczą się minuty.

Nie pytała o jego zgodę, tylko chwyciła go za rękaw i pociągnęła do dyżurki lekarzy.

– Panie doktorze, jest już dawca krwi – zawołała.

– Na pewno ma pan krew 0Rh minus?

– Tak – potwierdził oszołomiony Artur.

– Ma pan jakiś dowód na to? Nie możemy ryzykować, a badanie potrwa.

– Tak. Noszę zawsze przy sobie zaświadczenie, bo to bardzo rzadka grupa – powiedział, wyjmując kartkę.

– Nie musi nam pan tego mówić, sami wiemy – burknął lekarz, nie zważając na jego koloratkę.

Szydłowski spojrzał na Beatę pytającym wzrokiem. Wyraz jej twarzy był tak wymowny, że wyczytał odpowiedź. Zrozumiał wszystko. Nagle jego oczy się rozszerzyły. Pobladł i osunął się na stojące obok krzesło.

– Tylko proszę mi tu nie mdleć – bąknął lekarz. – Boi się pan oddawać krew? Czy wszyscy księża są tak wrażliwi?

Artur wszedł na korytarz ze zgiętą w łokciu ręką, przytrzymując opatrunek. Usiadł obok Beaty. Monika poszła do kaplicy, by się modlić. Przez chwilę siedzieli, milcząc. Nie patrząc na kobietę, Artur zapytał chłodno:

– Dlaczego to zrobiłaś?

– Co zrobiłam? – Beata udawała, że nie wie, o co mu chodzi.

Nie dodał podpowiadającego pytania, tylko spojrzał na nią z wyrzutem.

Beata spuściła głowę.

– Nie wiedziałam, kto jest sprawcą ciąży, ty czy Paweł – powiedziała cicho.

Nagle podniosła głowę i spojrzała mu prosto w oczy.

– Chciałam, żeby to był Paweł. Bardziej pasował mi na ojca. Miał dobry zawód, był dojrzały, miał swoje mieszkanie. Ty byłeś w Stanach, trzymając się kurczowo spódnicy mamusi. Gdy wtedy rozmawiałam z twoją matką, dawała mi wyraźnie do zrozumienia, że nie wiadomo, czy wrócisz. Dlatego przespałam się z Pawłem. – Jej słowa zabrzmiały ostro, jakby posypane chilli.

– Uważam, że obwinianie mojej matki o to, że nie umiałaś dochować wierności, to co najmniej mała przesada – odparł zimno. – A dlaczego nie powiedziałaś mi później, kiedy znowu byliśmy razem?

– Bo to już nie miało znaczenia... Nie chciałam, żeby Michał się dowiedział. On miał już ojca. Wspaniałego ojca. Którego bardzo kochał i szanował... – Po chwili dodała ciszej: – Bałam się, że gdy się dowie prawdy, to go stracę. Że stracę jego szacunek... Że może mnie nawet znienawidzić... – Hardo podniosła głowę. – Zresztą to już nieważne. Dokonałeś wyboru. Chyba zawsze wiedziałam, że wolisz być księdzem niż mężem.

W tym momencie otworzyły się drzwi i na oddział wtargnął energicznie Zbigniew Tomczyk. Na jego widok Beata zbladła.

– Co z Michałem? – zapytał z niepokojem.

– Co tu robisz? Nie masz prawa tu przebywać – warknęła.

– Nie mam prawa? To mój bratanek! Chcę wiedzieć, co się z nim dzieje.

– A mój syn. – Szydłowski zmrużył oczy. Jego głos zabrzmiał wrogo. – Proszę zostawić nas w spokoju. Beata nie życzy sobie tutaj pańskiej obecności.

Tomczyk przeniósł spojrzenie z Beaty na Szydłowskiego.

– Widzę, że ten klecha jeszcze nie wyjechał na Białoruś. Nadal się plącze koło ciebie? – wysyczał pogardliwie.

Artur zamaszystym ruchem zerwał koloratkę z szyi.

– Już nie klecha, tylko narzeczony Beaty – warknął. – Proszę przestać nas niepokoić.

W tym momencie zza drzwi dyżurki wyszła pielęgniarka. Spojrzała na nich surowo.

– Co tu się dzieje? Proszę nie zapominać, że to szpital, a nie wyszynk z piwem. Tu leżą chorzy. Proszę o ciszę. A pan to kto? – zwróciła się do Tomczyka.

– Jestem wujkiem chłopca.

– Proszę opuścić korytarz. Tu może przebywać tylko najbliższa rodzina.

Otworzyły się drzwi sali operacyjnej OIOM-u i wyszedł przez nie chirurg, ściągając z głowy czepek chirurgiczny.

Beata i Szydłowski podskoczyli do niego.

– Panie doktorze, co z synem? – zapytała z lękiem w oczach Beata.

– Już po operacji. Zobaczymy. Zrobiliśmy, co się dało. Teraz trzeba czekać. Jak to mówią księża: wszystko w rękach Boga.

Rozdział 31

Mark zaparkował na ulicy Kalwaryjskiej przed budynkiem Zgromadzenia Księży Katechetów, tuż za samochodem Biedy. Przyjechali tu dwoma autami. Mężczyźni wyszli ze swoich pojazdów.

– Może jednak ty dokonasz aresztowania? – zapytał Mark komisarza.

– Nie. Lepiej będzie, jeśli poczekam na was tutaj. Nie chcę robić niepotrzebnego zamieszania. Lepiej zrobić to po cichu. Policjant wyprowadzający człowieka w kajdankach wzbudza niezdrowe zainteresowanie.

– OK. Idę.

Mark zadzwonił domofonem. Wpuszczono go do środka. Portiernia była znowu pusta, ale drzwi do pokoju socjalnego były otwarte. Zauważył siedzące przy stole trzy kobiety.

– O, pan Mark! – zawołała kucharka. – Stęskniliśmy się za panem. Zapraszamy.

– Dzień dobry. – Mówiąc to, nie uśmiechnął się jak zwykle.

– Kawa czy herbata? – zapytała księgowa.

– Tym razem dziękuję – powiedział. – Przyszedłem dziś do pani Grażyny Wiatrowskiej.

Kobiety popatrzyły na siebie zdziwione.

– Do kogo? – zapytała księgowa.

– Pan Mark przyszedł do mnie – odparła Zofia Trzaska, wstając z krzesła. – Czy mogłybyście zostawić nas samych? – powiedziała bez śladu gwary.

Kucharka i księgowa chyba zrozumiały powagę sytuacji, bo wstały i bez słowa wyszły z pokoju, zamykając za sobą drzwi.

Mark usiadł na krześle. Wiatrowska również usiadła.

– Dziękuję, że to pan przyszedł po mnie, a nie policja.
– Komisarz Bieda czeka na nas przed budynkiem.
Przez chwilę w pokoju było cicho.
– Czym się wsypałam? Co mnie zdradziło, panie Marku? – zapytała spokojnie. Była wyjątkowo opanowana.
– W trakcie śledztwa odkryliśmy z komisarzem, że morderstwo prowincjała ma związek ze śmiercią pewnego ministranta, Piotrka Wiatrowskiego, który zginął trzydzieści lat temu w jednym z krakowskich kościołów podczas pełnienia posługi ministranckiej. Bardzo częstym motywem zbrodni jest zemsta. A kogo obeszła najbardziej śmierć chłopca? Matkę... przecież ojciec już nie żył, a Piotrek nie miał rodzeństwa... W Zgromadzeniu pracowały trzy kobiety, które mogły być Grażyną Wiatrowską. – Mark przerwał na moment. Odchrząknął. – Postać Zofii Trzaski, sprzątaczki, była za bardzo przerysowana. Ta chustka na głowie. Ten język niepasujący do błyskotliwych ripost. Nie potrafiła pani mówić poprawną polszczyzną, ale za to bezbłędnie wypowiedziała „Wall Street". I odkąd to sprzątaczki czytają *Eneidę*? Kto to był Cerber i że miał trzy głowy, mogła wiedzieć niewykształcona kobieta, ale o tym, że podano mu placek z makiem i miodem, by go uśpić, na pewno by nie wiedziała. W pierwszej chwili nie skojarzyłem, gdy wtedy poczęstowały mnie panie ciastem z makiem. Mógł być to tylko zbieg okoliczności, ale przecież miodownika nie było na stole, a pani o nim wspomniała.
Wiatrowska wzruszyła ramionami.
– Nie czytałam Wergiliusza. Wiem to z Wikipedii i mitologii, a nie z *Eneidy*. I tylko to mnie wydało?!
– Nie tylko. Byłem na cmentarzu, gdzie pochowano pani syna i męża. Zauważyłem tam świeże kwiaty. Dowiedziałem się, że co kilka dni przynosi je kobieta pasująca z opisu do pani. Policja sprawdziła jeszcze kilka szczegółów. W Krakowie nie mieszka żadna pani siostra, a tak mi pani powiedziała. – Mark nie spuszczał oczu z Wiatrowskiej. – Wiemy, dlaczego pani to zrobiła, nurtuje nas inne pytanie: dlaczego teraz, po trzydziestu latach?
– Ponieważ dopiero teraz się dowiedziałam, że to nie był wypadek. Że to Wesołowski i Nasiadka zabili moje dziecko. Powiedział mi o tym rok temu pewien esbek, znajomy mojego drugiego świętej pamięci męża, Józefa Trzaski, kiedy mieszkałam w Chicago. Przez przypadek zgadaliśmy się o księżach i ich współpracy z SB. Pamiętał sprawę śmierci ministranta, oczywiście nie wiedział, że ten chłopiec

był moim synem. Zaraz potem opuściłam Stany i przyjechałam do Polski. Imię zmieniłam, jeszcze będąc w Stanach, bo Amerykanie mieli problemy z poprawnym jego wymawianiem, dlatego używałam tam mojego drugiego imienia i dla wszystkich byłam Sophie. – Przerwała na chwilę. – Nie mogłam dopuścić, żeby uszło im to na sucho. Żeby pławili się w splendorze świątobliwości i nabożnego szacunku, żeby dalej opływali w bogactwa i władzę. Nie mogłam patrzeć, jak te moralne karykatury oszukują z ambony swe naiwne owieczki i jak te głupie baranki schylają przed nimi karki i całują po rękach. Bezmyślne stada posłusznie i głośno beczących owiec! Nie znoszę tych wyznawców powierzchownej pobożności... – Twarz jej wykrzywił grymas pogardy. Przerwała na chwilę, by zaczerpnąć tchu.

Mark z trudem się opanował, żeby jej czegoś przykrego nie powiedzieć. Swoimi słowami obrażała osoby głęboko wierzące, takie jak Marta i Renata Orłowska. One wcale nie były głupie!

– Ale bardziej od tych baranów nienawidzę ich pasterzy. Te kanalie, które zabiły mojego syna, nie tylko nie poniosły żadnej kary, lecz także wspięły się wysoko w tej ich kościelnej hierarchii i nadal piastowały zaszczytne funkcje! – kontynuowała. – Przebierali się w swe dostojne szaty i udawali świętych. Głosili miłość do bliźniego, ascezę i potrzebę poświęcania się dla innych, no i oczywiście wyrzeczenia dóbr doczesnych. – Zaśmiała się sarkastycznie.

Ależ ona musiała ich nienawidzić! Jad wręcz wylewał się z jej ust. Biegler miał wrażenie, że ta kobieta nie jest całkiem przy zdrowych zmysłach. Sposób, w jaki mówiła o księżach, wyraz jej oczu i mimiki nasuwały podejrzenie, że Wiatrowska cierpi na zaburzenia psychiczne.

– Każde ich słowo ociekało fałszem i hipokryzją. Zresztą Wesołowski i Nasiadka nie byli wyjątkami, większość tej czarnej nomenklatury jest taka sama jak tamci. Ale parafialny motłoch kupuje te kłamstwa, a politycy udają, że również w to wierzą, bo się boją stracić moherowy elektorat. – Zaczerpnęła głęboko powietrza i ciągnęła: – Wiadomo było, że przy polskim wymiarze sprawiedliwości Wesołowskiemu i Nasiadce nigdy by nie spadł włos z głowy. Nie było żadnych szans, żeby ponieśli zasłużoną karę. Gdybym nawet zainteresowała media tą sprawą, to i tak ta czarna mafia znowu by wszystko wyciszyła. Patrząc na wielebnego Edwarda Nasiadkę, na jego zachowanie, hipokryzję i podłość, tylko utwierdziłam się w przekonaniu, że to ja muszę przejąć obowiązki Temidy. Los wyręczył mnie, jeśli chodzi o Wesołowskiego, ale Nasiadka nadal miał się dobrze. I to bardzo dobrze. Więc musiałam go zabić.

– To pani dzwoniła do Wesołowskiego tuż przed śmiercią? – zapytał Mark, by pozbyć się wątpliwości.

– Tak. Ten opasły knur był tchórzem. Wystarczyło, że go trochę postraszyłam, i od razu wyzionął ducha ze strachu. Niestety Nasiadka był mniej strachliwy. On niczego ani nikogo się nie bał. Ani kary boskiej, ani ludzkiej. Ale sprawiedliwość wymierzona moimi rękami wreszcie go dopadła...

– Dlatego czekała pani na odpowiedni moment? Ale dlaczego uduszenie? Garota jako narzędzie symbolicznej egzekucji? Przecież jako chemiczce łatwiej było pani go otruć.

Zaśmiała się cierpko.

– Garota? Co za skojarzenie. Szczerze mówiąc, myśląc o jego zabójstwie, nie zamierzałam zastosować żadnej symboliki. Nie planowałam go wtedy zabić. Wciąż odwlekałam ten moment. Tamtego dnia w ostatniej chwili przypomniałam sobie, że miałam mu wyprasować sutannę na poranną mszę, bo ją wymiął dzień wcześniej, gdy leżał pijany na podłodze. Mógłby mnie za to wyrzucić z pracy. Dlatego się wróciłam.

– Którędy pani weszła? Główną bramą?

– Weszłam główną bramą, miałam pilota jak większość pracowników i znałam kod do drzwi wejściowych, ale wyszłam przez altankę. Wiedziałam o tajnym przejściu i o wizytach jego kochanki. Wszystko o nim wiedziałam. O jego brudnych interesach również. Czy pan wie, ile tak zwany ksiądz ryczałtowy płaci podatku? Wikary maksymalnie pięćset złotych kwartalnie! Proboszcz trochę więcej, bo niecałe tysiąc pięćset zł kwartalnie, ale tylko wtedy, gdy ma w swojej parafii ponad dwadzieścia tysięcy parafian. Oczywiście w mniejszych parafiach płacą dużo mniej. Nie wspomniałam, że mogą odjąć od tego składkę zdrowotną, jeśli są ubezpieczeni, a więc de facto płacą grosze. Mogą rozbijać się luksusowymi maybachami, mieć milionowe konta bankowe, utrzymywać stado kochanek, ale urząd skarbowy nic im nie zrobi. Państwo polskie jest przeciwieństwem Robin Hooda; grabi biednych, oszczędzając bogatych. Nasiadka był tak głupi, że nie zamykał swojego laptopa. Siedział w drugim pokoju, drzemiąc przed telewizorem, i myślał, że prosta sprzątaczka nie umie obsługiwać komputera. – Zaśmiała się. Coś niepokojącego było w jej śmiechu. – Umiem również łączyć fakty. Czy pan i policja wiecie, że ten drań zajmował się przemytem dzieł sztuki? Nie wszystkie przedmioty sztuki sakralnej są skatalogowane. A ksiądz zajmujący wysoką pozycję w hierarchii kościelnej ma duże możliwości. Dlatego w trójkę, z Wesołowskim i Tomczykiem, kręcili na tym niezłe lody. Widziałam dwie ikony przywiezione nielegalnie z Białorusi i kielich mszalny, prawdopodobnie z XVII wieku. Podsłuchałam kiedyś rozmowę Nasiadki z Tomczykiem. Nie wiem, na jaką skalę handlowali, ale znając życie, to drobnicą raczej by się nie zajmowali.

Mam niezłego newsa dla Biedy – pomyślał Mark. – Może nareszcie uda się policji przyskrzynić Tomczyka. Ciekawe, czy ekonom Zgromadzenia też był w to zamieszany.

– Mogłabym zrobić koło tego trochę szumu, pokazać też mediom inne jego finansowe matactwa i machlojki, ale w końcu i tak nic by mu nie zrobili. Czy zauważył pan, ile w tym kraju doprowadzono do końca rozpoczętych spraw sądowych dotyczących afer finansowych? Ułamek. A wiadomo, że kler jest teraz wyjątkowo uprzywilejowany. To święta krowa dla obecnego rządu. Dlatego zrezygnowałam. Wolałam rozprawić się z nim ostatecznie. – Na jej twarzy znowu pojawił się wyraz pogardy. – Kiedy go wtedy zobaczyłam pijanego, z koloratką przy szyi i z rozbitym nosem, bo nie potrafił utrzymać się na nogach, mimo że nazajutrz z samego rana miał założyć na siebie sutannę, podjęłam decyzję, że muszę zabić go zaraz. Przesądziła o tym damska pończocha wystająca z szuflady. Postanowiłam, że właśnie ta pończocha go zabije.

– Skąd pani wiedziała, że będzie miała tyle sił, by go udusić? – Mark chciał wyciągnąć od kobiety jak najwięcej informacji. – Przecież nie jest łatwo kobiecie udusić mężczyznę.

Wiatrowska zaśmiała się demonicznie.

– Determinacja potrafi zdziałać cuda. Sama nie wiem, skąd miałam tyle sił. Inna sprawa, że ten opój był już tak pijany, że nie potrafił walczyć. Oprócz tego nie spodziewał się ataku z mojej strony. Ledwo mnie poznał, gdy mnie wpuszczał do mieszkania. Prawdę mówiąc, gdyby nie Arleta, miałabym kłopoty, bo prawdopodobnie zostawiłam mnóstwo śladów na pończosze. Z tego wszystkiego nie pomyślałam, żeby założyć rękawiczki. Wyjątkowo dopisywało mi wtedy szczęście. Gdybym wyszła kilka minut później, zderzyłabym się w altance z Beatą Tomczyk. Widziałam ją, jak wchodzi przez to przejście. Ona mnie nie zauważyła, bo zdążyłam ukryć się za drzewem.

– Nasiadka nie przewrócił się z powodu alkoholu, został pobity – wtrącił Mark, sam nie wiedząc po co. Irytowała go ta kobieta. Sprawiała wrażenie opętanej nienawiścią. Nie przepadał za ludźmi wypowiadającymi swe opinie o innych w tak subiektywny sposób. Nie znał bliżej księży, jednak nie zgadzał się z osądami potępiającymi ich wszystkich w czambuł. Wśród kleru było dużo uczciwych duchownych, całym sercem oddanych swemu posłannictwu, Ślęzak wcale nie był wyjątkiem.

– Pobił go Szydłowski? Później się tego domyśliłam. Kiedy zgłosił się na policję, żeby ratować Tomczyk, miałam zamiar przyznać się do wszystkiego. Nigdy nie pozwoliłabym, żeby ten chłopak odpowiadał za moją zbrodnię. – Jej twarz złagodniała. – Lubiłam Artura. Był najlepszym przyjacielem Piotrusia. Początkowo byłam zła na niego, bo to on namówił mojego syna, żeby został ministrantem, ale gdy się dowiedziałam, jak biedactwo przeżył jego śmierć, wybaczyłam mu. Zawsze był dobrym dzieciakiem, nie to co ten drugi, Bielecki. Tamten od maleńkości był spryciarzem. Wykorzystywał dobroć Arturka i naiwność Piotrusia. Wyłudzał od nich słodycze, zabawki, a nawet ubrania. Pamiętam, że Artur oddał mu swoje dżinsy, które przysłała mu matka z Ameryki – a takie spodnie dla każdego chłopaka w tamtych czasach były szczytem marzeń. Wydaje mi się, że człowiek dostaje dobroć i zło w swoim zapisie genetycznym. Artur zawsze był dobrym dzieckiem, chociaż matka większość czasu spędzała w Stanach, a nie z nim, dobrym człowiekiem i dobrym księdzem. Gdyby wszyscy byli tacy jak Szydłowski czy Ślęzak, sama, chociaż jestem ateistką, stałabym się oddaną katoliczką. Może nie potrafię być obiektywna w stosunku do księży, bo ich nienawidzę za to, co zrobili z moim życiem, ale pracując przez rok w tym środowisku, widziałam ich prawdziwe twarze. Mało jest księży z powołania, większość z nich traktuje swoje zajęcie jak lukratywny zawód, zapewniający dobre i wygodne życie. Przeważnie są to ludzie ze wsi, z wielodzietnych rodzin, wychowani w biedzie.

– Szydłowski był z Krakowa i miał zamożną matkę – znowu wtrącił Mark. Miał dość gadania tej kobiety, ale nadal pozwalał jej mówić.

– Ale on jest wyjątkiem. – Uśmiechnęła się. – O mało co mnie nie rozpoznał, ale gdy usłyszał moją gwarę, stwierdził, że pomylił mnie z kimś innym. Nigdy nie zapomniał o moim Piotrusiu. Widziałam na cmentarzu, jak stawiał znicz na jego grobie. No i na święceniach przyjął imię Piotr, na cześć mojego Piotrusia...

Spojrzała na Bieglera.

– Czy potrzebuje pan ode mnie jeszcze jakichś wyjaśnień?

– Nie. Chyba już wszystko wiem. – Biegler wstał. – Jednak pani powinna się o czymś dowiedzieć. Śmierć pani syna była wypadkiem. Ani Wesołowski, ani Nasiadka nie zabili Piotrka. Wybiegł z zakrystii i poślizgnął się na schodach. Szydłowski to potwierdza. Widział, jak to się stało, bo był schowany w konfesjonale. Nie wiemy, co się wydarzyło w zakrystii, możemy się tylko domyślać, ale nie było to nic, co zasługiwało na karę śmierci – powiedział chłodno.

Rozdział 32

Michał nie mógł zasnąć. Próbował różnych sposobów – licząc barany, starając się uwolnić umysł od myślenia – ale Morfeusz chyba zapomniał o nim, bo sen nadal nie przychodził. Do tego wszystkiego sąsiad z łóżka obok dawał taki koncert chrapania i świstania, że chyba wszystkie karaluchy pochowały się pod poduchy.

Ból znowu dał znać o sobie, środki przeciwbólowe przestały działać. Jutro miał zostać wypisany ze szpitala, a brzuch ciągle go bolał. Musi poprosić pielęgniarkę o tabletkę nasenną i przeciwbólową, bo inaczej nie zaśnie.

Z trudem spuścił nogi z łóżka i po krótkiej chwili odpoczynku spróbował wstać. Powoli, chwiejnym krokiem udał się do dyżurki. Stanął w drzwiach, opierając się o futrynę. W pokoju dwie pielęgniarki, odwrócone tyłem do niego, wyjmowały coś z szafki i rozmawiały ze sobą. Nie chcąc im przeszkadzać, stał, czekając, aż skończą.

– Mówię ci, że to ksiądz – powiedziała jedna z nich. – W pierwszym dniu, gdy chłopak miał operację, przyszedł w koloratce. Później już jej nie miał na szyi.

– Ja nie widziałam nigdy u niego żadnej koloratki. Przyznaję, że jego zachowanie jest trochę dziwne: przychodzi z matką tego chłopaka, ale nigdy nie wchodzi do sali, by go odwiedzić, tylko czeka na korytarzu. Rzeczywiście to bardzo nietypowe postępowanie.

– A mało to księży ma dzieci? Gdyby nie musiał oddawać chłopakowi krwi, nikt by się nie dowiedział, że to jego syn.

Michał zbladł. Dopiero teraz dotarło do niego znaczenie słów pielęgniarek. Przymknął oczy. Zrobiło mu się słabo, myślał, że zemdleje. Wziął głęboki oddech, opanował słabość i wycofał się bezszelestnie.

Beata zaparkowała na szpitalnym parkingu i wysiadła z samochodu. Spojrzała na zegarek. Trzynasta piętnaście. Wypis jest już chyba gotowy. Dziś wyjątkowo przyjechała sama. Bez Artura. Wiedziała, że za wcześnie jeszcze na ich spotkanie i za wcześnie na wyznanie prawdy. Michał musi nabrać więcej sił, żeby zmierzyć się z zaistniałymi faktami.

Na korytarzu natknęła się na lekarza opiekującego się Michałem.

– Panie doktorze, czy jest już gotowy wypis mojego syna?

– Przykro mi, ale nie możemy wypisać dziś Michała. Dostał wysokiej temperatury.

– O Boże! Co mu jest? – przeraziła się.

– Nie wiemy. Może wdała się jakaś infekcja.

– Mogę go odwiedzić.

– Ale proszę nie siedzieć u niego za długo. Za chwilę ma zbadać go ordynator.

Beata, pełna niepokoju, weszła do sali syna. Leżał sam; mężczyznę z drugiego łóżka prawdopodobnie już wypuszczono do domu, bo zauważyła świeżą pościel.

Michał miał chyba dreszcze, bo był przykryty aż po szyję. Nie spał. Usiadła obok niego na szpitalnym taborecie.

– Michałku, co się dzieje? Skąd ta temperatura?

Chłopak nie odpowiedział, tylko spojrzał na nią wrogo.

– Co się stało? Masz taką dziwną minę? – zapytała.

Chłopak zacisnął szczęki. Zmrużył oczy.

– Czy tata wiedział? – zapytał cicho.

– O czym wiedział? Co masz na myśli? – Nie skojarzyła od razu.

– Czy wiedział, że nie jestem jego synem? – Z trudem wypowiedział słowa.

Beata zbladła. Nerwowo odgarnęła kosmyk włosów.

A więc już wie – przemknęło jej przez głowę. – Trudno. Ale szkoda, że nie dowiedział się tego ode mnie.

– Wiedział. – Nabrała głęboko powietrza. – Ale to nieprawda, że nie byłeś jego synem. Ojcem nie jest ten mężczyzna, który spłodzi dziecko, tylko ten, który je wychowa.

– Dlaczego wyszłaś za niego? Za... tatę? Czy Szydłowski nie chciał się z tobą ożenić? – Nagle roześmiał się gorzko. – A może nie pozwolili mu na to w seminarium?

– Artur nie wiedział, że jestem w ciąży – odparła cicho. – Początkowo nie wiedziałam, który z nich jest ojcem. To znaczy, który jest sprawcą ciąży – poprawiła się szybko.

– A teraz mu powiedziałaś?

– Tak... Dopiero gdy była potrzebna dla ciebie krew...

Michał znowu się zaśmiał sarkastycznie.

– A ja chciałem iść na medycynę! Nawet przez chwilę nie zastanawiałem się nad grupą swojej krwi – prychnął. – Jestem zbyt tępy, by zostać lekarzem, przecież wiadomo, że grupę krwi się dziedziczy.

– Będziesz wspaniałym lekarzem – szepnęła.

– Co z nim? Pojedzie na Białoruś?

– Nie. Zrezygnował z kapłaństwa. Chce się ze mną ożenić... Ale ja mu powiedziałam, że to zależy od ciebie...

W pokoju znowu zrobiło się cicho. Ciszę przerwał Michał.

– Zostaw mnie. Jestem zmęczony.

– Michałku...

– Chcę się przespać! – przerwał jej. – Wyjdź.

Beata z ociąganiem wstała z taboretu.

– Czy mogę przyjść później?

Odpowiedziało jej milczenie.

Artur wszedł do mieszkania Beaty. W przedpokoju od razu pojawiła się Karolina.

– Dlaczego tak długo u nas nie byłeś? – zapytała z pretensjami, odbierając sporych rozmiarów ładnie zapakowane pudełko. Najbardziej lubiła prezenty zawinięte w papier ozdobny, a nie wsadzone do papierowej torebki. Jednak tym razem większe zainteresowanie wzbudził gość niż to, co przyniósł ze sobą. – Przykrzyło mi się bez ciebie.

Podczas pobytu Michała w szpitalu Artur był częstym gościem w mieszkaniu Na Kozłówce. Jednak po powrocie chłopca do domu wstrzymał się z odwiedzinami, czekając na odpowiedni moment. A kiedy nastąpi taki odpowiedni moment, o tym miała zadecydować

Beata. Dopiero dzisiaj, po tygodniu od wyjścia Michała ze szpitala, pozwoliła mu przyjść.

- Przepraszam, Karolino, byłem bardzo zajęty - skłamał dyplomatycznie. - Ale poprawię się i od dziś będę cię odwiedzał aż do znudzenia. A jutro możemy iść do zoo. Chcesz?

- Chcę. Chodź do mojego pokoju, pokażę ci, co narysowałam w przedszkolu - chwyciła mężczyznę za rękę i poprowadziła do siebie.

Dopiero gdy minęło pół godziny, udało się Beacie wyrwać Artura z rąk córki i poprowadzić do pokoju syna.

Mężczyzna, stojąc przed zamkniętymi drzwiami Michała, nabrał powietrza głęboko do płuc. Odetchnął kilka razy.

Bał się tego spotkania... i zarazem bardzo tego pragnął. W Osieku wiele razy rozmawiali z Michałem, spędzili ze sobą dużo czasu. Polubili się i zaprzyjaźnili... Trwało to do czasu, aż świat dowiedział się o romansie księdza z jego matką. Wtedy ich przyjaźń runęła. Nagle cała sympatia chłopca do niego gdzieś się ulotniła, pojawiły się niechęć i wrogość. A może nawet nienawiść?

Artur, wyuczony retoryki, nigdy nie miał problemów z werbalizacją swoich myśli. Teraz stał bezradnie jak pierwszoklasista przed swoim pierwszym publicznym występem na akademii szkolnej. Trema i lęk przed odrzuceniem go paraliżowały, serce biło jak werbel, a głowa zionęła pustką. Nie wiedział, jak ma rozmawiać z chłopcem. Z chłopcem, który był jego synem...

Wreszcie wziął się w garść. Zapukał. Ale nie wszedł, zanim nie usłyszał słowa „proszę".

W pokoju panował półmrok, rozproszone światło dawała jedynie niewielka lampka biurowa. Michał siedział przy biurku, plecami do drzwi. Nie odwrócił się.

- Cześć, Michał. - Chociaż starał się nadać powitaniu lekkie brzmienie, suchość w gardle spowodowała, że słowa zabrzmiały jak charkot.

- Niech będzie pochwalony Jezus Chrystus - usłyszał z ust chłopca.

Nagle cała trema minęła. Na twarzy mężczyzny pojawił się lekki uśmiech, który szybko zmył z ust. On też się boi tej rozmowy - pomyślał - stąd ta zaczepność w jego głosie.

- Czy mogę usiąść? - zapytał Artur.

Chłopiec w odpowiedzi wzruszył ramionami.

Szydłowski opadł na drugie krzesło stojące obok biurka.

– Nie wiem, od czego zacząć... Kto by pomyślał, że miałem piątkę z retoryki. Szóstek wtedy nie było. – Zaśmiał się nerwowo. Odchrząknął. – Dla mnie to bardzo trudna rozmowa. Pierwszy raz rozmawiam ze swoim synem...

– Proszę mnie tak nie nazywać. I zapamiętać jedno – ostro przerwał mu Michał – ja miałem już ojca. Drugiego nie potrzebuję. – Mówiąc to, złapał się za ucho.

Gdy Artur ujrzał gest chłopca, nagle uśmiechnął się szeroko, a po chwili wybuchnął radosnym śmiechem.

Zaskoczony Michał aż otworzył usta ze zdziwienia. Zaraz jednak jego twarz wykrzywił grymas gniewu.

– Nie widzę w tym nic śmiesznego – burknął lodowato.

– Przepraszam – odparł Artur, wycierając oczy wierzchem rękawa marynarki. Nie wiadomo, czy były to łzy śmiechu, ulgi czy wzruszenia... – Przepraszam, ale łapiesz się za ucho identycznie jak ja. Twoja mama zawsze śmiała się ze mnie. Wcześniej nigdy nie zauważyłem u ciebie tego tiku. Hm, nie przypuszczałem, że można to dziedziczyć. – Oczy znowu zrobiły mu się wilgotne. Zamrugał powiekami, żeby je osuszyć, ale na niewiele się to zdało. – Przepraszam... Zachowuję się jak ostatni kretyn. Wybacz mi. Całą noc dziś nie spałem... Myślałem o naszej przyszłej rozmowie... W głowie przygotowywałem sobie piękną przemowę, ale nic z niej nie pamiętam. Nie wiem, co mam zrobić, co powiedzieć, żeby wypaść dobrze w twoich oczach... Żebyś znowu zaczął mnie lubić i szanować, tak jak to było wcześniej. Bo wiem, że mnie lubiłeś... Rozumieliśmy się... Zawsze wyróżniałem cię z grona innych uczniów... Od początku czułem do ciebie coś więcej niż zwykłą sympatię... Później myślałem, że jesteś mi bliższy niż reszta uczniów, bo jesteś synem Beaty. Ale teraz wiem, że było coś jeszcze... Podświadomość mi mówiła, że między nami jest jakaś dziwna więź, coś, co nas łączy... – Znowu oczy mu się zaszkliły. – Cholera, zachowuję się i mówię jak rozhisteryzowana baba.

Teraz uśmiechnął się Michał.

– Hm, ostatnie słowa zabrzmiały trochę seksistowsko. Nie przystoi księdzu wyrażać się tak o parafiankach.

– Już nie jestem księdzem, zrezygnowałem z kapłaństwa – odparł Artur. – Byłem w Rzymie, rozmawiałem z generałem. Zrozumiał mnie...

Na moment nad biurkiem zawisła chmura milczenia. Pierwszy odezwał się Michał.

– Czy to przeze mnie?

– Też... Ale nie tylko... Chciałem zerwać mój związek z twoją mamą i wyjechać stąd jak najdalej. I zapomnieć o niej... Jednak wątpię, czy by mi się to udało... Wiem, że nie byłbym już nigdy szczęśliwy. A nieszczęśliwy ksiądz nie będzie dobrym duszpasterzem. Ten rok, gdy byliśmy razem z twoją mamą, dał mi namiastkę tego, co może dobrego ofiarować życie. Przedtem, kiedy pełniłem swą posługę kapłańską, nie czułem się samotny ani nieszczęśliwy. Nie odczuwałem braku żony, rodziny... Miałem swoją pracę i przyjaciół. Jednak przyjaźń między mężczyznami nigdy nie zastąpi miłości do kobiety – zrozumiałem to dzięki Beacie. Ten rok spędzony z nią spowodował, że życie w kapłaństwie zaczynało mi już nie wystarczać. Dopiero wtedy zrozumiałem istotę samotności. I jak piękna jest bliskość z drugim człowiekiem. Jakie to wspaniałe uczucie dzielić się z drugą osobą wrażeniami po wspólnym obejrzeniu filmu. Razem podziwiać piękno zachodzącego słońca czy narzekać na deszczową słotę. Zwiedziłem wiele krajów, widziałem mnóstwo wspaniałych widoków i rzeczy, ale nie umiałem docenić w pełni ich piękna, bo nie byłem tam z Beatą... Piękniejsze dla mnie jest wspomnienie odrapanego bloku na osiedlu Kazimierzowskim niż Tadż Mahal, ponieważ była przy mnie Beata... – Zreflektował się, że zabrzmiało to trochę niewłaściwie. – Przepraszam.

– Proszę już nie przepraszać. Słyszałem to dziś już wielokrotnie z pana ust.

– Widzę postęp: nie tytułujesz mnie już księdzem, tylko zwracasz się do mnie per pan. – Artur się uśmiechnął.

– Proszę sobie zapamiętać jedno: nigdy nie nazwę pana ojcem. – Głos Michała znowu przybrał stalowe brzmienie. – Zachowam również nazwisko Tomczyk. Moim ojcem dla mnie zawsze będzie Paweł Tomczyk.

– Dobrze. Oczywiście uszanuję twoje życzenie – uśmiechnął się. – Ale proszę, nie zwracaj się do mnie „pan". Może być Artur... albo wujek... Tylko nie „pan".

– Na razie musi zostać „pan" – odparł stanowczo Michał. – Później zobaczymy. Aha, jeszcze jedno. Dopóki pan nie ożeni się z mamą, nie życzę sobie, żeby pan z nami mieszkał. A teraz najwyższa pora zjeść kolację, którą przygotowała mama. Jestem bardzo głodny.

Epilog

Dwa miesiące później

Mark Biegler przyglądał się żonie krzątającej się między szafkami kuchennymi.

– Wszystko masz przygotowane. Ciasto, sałatki, wędlina. Napoje zimne również. Zrobisz tylko kawę lub herbatę – powiedziała, ściągając fartuszek.

– Nie musisz wychodzić – powiedział. – Zostań. Przydałby mi się ktoś do zrobienia tej kawy lub herbaty.

– Lepiej, jeśli zostaniecie sami. Mogą czuć się skrępowani moją obecnością. Zresztą bilety do teatru by przepadły. Renata urwałaby mi głowę. Wiesz dobrze, że Robert nie cierpi sztuk teatralnych.

Niedługo po wyjściu żony Mark usłyszał dzwonek domofonu. Chwilę później w drzwiach mieszkania stali Beata Tomczyk i Artur Szydłowski. Wpuścił gości do środka.

– Przed wyjazdem chcieliśmy się z panem pożegnać – oznajmiła Beata, kiedy już wszyscy wygodnie siedzieli (Mark w fotelu, a goście na kanapie) i trzymali w rękach filiżanki parującej kawy.

– To jednak opuszczacie Kraków? Gdzie wyjeżdżacie? – zapytał.

– Do Słupska. Tam mieszka ciotka Artura – odparła Beata. – Stwierdziliśmy, że tak będzie najlepiej. Moja rodzina trochę rozpacza, że to daleko, ale od czegóż są samoloty i pociągi. I Skype.

– Ciocia znalazła nam dom niedaleko ich mieszkania. Już go remontują. Chcemy wykroić osobne mieszkanko dla mojej mamy – uzupełnił Artur.

– Musimy jeszcze sprzedać jedno mieszkanie. Moje i pani Haliny już są sprzedane, ale umowę sprzedaży apartamentu Artura podpisujemy dopiero za tydzień.

– Jak czuje się Michał?

– Fizycznie już prawie dobrze – powiedziała Beata. – Jednak nadal mało ze mną rozmawia – westchnęła.

– Przejdzie mu, Beatko, trzeba dać mu trochę czasu – uspokajał Artur narzeczoną. – Mnie już zaakceptował. – Zwrócił twarz ku Bieglerowi. – Beata powiedziała mu wszystko, również to, kto jest ojcem Karoliny.

– Może niepotrzebnie mu pani o tym mówiła?

– Nie chciałam nic przed nim ukrywać. Bałam się, że gdyby dowiedział się prawdy od mojego szwagra, mogłabym całkiem stracić zaufanie syna... – odparła cicho. – Na razie straciłam szacunek. Nie chciałabym stracić jeszcze resztek jego zaufania i... miłości.

– Jego miłości nigdy nie stracisz. Gwarantuję ci – uśmiechał się uspokajająco Artur. – Michał bardzo cię kocha. I mimo wszystko nadal cię szanuje.

– À propos mojego szwagra: czy słyszał pan, panie Marku, że zamknęli go na jakiś czas za przemyt dzieł sztuki? – wtrąciła Beata. – Ale oczywiście musieli go szybko wypuścić, bo nie mieli mocnych dowodów.

– Tak, słyszałem – odparł Mark.

Kiedy Biegler powiedział Biedzie o odkryciu Grażyny Wiatrowskiej dotyczącym przemytu dzieł sztuki, Bieda zagiął parol na Tomczyka. Niestety nie udało się policji zebrać i przedstawić przed sądem konkretnych zarzutów przeciwko niemu. Nasiadka i Wesołowski nie żyli, a pan Zbysio umiał się odpowiednio zabezpieczyć. Rzeczywiście był wyjątkowo sprytnym oszustem. Ekonom, jak się okazało, nie miał o niczym pojęcia. Był na równi z innymi konfratrami wzburzony, gdy się dowiedział, czym za życia zajmował się prowincjał.

Mark szybko zmienił temat rozmowy, bo nie chciał rozwodzić się nad swoją współpracą z Biedą.

– A jak przyjęła tę całą sytuację pańska matka? – zapytał Mark.

Szydłowski nie zdążył odpowiedzieć, bo zrobiła to za niego Beata.

– O dziwo, jest bardzo szczęśliwa. Gdy się dowiedziała, że ma prawie dorosłego wnuka, najpierw przez całą noc mnie nienawidziła, ale rano już mi wybaczyła. Bardzo się ucieszyła, że jej jedynak będzie miał rodzinę. Nigdy jej się nie podobała jego sutanna. Woli synową, nawet taką jak ja, niż nie mieć jej w ogóle. Co jeszcze dziwniejsze, polubiła również bardzo Karolinę, a od Michała nie może wręcz oderwać oczu. Nareszcie moje dzieci mają dwie babcie i jedną prababcię. – W tym momencie odwróciła twarz w stronę Artura. – Twoja mama za swoją postawę zasłużyła na nagrodę, dlatego postanowiłam zrobić jej prezent w postaci następnego wnuka.

Artur pobladł.
- O czym ty mówisz?
- Jestem w ciąży - wzruszyła ramionami.
- Oszalałaś?! Masz jedną nerkę! Boże, czy ty zdajesz sobie sprawę, czym to grozi? - Na twarzy Artura pojawiło się przerażenie.
- Dlatego wolałam powiedzieć ci o tym przy ludziach, bo liczę na to, że potrafisz się odpowiednio zachować i nie zrobisz mi awantury.
- Beata, to bardzo nieodpowiedzialne z twojej strony! Wiesz, że możesz umrzeć?! Ciąża to ogromne obciążenie dla organizmu. Nie masz jednej nerki! I nie jesteś już młoda.
- Nie musisz mi tego przypominać. - Uśmiechnęła się. - Nic mi się nie stanie. Gdy byłam w ciąży z Karoliną, wszystko skończyło się dobrze.
- Nie wolno igrać z losem - odparł nadal przerażony Artur.
- Trzeba zaludniać Europę, bo inaczej zje nas islam. Młodym nie chce się rodzić, dlatego my, stare matki, musimy robić to za nie. Nie rób takiej przerażonej miny. Wszystko będzie dobrze. - Na jej ustach pojawił się drwiący uśmieszek. - Ciekawa jestem, czy teraz nadal będziesz popierał zaostrzoną ustawę o aborcji. Arturku, gdyby ciąża była groźna dla mojego życia i lekarze sugerowaliby ją usunąć, czy dalej byłbyś przeciwnikiem aborcji?
- Dobrze wiesz, że nigdy nie byłem zwolennikiem zaostrzenia ustawy aborcyjnej, co proponuje PiS. Nie mam zamiaru się z tobą kłócić. - Patrzył na nią, kręcąc głową z dezaprobatą. - Czy zdajesz sobie sprawę, co będziemy przeżywać przez te wszystkie następne miesiące? Pomyślałaś chociaż przez chwilę o swoich dzieciach, o rodzicach, o mnie?! Boże, gdyby coś ci się stało... - Głos uwiązł mu w gardle.
- Przestań jojczyć, kochanie. Wszystko będzie okej. W życiu trzeba umieć zaryzykować...
- A ty przestań gadać głupstwa! - krzyknął na nią. Zaraz jednak się opanował. Ujął jej dłoń. - Beata, boję się... - wyszeptał.
Mark postanowił przerwać ich dyskusję i zmienić temat. Ta rozmowa była dla niego coraz bardziej krępująca.
- Musicie państwo spróbować sałatek mojej żony. Specjalnie je dla was przygotowała.
Goście poczęstowali się potrawami przygotowanymi przez Martę. Artur z tego wszystkiego dał się skusić na alkohol, gdy Beata zaproponowała, że będzie kierowcą.

– A jak Zgromadzenie Księży Katechetów przyjęło pańską decyzję o opuszczeniu ich szeregów?

– Cóż, nie za bardzo im się to spodobało. – Znowu za Szydłowskiego odpowiedziała Beata. Ciężkie życie będzie miał z nią ten jej facet, pomyślał w duchu Mark. – Podobno generał przyjął to w miarę spokojnie. Reszta była oburzona, że Artur dla spódniczki poświęca sutannę. Oni nie lubią, gdy ktoś odchodzi z ich klanu w tak spektakularny sposób. Wolą hipokryzję. Woleliby, żeby Artur dalej miał na boku kochankę, oczywiście zachowując dyskrecję, i pozostał w Zgromadzeniu.

– O Boże, Beata, przestań – westchnął bezradnie Szydłowski.

Mark, chcąc załagodzić sytuację, wtrącił z uśmiechem:

– Cóż, zanim mężczyzna zacznie kłócić się z kobietą, powinien zadać sobie jedno pytanie: czy chce mieć rację, czy spokój.

Nic to nie pomogło, bo Beata nie ustąpiła i kontynuowała swój wywód:

– Wiesz, co powiedział kiedyś Karol Darwin na temat ewolucji? Gatunkiem, który przetrwa, nie jest ani ten najsilniejszy, ani najinteligentniejszy, tylko ten, który potrafi się zmieniać. Dotyczy to też katolicyzmu. Jeśli Watykan tego nie zrozumie, to już wkrótce kościoły będą stały puste. Tak jak jest na przykład w Austrii, we Francji i w większości europejskich państw. Kościół katolicki musi się zmienić, musi ewoluować. Przede wszystkim zmienić swój stosunek do antykoncepcji, aborcji i celibatu. Co stanie się z Kościołem polskim, gdy Stwórca wezwie już do siebie obecne moherowe pokolenie, a zostaną ci wychowani i wyedukowani na internecie? Kościół musi zrzucić z siebie skorupę konserwatyzmu, bo straci wszystkie owieczki. I kogo będziecie wtedy strzyc?

O Boże! Biedny facio, jak on z nią wytrzyma wszystkie następne lata – znowu przeleciało Markowi przez myśl. – Chyba lepiej by mu było w sutannie.

– Beata, skończ. Ani mnie, ani tobie o tym decydować – powiedział szorstko Szydłowski. – Tyle zawsze nagadasz się o strzyżeniu owieczek, to powiedz nam prawdę, ile pieniędzy dałaś w swoim życiu na kościół?

– Ja dałam niewiele, bo nie daję się wam strzyc. Ale inni…

– To przestań pieprzyć trzy po trzy, do jasnej cholery! – przerwał jej ostro Szydłowski. Musiał być wyjątkowo wzburzony, jeśli posunął się do przekleństwa. Mark nigdy nie widział go tak wytrąconego z równowagi.

O dziwo, Tomczykowa zamilkła. Zrobiła przepraszającą minę i pocałowała go w policzek.

– Przepraszam, Arturku, już nie będę nic mówić. Ale dobrze, że papież Franciszek to mądry człowiek i rozumie powagę sytuacji. Robi, co może. Tylko nie wiadomo, czy hierarchowie kościelni będą mu na to dłużej pozwalać. – Widząc na czole Artura zmarszczkę niezadowolenia, dodała szybko: – Przepraszam, już nic nie powiem. – Przeniosła wzrok na Bieglera. – Słyszał pan, że ksiądz Ślęzak nie żyje?

– Słyszałem. Szkoda go. Nie znałem go dobrze, ale o ile wiem, był to porządny człowiek.

– Bardzo porządny. Wspaniały człowiek i ksiądz. – Na twarzy kobiety pojawił się cień smutku. – Gdy rozmawiałam z nim ostatni raz, nie wiedziałam, że jest aż tak poważnie chory. Nic nikomu nie mówił o swoim stanie. Myślałam, że pojechał do szpitala w Austrii na operację prostaty, a tymczasem okazało się, że umarł na raka wątroby. Wiadomość o jego śmierci spadła na mnie niczym młot na głowę. Biedak nie dożył uniewinnienia. Jego sprawą zajął się aż prokurator generalny, bo krakowska prokuratura nie była obiektywna. Rozprawę, na której miano uwolnić go z wszystkich zarzutów, przeniesiono na inny termin, ponieważ Ślęzak w tym dniu miał mieć operację. I niestety nie doczekał tej rozprawy...

– A co słychać w Zgromadzeniu? – zapytał Mark, patrząc na Beatę.

– Wybrano nowego prowincjała. Ster władzy przejęli młodzi. Bielecki już nie jest dyrektorem Fundacji. Został nim ksiądz, który był kilka lat na misji na Białorusi. Podobno bardzo porządny i poczciwy. Chce powrócić do idei głoszonych przez Ślęzaka. Bardzo szanował księdza Bolesława, był jego uczniem, chce się na nim wzorować. Obiecał nazwać obiekt w Osieku imieniem księdza Ślęzaka i zrobić wszystko, by przywrócić jego dobre imię. Założono nawet klub przyjaciół księdza Ślęzaka. Byliśmy na jednym takim spotkaniu. Byli jego uczniowie: ci sprzed trzydziestu lat i ci młodzi, wychowankowie z Osieka. Będziemy spotykać się w Osieku co roku 12 czerwca, w dniu jego imienin, bo wtedy je obchodził. My również przyjedziemy ze Słupska. Wierzę w uczciwość nowego dyrektora, wszystko wskazuje na to, że teraz w Fundacji idzie ku dobremu. – Beata wypiła łyk herbaty. Odchrząknęła. – Chociaż Bielecki miał zarzuty prokuratorskie o sprzeniewierzenie majątku i malwersacje, chyba się z tego wykręci. Konfratrzy nie chcą przeciw niemu zeznawać. Cóż, lojalność. Przebąkuje się, że ma opuścić Zgromadzenie. Będzie miał za co rozpocząć nowe życie, gdy braciszek odda mu dolę za fabrykę makaronu.

Mark zauważył, że tym razem Szydłowski nie ucisza swej wybranki, musiało więc być coś na rzeczy.

– Niech mówią, co chcą, ale według mnie Nasiadka i rada Zgromadzenia przyczynili się do śmierci księdza Bolesława. Zabił go stres, który mu zafundowali. Biedak bardzo się przejął całą tą sytuacją, przecież konfratrzy, najbliżsi mu ludzie, oskarżyli go o defraudację i malwersację. I poszli z tym do prokuratora! A potem namawiali go, żeby przyznał się do tego, czego nie zrobił. Żeby wziął na siebie całą winę. To podłość, draństwo i okrucieństwo wobec bliźniego. I kto to zrobił?! Księża, ci, którzy tak dużo mówią o miłosierdziu Bożym i uczą innych życia według Ewangelii. Przecież każdy, kto znał Ślęzaka, wiedział, że on dla Fundacji gotów był oddać ostatnią koszulę. Kiedy były jego imieniny, nie życzył sobie ani kwiatów, ani prezentów, tylko prosił, żeby przeznaczone na to pieniądze dać dzieciom z Fundacji. Przed śmiercią też jego wolą było, żeby na grób nie przynosić kwiatów ani wieńców, tylko datki przeznaczyć na Fundację. I kogoś takiego oskarża się o malwersację?! Jak oni mogli mu to zrobić? – Pokręciła głową z dezaprobaty. – Najgorzej, że po Krakowie krążą o nim złe plotki. Na własne uszy słyszałam, jak jeden z księży diecezjalnych opowiadał o Ślęzaku, że na starość mu odbiło i okradł Fundację. O mało co mu oczu nie wydrapałam.

Zamilkła na chwilę. Wyjęła z torebki chusteczkę i delikatnie, by nie rozmazać makijażu, wytarła nią łzy.

– Za miesiąc miał nam udzielić ślubu... – kontynuowała, pociągając nosem żałośnie. Znowu użyła chusteczki. – Nie będziemy robić wesela, tylko małe przyjęcie w gronie rodzinnym. Generał poprosił o to Artura, bo to trochę niezręcznie, gdy ksiądz zostaje panem młodym... Jestem mu wdzięczna, to znaczy generałowi, że przyspieszył formalności związane z opuszczeniem przez Artura stanu kapłańskiego. Normalnie czeka się na to około dwóch lat.

– Nie wiedziałem, że w tej sytuacji możecie wziąć ślub kościelny – zdziwił się Mark. – Myślałem, że łamiąc śluby kapłańskie, jest się wykluczonym z Kościoła.

– Ależ skąd! – zaprzeczył gwałtownie Szydłowski. – Jeśli ktoś odchodzi z kapłaństwa, wcale nie oznacza, że odchodzi również od

Boga. Nikt nie zmusza nas, żebyśmy byli księżmi. Sami tego pragniemy. Jeśli nie czujemy się na siłach dalej pełnić misji duszpasterzy, wcale to nie oznacza, że zostaniemy ekskomunikowani. Nadal możemy przynależeć do społeczności Kościoła. Chociaż nie jestem już kapłanem, ale nie przestałem być katolikiem.

– Artur znalazł pracę w Słupsku, w pewnej korporacji – przerwała mu Beata. – Wolałby pracować w szkole, z młodzieżą, ale na razie nie potrzebują nauczyciela informatyki. Może dla mnie też znajdzie się kiedyś jakaś praca. A jeśli nie, to mogę dalej sprzątać.

– Beatko, myślisz, że bym ci na to pozwolił? – wtrącił Szydłowski. – Obowiązkiem mężczyzny jest utrzymać rodzinę…

– Trele-morele. Gdy tylko urodzę i trochę odchowam naszego dzidziusia, zaraz znajdę sobie jakieś zajęcie.

– Możesz otworzyć ponownie księgarnię – odparł z uśmiechem.

– Żeby się nazywało, że pracuję? Zobaczymy. Zdarzają się przecież i dochodowe księgarnie.

– A co z pana ręką, panie Arturze? Z tą małą raną na przedramieniu? – zapytał Mark.

– Już się prawie zagoiła.

– To dzięki mnie. – Znowu wtrąciła Beata. Co za gadatliwa z niej baba, pomyślał Biegler. – Jego mama też tak uważa. Podobno miał to przez dwadzieścia lat i nic mu nie pomagało. Teraz dwa razy dziennie smaruję mu to miejsce maścią, którą dostałam od Iwony, a ona od doktora Orłowskiego. Ale to nie zasługa maści, tylko moich pocałunków, bo zawsze przed posmarowaniem całuję go w tę ranę.

– Beata… – Szydłowski spojrzał na nią karcąco.

– Przecież mówię o całowaniu rany, a nie innych miejsc twojego ciała. – Przesłała mu uśmiech szkolnej rozrabiary. – Tak bardzo go kocham, panie Marku. Jestem taka szczęśliwa…

– Beatko… – Szydłowski znowu dał znać oczami, żeby przestała.

Nie musiała mówić o swojej miłości. Uczucie to widać było na jej twarzy, w jej oczach, w zachowaniu. Całe jej ciało aż promieniało szczęściem. Ciągle dotykała dłoni Artura, przytulała się do niego. W jej spojrzeniu było tyle miłości, że nawet ślepy by to zauważył.

Szydłowski również był zakochany, ale nie okazywał tego tak ostentacyjnie, jak robiła to Beata.

Mark patrzył na nich z przyjemnością. Byli przecież od niego kilka lat starsi, a zachowywali się jak zakochane nastolatki.

Nagle coś sobie przypomniał.

– Czy nadal ma pan tego harleya? – zapytał.
– Niestety nie. Sprzedałem go – Szydłowski głośno westchnął.
– Witam w Klubie Mężczyzn Zniewolonych przez Kobiety! – uśmiechnął się Mark. – Miło mi, że nie tylko ja jestem pantoflarzem. Mnie też kobiety zabroniły jeździć na motorze. Nie sprzedałem jednak swojego harleya, nadal trzymam go w garażu. Czasami się przejadę, ale z żoną z tyłu na siodełku. Niestety. Uważa, że jeśli mamy się zabić, to we dwójkę.
– Artur nigdy nie będzie pantoflarzem – oburzyła się Beata. – Kiedy chodził w sutannie, motor był osłodą za to, że musi się wyrzec tylu różnych męskich przyjemności. Teraz ma tyle tych męskich przyjemności, że może się wyrzec tej jednej jedynej. – Znowu się uśmiechnęła łobuzersko.
– Mama i Beata kazały mi go sprzedać, bo Michał chciał na nim jeździć. Rzeczywiście lęk, że komuś bliskiemu może się stać coś złego, jest silniejszy od największej nawet pasji. Dopiero teraz, odkąd jestem ojcem, rozumiem w pełni moją mamę, gdy się o mnie bała. A jaki jest model pańskiego harleya?
– Fat boy.
– O! Takim jeździł Terminator?
– Tak. A pan miał dyna street bob? Widziałem kiedyś pana na nim w Osieku.
– I od razu rozpoznał pan model? – zainteresowała się Beata.
– No cóż, my, harleyowcy, już tak mamy. Był pan na zlocie Harleya w sierpniu w Warszawie?
– Tak. Na każdym ważniejszym zlocie. I na Bemowie na rozpoczęciu sezonu, i w Mrągowie na Pikniku Country. Cóż, skończyło się... – Szydłowski westchnął głośno.
– Nie wzdychaj, Arturku. Syn jednej mojej koleżanki zabił się, jadąc właśnie na taki zlot, a drugi pozostanie kaleką do końca życia – wtrąciła się Beata. – Tę stratę wynagrodzę ci w inny sposób.
– Ach, te kobiety! – włączył się Mark. – Moja żona jest taka sama.
Goście zaczęli zbierać się do wyjścia dopiero przed dwudziestą trzecią.
Już mieli wychodzić, gdy nagle Beata klapnęła się dłonią w czoło.
– Zapomniałabym o najważniejszym – powiedziała, otwierając torebkę. – Panie Marku, przyniosłam panu mój pamiętnik. Zapis naszej miłości. To znaczy mojej i Artura – uśmiechnęła się, wręczając Bieglerowi plik kartek zszytych zszywaczem biurowym. – Musiałam

usunąć niektóre fragmenty, bo Artur mi kazał. Były zbyt intymne. Pisałam go z myślą o panu, panie Marku. Może te zapiski przydadzą się kiedyś panu przy tworzeniu książki, bo słyszałam od Iwony, że się pan przymierza do pisania. – Nieoczekiwanie przytuliła się do Bieglera i pocałowała go w policzek, owiewając go przy tym chmurką zmysłowych perfum. – Mam nadzieję, że jeszcze się kiedyś spotkamy. Zapraszamy pana i żonę do Słupska.

Nazajutrz obudził Marka komisarz Bieda, dobijając się domofonem.

– Co tak wpadasz z samego rana? – Mark ziewnął głośno. – Czy mógłbyś przyjść trzy godziny później, a nie zrywać ludzi skoro świt?

– Odkąd to u nas w Polsce świta o godzinie dziesiątej?

– Miałem wczoraj gości. Była Beata Tomczyk z Szydłowskim – wyjaśniał Mark, przygładzając rozczochrane włosy.

– Grażyna Wiatrowska nie żyje. Dziś w nocy popełniła samobójstwo – powiedział Bieda.

– O cholera! – Mark opadł na fotel. – Boże, dlaczego ona to zrobiła?

– Może dowiesz się tego z listu, który zostawiła dla ciebie.

Mark wziął do ręki białą kopertę. Chwilę trzymał ją, jakby bał się otworzyć. Rozłożył kartkę zapisaną eleganckim, wyrobionym pismem.

„Panie Marku. Jeśli pan czyta mój list, to znaczy, że już mnie nie ma wśród żywych. Pląsam sobie w przestworzach eteru jako neutrino lub smażę się na piekielnym grillu, podlewana gorącą smołą przez pracowite diabełki.

Postanowiłam definitywnie zamknąć księgę mojego ziemskiego żywota. Moje życie, de facto, skończyło się trzydzieści lat temu. Umarłam wraz z moim synkiem i mężem. Tego, co było później, nie można nazwać życiem, jedynie wegetacją, stanem emocjonalnego zawieszenia. Chociaż ciało nadal funkcjonowało, moja dusza zgasła. Człowiek bez rodziny to jak roślina bez korzeni, usycha. Chociaż wyszłam drugi raz za mąż, nie mogłabym nazwać Józefa Trzaski moją rodziną – był mi całkiem obcy.

Pomyliłam się. Wyrok, na jaki skazałam tego łajdaka Nasiadkę, i pośrednio Wesołowskiego, był za surowy. Zasłużyli na karę, ale nie na śmierć. Według mojego moralnego kodeksu ja również muszę odpowiedzieć za swoją zbrodnię. Śmierć za śmierć. Oprócz tego nie chcę dogorywać w więzieniu. Wolę zrobić to szybko.

Wszystkie moje pieniądze zapisałam w testamencie Arturowi Szydłowskiemu. Jest tego trochę: czterysta pięćdziesiąt tysięcy dolarów i moje krakowskie mieszkanko. On będzie wiedział, co z nimi zrobić. Zobowiązałam go jedynie do zadbania o nasz grób – chcę być pochowana razem z moim pierwszym mężem i synem. Resztę pieniędzy niech wyda według swojego uznania, albo na swoją rodzinę, albo na inne cele. Wiem, że to, co zrobi, będzie słuszne. Mam do niego pełne zaufanie.

Życzę Panu i Pańskiej żonie wszystkiego najlepszego. Zawsze miałam do Pana sentyment. I do Artura. Wiem, że gdyby żył mój Piotruś, byłby do Was podobny. Grażyna Wiatrowska".

Od autora

Inspiracją do napisania tej książki był napis na jednym z nagrobków, który zawsze przyciągał moją uwagę, gdy odwiedzałam grób teściów. Z tablicy nagrobnej wyczytałam, że spoczywa tam pewien dwunastoletni ministrant, który w latach siedemdziesiątych ubiegłego wieku zginął w kościele podczas pełnienia posługi ministranckiej.

Nie umarł, nie zginął tragicznie – tylko zginął…

Według relacji mojego męża, który pamięta tę głośną kiedyś sprawę, okoliczności śmierci chłopca osnute były tajemnicą. W owym czasie po Krakowie krążyły różnorakie plotki dotyczące jego śmierci. Jedni mówili, że został zakłuty sztyletem, inni, że uduszony, ale wszyscy zgadzali się w jednym: chłopiec zginął, bo zobaczył coś, czego nie powinien widzieć… Nigdy jednak nie poinformowano opinii publicznej, co się naprawdę wtedy stało.

Niniejsza książka jest fikcją literacką. Nie istnieje Zgromadzenie Księży Katechetów ani Fundacja „Nasze Dzieci". Nie spotkałam nigdy nikogo podobnego do Edwarda Nasiadki ani do księdza Piotra. Znałam natomiast osobiście księdza, na którym wzorowałam postać Bolesława Ślęzaka. Bardzo go ceniłam i szanowałam. Niestety już nie żyje. On również miał podobne problemy jak mój książkowy bohater. Przyznaję, że jego kłopoty w jakiś sposób przyczyniły się do napisania przeze mnie tej książki. Szkoda, że nie może jej przeczytać. Ale nie wiem, czy by mu się spodobała.

Chociaż postaci występujące w mojej powieści nie istnieją w rzeczywistości, tylko na jej kartach, a ich życie jest jedynie książkową fantazją, jednak nie zapominajmy, że czasami rzeczywistość jest bardziej nieprawdopodobna niż fikcja literacka…

Danka Braun

Spis treści

Polecamy inne książki z tej serii autorstwa Danki Braun:

Zabójczy urok bolndynki

Krzysztof Orłowski, syn Renaty i Roberta, wchodzi w dorosłość. Jest podobny do ojca – przystojny i inteligentny. W klasie maturalnej zakochuje się w nieodpowiedniej zdaniem rodziców dziewczynie, przez co zaniedbuje naukę, staje się krnąbrny i opryskliwy. Ponieważ rozmowy z nim nie przynoszą oczekiwanych efektów, Robert postanawia wdrożyć inne metody działania. Razem z Renatą uknuwają misterną intrygę...

Tymczasem z Australii powraca teściowa Renaty. Jest wylewna i uczuciowa, pragnie naprawić dawne szkody. Jej intencje wydają się czyste, szybko zdobywa sympatię członków rodziny. Renata jednak nie potrafi jej zaufać. Czy obawy okażą się słuszne?

Nie zabijaj mnie, kochanie

W wypadku samochodowym ginie Ewa Kruczkowska - emerytowana nauczycielka, dorabiająca akwizycją wyrobów z żeń-szenia. Jej córka Marta jest zdruzgotana, tym bardziej że dopiero po śmierci matki na jaw wychodzą nieznane wcześniej fakty. Tymczasem wszystkie przesłanki wskazują na to, że śmierć Ewy nie była przypadkowa. Wkrótce morderca atakuje ponownie. Marta nie wie, że jest obserwowana przez zabójcę. Nie przypuszcza, że grozi jej niebezpieczeństwo i może stać się kolejną ofiarą. Nieoczekiwanie w życiu dziewczyny pojawiają się dwaj mężczyźni: wybitny krakowski neurochirurg Robert Orłowski i tajemniczy austriacki dziennikarz Mark Biegler. Każdy z nich ma własne powody, żeby pomagać Marcie. Czy ich intencje są szczere? A może to tylko gra, by nie dopuścić do poznania prawdy?

Krwawy medalion

Pod kołami samochodu ginie pacjentka Roberta Orłowskiego, nazywana przez mieszkańców Żurady Świętą Zośką. Okazuje się, że to lekarzowi zapisała w testamencie drewniany dom w lesie i... stary srebrny medalion. Chociaż medalion nie przedstawia znaczącej wartości rynkowej, był dla kobiety wyjątkowo cenny. Pewnego wieczoru Marta, nieślubna córka Orłowskiego, idąc na przyjęcie w Wiedniu, zakłada go na szyję. Medalion wzbudza duże zainteresowanie gości, co wkrótce spowoduje serię tragicznych w skutkach wydarzeń.

Mark Biegler, próbując rozwikłać zagadkę medalionu Świętej Zośki, odkrywa historię zakazanej miłości swojego ojca - czystej krwi Aryjczyka - do młodziutkiej Żydówki. Słuchając opowieści macochy, poznaje losy młodej Gretchen i jej rodziny na tle burzliwych wojennych wydarzeń, których doświadczyła Europa w pierwszej połowie dwudziestego wieku. Jaką tajemnicę skrywa w sobie niepozorny wisior, skoro ktoś jest gotów dla niego zabić? Co łączyło prostą wiejską kobietę spod Olkusza z jedną z najbogatszych żydowskich rodzin przedwojennego Wiednia?

Powieści obyczajowe
oraz polska proza współczesna

prozami

Wydawnictwo Prozami

www.prozami.pl